A VILLA

Nora Roberts

Nora Roberts

A Villa

Tradução
Alda Porto

BERTRAND BRASIL

Copyright © 2001 *by* Nora Roberts

Título original: *The Villa*

Capa: Leonardo Carvalho

Editoração: DFL

2008
Impresso no Brasil
Printed in Brazil

CIP-Brasil. Catalogação na fonte
Sindicato Nacional dos Editores de Livros, RJ

R549v	Roberts, Nora, 1950-
	    A villa/Nora Roberts; tradução Alda Porto. — Rio de Janeiro:
	Bertrand Brasil, 2008.
	    546p.
	
	    Tradução de: The villa
	    ISBN 978-85-286-1323-0
	
	    1. Romance norte-americano. I. Porto, Alda. II. Título.
	
	                        CDD – 813

08-1162	CDU – 821.111 (73)-3

Todos os direitos reservados pela:
EDITORA BERTRAND BRASIL LTDA.
Rua Argentina, 171 – 1º andar – São Cristóvão
20921-380 – Rio de Janeiro – RJ
Tel.: (0xx21) 2585-2070 – Fax: (0xx21) 2585-2087

Atendemos pelo Reembolso Postal.

À família, que forma as raízes.
Aos amigos, que fazem brotar as flores.

Prólogo

Na noite em que foi assassinado, Bernardo Baptista jantou apenas pão e queijo, e tomou uma garrafa de Chianti. O vinho era um pouco novo, ele não. Nenhum dos dois continuaria a envelhecer.

Como o pão e o queijo, Bernardo era um homem simples. Vivia na mesma casinha, nas suaves colinas ao norte de Veneza, desde o casamento, há cinqüenta e um anos. Os cinco filhos haviam sido criados ali e a mulher morrera também ali.

Agora, aos setenta e três anos, morava sozinho, com quase toda a família à distância de uma pedrada, nas cercanias do grandioso vinhedo Giambelli, onde ele trabalhara desde a juventude.

Conhecia *La Signora* desde menina, e desde essa época o ensinaram a tirar o chapéu sempre que ela passava. Mesmo agora, quando Tereza Giambelli voltava da Califórnia para o *castello* e o vinhedo, ela parava sempre que o via. E os dois conversavam sobre os velhos tempos, quando o avô dela e o pai dele trabalhavam nas vinhas.

Signore Baptista, como ela o chamava respeitosamente. Ele tinha grande apreço por *La Signora* e fora leal a ela e aos seus a vida toda.

Durante mais de sessenta anos, Bernardo participara da feitura do vinho Giambelli. Houvera muitas mudanças — algumas boas, em sua opinião, outras nem tanto. Ele já vira muito.

Segundo alguns, demais.

As vinhas, adormecidas pelo acalanto do inverno, logo seriam podadas. A artrite impedia-o de fazer grande parte do trabalho braçal como antes, mas mesmo assim saía todas as manhãs para ver os filhos e os netos darem continuidade à tradição.

Um Baptista sempre trabalhara para a Giambelli. E, na mente de Bernardo, sempre trabalharia.

Nessa última noite, aos setenta e três anos, ele examinava as vinhas — suas vinhas —, vendo o que fora feito, o que precisava ser feito, ouvindo o vento de dezembro assobiar por entre a estrutura da videira.

Da janela por onde o vento tentava esgueirar-se, Bernardo via os esqueletos na firme subida pelas elevações. Iam adquirir carne e vida com o tempo, e não continuar secos e murchos como os de um homem. Era o milagre da uva.

Bernardo via as sombras e formas do majestoso *castello*, que governava aquelas vinhas e todos que as cultivavam.

Era solitário agora, à noite, no inverno, quando apenas os empregados dormiam no *castello* e as uvas ainda tinham de nascer.

Ele queria a primavera, e o longo verão que a seguia, quando o sol lhe aquecia as entranhas e amadurecia a fruta nova. Queria, como sempre parecera querer, mais uma colheita.

Bernardo sentia dores causadas pelo frio no fundo dos ossos. Pensou em aquecer um pouco de sopa que a neta trouxera, mas sua Annamaria não era a melhor das cozinheiras. Com isso em mente, contentou-se com o queijo e tomou o bom e encorpado vinho tinto junto à pequena lareira.

Orgulhava-se daquele trabalho de toda uma vida, parte do qual estava na taça que captava a luz do fogo e fulgia num vermelho muito escuro. A bebida fora um presente, um dos muitos que recebera na aposentadoria, embora todos soubessem que a aposentadoria era apenas um detalhe técnico. Mesmo com os ossos doendo e o coração enfraquecido, Bernardo percorria o vinhedo, provava as uvas, examinava o céu e cheirava o ar.

Vivia pelo vinho.

E por ele morria.

Tomava-o e balançava a cabeça junto ao fogo, com uma manta enrolada nas pernas finas. Por sua mente passavam imagens dos campos banhados de sol, da mulher rindo, dele mesmo mostrando ao filho como escorar a vinha nova para podar a madura. De *La Signora* parada a seu lado entre as fileiras que seus avós haviam cultivado.

Signore Baptista, ela lhe dizia quando ainda tinham o rosto muito jovem, recebemos um mundo. Precisamos protegê-lo.

E assim o fizeram.

O vento assobiava nas janelas da casinha. O fogo se extinguia em brasas.

E quando a dor estendeu a mão como um punho, esmagando-lhe o coração para a morte, seu assassino, a quase dez quilômetros dali e cercado por amigos e associados, saboreava um salmão ao vapor à perfeição e um excelente Pinot Blanc.

PARTE UM

A poda

O homem é um feixe de relações, um nó de raízes,
que tem o mundo como flor e fruto.

RALPH WALDO EMERSON

Capítulo
Um

A bela garrafa de Cabernet Sauvignon 1902, Castello di Giambelli, foi leiloada por cento e vinte e cinco mil e quinhentos dólares americanos. Um dinheirão, pensou Sophia, por um vinho misturado com sentimento. O vinho na primorosa e velha garrafa fora produzido com uvas colhidas no ano em que Cezare Giambelli estabelecera o vinhedo Castello di Giambelli numa faixa de terra montanhosa ao norte de Veneza.

Naquela época o *castello* era uma verdadeira zombaria ou um supremo otimismo, a depender do ponto de vista. A modesta casa e a pequena adega de pedra de Cezare estavam longe de ser majestosas. Mas as vinhas eram régias e ele construíra um império a partir delas.

Após quase um século, talvez até mesmo um superior Cabernet Sauvignon fosse mais palatável borrifado numa salada do que ingerido, mas não lhe cabia discutir com o ricaço que o arrematara. A sua avó tinha razão, como sempre. Pagariam, e regiamente, pelo privilégio de ter um pedaço da história dos Giambelli.

Sophia anotou o lance final e o nome do comprador, embora não fosse provável que esquecesse os dois, para o bilhete que enviaria à avó quando terminasse o leilão.

Ela participava do evento não apenas como a relações-públicas executiva que planejara e realizara a promoção e o catálogo do leilão, mas como representante da família Giambelli nessa exclusiva comemoração de abertura do centenário.

Como tal, sentava-se discretamente nos fundos da sala para observar os lances e a apresentação.

Tinha as pernas cruzadas numa linha longa e elegante. As costas retas, uma disciplina adquirida em internato de freiras. Usava um terninho preto, italiano, de riscas finas, feito sob medida, que conseguia parecer ao mesmo tempo profissional e inteiramente feminino.

Era a idéia exata que fazia de si mesma.

O rosto definido, um triângulo de dourado-claro dominado por grandes e profundos olhos castanhos e a boca larga e inconstante. As maçãs do rosto que pareciam esculpidas com picador de gelo, o queixo, uma ponta de diamante, compondo um semblante parte feérico, parte guerreiro. Ela usava, deliberada e brutalmente, o rosto como uma arma quando parecia mais conveniente.

Acreditava que as ferramentas eram para ser usadas, e bem usadas.

Um ano antes, cortara os cabelos, que batiam na cintura, num curto gorro preto, rematado por uma franja cheia de pontas na testa.

Combinava com ela. Sophia sabia exatamente o que lhe caía bem.

Exibia a única volta de pérolas antigas que a avó lhe dera em seu vigésimo primeiro aniversário, com uma expressão de polido interesse. Pensava nela como a aparência do escritório do pai.

Seus olhos se iluminaram, e os cantos da boca larga curvavam-se ligeiramente, quando se pôs na vitrina o artigo seguinte.

Era uma garrafa de Barolo 1934, do barril que Cezare denominara Di Tereza, em homenagem ao nascimento da avó dela. Essa reserva privada ganhara uma foto de Tereza aos dez anos no rótulo, o ano em que o vinho amadurecera o suficiente no carvalho e fora engarrafado.

Agora, aos sessenta e sete anos, Tereza Giambelli era uma lenda, cuja fama como vinicultora ofuscava até mesmo a do avô.

Aquela era a primeira garrafa desse rótulo oferecida à venda, ou passada para fora da família. Como esperava Sophia, os lances foram rápidos e animados.

O homem sentado ao lado dela bateu no catálogo em que se exibia a foto do rótulo.

— Você se parece com ela.

Sophia mudou ligeiramente de posição, sorriu primeiro para ele — um homem distinto, que pairava desconfortável em algum ponto perto dos sessenta anos —, depois para a foto da moça olhando séria na garrafa de vinho tinto do catálogo.

— Obrigada.

Marshall Evans, ela lembrou. Corretor de imóveis, segunda geração dos quinhentos mais ricos da revista *Fortune*. Ela fazia questão de conhecer os nomes e as estatísticas vitais dos fanáticos por vinho e colecionadores com muito dinheiro e gostos autênticos.

— Eu esperava que *La Signora* assistisse ao leilão de hoje. Ela está bem?

— Muito bem. Mas, fora isso, ocupada.

O bipe no bolso de seu paletó vibrou. Vagamente aborrecida com a interrupção, Sophia ignorou-o para ver os lances. Percorreu a sala com os olhos, observando os sinais. O erguer casual de um dedo na terceira fila elevou o preço em mais quinhentos. Um sutil aceno de cabeça na quinta cobriu o lance.

No fim, o Barolo deixou para trás o Cabernet Sauvignon em mil e quinhentos, e ela se voltou para estender a mão ao homem a seu lado.

— Parabéns, Sr. Evans. Sua contribuição à Cruz Vermelha Internacional terá bom uso. Em nome dos Giambelli, a família e a empresa, espero que desfrute o prêmio.

— Disso, não há dúvida. — Ele tomou-lhe a mão e levou-a aos lábios. — Tive o prazer de encontrar *La Signora* muitos anos atrás. É uma mulher extraordinária.

— É, sim.

— Talvez a neta aceitasse jantar comigo hoje à noite.

Era velho o bastante para ser pai dela, mas Sophia também era européia o bastante para julgar isso um impedimento. Em outra ocasião, teria aceito e sem dúvida gostado da companhia dele.

— Desculpe — disse —, mas eu tenho um compromisso. Talvez em minha próxima viagem ao leste, se você estiver livre.

— Vou dar um jeito de estar.

Pondo um certo calor no sorriso, ela se levantou.

— Se me der licença.

Deslizou para fora da sala e pegou o bipe no bolso para conferir o número. Foi até o salão do banheiro das mulheres, olhou o relógio de pulso e tirou o telefone da bolsa. Após teclar o número, sentou-se num dos sofás e pôs a caderneta de notas e a agenda eletrônica no colo.

Após uma longa e exaustiva semana em Nova York, ainda estava acelerada e, verificando os apontamentos, satisfeita por ter tempo para encaixar algumas compras antes de precisar trocar de roupa para o jantar marcado.

Jeremy DeMorney, pensou. Isso queria dizer uma noite elegante e sofisticada. Restaurante francês, discussão de pratos, viagem e teatro. E, claro, vinho. Como descendia dos DeMorney da vinícola La Coeur, e era um alto executivo ali, e ela vinha da cepa dos Giambelli, haveria algumas tentativas brincalhonas de arrancar segredos empresariais um do outro. E champanhe. Ótimo, ela estava no clima.

Tudo seguido de uma revoltante tentativa romântica de levá-la para a cama. Ela imaginava se estaria no clima para isso também.

Ele era atraente, e a coisa podia ser divertida, pensou. Talvez se os dois não soubessem que o pai dela um dia dormira com a esposa dele, a idéia de um pequeno romance entre eles não pareceria tão incômoda, e meio incestuosa.

Ainda assim, vários anos se haviam passado...

— Maria. — Sophia guardou Jerry e a noite próxima no canto da mente quando a criada dos Giambelli atendeu. — Tenho um telefonema de minha mãe no celular. Ela pode atender?

— Ah, sim, Srta. Sophia. Ela esperava a sua ligação. Só um instante.

Sophia imaginou a mulher atravessando toda a ala, examinando os aposentos em busca de alguma coisa para arrumar, quando Pilar Giambelli Avano já teria, ela própria, arrumado tudo.

Mama, pensou Sophia, ficaria contente numa pequena cabana coberta de rosas, onde pudesse assar pão, fazer o trabalho de agulha e cuidar do jardim. Devia ter tido meia dúzia de filhos, pensou com um suspiro. E teve de se contentar comigo.

— Sophia, eu estava saindo da estufa. Espere. Me deixe recuperar o fôlego. Não esperava que me ligasse de volta tão rápido. Achei que estaria no meio do leilão.

— Acabou. E acho que posso dizer que foi um absoluto sucesso. Vou mandar por fax um memorando dos detalhes hoje à noite, ou logo cedo pela manhã. Agora preciso voltar e amarrar as pontas soltas. Está tudo bem aí?

— Mais ou menos. A sua avó convocou uma conferência de cúpula.

— Oh, Mama, ela não vai agonizar de novo. Já passamos por tudo isso seis meses atrás.

— Oito — corrigiu Pilar. — Mas, fazer o quê? Sinto muito, querida, mas ela insiste. Acho que não planeja morrer desta vez, mas planeja alguma coisa. Chamou os advogados para outra revisão do testamento. E me deu o broche de camafeu da mãe dela, o que significa que está pensando à frente.

— Eu achei que ela já o tinha dado da última vez.

— Não, da última vez foram as contas de âmbar. Ela mandou chamar todo mundo. Você precisa voltar.

— Tudo bem. Tudo bem. — Sophia olhou a agenda eletrônica e soprou um beijo de despedida para Jerry DeMorney. — Vou terminar aqui e irei. Mas realmente, mamãe, esse novo hábito dela de morrer ou revisar o testamento de poucos em poucos meses é muito inconveniente.

— Você é uma boa menina, Sophia. Vou deixar minhas contas de âmbar pra você.

— Muito obrigada.

Com uma risada, Sophia desligou.

Duas horas depois, já voava para o oeste e especulava se dali a quarenta anos teria o poder de estalar os dedos e fazer todo mundo atender correndo.

Só a idéia a fez sorrir ao recostar-se com uma taça de champanha e Verdi tocando nos fones de ouvido.

NEM TODO MUNDO ATENDEU CORRENDO. TYLER MACMILLAN podia estar a minutos, e não a horas, da Villa Giambelli, mas considerava as vinhas uma atividade muito mais importante que uma convocação de *La Signora*.

E foi o que disse.

— Ora, Ty. Você pode tirar algumas horas.

— Agora, não. — Ty andava de um lado para outro no escritório, ansioso por voltar aos campos. — Sinto muito, vovô. Você sabe como é vital a poda do inverno, e Tereza também. — Transferiu o celular para o outro ouvido. Odiava celulares. Vivia perdendo-os. — As vinhas MacMillan precisam de tanto cuidado quanto as Giambelli.

— Ty...

— Você me pôs no comando aqui. Estou fazendo meu trabalho.

— Ty — repetiu Eli. Sabia que com o neto tinha-se de pôr tudo num nível bem básico. — Tereza e eu somos tão dedicados à MacMillan quanto às vinhas sob o rótulo Giambelli, e assim tem sido há vinte anos. Você foi posto no comando porque é um vinhateiro excepcional. Tereza tem planos. E esses planos envolvem você.

— Na semana que vem.

— Amanhã. — Eli não fincava pé com freqüência; não era o seu jeito de agir. Mas, se necessário, sabia fazê-lo de uma forma implacável. — Uma hora da tarde. Almoço. E se arrume direito.

Ty franziu a testa e olhou as botas antigas e as bainhas puídas das calças grossas.

— É o meio do maldito dia.

— Você é o único na MacMillan capaz de podar vinhas, Tyler? Ao que parece, perdeu vários empregados durante a última estação.

— Vou estar aí. Mas me diga uma coisa...

— Claro.

— Esta é a última vez que ela vai morrer por algum tempo?

— À uma da tarde — respondeu Eli. — Tente chegar na hora.

— Tá bom, tá bom, tá bom — murmurou Tyler, mas só depois de desligar o telefone.

Adorava o avô. Adorava até mesmo Tereza, talvez por ser tão teimosa e irritante. Quando o avô se casara com a herdeira Giambelli, Tyler tinha onze anos. Apaixonara-se pelos vinhedos, a elevação das colinas, as sombras das grutas, as grandes cavernas que eram as adegas.

E, num sentido muito real, apaixonara-se por Tereza Louisa Elana Giambelli, a figurinha macérrima, reta como uma vara e meio aterrorizante que vira pela primeira vez de botas e calças não tão diferentes das suas, atravessando a passos largos os pés de mostarda entre as fileiras de uvas.

Ela lhe dera uma olhada, erguera uma sobrancelha fina como um fio de navalha e julgara-o frágil e urbano. Disse-lhe que, se ia ser seu neto, teria de endurecer-se.

Ordenara-lhe que ficasse na villa durante o verão. Ninguém pensara em discutir a questão. Certamente não os pais dele, que haviam ficado mais que felizes por verem-no pelas costas durante um extenso período e poderem voar para festas e amantes. Por isso ele ficara, pensava Tyler agora, dirigindo-se para a janela. Um verão após outro, até as vinhas serem mais um lar para ele que a casa em São Francisco, até ela e o avô serem mais seus pais que sua mãe e pai.

Ela o fizera. Podara-o aos onze anos e treinara-o para tornar-se o que era.

Mas não era dona dele. Irônico, ele pensou, que todo o trabalho de Tereza moldara-o na única pessoa sob a égide dela com mais probabilidade de ignorar suas ordens.

Era mais difícil, claro, ignorar as ordens quando ela e o avô se uniam. Com um encolher de ombros, Tyler deixou o escritório. Podia tirar algumas horas, e eles sabiam tanto disso quanto ele. Os vinhedos MacMillan empregavam os melhores, e ele podia facilmente ausentar-se a maior parte de uma estação com confiança nos que deixava no comando.

O simples fato era que odiava os grandes e prolongados eventos que os Giambelli geravam. Invariavelmente pareciam um circo, com todos os três picadeiros lotados de números pitorescos. Não se conseguia acompanhar os acontecimentos, e sempre era possível um dos tigres saltar fora da jaula e partir para a garganta da gente.

Todas aquelas pessoas, questões, fingimentos e sombrias influências ocultas. Ele se sentia mais feliz andando pelos vinhedos, verificando os barris ou conversando com um de seus vinicultores sobre as qualidades do Chardonnay daquele ano.

Os deveres sociais eram simplesmente isso. Deveres.

Ele contornou a encantadora alameda da casa que pertencera ao avô e entrou na cozinha para reabastecer de café a garrafa térmica. Meio ausente, largou na bancada o celular que ainda trazia e começou então a rearrumar seu programa na cabeça para atender *La Signora.*

Não era mais urbano, nem frágil. Tinha pouco mais de um metro e oitenta, o corpo esculpido pelo trabalho no campo e uma preferência pela vida ao ar livre. Mãos largas, duras de calos, dedos compridos que sabiam mergulhar delicadamente sob as folhas e pegar as uvas. Os cabelos tendiam a encaracolar-se se ele esquecesse de mandar aparar, o que muitas vezes acontecia; eram de um castanho-escuro que mostrava sinais de ruivo, como um borgonha envelhecido à luz do sol. O rosto de ossos salientes era mais áspero do que bonito, com rugas que começavam a abrir-se em leque dos olhos azul-claros e calmos que podiam endurecer-se como aço.

A cicatriz no queixo, que ele ganhara com um tropeção numa pilha de pedras aos treze anos, só o aborrecia quando começava a barbear-se.

O que, lembrou a si mesmo, teria de fazer antes do almoço no dia seguinte.

Os que trabalhavam para ele consideravam-no um homem justo, embora às vezes voltado a um único objetivo. Tyler teria apreciado a análise. Também o consideravam um artista, e isso o teria intrigado.

Para ele, o artista era a uva.

Mergulhou no ar seco do inverno. Ainda restavam duas horas antes do pôr-do-sol e muitas vinhas a cuidar.

D ONATO GIAMBELLI TINHA UMA DOR DE CABEÇA DE REVOL-tantes proporções. Ela se chamava Gina e era sua esposa. Quando chegara a intimação de *La Signora*, ele estava feliz da vida empenhado em fazer sexo de revirar os olhos com a atual amante, uma aspirante a atriz de múltiplos talentos e com força suficiente nas coxas para quebrar nozes. Ao contrário da esposa, exigia apenas o ocasional badulaque e a suada travessura sexual três vezes por semana. Não exigia conversa.

Às vezes ele achava que era só o que Gina exigia.

Ela tagarelava com ele. Tagarelava com cada um dos três filhos deles. Tagarelava com a sogra até o ar no jato da empresa vibrar com a interminável torrente de palavras.

Entre ela, o berreiro do bebê, as pancadas do pequeno Cezare e os pinotes de Tereza Maria, Don pensava a sério em abrir o alçapão e empurrar toda a família para fora do avião rumo ao esquecimento.

Só a mãe dele não falava, e apenas porque tomara um sonífero, um comprimido contra enjôo em avião, outro antialérgico, e Deus sabe o que mais, mandara tudo para dentro com duas taças de Merlot antes de pôr a máscara nos olhos e apagar.

Ela passara a maior parte da vida, pelo menos a parte que ele conhecia, medicada e apagada. No momento, ele considerava isso uma sabedoria superior.

Restava-lhe apenas ficar sentado, as têmporas latejando e mandando a tia Tereza para o inferno por insistir que toda a família fizesse aquela viagem.

Era vice-presidente executivo da Giambelli em Veneza, não era? Qualquer negócio que se precisasse fazer exigia a sua presença, não a da família.

Por que Deus o atormentara com uma família como aquela?

Não que Don não os amasse. Claro que amava. Mas o bebê era gordo como um peru, e lá estava Gina puxando um seio para a boca faminta.

Antes, aquele seio fora uma obra de arte, pensou. Dourado, firme e com gosto de pêssego. Agora, esticado como um balão enchido demais e, se ele estivesse a fim de provar, temperado com baba de bebê.

E a mulher já estava fazendo alarde sobre ter ainda mais um.

A mulher com quem se casara era madura, sensual, com uma boa libido, mas a cabeça era vazia. Fora a perfeição. Em cinco breves anos, tornara-se gorda, desleixada e só pensava nos bebês.

Era de admirar que ele buscasse conforto em outra parte?

— Donny, eu acho que *Zia* Tereza vai dar uma *grande* promoção a você, e todos nos mudaremos para o castelo.

Ela cobiçava a majestosa casa Giambelli — todos aqueles belos aposentos, todos os empregados. Os filhos seriam criados no luxo, com privilégios.

Belas roupas, as melhores escolas e, um dia, a fortuna dos Giambelli a seus pés.

Era ela a única que dava bebês a *La Signora*, não era? Isso contava muito.

— Cezare — disse ao filho quando ele arrancou a cabeça da boneca da irmã. — Pare com isso! Agora você fez sua irmã chorar. Vamos, vamos, me dê a boneca. Mama vai consertar.

O pequeno Cezare, olhos brilhando, olhou rindo para trás e começou a provocar a irmã.

— Inglês, Cezare! — Ela brandiu o dedo para ele. — Nós vamos para os Estados Unidos. Você vai falar inglês com a *Zia* Tereza e mostrar a ela como é inteligente. Vamos, vamos.

Tereza Maria, chorando pela morte da boneca, pegou a cabeça e correu de um lado para outro da cabine, numa agitação de dor e raiva.

— Cezare! Faça o que mamãe mandou.

Em resposta, o menino jogou-se no chão, debatendo-se.

Don levantou-se, saiu cambaleando e foi trancar-se no refúgio de seu escritório a bordo.

ANTHONY AVANO GOSTAVA DAS MELHORES COISAS. ESCOlhera a cobertura dúplex na Back Bay em São Francisco com cuidado e deliberação, depois contratara o mais caro decorador da cidade para equipá-la ao seu estilo. Status e classe eram altas prioridades. Tê-las sem precisar fazer qualquer esforço verdadeiro, outra.

Ele não via como alguém podia viver com conforto sem esses elementos básicos.

Os aposentos refletiam o que Anthony julgava um gosto clássico — das paredes em chamalote de seda aos tapetes orientais, até os reluzentes móveis de carvalho. Ele, ou o decorador, escolhera ricos tecidos em tons neutros com poucos salpicos de cores fortes artisticamente distribuídos.

Haviam-lhe dito que a arte moderna, que nada significava em absoluto para ele, formava um ousado contraponto com a elegância moderna.

Anthony dependia muito dos serviços de decoradores, alfaiates, corretores, joalheiros e marchands para cercar-se do melhor.

Sabia-se que alguns de seus detratores diziam que Tony Avano nascera com gosto. E todo na boca. Não seria ele quem iria contestar aquela afirmação. Mas o dinheiro, em sua opinião, comprava todo o gosto necessário.

Uma coisa ele conhecia. E era vinho.

Podia dizer-se que suas adegas se achavam entre as melhores da Califórnia. Cada garrafa fora pessoalmente selecionada. Embora não distinguisse uma uva Sangiovese de uma Semillon na videira, e não se interessasse pelo cultivo da parreira, tinha um nariz superior. E esse nariz subia firme a escada empresarial na Giambelli da Califórnia. Trinta anos antes, casara-se com Pilar Giambelli.

O nariz levara menos de dois anos para começar a farejar outras mulheres.

Tony era o primeiro a admitir que as mulheres constituíam a sua fraqueza. Eram tantas, afinal. Amara Pilar tão profundamente quanto era capaz de amar outro ser humano. Sem dúvida, amara a posição privilegiada na organização Giambelli como marido da filha de *La Signora* e pai da neta da patroa.

Por esses motivos, durante muitos anos tentara ser bastante discreto com sua fraqueza particular. Chegara mesmo a tentar, várias vezes, corrigir-se.

Mas sempre havia outra mulher, macia e cheirosa ou quente e sedutora. Que se ia fazer?

A fraqueza acabara por custar-lhe o casamento, num sentido técnico, embora não legal. Ele e Pilar viviam separados havia sete anos. Nenhum dos dois dera um passo sequer para o divórcio. Ela, ele sabia, porque o amava. E ele porque parecia problema demais e teria desagradado seriamente Tereza.

De qualquer modo, no que lhe dizia respeito, a atual situação convinha muito bem a todos. Pilar preferia o campo; ele, a cidade. Os dois mantinham uma relação de amizade polida, até mesmo razoavelmente amistosa. E ele manteve a posição como o diretor-presidente de vendas da Giambelli na Califórnia.

Durante sete anos eles trilharam essa linha civilizada. Agora ele receava estar prestes a cair pela borda.

Rene insistia no casamento. Como um rolo compressor forrado de seda, tinha um jeito de avançar para uma meta e aplainar todos os obstáculos no caminho. As discussões com ela deixavam Tony bambo e tonto.

A amante sentia um ciúme violento, arrogante, exigente e inclinado a gélidos amuos.

E ele era louco por ela.

Aos trinta e dois anos, Rene era vinte e sete mais moça que ele, fato que acariciava o seu bem desenvolvido ego. O fato de saber que ela era tão interessada em seu dinheiro quanto no resto não o perturbava. Respeitava-a por isso.

Receava que, se lhe desse o que queria, perderia o motivo de ela o querer.

Era uma situação dos diabos. Para resolvê-la, Tony fez o que em geral fazia em relação às dificuldades. Ignorava-as pelo tempo humanamente possível.

Examinando a vista da baía, tomando um pouco de vermute, ele esperava que Rene acabasse de se vestir para a saída noturna. E receava que seu tempo houvesse acabado.

A campainha da porta o fez virar-se, com uma leve carranca. Não esperavam ninguém. Na verdade, era a noite de folga do mordomo e ele foi verificar quem era. A carranca desapareceu ao abrir a porta e ver a filha.

— Sophia, que bela surpresa!

— Pai.

Ela se ergueu um pouco nas pontas dos pés e beijou-o na face. Um homem de beleza estonteante como sempre, pensou. Bons genes e um excelente cirurgião plástico lhe serviram bem. Sophia fez o melhor possível para ignorar a instintiva e súbita pontada de ressentimento, e tentou concentrar-se na igualmente instintiva e rápida pontada de amor.

Ela parecia viver puxada para lados opostos em relação ao pai.

— Acabei de voltar de Nova York e queria ver você antes de ir para a villa.

Examinou o rosto dele — liso, quase sem rugas e, sem dúvida, despreocupado. Os cabelos negros raiados de um modo atraente com fios cinza nas têmporas, os profundos olhos azuis límpidos. Ele tinha um queixo duplo com uma covinha no meio. Ela adorava enfiar o dedo ali quando criança e fazê-lo rir.

O amor por ele percorreu-a, misturando-se numa bagunça com o ressentimento. Era sempre assim.

— Vejo que vai sair — ela disse, notando o smoking.

— Daqui a pouco. — Ele pegou a mão dela e puxou-a para dentro. — Mas temos tempo suficiente. Sente-se, princesa, e me diga como vai você. Toma alguma coisa?

Inclinou para ela o copo que segurava. Sophia cheirou e aprovou.

— O que você está bebendo seria ótimo.

Ela examinou a sala quando ele se encaminhou para o armário de bebidas. Um dispendioso pretexto, pensou. Tudo exibição sem substância. Típico do pai.

— Vai subir amanhã?

— Subir pra onde?

Ela virou a cabeça quando ele voltou.

— Pra villa.

— Não, por quê?

Ela pegou a taça, pensando enquanto bebia.

— Não recebeu um telefonema?

— Sobre o quê?

As lealdades puxavam e se embaralhavam de um lado para outro dela. Ele tapeara sua mãe, ignorava com toda indiferença os votos matrimoniais desde que Sophia se lembrava, e no fim deixara as duas quase sem um olhar para trás. Mas ainda era família, e a família estava sendo chamada à villa.

— *La Signora*. Uma de suas conferências de cúpula com os advogados, segundo me disseram. Talvez você quisesse estar presente.

— Ah, bem, realmente, eu ia...

Interrompeu-se quando Rene entrou.

Se havia um pôster da amante-troféu, pensou Sophia, o gênio fervendo, seria de Rene Foxx. Alta, curvilínea e louríssima. O vestido Valentino emoldurava um corpo bronzeado de arrasar e conseguia parecer discreto e elegante.

Os cabelos puxados para cima caíam lisos atrás para realçar o belo rosto emoldurado pela boca sensual — botox, pensou Sophia, maldosa — e astutos olhos verdes.

Escolhera diamantes para combinar com o Valentino, e eles brilhavam e tremeluziam contra a pele polida.

Exatamente quanto, pensou Sophia, custara ao pai aquelas pedras?

— Oi. — Sophia tomou outro gole de vermute para lavar um pouco do amargor da língua. — Rene, não é?

— Sou, e tenho sido há quase dois anos. Ainda é Sophia?

— Sou, há vinte e seis.

Tony pigarreou. Nada, pensou, era mais perigoso que duas mulheres se alfinetando.

— Rene, Sophia acabou de chegar de Nova York.

— É mesmo? — Divertindo-se, Rene pegou o copo de Tony e tomou um gole. — Isso explica por que você está parecendo meio desgastada pela viagem. Estamos indo a uma festa. Você é bem-vinda para juntar-se a nós — acrescentou, passando o braço pelo de Tony. — Devo ter alguma coisa no armário que lhe cairia bem.

Se desejasse engalfinhar-se com Rene, pensou Sophia, não seria após um vôo de costa a costa e no apartamento do pai. Escolheria o tempo e o lugar certos.

— É uma coisa a pensar, mas eu me sentiria meio sem jeito usando um vestido obviamente tão grande. E — acrescentou cobrindo de açúcar as palavras — estou indo para o norte. Negócios de família. — Largou a taça. — Aproveitem a noite.

Dirigiu-se à porta, onde Tony a alcançou para dar-lhe no ombro um tapinha rápido e tranqüilizante.

— Por que não vem com a gente, Sophia? Você está ótima assim como está. Você é linda.

— Não, obrigada. — Ela se voltou e os olhos dos dois se encontraram. Era uma expressão que ela já se acostumara demais a ver para ser eficaz. — Não estou me sentindo muito festiva.

Ele piscou os olhos quando a filha fechou a porta em sua cara.

— O que ela queria? — perguntou Rene.

— Só deu uma passada, como eu disse.

— Sua filha jamais faz coisa alguma sem motivo.

Ele deu de ombros.

— Talvez tenha pensado que a gente podia ir junto de carro para o norte pela manhã. Tereza mandou uma intimação.

Rene estreitou os olhos.

— Você não me falou nisso.

— Eu não recebi. — Ele descartou todo o assunto e pensou apenas na festa, que impressão causaria a entrada dele e de Rene. — Você está fabulosa, Rene. É uma vergonha cobrir esse vestido, mesmo com pele de marta. Quer que eu pegue sua capa?

— Que quer dizer com não recebeu? — Rene largou o copo vazio na mesa. — Sua posição na Giambelli certamente é mais importante que a de sua filha. — E ela pretendia fazer com que assim continuasse. — Se a velha está chamando a família, você vai. Vamos de carro amanhã.

— Nós? Mas...

— É a oportunidade perfeita pra você tomar uma posição, Tony. Vai dizer a Pilar que quer o divórcio. Vamos voltar cedo da festa, para estarmos os dois com as idéias claras.

Ela se aproximou dele e correu o dedo pelas suas faces.

Sabia que, com Tony, a manipulação exigia firmes exigências e recompensas físicas, em ponderada fusão.

— E, quando voltarmos hoje à noite, vou mostrar a você exatamente o que pode esperar quando estivermos casados. Quando voltarmos, Tony... — Ela se ergueu e mordeu de leve o lábio inferior dele. — Você pode fazer o que quiser.

— Vamos simplesmente pular a festa.

Ela deu uma risada e escorregou para longe das mãos dele.

— É importante. E vai dar tempo a você pra pensar no que quer fazer comigo. Pegue minha pele, sim, querido?

Ela própria se sentia como uma pele de marta nessa noite, pensou, enquanto Tony ia obedecer à sua ordem.

Sentia-se rica nessa noite.

Capítulo
Dois

Uma fina camada de neve cobria o vale e as colinas que dele subiam. As vinhas, soldados muito arrogantes e às vezes temperamentais, galgavam as encostas, lanceando a silenciosa neblina com os galhos nus que transformavam em sombras suaves as montanhas em volta.

Sob a madrugada perolada, os vinhedos tremiam e dormiam.

Esse pacífico cenário ajudara a gerar uma fortuna, uma fortuna que seria mais uma vez apostada, estação após estação. Tendo a natureza como parceira e inimiga.

Para Sophia, a fabricação do vinho era uma arte, um negócio, uma ciência. Mas também o maior jogo que havia.

De uma janela na villa da avó, examinava o campo do jogo. Era a estação da poda e ela imaginava enquanto viajava que as vinhas já haviam sido acessadas, analisadas, e os primeiros estágios para o ano seguinte iniciados. Sentia-se feliz por ter sido chamada de volta, para ver parte disso ela própria.

Quando se ausentava, o negócio do vinho ocupava todas as suas energias. Raras vezes pensava no vinhedo quando vestia a camisa empresarial. E sempre que voltava, como agora, quase não pensava em outra coisa.

Ainda assim, não podia demorar-se muito. Tinha deveres em São Francisco. Uma nova campanha publicitária a ser retocada. O centenário da Giambelli estava apenas levantando vôo. E, com o sucesso do leilão em Nova York, as próximas etapas iriam exigir sua atenção.

Um velho vinho para um novo século, pensou. Villa Giambelli: começa o novo século de excelência.

Mas eles precisavam de uma coisa nova, uma coisa atraente para o mercado mais jovem. Os que compravam vinho de passagem — um súbito impulso para levar a uma festa.

Bem, pensaria nisso. Era seu trabalho pensar nisso.

E o fato de concentrar a mente nisso a tiraria do pai e da intrigante Rene.

Não era da sua conta, pensou Sophia. Não era absolutamente de sua conta se o pai queria enganchar-se com uma ex-modelo de lingerie, com o coração do tamanho e textura de uma uva-passa. Ele já bancara o bobo antes, e sem dúvida iria bancar de novo.

Ela desejava poder odiá-lo por isso, por aquela patética fraqueza de caráter e a benigna negligência com a filha. Mas o amor firme e duradouro simplesmente não se afastava. O que a tornava, supunha, tão boba quanto sua mãe.

Ele não ligava tanto para nenhuma das duas quanto para o corte de um terno. E não lhes dedicava dois minutos de pensamento depois que saíam de seu campo de visão. Era um sacana. Totalmente egoísta, esporadicamente afetuoso e sempre despreocupado.

E isso, ela supunha, era parte do seu charme.

Quisera não ter passado lá na noite anterior, desejava não se sentir obrigada a manter aquela ligação entre eles, independentemente do que o pai fizesse ou deixasse de fazer.

Melhor, pensou, manter-se em movimento como fizera nos últimos anos. Viajando, trabalhando, enchendo o tempo e a vida com obrigações profissionais e sociais.

Dois dias, decidiu. Daria dois dias à avó, passar esse tempo com ela e a família, no vinhedo e na fábrica vinícula.

A nova campanha seria a melhor da indústria. Ela providenciaria para que fosse.

Ao examinar as colinas, viu duas figuras atravessando a neblina. O homem, alto e magro, com um velho chapéu pardo na cabeça. A mulher, ereta como uma vara, em botas e calças masculinas, os cabelos brancos como a neve em que os dois pisavam. Uma collie Border andava com dificuldade entre eles. Eram os avós, dando seu passeio matinal com a velha e eternamente fiel Sally.

A visão dos dois elevou o ânimo de Sophia. Mudasse o que mudasse em sua vida, quaisquer que fossem os ajustes feitos, aquilo era uma constante. *La Signora* e Eli MacMillan. E as vinhas.

Ela se precipitou da janela para pegar o casaco e ir juntar-se aos dois.

AOS SESSENTA E SETE ANOS, TEREZA GIAMBELLI TINHA O corpo e a mente esculpidos e afiados como navalhas. Ela aprendera a arte da vinha sentada no joelho do avô. Viajara com o pai para a Califórnia quando tinha apenas três anos, para transformar a terra do maduro vale em vinho. Tornara-se bilíngüe e viajara de um lado para outro entre a Califórnia e a Itália como outras mocinhas viajavam para parques de diversão.

Aprendera a amar as montanhas, a floresta densa, o ritmo das vozes americanas.

Não era o lar, jamais seria o lar como fora o *castello*. Mas ela fizera ali o seu lugar e sentia-se satisfeita com isso.

Casara-se com um homem que obtivera a aprovação de sua família e aprendera a amá-lo também. Com ele, gerara uma filha e, para sua dor eterna, dois filhos natimortos.

Enterrara o marido quando ele tinha apenas trinta anos. E jamais adotara o nome dele nem o dera à filha única. Ela era Giambelli, e essa herança, essa responsabilidade, era mais vital e mais sagrada até mesmo que o casamento.

Tinha um irmão a quem amava e que era padre e cuidava de seu rebanho em Veneza. Outro morrera como soldado antes de ter de fato vivido. Ela reverenciava a memória dele, apesar de vaga.

E tinha uma irmã que considerava uma tola, na melhor das hipóteses, que trouxera ao mundo uma filha mais tola ainda.

Coubera-lhe continuar a linhagem da família, a arte da família. E o fizera.

Seu casamento com Eli MacMillan fora muito bem pensado, escrupulosamente planejado. Ela o considerara uma fusão, pois seus vinhedos eram de primeira e aninhavam-se abaixo dos dela no vale. Era um bom homem e, o mais importante em seus cálculos, um bom vinicultor.

Ele cuidara dela, mas outros homens tinham feito o mesmo. Ela gostava da companhia dele, mas gostara da companhia de outros. No fim, julgara-o parecido com uma uva Merlot, o mais suave suco adocicado misturado com o dela, o mais forte e reconhecidamente mais áspero da Cabernet Sauvignon.

A combinação certa podia produzir excelentes resultados.

Seu consentimento à proposta de casamento com ele dependera de complexos e detalhados arranjos comerciais, que beneficiaram as duas empresas e a satisfizeram.

Mas Tereza, que raras vezes se surpreendia, surpreendera-se ao encontrar conforto, prazer e simples satisfação num casamento que agora se aproximava do vigésimo ano.

Ele ainda era um homem de bela aparência. Tereza não fazia abatimentos nesses assuntos, quando o assunto eram os genes. Para ela, o que formava um homem era tão importante quanto o que o homem fazia de si mesmo.

Embora fosse dez anos mais velho, ela não via sinal algum no marido de que se curvasse à idade. Ainda se levantava ao amanhecer todo dia e caminhava com ela, independentemente do tempo.

Confiava nele como não confiara em homem algum desde o avô, e cuidava mais dele do que de qualquer homem que não fosse do seu sangue.

Ele conhecia todos os planos dela, e a maioria de seus segredos.

— Sophia chegou ontem à noite.

— Ah. — Eli pôs a mão no ombro dela, enquanto os dois seguiam entre as fileiras. Era um gesto simples e habitual para ele. Tereza levara algum tempo para acostumar-se àquele toque casual de um homem, de um marido. Levaria um tempo maior ainda para passar a depender disso. — Você achava que ela não viria?

— Eu sabia que viria. — Tereza acostumara-se demais a ser obedecida para duvidar disso. — Se tivesse vindo direto de Nova York, teria chegado mais cedo.

— Então, tinha um encontro. Ou fez algumas compras.

Ela estreitou os olhos. Eram quase negros e ainda penetrantes na visão distante. Também tinha voz penetrante e transmitia a música exótica de sua terra.

— Ou parou para ver o pai.

— Ou parou para ver o pai — concordou Eli, no seu jeito vagaroso e à vontade. — A lealdade é um traço que você sempre admirou, Tereza.

— Quando merecida. — Às vezes, por mais que ela gostasse dele, a interminável tolerância do marido a deixava enfurecida. — Anthony Avano merece apenas repugnância.

— Um homem digno de pena, mau marido e pai medíocre. — O que o tornava, pensou Eli, muito semelhante ao próprio filho. — Mas ele continua a trabalhar pra você.

— Eu o acolhi com demasiada intimidade na Giambelli nos primeiros anos. — Ela confiara nele, pensou, vira potencial no marido da filha. Fora enganada por ele. Isso, jamais perdoaria. — Ainda assim, ele sabe vender. Eu uso qualquer instrumento que desempenha sua tarefa. Demiti-lo tempos atrás teria sido uma satisfação pessoal e uma insensatez profissional. O que é melhor para a Giambelli é que é o melhor. Mas eu não gosto de ver minha neta paparicar o sujeito. *Uh.*

Afastou as lembranças do genro com um impaciente aceno da mão.

— Vamos ver como ele recebe o que eu tenho a dizer hoje. Sophia deve ter contado a ele que eu a chamei. Por isso ele veio.

Eli parou e voltou-se.

— E isso era exatamente o que você queria. Sabia que ela iria contar a ele.

Os olhos escuros dela faiscaram e o sorriso era frio.

— E daí se eu queria?

— Você é uma mulher difícil, Tereza.

— Sou, sim. Obrigada.

Ele riu e, balançando a cabeça, recomeçou a andar com ela.

— Suas declarações hoje vão causar problemas. Ressentimento.

— Espero que sim. — Ela parou para examinar algumas das vinhas mais novas escoradas por telas de arame. Ali seria necessária a poda dos galhos, pensou. Só os mais fortes poderiam crescer. — A complacência torna-se podridão, Eli. Deve-se respeitar a tradição e explorar a mudança.

Ela percorreu a terra com os olhos. A neblina era densa e o ar, úmido. O sol não iria atravessá-la nesse dia, teve certeza.

Os invernos, pensou, tornavam-se mais longos a cada ano.

— Eu plantei algumas dessas vinhas com minhas próprias mãos — continuou. — Vinhas que meu pai trouxe da Itália. À medida que foram envelhecendo, fizemos novas a partir delas. As novas devem sempre ter espaço para afundar as raízes, Eli, e as maduras têm direito ao respeito delas. O que eu construí aqui, o que nós construímos em nosso tempo juntos, é nosso. Eu farei o que achar melhor com isso, e por isso.

— Você sempre fez. Neste caso, como na maioria das vezes, eu concordo com você. Isso não significa que teremos uma fácil temporada pela frente.

— Mas uma estação de excelente qualidade. Este ano... — Ela estendeu a mão para virar um talo nu. — Uma safra ótima e rara, eu sei. — Voltou-se e viu a neta subindo a colina, correndo em direção a eles. — Ela é tão linda, Eli.

— É. E forte.

— Vai precisar ser — disse Tereza e adiantou-se para tomar as mãos de Sophia nas suas. — *Buon giorno, cara. Come va?*

— *Bene, bene.* — As duas se beijaram, de mãos unidas. — *Nonna.* — Sophia recuou e examinou o rosto da avó. Era um rosto bonito, não fofo e bonitinho como a moça no rótulo feito tanto tempo atrás, mas forte, quase feroz. Esculpido, pensava sempre a neta, tanto pela ambição como pelo tempo. — Você está maravilhosa. E você.

Virou-se para abraçar Eli. Ali era tudo muito simples. Ele era Eli, só Eli, o único avô que ela algum dia conhecera. Seguro, amoroso e sem complicação.

Ele a suspendeu um pouco ao abraçá-la, de modo que os dedos dos pés dela apenas se ergueram do chão. Isso a fez rir e agarrar-se.

— Eu vi vocês da janela. — Recuou quando os pés tocaram o chão, depois se abaixou para dar tapinhas e alisar a paciente Sally. — Vocês três são uma pintura, *O Vinhedo*, eu diria — continuou, endireitando-se para abotoar a jaqueta de Eli na garganta, contra o frio. — Que manhã!

Fechou os olhos, inclinando a cabeça para trás e inspirando fundo. Sentia o cheiro da umidade, do sabonete do avô e do tabaco que ele devia ter escondido num dos bolsos.

— Teve sucesso na viagem? — perguntou Tereza.

— Tenho memorandos. Meus memorandos têm memorandos — acrescentou Sophia, tornando a rir ao passar o braço pelos deles, para poderem andar juntos. — Você vai ficar satisfeita, *Nonna.* E eu tenho algumas idéias brilhantes, digo com alguma modéstia, sobre a campanha de promoção.

Eli olhou-a e, quando viu que Tereza não ia fazer comentários, bateu na mão da neta. O problema, pensou, iria começar muito cedo agora.

— A poda começou. — Sophia notou os novos cortes nas vinhas. — Na MacMillan também?

— Sim. É tempo.

— Parece que ainda falta muito pra colheita. *Nonna*, vai me dizer por que trouxe todos nós aqui? Sabe que eu adoro ver você, e Eli, e Mama. Mas o preparo das vinhas não é o único trabalho que se exige na Giambelli.

— Falaremos disso depois. Agora vamos tomar o café-da-manhã, antes que aqueles monstros do Donato cheguem e nos deixem loucos.

— *Nonna.*

— Depois — disse de novo Tereza. — Ainda não chegaram todos.

A VILLA GIAMBELLI FICAVA NUMA PEQUENA ELEVAÇÃO NO centro do vale, ao lado de uma floresta que haviam deixado tornar-se selvagem. As pedras da casa surgiam douradas, vermelhas e escuras quando a luz batia nelas e eram muitas as janelas. A fábrica de vinho, ou o lagar, fora construída como réplica de uma na Itália e, embora a houvessem expandido e modernizado de uma forma impiedosa, continuava funcionando.

Acrescentara-se uma sala de degustação, com atraentes acessórios, onde os clientes podiam, com hora marcada, saborear os produtos junto com pães e queijos. Os clubes de vinho eram recebidos com pródigos eventos quatro vezes por ano, e os escritórios ali ou em São Francisco organizavam as excursões.

Embarcava-se o vinho, comprado na própria fábrica nessas ocasiões, para qualquer parte do mundo.

As caves, com seu ar frio e úmido, que varavam as colinas, eram usadas para armazenamento e envelhecimento do vinho. Os campos onde se haviam construído a Villa Giambelli e suas instalações estendiam-se por mais de quarenta hectares, e durante a colheita até o ar cheirava à promessa de vinho.

O pátio central da villa fora calçado com ladrilhos vermelhos Chianti e ostentava uma fonte onde Baco, risonho, erguia para sempre a sua longa taça. Quando passasse o inverno, poriam dezenas e dezenas de vasos para que o espaço se avivasse com flores e aromas.

A mansão também tinha doze dormitórios e quinze banheiros, um solário, um salão de baile e uma sala de jantar formal para sessenta convidados. Havia salas dedicadas à música e outras que celebravam os livros. Salas de trabalho e de contemplação. Nas paredes, uma coleção de arte italiana e americana que não ficava atrás de nenhuma outra.

Havia piscinas dentro e fora da casa, e uma garagem para vinte carros. Os jardins eram uma fantasia.

As sacadas e os terraços rendilhavam a pedra e uma série de degraus oferecia à família e aos hóspedes entradas e saídas privadas.

Apesar do tamanho, as áreas espaçosas e os inestimáveis tesouros, a casa era, sem dúvida, um lar.

Na primeira vez que Tyler a vira, julgara-a um castelo, cheio de aposentos enormes e corredores intrincados. No momento, julgava-a uma prisão, onde fora condenado a passar demasiado tempo com demasiadas pessoas.

Queria estar do lado de fora, ao ar livre, cuidando das vinhas e tomando café forte de uma garrafa térmica. Em vez disso, via-se acuado no salão da família bebendo um excelente Chardonnay. O fogo estalava alegremente na lareira, elegantes tira-gostos e aperitivos estavam espalhados por toda a sala em bandejas de cerâmica italiana colorida.

Ele não entendia por que as pessoas gastavam tempo e trabalho com aquelas comidinhas minúsculas quando montar um sanduíche era tão mais rápido e fácil.

Por que a comida tinha de ser um acontecimento tão maldito? E imaginava que, se ele dissesse tal heresia numa casa de italianos, seria linchado na hora.

Fora obrigado a trocar as roupas de trabalho por calças e suéter — sua idéia de traje formal. Pelo menos não se metera num terno como... como se chamava o cara? Don. Don de Veneza, com a mulher que usava maquiagem demais, jóias demais e sempre parecia ter um bebê se esgoelando grudado em alguma parte do corpo.

Também falava demais, e ninguém, sobretudo o marido, parecia dar a menor atenção.

Francesca Giambelli Russo, a mãe de Don, quase não falava. Um grande contraste com *La Signora*, pensava Tyler. Jamais se diria que eram irmãs. Ela era a magra e enxuta, uma mulherzinha etérea, que ficava pregada na cadeira e parecia morrer de susto se alguém lhe falasse diretamente.

Ty tinha sempre o cuidado de não fazer isso.

O menino pequeno, se é que se podia chamar de menino pequeno um pestinha, esparramava-se no tapete esmagando dois caminhões um contra o outro. A collie Border de Eli, Sally, escondia-se sob as pernas de Sophia.

Pernas sensacionais, notou Tyler, meio ausente.

Tinha uma aparência elegante e polida, como sempre, uma coisa tirada de um filme e jogada ali em três dimensões. Parecia fascinada pelo que Don lhe dizia e mantinha no rosto dele aqueles olhos grandes e cor-de-chocolate escuro. Mas Ty viu quando ela discretamente empurrou para Sally os aperitivos. O movimento fora furtivo e calculado demais, para não desviar a atenção da conversa.

— Pegue aí. As azeitonas recheadas estão excelentes.

Pilar juntou-se a ele com uma pequena bandeja.

— Obrigado. — Tyler mexeu-se. De todos os Giambelli, era com ela que se sentia mais à vontade, Pilar jamais esperava dele intermináveis conversas só para ouvir a própria voz. — Alguma idéia de quando vai rolar essa reunião?

— Quando Mama estiver pronta, não antes. Segundo minhas fontes, o almoço foi marcado para as catorze horas, mas não consigo descobrir por quem estamos esperando. Seja quem for, e do que se trate, Eli parece contente. É um bom sinal.

Ele ia dar um grunhido, mas lembrou-se da boa educação.

— Esperemos que sim.

— Não vemos você por aqui há semanas... tem andado ocupado — ela disse ao mesmo tempo que ele falara, e rira. — Naturalmente. O que andou aprontando, além dos negócios?

— E existe outra coisa?

Com um balançar de cabeça, ela tornou a empurrar-lhe as azeitonas.

— Você se parece mais com minha mãe do que qualquer de nós. Não ia se encontrar com alguém no verão passado? Uma loura? Pat, Patty?

— Patsy. Na verdade, não encontrar. Apenas tipo... — Ele fez um gesto. — Você sabe.

— Querido, você precisa sair mais. E não apenas pra... você sabe.

Era uma coisa tão maternal a dizer que ele teve de sorrir.

— Posso dizer a mesma coisa de você.

— Oh, eu sou apenas uma velha coroca.

— A coroca mais linda da sala — ele respondeu, fazendo-a mais uma vez rir.

— Você sempre é um amor quando quer.

E o comentário, mesmo de um homem que ela considerava uma espécie de filho substituto, lhe animou o espírito, que parecia esmorecer nos últimos dias.

— Mamãe, você está monopolizando as azeitonas.

Sophia correu e pegou uma das bandejas. Ao lado da mãe, composta e bela, ela era uma descarga elétrica, estalando de energia. Daquele tipo que nos dá choques repentinos e inesperados quando nos aproximamos demais.

Ou, pelo menos, assim parecia a Ty.

Por esse simples motivo, sempre tentara manter uma segura e confortável distância.

— Rápido, fale comigo. Você ia simplesmente me deixar amarrada ao chato do Don para sempre? — resmungou Sophia.

— Pobre Sophia. Bem, veja a coisa assim. Na certa é a primeira vez em semanas que ele pôde dizer cinco palavras ao mesmo tempo sem que Gina o interrompesse.

— Acredite, ele mereceu. — Ela revirou os olhos negros e exóticos. — E aí, Ty, como vai você?

— Beleza.

— Dando duro pra MacMillan?

— Claro.

— Conhece alguma palavra com mais de duas sílabas?

— Algumas. Eu achava que você estivesse em Nova York.

— E estava — ela disse, imitando o tom dele e torcendo os lábios. — Agora estou aqui. — Olhou para trás quando os dois pequenos primos começaram a guinchar e soluçar. — Mamãe, se eu algum dia fui tão chata, como você deixou de me afogar na fonte?

— Você não era chata, querida. Exigente, arrogante, temperamental, mas nunca chata. Desculpe.

Ela entregou a bandeja a Sophia e foi fazer o que sempre fizera melhor. A paz.

— Creio que eu devia ter feito isso — disse Sophia com um suspiro, olhando a mãe pegar a insuportável menininha. — Mas nunca vi duas crianças tão pouco atraentes em minha vida.

— Isso vem de serem mimadas e ignoradas.

— Ao mesmo tempo? — Ela pensou um pouco e examinou Don, que ignorava o filho a berrar, e Gina a fazer-lhe arrulhos. — Bem observado — decidiu.

E então, como os pirralhos não eram problema seu — graças a Deus —, voltou a atenção de novo para Tyler.

Ele era um... senhor homem, concluiu. Parecia uma coisa esculpida das montanhas Vaca que guardavam o vale. E sem dúvida mais atraente à vista que o faniquito do pirralho malcriado lá atrás.

Agora, se ao menos pudesse arrancar dele uma conversa razoável, teria uma boa ocupação até servirem o almoço.

— Alguma dica sobre o tema de nossa reuniãozinha hoje? — perguntou Sophia.

— Não.

— E diria se soubesse?

Ele encolheu os ombros e viu Pilar murmurando com a pequena Tereza, enquanto a levava para a janela lateral. Parecia espontânea. Tipo a Virgem Maria, supunha que fosse a palavra adequada. E por causa disso a criança irritável e furiosa assumia uma aparência atraente.

— Por que acha que as pessoas têm filhos, quando não vão lhes dar qualquer atenção verdadeira?

Sophia ia falar, mas interrompeu-se quando o pai e Rene entraram na sala.

— Boa pergunta — murmurou e, tirando a taça da mão dele, acabou de tomar o vinho. — Uma pergunta danada de boa.

Na janela, Pilar ficou tensa e todo o simples prazer que sentira distraindo a infeliz menininha se esvaiu.

Sentiu-se na mesma hora desmazelada, sem atrativos, velha, gorda, azeda. Ali estava o homem que a descartara. E a última da longa lista de substitutas. Mais jovem, mais bela, mais sexy.

Como sabia que a mãe não o faria, porém, Pilar pôs a criança no chão e adiantou-se para recebê-los. Encaminhava-se com um sorriso simpático e descontraído, que adornava um rosto muito mais atraente do que ela supunha. A calça e o suéter simples que usava eram mais elegantes e mais femininos que o sofisticado terno de executivo de Rene.

E os seus modos tinham uma classe inata que continha faíscas mais autênticas que os diamantes.

— Tony, que bom que você pôde vir! Oi, Rene.

— Pilar. — Rene deu um sorriso fraco e levou a mão ao braço de Tony. O diamante no dedo captou a luz. Ela esperou uma fração de segundo para ter certeza de que a outra o visse e registrasse o significado. — Você parece... descansada.

— Obrigada — disse Pilar, a parte de trás dos joelhos se dissolvendo. Sentia-se perdendo apoio de uma forma tão completa quanto se Rene houvesse enfiado neles a ponta do escarpim vermelho. — Por favor, entrem, sentem-se. Querem beber alguma coisa?

— Não se preocupe, Pilar. — Tony descartou-a, curvando-se para dar-lhe um selinho na face. — Só vamos dizer um oi a Tereza.

— Vá atrás de sua mãe — murmurou Ty.

— Como? — perguntou Sophia.

— Vá, dê uma desculpa e tire sua mãe daqui.

Ela entendeu então, viu o diamante no dedo de Rene, a palidez do choque no rosto da mãe. Empurrou a bandeja para ele e atravessou a sala.

— Mama, pode me ajudar numa coisa por um minuto?

— Sim... Só me deixe...

— Só vai levar um segundo — continuou Sophia, puxando rápido a mãe para fora da sala.

Apenas seguiu andando até chegarem bem longe no corredor e entrarem na biblioteca em dois níveis. Ali, fechou as portas e encostou-se nelas.

— Mama, eu sinto muito.

— Oh. — Tentando sorrir, Pilar passou a mão trêmula pelo rosto. — Lá se vai a minha idéia de que eu podia sair dessa.

— E saiu magnificamente. — Sophia correu para a mãe quando esta se deixou cair numa poltrona. — Mas eu conheço aquele rosto. — Ela envolveu as mãos da mãe nas suas. — E ao que parece Tyler também. O anel é pura ostentação, e óbvio, exatamente como ela.

— Oh, querida. — O riso de Pilar era tenso, mas ela tentou. — É deslumbrante, lindo... como ela. Está tudo bem. — Mas já girava a aliança de ouro que continuava a usar. — Realmente, está tudo bem.

— O diabo que está. Eu odeio essa mulher. Odeio os dois e vou voltar lá e dizer isso a eles agora mesmo.

— Não vai não. — Pilar levantou-se, agarrou Sophia pelos braços. Revelaria tão claramente a dor que sentia nos olhos da filha a sua própria? E era culpa sua? Teria aquele limbo em que vivera arrastado a filha para o vácuo? — Não vai resolver nada, mudar nada. Não há sentido no ódio, Sophia. Só vai prejudicar você.

Não, pensou Sophia. Não. Isso nos fortalece.

— Tenha raiva! — exigiu. — Fique furiosa, ressentida e puta da vida.

Fique *alguma coisa*. Qualquer coisa, menos magoada e derrotada. Eu não consigo suportar isso, pensou.

— Fique você, querida. — Pilar correu as mãos num gesto tranqüilizador pelos braços da filha acima e abaixo. — É muito melhor do que eu faria.

— Entrarem aqui daquele jeito. Simplesmente entrarem e esfregarem isso na cara da gente. Ele não tem o direito de fazer isso com você, mamãe, nem comigo.

— Ele tem o direito de fazer o que quiser. Mas fez mal.

Desculpas, admitiu. A mãe passara quase trinta anos criando desculpas para Anthony Avano. Um hábito difícil de abandonar.

— Não deixe que ele a magoe. Ainda é seu pai. Aconteça o que acontecer, sempre será.

— Ele jamais foi um pai pra mim.

Pilar empalideceu.

— Oh, Sophia.

— Não. Não. — Furiosa consigo mesmo, Sophia ergueu a mão. — Eu sou odiosa. Isso não é comigo, mas não posso evitar que seja. Não é nem com ele — disse, acalmando-se. — Ele é indiferente. Mas ela, não. Ela sabia o que estava fazendo. Como queria fazer. E eu odeio Rene por vir à nossa casa dar uma de grande senhora em cima de você... não, porra, em cima de nós não. Todos nós.

— Você está ignorando um fator, querida. Rene talvez ame seu pai.

— Oh, por favor.

— Você é tão cética. Eu amei Tony, por que ela não poderia?

Sophia afastou-se num rodopio. Queria chutar alguma coisa, quebrar alguma coisa. E pegar os cacos afiados e varrê-los pelo perfeito rosto californiano de Rene.

— Ela ama o dinheiro dele, a posição dele, a porra da conta bancária dele.

— É provável. Mas ele é o tipo de homem que faz as mulheres amá-lo... sem esforço.

Sophia captou a típica melancolia na voz da mãe. Ela mesma jamais amara um homem, mas reconhecia o som de uma mulher que amara. Que ainda amava. E isso, o desamparo disso, a fez extravasar sua raiva.

— Você não deixou de amá-lo.

— Se eu não tivesse deixado, estaria melhor. Sophie, me prometa uma coisa. Não provoque uma cena.

— Eu detesto abrir mão dessa satisfação, mas creio que um gélido desinteresse terá mais impacto. De uma forma ou de outra, quero tirar aquela expressão arrogante da cara dela.

Voltou, beijou as faces da mãe e abraçou-a. Ali podia amar, e amava, sem sombras nem manchas.

— Vai ficar bem, mamãe?

— Vou. Minha vida não muda, muda? — Oh, e a idéia disso era danosa. — Nada muda de fato. Vamos voltar.

— Eu lhe digo o que vamos fazer — começou Sophia, quando voltaram à sala. — Vou fazer uns malabarismos com minha agenda e conseguir uns dois dias livres. Aí nós duas iremos a um spa. Vamos afundar até o pescoço na lama, fazer tratamento facial, massagem, esfregar e hidratar o corpo. Gastar montes de dinheiro em produtos de beleza muito acima do preço que jamais vamos usar e descansar de roupão o dia todo.

A porta do banheiro se abriu quando elas passavam, e uma morena de meia-idade saiu.

— Ora, isso me parece maravilhosamente atraente. Quando partiremos?

— Helen? — Pilar levou a mão ao coração ao se curvar para beijar o rosto da amiga. — Você quase me matou de susto.

— Oh, me desculpe. — Tive de correr pra fazer xixi. — Helen ajeitou a saia do duas-peças cinza-escuro nos quadris que vivia tentando reduzir, para assegurar-se de que se achava no lugar. — Foi todo aquele café que tomei na vinda. Sophia, você está deslumbrante! E aí... — Mudou a bolsa de posição e endireitou os ombros. — Os suspeitos de sempre no salão?

— Mais ou menos. Eu não percebi que mamãe falava de você, quando disse que os advogados viriam — explicou Sophia.

E, pensou Sophia, se a avó chamara a juíza Helen Moore, isso significava coisa séria.

— Porque Pilar também não sabia, nem eu, até alguns dias atrás. Sua avó insistiu que eu cuidasse deste assunto pessoalmente.

Helen direcionou os olhos argutos para o salão.

Estivera envolvida com os Giambelli e sua empresa, de uma forma ou de outra, havia quase quarenta anos. Eles nunca deixavam de fasciná-la.

— Ela está mantendo todos vocês no escuro? — perguntou.

— É o que parece — murmurou Pilar. — Helen, ela tem razão, não tem? Eu interpretei essa última coisa de mudança do testamento e tudo o mais como parte da fase que ela vem atravessando no último ano, desde que o *Signore* Baptista morreu.

— Até onde eu sei, em termos de saúde, *La Signora* está saudável como sempre. — Helen ajeitou os óculos de aros escuros e dirigiu à mais velha amiga um sorriso de estímulo. — Como advogada de Tereza, não posso falar mais de suas motivações, Pilar. Mesmo que as compreendesse inteiramente. O espetáculo é dela. Por que não vamos ver se ela está pronta para a apresentação?

Capítulo
Três

L a *Signora* jamais se apressava a dar as instruções. Planejava o menu pessoalmente, estabelecendo o tom para o suntuoso e para o informal. Os vinhos servidos eram dos vinhedos da Califórnia, Giambelli e MacMillan. Também isso era planejado com toda meticulosidade.

Não discutia negócios durante as refeições. Nem, para grande aborrecimento de Gina, permitia que os três filhos mal-educados dela se sentassem à mesa.

Haviam sido mandados para o quarto das crianças com uma empregada que receberia um extra, e o considerável respeito de Tereza, se agüentasse uma hora com elas.

Quando se dignou a falar com Rene, foi com fria formalidade. Por causa disso, sentiu relutante admiração pela desfaçatez da mulher. Outras, muitas outras, teriam se encolhido visivelmente sob tal frieza.

Junto com a família, e Helen, a quem considerava um dos seus, convidara o vinicultor de sua maior confiança e a mulher. Paulo Borelli trabalhara para a Giambelli da Califórnia durante trinta e oito anos. Apesar da idade, ainda o chamavam de Paulie. A mulher, Consuelo, era rechonchuda, alegre, tinha uma sonora risada e fora antes auxiliar de cozinha na villa.

O acréscimo final era Margaret Bowers, chefe de vendas da MacMillan. Divorciada, com trinta e seis anos, parecia no momento prestes a perder os sentidos de tanta chateação com a conversa fiada de Gina, e desejava, desesperadamente, um cigarro.

Tyler captou o olhar dela e deu-lhe um sorriso solidário.

Margaret às vezes também o desejava, desesperadamente.

Após retirar-se a comida e servir-se o vinho do Porto, Tereza recostou-se.

— O Castello di Giambelli comemora seu centenário daqui a um ano — começou. Logo a conversa parou. — A Villa Giambelli vem fazendo vinho no Napa Valley há sessenta e quatro anos. A MacMillan, há noventa e dois. — Percorreu a mesa com os olhos. — Cinco gerações de vinicultores e negociantes de vinho.

— Seis, *Zia* Tereza — disse Gina, trêmula. — Com meus filhos, são seis.

— Pelo que vi, seus filhos têm mais chance de ser assassinos em série que vinicultores. Por favor, não interrompa.

Ergueu o Porto, cheirou-o e tomou um gole devagar.

— Nessas cinco gerações, ganhamos uma reputação, nos dois continentes, por produzirmos vinho de alta qualidade. O nome Giambelli *é* vinho. Estabelecemos tradições e as misturamos com novas formas, nova tecnologia, sem sacrificar esse nome e o que ele significa. Jamais o sacrificaremos. Vinte anos atrás, estabelecemos uma espécie de parceria com uma outra excelente vinicultura. A MacMillan, do Napa Valley, correu lado a lado com a Giambelli da Califórnia. A parceria envelheceu bem. É hora de ser decantada. — Ela sentiu, mais que viu, a tensão de Tyler. Deu-lhe notas altas por segurar a língua e agora recebia o olhar dele. — As mudanças são necessárias, e para o bem das duas empresas. Os próximos cem anos começam agora. Donato.

Ele saltou em posição de sentido.

— *Sì*, sim — corrigiu, lembrando que ela preferia inglês à mesa da Califórnia. — Sim, tia Tereza.

— As Giambelli da Itália e da Califórnia têm corrido exclusivas uma da outra. Separadas. Isso não vai ocorrer mais. Você vai prestar contas ao executivo-chefe de operações responsável pela recém-formada empresa Giambelli-MacMillan, que terá bases na Califórnia e em Veneza.

— Que quer dizer isso? Que quer dizer isso? — explodiu Gina em italiano, levantando-se de um salto, desajeitada, da mesa. — Donato é o responsável. É o próximo na linha de sucessão. Ninguém mais deu filhos à família, além de mim e Donato. Quem vai continuar o nome da família quando você se for senão meus filhinhos?

— Você negocia com o útero? — perguntou Tereza sem alterar a voz.

— É fértil — ela revidou, ríspida, mesmo com o marido tentando empurrá-la de volta na cadeira. — Mais do que o seu e do que o de sua filha. Um bebê cada uma, só. Eu posso ter uma dúzia.

— Então que Deus nos ajude. Você vai manter sua ótima casa, Gina, e o dinheiro no bolso. Mas não vai se ver como a senhora do *castello*. Meu *castello* — acrescentou friamente Tereza. — Pegue o que lhe dão ou perca muito mais.

— Gina, *basta!* Chega — ordenou Don e levou um tapa na mão pelo transtorno.

— Você é uma velha — disse Gina entre os dentes. — Um dia vai estar morta, eu não. Então veremos.

Saiu varrida da sala.

— *Zia Tereza, scusi* — começou Donato e foi interrompido por um gesto incisivo.

— Sua mulher não lhe dá crédito algum, Donato, e seu traba'' está aquém das minhas expectativas. Tem de corrigir os pr' neste ano. Vai permanecer no cargo na Giambelli até a é' xima poda. Então vamos reavaliar. Se eu estiver satisf' promovido, com um salário e as vantagens pertinent' trário, vai ficar na empresa apenas no papel. Não aceitarei que alguém do meu sangue seja afastado, mas você não achará a vida tão fácil quanto a que tem. Entendido?

Donato sentiu a gravata apertada demais e a refeição que acabara de fazer ameaçava revolver no seu estômago.

— Eu trabalhei para a Giambelli durante dezoito anos.

— Trabalhou doze. Tem comparecido nos últimos seis, e mesmo esses comparecimentos foram irregulares recentemente. Acha que não sei o que você faz ou o que deixa de fazer com seu tempo? Acha que desconheço qual é seu *trabalho* quando faz viagens a Paris, Roma, Nova York e à Califórnia à custa da Giambelli? — Ela esperou o golpe pousar, viu o leve brilho de suor no rosto dele. E se decepcionou mais uma vez com ele. — Sua mulher é uma idiota, Donato, mas eu não. Tome cuidado.

— Ele é um bom menino — disse Francesca, baixinho.

— Talvez tenha sido. Talvez ainda seja um bom homem. Margaret, queira perdoar a histrionice da família. Nós somos temperamentais.

— Claro, *La Signora.*

— Você, Margaret, se preferir aceitar, vai supervisionar e coordenar os chefes de venda das Giambelli-MacMillan da Califórnia e de Veneza. Isso exigirá viagens freqüentes e mais responsabilidade de sua parte, com o adequado aumento de salário. Será necessária em Veneza daqui a cinco dias pra estabelecer a base lá e familiarizar-se com a operação. Tem até amanhã pra decidir se quer pensar nesse arranjo, e, se quiser, conversaremos sobre os detalhes.

— Eu não preciso de tempo para decidir, obrigada. — Margaret manteve a voz enérgica, uniforme, e o coração martelando como uma furiosa arrebentação. — Terei o maior prazer em conversar sobre os detalhes em qualquer momento que lhe convier. — Deslocou-se para Eli e assentiu com a cabeça. — Sou muito grata aos dois pela oportunidade.

— Bem falado. Amanhã então. Paulie, já discutimos nossos pla- es e agradeço o levantamento das informações e a discrição. Você vai ajudar na coordenação da operação nos campos, no lagar. Conhece os melhores homens aqui e na MacMillan. Vai trabalhar como capataz.

— Eu tenho apenas respeito por Paulie. — A voz de Ty saiu calma, embora raiva e frustração lhe pusessem garras gêmeas na garganta. — Pelos talentos e instintos dele. Tenho apenas admiração pela operação aqui na villa, e pelas pessoas nela envolvidas. E o mesmo pelo que sei da Giambelli de Veneza. Mas temos uma operação e pessoas de alta qualidade na MacMillan. Não quero essa operação nem essas pessoas ofuscadas pelas suas, *La Signora*. A senhora tem orgulho do que realizou e do que realizaram os seus, do legado que herdou e pretende transmitir. Eu também tenho do meu.

— Ótimo. Então escute. E pense. — Ela fez um gesto para Eli.

— Ty, Tereza e eu não chegamos a essa decisão da noite pro dia, nem de forma leviana. Nós discutimos isso por um longo tempo.

— Vocês não fizeram o favor de me incluir nessas discussões — começou Ty.

— Não. — Eli interrompeu antes que o calor que viu acumulando-se nos olhos do neto pudesse fulgir. — Não fizemos. Nós resolvemos, com Helen, como deveriam ser satisfeitas as obrigações impostas pela lei e as formalidades. Planejamos as estratégias de como implementar essa verdadeira fusão em proveito de todos os envolvidos... não só pra esta estação, mas pra estação daqui a cem anos. — Ele curvou-se para frente. — Acha que quero menos pra MacMillan do que você? E menos pra você do que quer pra si mesmo?

— Eu não sei o que você quer. Achei que soubesse.

— Então vou esclarecer, aqui e agora. Fazendo isso, vamos nos tornar não apenas um dos maiores produtores de vinho do mundo, mas os melhores do mundo. Você vai continuar a supervisionar a MacMillan.

— Supervisionar?

— Com Paulie como capataz, e você como operador, como vinicultor. Com alguns adendos.

— Você conhece os campos, Ty — disse Tereza. Entendia o ressentimento dele. Isso a satisfazia. Aquela raiva quente, sufocante, significava que isso tinha importância para ele. Teria de ter uma grande importância. — Você conhece as vinhas e os barris. Mas o que faz e o que aprende pára na garrafa. É hora de continuar a avançar daí. Há mais coisas no vinho que a uva. Eli e eu pretendemos ver nossos netos unidos.

— Netos? — interrompeu Sophia.

— Quando você trabalhou pela última vez nos campos? — Tereza exigiu saber. — Qual foi a última vez que provou vinho não desarrolhado de uma bela garrafa tirada de um armário ou um balde resfriado? Você abandonou suas raízes, Sophia.

— Não abandonei nada — disparou Sophia de volta. — Não sou fabricante de vinho. Sou relações-públicas e divulgadora.

— Vai passar a ser. E você — ela disse, apontando para Ty — vai aprender o que é vender, comercializar e embarcar o vinho pra ser transportado. Vão ensinar um ao outro.

— Oh, realmente, *Nonna*...

— Calada. Você tem este ano. Pilar, Sophia não vai ter muito tempo para se dedicar aos seus compromissos habituais. Você vai preencher esta lacuna.

— Mama. — Pilar teve de rir. — Eu não sei nada sobre comercialização nem promoção.

— Tem uma cabeça boa. É hora de tornar a usá-la. Para sermos bem-sucedidos, a gente vai precisar de toda a família. — Tereza desviou o olhar para Tony. — E de outras pessoas. Você vai continuar nas vendas e, por enquanto, manter seu cargo e privilégios aqui. Mas vai prestar contas, como fazem Donato e todos os chefes e gerentes de departamento, ao executivo-chefe de operações. De agora em diante, temos um relacionamento apenas comercial. Não venha mais à minha casa nem à minha mesa sem ser convidado.

Um rebaixamento. O cargo dele era uma coisa. O salário, e as vantagens a longo prazo, outras bem diferente. Ela tinha o poder de tirar todo o dinheiro dele. Tony usou o único escudo que tinha:

— Eu sou o pai de Sophia.

— Eu sei o que você é.

— Com a sua licença, *signora.* — Rene falou com meticulosa polidez, acentuada por aço. — Se me permite falar.

— Você é, convidada ou não, uma pessoa sob meu teto. Que deseja dizer?

— Percebo que minha presença aqui não é muito bem-vinda. — Ela não alterou o tom de voz nem desgrudou os olhos dos de Tereza. — E meu relacionamento com Tony não tem sua aprovação. Mas ele é, e foi, um patrimônio para a sua empresa. Como eu pretendo ser um pra ele, que só pode beneficiar a senhora.

— Isso ainda precisa ser visto. Queira nos dar licença. — Tereza percorreu a mesa com os olhos. — Helen, Eli e eu precisamos falar com Sophia e Tyler. O café será servido no salão. Aproveitem, por favor.

— Você manda — começou Sophia, tremendo de raiva quando os demais saíram em fila da sala —, e está feito. *Nonna*, você se habituou tanto a isso que acha que pode mudar vidas com algumas palavras?

— Todo mundo tem uma opção.

— Cadê a opção? — Sem poder continuar sentada, ela se levantou de um salto. — Donato? Ele nunca trabalhou fora da empresa, sua vida é absorvida por ela. Tyler? Tem dedicado todo o seu tempo e energia para a MacMillan desde que era menino.

— Eu posso falar por mim mesmo — rebateu Tyler.

— Oh, feche a matraca. — Ela o interrompeu. — Cinco palavras seguidas dão nós à sua língua. E eu devo ensinar você a comercializar o vinho.

Ele levantou-se e, para choque dela, tomou-lhe as mãos, puxando-as para frente e virando as palmas para cima.

— Como pétalas de rosa. Mimadas e delicadas. Devo ensinar você a trabalhar?

— Dou tanto duro quanto você no trabalho. Só porque não suo ou pisoteio por aí em botas enlameadas não quer dizer que não dou o melhor de mim.

— Vocês partiram pra uma maneira dos diabos de começar, os dois. — Eli suspirou e serviu-se de mais vinho do Porto. — Querem brigar, briguem. Vai ser bom pra vocês. O problema é que nenhum dos dois já teve de fazer qualquer coisa que não combinasse com vocês sob todos os pontos de vista. Talvez fracassem, talvez os dois caiam de bunda no chão tentando fazer outra coisa. Algo maior.

Sophia empinou o queixo.

— Eu não fracasso.

— Você tem uma estação pra provar isso. Gostaria de saber o que terá no fim? Helen? Explique — pediu Tereza.

— Bem, foi divertido até agora. — Helen ergueu sua pasta e a pôs na mesa. — Almoço e um show, por um preço baixo. — Retirou algumas pastas, estendeu-as na mesa e tornou a pôr a pasta no chão. Ajeitou os óculos. — Para fins de brevidade e abrangência, vou manter isso em termos simples e leigos. Eli e Tereza estão fundindo as respectivas empresas, para modernizá-las e aperfeiçoá-las, o que vai cortar alguns custos e passar a ter outros. Creio que é uma decisão comercial muito sensata. Cada um de vocês vai receber o cargo de vice-presidente de operações. Cada um vai ter tarefas e responsabilidades variadas, estipuladas nos contratos que estão aqui comigo. O prazo do contrato é de um ano. Se no fim desse ano seus desempenhos forem inaceitáveis, serão transferidos para um cargo inferior. Esses termos serão negociados então, nessa eventualidade. — Falando, ela retirou dois contratos das pastas. — Ty, você vai continuar residindo na MacMillan, e a casa e o que tem dentro dela vão continuar à disposição para seu uso. Sophia, você terá de se mudar para cá. Seu apartamento em São Francisco será mantido pela Giambelli durante este ano, para seu uso, quando se exigir que faça negócios na cidade. Ty, quando for solicitado a fazer negócios lá, serão fornecidas acomodações. Viajar pra outros destinos será, claro, providenciado e pago pela empresa. O *castello* na Itália continua à disposição dos dois, se a viagem para lá for a trabalho, prazer ou uma combinação das duas coisas.

Ela ergueu os olhos e sorriu.

— Até aqui, não foi tão ruim, certo? Agora o incentivo. Se no fim do contrato de um ano, Sophia, seu desempenho for aceitável, você vai receber vinte por cento da empresa, metade do lucro do *castello* e o cargo de co-presidente. Reciprocamente, Tyler, se seu desempenho for aceitável, você vai receber os mesmos vinte por cento, o lucro total da casa onde agora mora e o cargo de co-presidente. Serão oferecidos aos dois quatro mil e quinhentos hectares de vinhedos para criarem um rótulo próprio, se quiserem, ou o valor de mercado disso, se preferirem.

Fez uma pausa e acrescentou o argumento final:

— Pilar também receberá vinte por cento, se concordar com os termos de seu próprio contrato. Isso dará parcelas iguais a todos. Com a morte de Eli ou de Tereza, as respectivas parcelas passarão de cônjuge pra cônjuge. No dia em que, infelizmente, nenhum dos dois estiver mais com a gente, a parcela de quarenta por cento deles será distribuída da seguinte maneira: quinze por cento para cada um de vocês e dez por cento para Pilar. O que dará a cada um de vocês, com o tempo, trinta e cinco por cento de uma das maiores empresas vinícolas do mundo. Só precisam respeitar as estipulações contratuais este ano.

Sophia esperou até ter certeza de que podia falar e manteve as mãos bem juntas e cerradas no colo. Ofereciam-lhe mais do que ela jamais teria imaginado ou pedido. E ao mesmo tempo davam-lhe palmadas como numa criança.

— Quem decide sobre a aceitabilidade de nossos desempenhos?

— Para fins de justiça — respondeu Tereza —, vocês vão avaliar um ao outro numa base mensal. Eli e eu também daremos a vocês avaliações de desempenho, e essas serão acrescentadas às avaliações gerais pelo executivo-chefe de operações.

— Quem diabos é o executivo-chefe de operações? — perguntou Tyler.

— Ele se chama David Cutter. Ainda há pouco da La Coeur, e com sede em Nova York. Estará aqui amanhã. — Tereza levantou-se.

— Vamos deixar vocês lerem seus contratos, conversarem, pensarem. — Deu um sorriso caloroso. — Helen? Café.

RENE SE RECUSOU A SAIR DO LUGAR. UMA COISA ELA APRENdera na carreira de modelo, durante o breve período como atriz e na escalada social de toda a vida. A única direção a seguir é para cima.

Toleraria os insultos da velha, a agonia da esposa alienada e os olhares mortíferos da filha, desde que isso significasse vencer.

Desprezá-los não a impedia de tolerá-los, desde que fosse necessário.

Tinha um anel de diamante no dedo, que escolhera pessoalmente, e pretendia que a aliança de casamento logo o seguisse. Tony era sua entrada no mundo dos absurdamente ricos, e gostava mesmo dele. Quase tanto quanto da idéia da fortuna dos Giambelli.

Iria certificar-se de que ele fizesse todo o necessário no próximo ano para solidificar sua posição na Giambelli, e pretendia agir assim como sua esposa.

— Diga a ela agora — ela ordenou e pegou a xícara de café.

— Rene, querida. — Tony mexeu os ombros. Já sentia o peso das algemas. — É um momento muito embaraçoso.

— Você teve sete anos pra resolver isso, Tony. Vá até o fim e já. — Ela lançou um olhar a Pilar. — Ou eu vou.

— Está bem, está bem. — Ele afagou-lhe a mão. Preferia o embaraço à vergonha. Com um sorriso afável no rosto, levantou-se e atravessou o salão até onde Pilar se achava sentada, tentando acalmar a levemente angustiada e obviamente confusa Francesca. — Pilar, posso trocar uma palavra com você? Uma palavra em particular.

Uma dezena de desculpas percorreu-lhe a cabeça. Ela era, na ausência da mãe, a anfitriã. A sala estava cheia de convidados. Sua tia precisava de atenção. Devia pedir que servissem mais café.

Mas era apenas isso, desculpas, e nada faria além de adiar o que tinha de ser enfrentado.

— Claro. — Ela murmurou palavras tranqüilizadoras em italiano para a tia, e então se voltou para Tony. — Usamos a biblioteca?

Pelo menos, pensou Pilar, ele não trazia Rene consigo. Quando passaram por ela, Rene disparou-lhe um olhar duro e brilhante como a pedra que tinha no dedo.

Olhar de vitória, concluiu Pilar. Que ridículo! Não tinha competição alguma para ganhar, e nada a perder.

— Lamento Mama ter decidido fazer esse anúncio e ter essa discussão com tanta gente presente — começou Pilar. — Se ela tivesse me dito com antecedência, eu teria insistido que conversasse com você em particular.

— Não tem importância. Os sentimentos pessoais dela por mim são muito claros. — Como raras vezes Tony encrespava as penas, esses sentimentos haviam resvalado dele durante anos. — Em termos profissionais, bem, eu talvez esperasse coisa melhor. Mas a gente vai atenuar tudo.

Atenuar tudo era a segunda coisa que ele fazia melhor. Ignorar tudo era seu ponto forte.

Entrou na biblioteca e sentou-se numa das fundas poltronas de couro. Um dia achara que poderia viver nessa casa, ou pelo menos manter uma base ali. Por sorte, como se acabou constatando, preferia a cidade. Pouco havia a fazer em Napa Valley, além de ver as uvas crescerem.

— Bem, Pilar. — O sorriso dele continuava fácil e encantador como sempre. — Como está você?

— Como estou, Tony? — Ela sentiu uma risada histérica querendo borbulhar no fundo da garganta. Reprimiu-a. Esse era um dos seus pontos mais fortes. — Muito bem. E você?

— Bem. Ocupado, claro. Me diga, que pretende fazer sobre a sugestão de *La Signora* de que assuma um papel mais ativo na empresa?

— Não foi uma sugestão e eu não sei o que pretendo fazer. — A idéia continuava zumbindo-lhe na cabeça como um enxame de vespas. — Ainda não tive tempo de pensar a fundo.

— Tenho certeza de que vai dar tudo certo.

Ele inclinou-se para frente, a expressão séria. Era, ela pensou com um raro arroubo de ressentimento, parte da habilidade e fingimento do marido. A simulação, o verniz, de interesse.

— Você é uma mulher encantadora e sem dúvida um patrimônio para a empresa em qualquer função. Vai lhe fazer bem sair mais e se ocupar. Talvez até descubra que tem talento para isso. Uma carreira poderia ser exatamente o que você precisa.

Ela quisera uma família. Marido, filhos. Nunca uma carreira.

— Estamos aqui pra falar das minhas necessidades, Tony, ou das suas?

— Não são exclusivas de nenhum dos dois. Na verdade, não, Pilar, acho que deveríamos encarar essa nova direção que Tereza demarcou como uma oportunidade para nós dois começarmos de novo. — Ele tomou-lhe a mão da maneira descontraída que tinha com as mulheres, envolvendo-a protetora e provocativamente na sua. — Talvez a gente precise desse empurrão. Entendo que a idéia de divórcio tem sido difícil pra você.

— Entende?

— Claro. — Ela ia dificultar a coisa, ele pensou. Que chateação! — O fato, Pilar, é que já levamos vidas separadas há muitos anos.

Devagar, deliberadamente, ela puxou a mão.

— Está falando da vida que levamos desde que você se mudou pra São Francisco ou a que levamos enquanto continuamos a manter o casamento de faz-de-conta?

Muito difícil, ele pensou. E suspirou.

— Pilar, nosso casamento fracassou. Dificilmente é construtivo tornar a discutir os porquês, as culpas, os motivos, depois de todo esse tempo.

— Não creio que tenhamos de fato sequer *discutido* isso, Tony. Mas talvez tenha passado da hora em que essa discussão faria alguma diferença.

— O fato é que não terminamos nada legalmente e eu tenho sido injusto com você. É visível que você não teve condições de começar uma nova vida.

— O que não foi um problema pra você, não é? — Levantou-se, dirigiu-se à lareira e fitou o fogo. Por que combatia? Por que tinha importância? — Sejamos pelo menos honestos. Você veio hoje aqui pra me pedir o divórcio, e isso nada teve a ver com as decisões de minha mãe. Decisões sobre as quais você nada sabia quando pôs aquele anel no dedo de Rene.

— Seja como for, é tolice nós dois fingirmos que já não era sem tempo. Eu adiei o divórcio por você, Pilar. — Ao dizer isso, ele acreditava. Acreditava mesmo, o que tornava seu tom inteiramente sincero. — Assim como peço agora, por você. É hora de seguirmos em frente.

— Não — ela murmurou. Ainda não se voltara, não ainda, para olhá-lo, aqueles olhos tão tranqüilamente sinceros que a gente acabava acreditando na mentira. — Não podemos nem ser honestos. Se você quer o divórcio, não vou impedir. Duvido que possa, de qualquer modo. Rene não seria controlada com tanta facilidade como eu — acrescentou, voltando-se. — Talvez seja bom pra você. Talvez ela seja certa para você. Eu com certeza não fui.

Ele ouviu apenas que conseguiria o que desejava sem problemas.

— Vou cuidar dos detalhes. Com discrição, claro. Depois de todo esse tempo, não será do interesse da imprensa. Na verdade, dificilmente envolve mais que assinar alguns papéis a esta altura. De fato, tenho certeza de que a maioria dos nossos amigos íntimos acha que já somos divorciados. — Como ela nada disse, ele se levantou. — Vamos ser todos mais felizes assim que deixarmos isso para trás. Você verá. Enquanto isso, acho que você devia conversar com Sophia. É melhor vir da mãe... de mulher pra mulher. Sem a menor dúvida, quando ela vir você mais cordata, vai se sentir mais amistosa em relação a Rene.

— Você subestima todo mundo, Tony?

Ele ergueu as mãos.

— Eu apenas acho que vamos todos nos sentir mais à vontade se pudermos manter a situação amigável. Rene vai ser minha mulher e, como tal, fará parte da minha vida profissional e social. Todos nos veremos de vez em quando. Espero que Sophia seja educada.

— Eu esperava que você fosse fiel. Todos nós vivemos com nossas decepções. Você conseguiu o que veio buscar aqui, Tony. Sugiro que pegue Rene e saiam antes de Mama terminar o Porto. Acho que já tivemos dissabores o suficiente nesta casa por um dia.

— Concordo. — Ele se dirigiu à porta e hesitou. — Desejo de verdade o melhor pra você, Pilar.

— É, acredito. Por algum motivo, eu também desejo o mesmo pra você. Até logo, Tony!

Quando ele fechou a porta atrás de si, ela se encaminhou com cuidado até uma poltrona e sentou-se devagar, como se seus ossos fossem se quebrar num movimento brusco demais.

Lembrou como era ter dezoito anos e estar loucamente apaixonada, cheia de planos, sonhos e esplendor.

Lembrou como era ter vinte e três anos e sentir o coração perfurado pelo punhal da traição e a verdadeira perda da inocência. E trinta, lutando para agarrar-se aos fiapos de um casamento que estava se desintegrando, criar uma filha e segurar um marido displicente demais para fingir que a amava.

Lembrou como era ter quarenta e resignar-se com a perda, esvaziada de todos aqueles sonhos, aqueles planos com o esplendor escurecido e sem brilho.

Agora, pensou, sabia que faria quarenta e oito anos, sozinha, sem quaisquer ilusões. Substituída, legalmente, pela nova e melhorada modelo, como fora de forma descarada com tanta freqüência.

Ergueu a mão, deslizou a aliança até a primeira junta. Usara aquela aliança simples durante trinta anos. Agora lhe mandavam descartá-la, junto com as promessas que fizera perante Deus, a família e os amigos.

As lágrimas queimavam-lhe os olhos quando a retirou do dedo. O que era aquilo, afinal, pensou, senão um círculo vazio? O perfeito símbolo do seu casamento.

Jamais fora amada. Pilar deixou a cabeça cair para trás. Que humilhação, que tristeza, sentar-se ali agora e aceitar, admitir o que recusara aceitar e admitir por tanto tempo. Nenhum homem, nem sequer o marido, a amara.

Quando as portas se abriram, ela fechou os dedos em volta da aliança e determinou-se a segurar a vontade de chorar.

— Pilar. — Helen deu uma olhada e estreitou os lábios. — Tudo bem, vamos esquecer a sessão do café de entretenimento de hoje.

À vontade, caminhou até um armário pintado, abriu-o e escolheu uma garrafa de cristal com conhaque. Serviu duas taças e foi sentar-se no banquinho estofado defronte à poltrona de Pilar.

— Beba, querida. Você está pálida.

Sem nada dizer, Pilar abriu a mão. O anel cintilou uma vez à luz da lareira.

— É, imaginei isso quando a piranha não parou de fazer fulgir a velha pedra no dedo. Eles se merecem. Ele nunca mereceu você.

— Idiota, idiota, ficar abalada assim. Não somos casados há anos, não em qualquer sentido verdadeiro. Mas trinta anos, Helen. — Ergueu o anel e, olhando pelo círculo vazio, viu sua vida. Estreita e fechada numa cápsula. — Trinta malditos anos. Ela usava fraldas quando eu conheci Tony.

— Esse é o grande grito de dor. Então ela é mais jovem e tem seios maiores. — Helen deu de ombros. — Sabe Deus que só esses motivos bastam pra odiar a porra do desplante dela. Estou com você nisso, e todos aqui presentes também. Mas pense melhor. Se ela ficar com ele, quando chegar à nossa idade, vai alimentar Tony com comida de bebê e trocar as fraldas *dele*.

Pilar soltou uma risada gemida.

— Odeio onde estou e não sei como chegar a algum outro lugar. Eu nem revidei, Helen.

— Então não é guerreira. — Helen levantou-se, sentou-se no braço da poltrona e passou o seu pelo ombro de Pilar. — Você é uma mulher linda, inteligente e boa que fez um mau negócio. E, droga, querida, se essa porta se fechar, afinal, não é a melhor coisa pra você.

— Nossa, você agora parece o Tony falando.

— Não precisa insultar. Além disso, ele não foi sincero, e eu sou.

— Talvez, talvez. Não consigo ver com muita clareza agora. Não vejo nem a próxima hora, que dirá o próximo ano. Meu Deus, eu nem fiz o desgraçado pagar. Não tive coragem de fazer Tony pagar.

— Não se preocupe, ele vai pagar — Helen curvou-se e beijou o alto da cabeça da amiga. Nenhum homem que cometeu deslizes como Tony devia esgueirar-se pela vida sem pagar um preço, pensou. — E se quiser escaldá-lo um pouco, vou ajudar a esboçar um acordo de divórcio que vai deixar Tony com cicatrizes permanentes e broxa.

Pilar deu um leve sorriso. Sempre poderia contar com Helen.

— Por mais divertido que talvez isso seja, simplesmente vai obrigar a revelar coisas e tornar tudo mais difícil pra Sophia. Helen, que diabos vou fazer com a nova vida que me jogaram no colo?

— A gente pensa em alguma coisa.

A PRÓPRIA SOPHIA VINHA PENSANDO MUITO. JÁ GANHAVA uma dor de cabeça com a leitura das páginas do contrato. Entendera os pontos principais, mesmo atolados no jargão legal. E a essência era que *La Signora* mantinha o controle, como sempre. Ao longo do próximo ano, esperava-se que Sophia provasse a si mesma, o que ela achara que faria. Se o fizesse, para grande satisfação da avó, parte desse tão desejado controle passaria às suas mãos.

Bem, ela o queria. Não lhe importava muito o caminho a percorrer para obtê-lo. Mas entendia o raciocínio.

O mais difícil estava quase sempre em conseguir entender o raciocínio da avó. Talvez porque, por trás de todo ele, as duas pensassem de forma muito parecida.

Ela nunca sentira um interesse profundo e íntimo pela preparação do vinho. Amar os vinhedos pela beleza, conhecer os fundamentos básicos, não era a mesma coisa que investir tempo, emoção e esforço neles. E se um dia quisesse ficar no lugar da avó, precisaria fazer tudo isso.

Talvez preferisse a sala de reunião do conselho-diretor aos tanques de fermentação, mas...

Olhou para Tyler, que examinava de cara feia o contrato.

Por sua vez, ele talvez preferisse os tanques à sala de reunião da diretoria. O que os tornava um bom par comercial, ou o contrário, imaginou. E ele tinha tanto em risco quanto ela.

Sim, *La Signora*, mais uma vez, fora tão brilhante quanto implacável. Agora que sua serenidade havia retornado, permitindo-lhe pensar melhor, com clareza, ela conseguia ver não apenas que isso poderia funcionar, mas que de fato iria funcionar.

A não ser que Ty pusesse tudo a perder.

— Você não gosta disso — ela comentou.

— Que porra tem pra gostar? É uma maldita de uma emboscada.

— Concordo. É o estilo da *Nonna*. Os soldados se enfileiram mais rápido e de forma mais organizada quando a gente dá as ordens logo antes da batalha. Dê a eles muito tempo pra pensar, pois eles podem desertar do campo. Está pensando em desertar, Ty?

Ele ergueu o olhar, e ela viu um brilho de aço em seus olhos. Duros e frios.

— Dirijo a MacMillan há oito anos. Não vou desistir dela e dar o fora.

Não, ele não iria pôr tudo a perder.

— Certo. Vamos começar daqui. Você quer o que quer, eu quero o que quero. Como conseguimos isso? — Ela levantou-se e pôs-se a andar de um lado para outro. — É mais fácil pra você.

— Por quê?

— Em essência, abro mão do meu apartamento e volto pra casa. Você tem de ficar bem onde está. Eu tenho de fazer um curso rápido e intensivo de vinicultura, e você só precisa confraternizar e ir a algumas reuniões de vez em quando.

— Acha que é fácil assim? Confraternização envolve pessoas. Eu não gosto de pessoas. E, enquanto vou a reuniões sobre coisas pras quais estou cagando, algum cara que nem conheço vai ficar me inspecionando pelas costas.

— Pelas minhas também — ela rebateu, irritada. — Quem diabo é esse tal de David Cutter?

— Um executivo — respondeu Ty, repugnado.

— Mais que isso — murmurou Sophia. Se acreditasse, não teria se preocupado. Sabia como lidar com executivos. — Vamos ter de descobrir até onde mais. — Era uma coisa de que podia cuidar logo e com muito rigor. — E encontrar uma maneira de trabalhar com ele, e um com o outro. A última parte não deve ser difícil. A gente se conhece há anos.

Ela se movia rápido onde ele preferia encontrar o próprio ritmo. Mas maldito fosse se não iria manter o mesmo andamento.

— Não, a gente não se conhece. Eu não conheço você, nem o que faz ou por que faz.

Ela apoiou as palmas das mãos e curvou-se para frente. Aproximou mais o magnífico rosto do dele.

— Sophia Tereza Maria Giambelli. Comercializo vinho. E faço isso porque sou boa no que faço. E dentro de um ano serei dona de vinte por cento de uma das maiores, mais bem-sucedidas e importantes empresas de vinho do mundo.

Ele levantou-se devagar, imitando a pose dela.

— Você vai ter de ser boa no que faz, e muito mais, para isso. Vai ter de sujar as mãos, enlamear as botas de grife e arruinar as belas unhas manicuradas.

— Acha que não sei trabalhar, MacMillan?

— Acho que você sabe se sentar atrás de uma escrivaninha ou numa poltrona de primeira classe num avião. Esse seu traseiro superior não vai ter uma vida tão confortável no próximo ano. Giambelli.

Sophia sentiu uma névoa surgir nos cantos de seus olhos, um sinal claro de que a raiva assumia o controle e ela podia fazer alguma tolice.

— Aposta secundária. Cinco mil dólares como sou melhor fabricante do que você é executivo, no fim da estação.

— Quem decide?

— Parte neutra. David Cutter.

— Fechado. — Ele estendeu o braço e tomou na sua mão grande e dura a mão fina dela. — Compre pra você umas roupas grossas e botas feitas para trabalho e não da moda. Esteja pronta pra começar a primeira aula amanhã, às sete da manhã.

— Ótimo. — Ela cerrou os dentes. — Vamos interromper ao meio-dia, ir até a cidade pra sua primeira aula. Pode tirar uma hora de folga pra comprar uns ternos decentes, feitos por alfaiate da última década.

— Você tem de se mudar pra cá. Por que temos de ir até a cidade?

— Porque eu preciso de inúmeras coisas no meu escritório, e você, se familiarizar com a rotina de lá. Também preciso de coisas no meu apartamento. Você tem as costas fortes e o traseiro não é mau também — ela acrescentou, com um sorriso superficial. — Pode me ajudar na mudança.

— Tenho uma coisa a dizer.

— Bem, minha nossa. Deixe eu me preparar.

— Não gosto da sua boca. Jamais gostei. — Ele apertou as mãos enfiadas nos bolsos porque, quando ela sorria com afetação, como fazia agora, ele tinha realmente apenas vontade de dar-lhe um tapa. — Mas não tenho nada contra você.

— Oh, Ty. É tão... comovente.

— Escute, basta fechar a matraca. — Ele correu a mão pelos cabelos, enfiou-a mais uma vez no bolso. — Você faz o que faz porque é boa nisso. Eu faço o que faço porque amo o que faço. Não tenho nada contra você, Sophia, mas, se parecer que vai me custar minhas vinhas, eu vou cortar você.

Intrigada e desafiada, ela examinou-o de um novo ângulo. Quem teria imaginado que o garoto da casa vizinha saberia ser implacável?

— Tudo bem, estou sabendo. E o mesmo vale pra você, Ty. O que eu tiver de fazer, vou proteger o que é meu. — Exalando um sopro, ela baixou os olhos para os contratos e depois os ergueu mais uma vez para os dele. — Acho que estamos na mesma página.

— É o que parece.

— Tem uma caneta?

— Não.

Ela foi até uma cômoda e encontrou duas numa gaveta. Ofereceu-lhe uma e folheou o contrato até a página da assinatura.

— Acho que a gente pode ser a testemunha um do outro. — Inspirou fundo. — No três?

— Um, dois, três.

Em silêncio, assinaram, deslizaram os contratos pela mesa, testemunharam.

Como sentia o estômago enjoado, Sophia pegou sua taça e esperou Tyler erguer a dele.

— À nova geração — disse.

— A uma boa estação.

— Não teremos uma sem a outra. — Com os olhos nos dele, ela fez tintim. — *Salute.*

Capítulo Quatro

A chuva caía fina como uma lâmina e castigava com o frio, uma garoa miserável que varava os ossos e penetrava na alma. Transformava a clara manta de neve num atoleiro de lama e a luz do amanhecer numa triste mancha no céu.

Era uma dessas manhãs em que uma pessoa sensata se aconchegava na cama. Ou no mínimo se demorava numa segunda xícara de café.

Tyler MacMillan, descobriu Sophia, não era uma pessoa sensata.

O telefone acordou-a, fazendo-a estender a mão relutante, tatear à procura do receptor e arrastá-lo para debaixo da coberta.

— Que foi?

— Está atrasada.

— Hem? Não estou. Ainda está escuro.

— Não está escuro, está chovendo. Levante-se, vista-se, saia e venha pra cá. Você está no meu horário agora.

— Mas... — O zunido do tom de discar a fez armar uma carranca. — Canalha — resmungou, mas não conseguiu reunir energia suficiente para pôr alguma força no xingamento.

Continuou ali imóvel, ouvindo o ruído da chuva nas janelas, que pareciam ter gelo em volta das bordas. Não seria agradável?

Bocejando, empurrou as cobertas e saiu da cama. Talvez estivesse no horário dele agora, pensou, mas dali a pouco ele estaria no dela.

A CHUVA PINGAVA DA ABA DO BONÉ DE TYLER E DE VEZ EM quando se enfiava sob a gola para deslizar pelas costas. Apesar disso, não era forte o bastante para interromper o trabalho.

Inverno chuvoso era uma bênção. E o inverno molhado, muito frio, o primeiro passo crucial para uma vindima rara e de excepcional qualidade.

Ele controlava o que podia — o trabalho, as decisões, as precauções e as apostas. E rezava para que a natureza embarcasse na equipe.

A equipe acrescida de mais uma pessoa, pensou, enganchando os polegares nos bolsos e vendo Sophia caminhar penosamente pela lama, com botas de quinhentos dólares.

— Eu disse pra você usar roupas grossas.

Ela soprou uma baforada de ar e viu a chuva dissolvê-la.

— Estas são as minhas roupas grossas.

Ele examinou a elegante jaqueta de couro, a calça feita sob medida, as botas de grife italiana.

— Bem, serão antes de terminarmos.

— Eu tinha a impressão de que a chuva atrasava a poda.

— Não está chovendo.

— Oh? — Ela estendeu a mão, a palma para cima, e deixou a chuva tamborilar. — Que estranho, eu sempre defini esta substância molhada que cai do céu como chuva!

— Está garoando. Cadê seu chapéu?

— Não pus.

— Deus do céu!

Irritado, ele tirou o boné e enfiou-o na cabeça dela. Mesmo a feiúra surrada e molhada do boné não depreciou sua classe. Ty imaginou que lhe era inata, como os ossos.

— Há dois motivos básicos para a poda — ele começou.

— Ty, eu sei quais são os motivos para a poda.

— Beleza. Explique pra mim.

— Pra direcionar o crescimento da vinha em certa posição — ela disse entre dentes. — E se vamos ter uma aula oral, por que não podemos fazer isso lá dentro, onde ficaríamos aquecidos e secos?

— Porque as vinhas ficam do lado de fora — respondeu, e porque, pensou, ali ele comandava o espetáculo. — Podamos a direção das vinhas pra ajudar o crescimento delas de uma forma que torne o cultivo e a colheita mais fáceis, e para controlar as doenças.

— Ty...

— Calada. Muitos vinhedos usam técnicas de treliça em vez da poda manual. Aqui, como o cultivo é uma experiência infindável, usamos as duas. O ripamento vertical de treliças, o apoio em T de Genebra e outros tipos. Mas continuamos empregando o método de poda manual. O segundo objetivo é distribuir a madeira de apoio sobre a vinha pra aumentar a produção, mantendo ao mesmo tempo a planta consistente com a capacidade de produzir frutos de excepcional qualidade.

Quando a mandou calar-se, ele o fez como um pai faria com uma criança pequena e irritável. Ela imaginou que ele sabia disso e adejou as pestanas.

— Vai haver um teste de conhecimento, professor?

— Você não vai podar minhas vinhas, nem aprender a ripar treliças, enquanto não souber por que está fazendo isso.

— A gente poda e ripa as treliças pra cultivar uvas. Cultiva uvas pra fazer vinho. — Ela movia as mãos enquanto falava. Ele sempre achara que eram como um balé. Graciosas e cheias de significado. — E — continuou — eu vendo o vinho com técnicas inteligentes e inovadoras de marketing e promoção. Que são, vou lembrar a você, tão essenciais pra este vinhedo quanto as suas lâminas de poda.

— Beleza, mas estamos no vinhedo, não no seu escritório. Você não faz nada aqui sem ter conhecimento das causas e das conseqüências.

— Eu sempre achei que se tratava mais de conhecimento das probabilidades. É um jogo de apostas — ela retrucou, gesticulando feito uma louca. — Um jogo de apostas altas, mas, em essência, um jogo arriscado.

— Você joga por diversão.

Sophia sorriu, então, e fez Tyler lembrar-se da avó dela.

— Não é como eu jogo com elas, querido. Essas aí são as vinhas mais velhas. — Ela examinou as fileiras de cada lado. A chuva encharcava os cabelos dele, provocando aqueles destaques avermelhados, cor de um bom Cabernet envelhecido. — A poda é de cabeça aqui então.

— Por quê?

Ela ajustou a aba do boné.

— Porque sim.

— Porque — ele continuou, sacando as podadeiras do cinturão —, porque queremos as ramificações dos esporos distribuídas uniformemente na copa da vinha. — Virou-se e bateu com a ferramenta nas mãos de Sophia. Afastou um galho, expondo outro, guiou as mãos dela para a planta e fez o corte com ela. — Queremos deixar o centro, o topo e a esquerda abertos. Precisa de espaço pra receber bastante sol.

— Que tal uma poda mecânica?

— Também fazemos isso. Você, não.

Ele passou para o galho seguinte. Ela cheirava a mulher, decidiu. Um contraponto erótico ao simples perfume de chuva e terra molhada. Por que diabos tinha de esguichar perfume para trabalhar nos campos?, ele quase perguntou, mas percebeu que não apreciaria nem entenderia os motivos e deixou passar.

— Trabalhe com a mão — explicou e esforçou-se ao máximo para não aspirar o cheiro dela. — Galho por galho. Planta por planta. Fileira por fileira.

Ela examinou a infindável torrente de arbustos, as vinhas incontáveis cuidadas por trabalhadores braçais ou à espera de serem cuidadas. Sabia que a poda se estenderia pelo mês de janeiro até fevereiro.

Imaginava-se perdendo os sentidos de tanta chateação com aquilo antes do Natal.

— A gente pára ao meio-dia — ela lembrou-lhe.

— Uma. Você se atrasou.

— Não tanto assim.

Ela virou a cabeça e deslocou o corpo de lado junto ao dele. Curvado sobre ela, Tyler tinha os braços à sua volta para cobrir as mãos dela ao segurarem o galho e a ferramenta. A ligeira mudança, embora não calculada, foi potente.

Travaram os olhos, irritação nos dele, atenção nos dela. Sophia sentiu o corpo tenso de Ty e o frêmito de reação no seu. Uma leve aceleração no pulso, uma espécie de cheiro instintivo do ar, e a resultante agitação dos fluidos.

— Ora, ora. — Ela quase ronronou e deslizou o olhar até a boca de Tyler, erguendo-o mais uma vez. — Quem teria imaginado isso?

— Corta essa.

Ele se endireitou e recuou um passo, como faria um homem ao ver-se inesperadamente na iminência de uma queda muito longa. Mas ela apenas continuou a volta, para que os corpos tornassem a roçar-se. E um segundo passo de recuo o teria rotulado de covarde. Ou tolo.

— Não se preocupe, MacMillan, você não é meu tipo. Grande, grosso, elementar. Em geral.

— Você também não é o meu. Ferina, astuta, perigosa. Sempre.

Se a conhecesse melhor, ele teria percebido que tal afirmação não era um insulto para ela. Mas um desafio. O interesse brando e apenas básico elevou-se a outro nível.

— É mesmo? Como assim?

— Eu não gosto de mulheres agressivas, metidas, com acessórios elegantes.

Ela riu.

— Vai gostar. — Voltou-se para as varas. — A gente interrompe ao meio-dia e meia. — Mais uma vez ela virou-se para olhá-lo atrás de si. — Concessão. Teremos de fazer muito disso durante toda esta estação.

— Meio-dia e meia. — Ele retirou as luvas e entregou-as a ela.
— Ponha. Vai ficar com bolhas nessas mãos de garota da cidade.

— Obrigada. São grandes demais.

— Vire-se com o que tem. Amanhã traga as suas, e ponha um chapéu. Não, aí não — ele disse quando ela começou a cortar outro galho.

Mais uma vez passou para trás dela, cobriu-lhe as mãos com as suas e pôs a ferramenta no ângulo certo.

E não viu o vagaroso e satisfeito sorriso dela.

*A*PESAR DAS LUVAS, ELA FICOU COM BOLHAS. INCOMODAVAM mais que doíam quando fez uma rápida troca de roupas para a tarde na cidade. Vestida e refinada, pegou sua pasta e gritou uma despedida ao sair mal-humorada pela porta. Durante o curto trajeto de carro até a MacMillan, repassou as necessidades e obrigações. Teria de embalar bastante coisa num tempo muito curto.

Subiu zunindo até a entrada da espaçosa casa de cedro e pedra não trabalhada e deu duas buzinadas rápidas. Ele não a deixou esperando, o que a agradou. E trocara de roupa, ela notou, portanto isso valia alguma coisa. Embora a camisa de brim e a confortável calça jeans desbotada ficassem muito aquém do que Sophia considerava roupa de trabalho informal, decidiu atacar o guarda-roupa dele depois.

Ty abriu a porta do BMW conversível e fez uma cara feia para ela e o carro.

— Espera que eu me dobre dentro deste brinquedinho?

— É mais espaçoso do que parece. Anda logo, você está no meu horário agora.

— Não poderia ter vindo num de tração nas quatro rodas? — ele se queixou ao içar-se para o banco do carona.

Parecia, pensou, um grande e estranho boneco de molas numa caixa elegante e muito pequena.

— É, mas não vim. Além disso, gosto de dirigir meu próprio carro — rebateu.

E ela provou isso, assim que ele prendeu o cinto de segurança, pisando fundo e descendo a mil a alameda de carros.

Ela gostava dos vislumbres da montanha através da chuva. Como sombras por trás de uma cortina prateada. E as fileiras após fileiras de vinhas desnudas, à espera, apenas à espera de sol e calor, para mais uma vez encantá-los com vida.

Passou a toda pelo vinhedo MacMillan, os tijolos esmaecidos revestidos de vinhas, as empenas orgulhosas e austeras. Achava-a uma romântica e linda entrada para os mistérios das adegas que abrigava. No interior, como nas das Giambelli, trabalhadores estariam erguendo e girando as envelhecidas garrafas de champanhe, ou aprontando a sala de degustação, caso houvesse uma visita ou clube de vinho agendado naquele dia. Outros talvez transferissem vinho de um barril para outro, à medida que ia se purificando e clareando.

Trabalhava-se, ela sabia, nos prédios, nas adegas, nas plantas, mesmo quando as vinhas dormiam.

E, pensou, trabalho a esperava em São Francisco.

Corria em disparada do vale, como uma mulher fugindo da cadeia. Tyler perguntou-se se era assim que ela se sentia.

— Por que meu assento está quente?

— Seu o quê? Oh! — Ela olhou de relance, rindo. — É apenas o meu jeitinho de aquecer seu traseiro, querido. Não gosta? — Apertou o botão e desligou o aquecimento do banco. — Nossa prioridade máxima — começou — é a campanha do centenário. São vários estágios, alguns dos quais, como o leilão que ocorreu esta semana, já estão prontos. Outros continuam na prancheta. Queremos uma coisa nova, mas que também honre a tradição. Uma coisa de classe e discreta, atraente para as nossas contas do topo de linha e/ou mais antigas, e uma coisa excitante, moderna, que fisgue a atenção do mercado mais jovem e/ou menos afluente.

— É, certo.

— Tyler, trata-se de uma coisa cujas causas e conseqüências você também tem de entender. Vender vinho é tão essencial quanto o que você faz. Do contrário, estaria fazendo apenas pra si mesmo, não é?

— Ele deslocou-se no banco e tentou encontrar espaço para as pernas. — Veja, você produz níveis diferentes de vinho. O grau superior, que custa mais pra produzir, mais pra engarrafar e assim por diante, e o médio da linha até o vinho de garrafão. Muito mais coisas entram no processo que apenas o vinho.

— Sem o vinho, nada mais importa.

— Que seja, mas mesmo assim — ela disse com o que considerou heróica paciência — é parte do meu trabalho, e agora do seu, ajudar a vender esses graus ao consumidor. O consumidor individual e as grandes contas. Hotéis, restaurantes. Atrair os negociantes de vinho, os intermediários e fazer com que vejam a necessidade de ter a Giambelli, ou o que será agora Giambelli-MacMillan, na sua lista.

— A embalagem é coisa sem valor — ele retrucou, encarando-a de propósito. — O que tem dentro é que pesa na balança.

— Que insulto mais inteligente e sutil! Você tem razão. Mas embalagem, marketing e promoção são o que eleva o produto na escala, pra começar. Com pessoas e com vinho. Dá pra gente cuidar apenas do vinho por enquanto?

Ele contraiu os lábios. O tom dela ficara gélido e incisivo, um visível sinal de que ele marcara um ponto.

— Claro.

— Eu tenho de criar a *idéia* de um produto intrigante, exclusivo, acessível, substancial, divertido, sexy. Por isso, preciso conhecer o produto e aí a gente está em terreno seguro. Mas também tenho de conhecer a conta e o mercado que miro. É isso que você precisa aprender.

— Levantamentos, estatísticas, festas, pesquisas de opinião, reuniões.

Ela estendeu o braço e deu-lhe um tapinha na mão.

— Você vai sobreviver. — Fez uma pausa e diminuiu um pouco a velocidade. — Reconhece aquele furgão?

Ele franziu a testa, estreitando os olhos para o pára-brisa, quando um minifurgão escuro, último modelo, surgiu à frente na rua e virou na entrada para a Villa Giambelli.

— Não.

— Cutter — resmungou Sophia. — Aposto que é Cutter.

— A gente podia adiar a viagem a São Francisco e descobrir.

Era tentador e a esperança na voz dele a divertia. Mas ela fez que não com a cabeça e continuou em frente:

— Não, isso tornaria o cara importante demais. Além do mais, vou perguntar à minha mãe quando chegar em casa.

— Estou nessa.

— Pro melhor ou pior, Ty, você e eu estamos nisso juntos. Vou manter você no meu círculo, você me mantém no seu.

ERA UM LONGO CAMINHO DE COSTA A COSTA. EM ALGUNS aspectos, outro mundo, um mundo onde todos pareciam estranhos. Ele extirpara as raízes que conseguira afundar no concreto de Nova York, com a esperança de plantá-las ali, nas colinas e vales do norte da Califórnia.

Se houvesse sido isso, apenas isso, David não teria se preocupado. Mas considerava tudo uma aventura, um risco altíssimo, do tipo que ele teria apostado na juventude. Com quarenta e três anos e dois adolescentes que dependiam dele, porém, punha muita coisa em jogo.

Se tivesse certeza de que a permanência na empresa La Coeur em Nova York era o melhor para os filhos, continuaria lá, asfixiado, encurralado no vidro e aço de seu escritório. Mas deixara de ter certeza quando o filho de dezesseis anos fora detido por furto em uma loja, e a filha de catorze começara a pintar de preto as unhas do pé.

Vinha perdendo contato com os filhos e, ao perdê-lo, perdia o controle. Quando lhe caíra no colo a oferta da Giambelli-MacMillan, parecera um sinal.

Aceite a oportunidade. Comece de novo.

Sabia Deus que não seria a primeira vez que fazia as duas coisas. Mas agora o fazia com a felicidade dos filhos em jogo nessa aposta arriscada.

— Este lugar no meio do nada.

David olhou o filho no espelho retrovisor. Maddy ganhara no jogo de cara e coroa em São Francisco, e ali sentada tentava desesperadamente parecer chateada, no banco da frente.

— Como — perguntou David — pode o nada ter um meio? Eu sempre quis saber.

Alegrou-o ver Theo dar um sorriso forçado, o mais próximo a que chegava de um verdadeiro sorriso agora.

Parece-se com a mãe, pensou David. Uma versão masculina e jovem de Sylvia. O que, sabia, nem Theo nem Sylvia apreciariam. Também tinham isso em comum, os dois decididos a todo custo a serem vistos como indivíduos.

Para Sylvia, significara dar o fora do casamento e afastar-se da maternidade. Para Theo... o tempo diria, imaginava o pai.

— Por que tem de estar chovendo? — Maddy afundou no banco e tentou impedir que seus olhos brilhassem de excitação ao examinar a imensa mansão de pedra diante do carro.

— Bem, tem alguma coisa a ver com a umidade que se acumula na atmosfera, depois...

— Pai!

Ela deu umas risadinhas contidas, que para David eram música. Iria recuperar os filhos ali, não importava o que fosse necessário.

— Vamos connecer *La Signora*.

— A gente precisa chamá-la assim? — Maddy revirou os olhos. — É tão medieval.

— Vamos começar com Sra. Giambelli e a partir daí. E tentar parecer normais.

— Mad não pode. Os imbecis nunca parecem normais.

— Nem os esquisitões.

Mad saltou do carro, pesadona, com as horríveis botas pretas de salto plataforma com cinco centímetros. Ficou ali na chuva, olhando o pai como uma espécie de princesa excêntrica, os longos cabelos claros, lábios em biquinho e olhos azuis com longas pestanas. O corpinho — continuava ainda uma coisinha — envolto e enfaixado em camadas de preto. Três correntes prateadas pendiam-lhe da orelha direita — uma concessão, pois David se apavorara quando a filha começara a fazer campanha para perfurar o nariz ou um lugar ainda mais anti-higiênico.

Theo era um agudo contraste. Alto, desengonçado, os cabelos castanho-escuros parecendo uma massa desgrenhada e encaracolada em volta do rosto bonito, que se estendiam pelos ombros ossudos. Os olhos eram de um azul mais claro e, com demasiada freqüência para o gosto do pai, encobertos e infelizes. Ele caminhava agora, desleixado, de calça jeans larga demais, tênis quase tão feios quanto os da irmã e um casaco que chegava abaixo dos quadris.

Apenas roupas, David lembrou a si mesmo. Roupas e cabelos, nada definitivo. Não tinham seus pais o impelido à rebelião, atormentando-o sobre esse estilo na adolescência? E não prometera ele a si mesmo que não faria o mesmo com os filhos?

Mas, Deus do céu, quem dera que pelo menos usassem roupas bem ajustadas.

David subiu a ampla quantidade de degraus, parou diante da porta da frente da villa, esculpida em baixo relevo, e correu a mão pelos bastos cabelos louros.

— Que é que há, pai? Nervoso?

O tom afetado na voz do filho foi o bastante para retomar o fio que mantinha coesa a compostura de David.

— Me dá uma folga, valeu?

Theo abriu a boca, uma sarcástica resposta na ponta da língua. Mas captou o olhar de advertência que a irmã lhe lançou e viu a expressão tensa do pai.

— Escute, você saberá lidar com ela — acabou por dizer.

— Claro. — Maddy deu de ombros. — É só uma velha italiana, certo?

Com um meio sorriso, David apertou com o dedo a campainha.

— Certo.

— Espere, preciso encontrar minha cara normal. — Theo pôs as mãos no rosto, empurrando-o, cutucando a pele, puxando os olhos para baixo e torcendo a boca. — Não consigo encontrá-la.

David passou um dos braços pelos ombros dele e o outro pelos da filha. Daria tudo certo, pensou, e segurou-os. Tudo ótimo.

— Eu atendo, Maria!

Pilar atravessou o saguão a toda, um ramo de rosas brancas nos braços. Quando abriu a porta, viu um homem alto segurando duas crianças em chaves de pescoço. Os três sorriam.

— Olá. Posso ajudar vocês?

Não era italiana, pensou David, apressando-se a soltar os filhos. Apenas uma bela mulher, com surpresa nos olhos e rosas apoiadas na curva do braço.

— Estou aqui pra ver a Sra. Giambelli.

Pilar sorriu e examinou o rosto do menino e o da menina, incluindo-os.

— Somos muitas.

— Tereza Giambelli. Sou David Cutter.

— Ah, Sr. Cutter, me desculpe. — Ela estendeu a mão para a dele. — Não me dei conta de que era esperado hoje. — Nem que tinha família, pensou. A mãe não era dada a detalhes. — Por favor, entrem. Sou Pilar. Pilar Giambelli... — Quase acrescentou o nome de casada, força do hábito. Então, determinada, refreou-se. — A filha de *La Signora*.

— Você chama sua mãe assim? — perguntou Maddy.

— Às vezes. Quando a conhecer, vai ver por quê.

— Madeline, minha filha. Meu filho, Theodore.

— Theo — resmungou o menino.

— É um prazer conhecer vocês. Theo. E Madeline.

— Maddy, valeu?

— Maddy. Venham até o salão. Tem uma lareira gostosa. Vou providenciar alguma coisa pra beber, se quiserem. Que dia detestável! Espero que não tenha sido uma viagem terrível.

— Não tão ruim.

— Infindável — corrigiu Maddy. — Abominável.

Mas arregalou os olhos para o salão quando entraram. Era como um palácio, pensou. Uma gravura num livro, onde tudo tinha cores fortes e parecia antigo e precioso.

— Tenho certeza de que foi. Deixe-me pendurar seus casacos.

— Estão molhados — começou David, mas simplesmente puxou-os da mão e pendurou-os no braço livre dela.

— Cuidarei deles. Por favor, sentem-se, fiquem à vontade. Vou avisar à minha mãe que estão aqui e providenciar alguma coisa quente pra beberem. Gostaria de café, Sr. Cutter?

— Com certeza, Sra. Giambelli.

— Eu também.

— Não, você não — ele disse a Maddy e deixou-a mais uma vez emburrada.

— Café com leite, talvez?

— Isso aí é legal. Quer dizer — ela corrigiu, quando o pai lhe lembrou as boas maneiras —, sim, obrigada.

— E Theo?

— Sim, senhora, obrigado.

— Só vou levar um minuto.

— Cara. — Theo esperou ver Pilar bem distante da sala e se estatelou numa poltrona. — Eles devem ser megarricos. Esta casa parece um museu ou coisa assim.

— Não ponha as botas aí — ordenou David.

— É um banco pros pés — observou Theo.

— Assim que você enfia os pés nessas botas, deixam de ser pés.

— Relaxe, pai. — Maddy deu-lhe um incentivo e uma pancadinha penosamente adulta nas costas. — Você é tipo executivo-chefe de operações e tudo o mais.

— Certo. — De vice-presidente de operações a executivo-chefe de operações, num salto de quase cinco quilômetros. — As balas ricocheteiam em mim — murmurou e virou-se para o vão da porta, onde ouviu passos.

Fez menção de dizer aos meninos que se levantassem, mas não precisou dar-se ao trabalho. Quando Tereza Giambelli entrava numa sala, as pessoas se levantavam.

David esquecera como era pequena. Haviam se reunido duas vezes em Nova York, frente a frente. Duas longas e complicadas reuniões. E, apesar disso, ele saíra mais com a imagem de uma majestosa amazona do que da mulher magra, membros finos, que caminhava agora em sua direção.

— Sr. Cutter. Bem-vindo à Villa Giambelli.

— Obrigado, *signora*. Tem uma linda casa, num cenário magnífico. Minha família e eu somos gratos pela sua hospitalidade.

Pilar entrou na sala a tempo de ouvir o afável discurso e ver a formalidade experiente com a qual foi proferido. Não era, pensou, o que esperara do homem que segurava dois adolescentes desgrenhados, dando-lhes uma gravata, de brincadeira. Não era, decidiu, notando os olhares de esguelha dos filhos, aquilo com que estavam habituados da parte do pai.

— Espero que a viagem não tenha sido tediosa — continuou Tereza, desviando a atenção para os meninos.

— De modo algum. Adoramos. *Signora* Giambelli, eu gostaria de lhe apresentar meus filhos. Meu filho, Theodore, e minha filha, Madeline.

— Bem-vindos à Califórnia.

Ela estendeu a mão a Theo e, embora ele se sentisse um imbecil, apertou-a e resistiu a enfiar a sua no bolso.

— Obrigado.

Maddy aceitou a mão.

— É um prazer estar aqui.

— Você espera que seja — disse Tereza, com a sugestão de um sorriso. — Por ora basta. Por favor, sentem-se. Fiquem à vontade. Pilar, venha se juntar a nós.

— Claro.

— Vocês devem sentir orgulho de seu pai — começou Tereza, sentando-se. — E de tudo que ele realizou.

— Ah... claro.

Theo sentou-se, lembrou-se de não parecer desengonçado. Não sabia muito sobre o trabalho do pai. Em seu mundo, o pai saía para o escritório e depois voltava para casa. Espezinhava sobre dever de casa, jantar queimado, mandava trazer quentinhas.

Ou, com mais freqüência no último ano, ligava para casa, dizia que ia se atrasar e que Theo ou Maddy pedisse comida para viagem.

— Theo se interessa mais por música que por vinho, ou o negócio de vinho — comentou David.

— Ah. E você toca?

Isso era coisa do pai, pensou Theo. Por que tinha de responder a tantas perguntas? Os adultos não sacavam nada, de qualquer modo.

— Guitarra. E piano.

— Precisa tocar pra mim, um dia. Gosto de música. Que tipo você prefere?

— Só sei rock. Eu estou aprendendo *techno* e alternativa.

— Theo compõe — interpôs David, e surpreendeu-se ao receber uma piscadela do filho. — O material é interessante.

— Eu gostaria de ouvir, assim que todos se instalarem. E você? — dirigiu-se Tereza a Maddy. — Toca?

— Tive aulas de piano. — Meneou o ombro. — Não é bem o que me interessa, na verdade. Quero ser cientista.

O ronco do irmão aumentou a irritação dela.

— Maddy se interessa por tudo — apressou-se a dizer David, antes que corresse sangue. — A escola de ensino médio daqui, pelo que me disseram, representa muito bem os interesses específicos de Theo e dela.

— Arte e ciência. — Tereza recostou-se. — Puxaram ao pai, então, pois o vinho é as duas coisas. Suponho que vão precisar de alguns dias para se instalarem — continuou, quando entrou alguém empurrando um carrinho. — Novo cargo, novo lugar, nova gente. E, claro, nova escola e rotina para a sua família.

— Papai diz que é uma aventura — disse Maddy e recebeu um majestoso assentimento da cabeça de Tereza.

— E vamos tentar fazer com que seja.

— Estou à sua disposição, *signora* — disse David e olhou para Pilar, que se levantava para servir café e bolo. — Agradeço, mais uma vez, o uso de sua casa de hóspedes. Tenho certeza de que a acomodação ali será um prazer. — Como a acompanhava com o olhar, captou o rápido alargamento nos olhos de Pilar. Então, pensou, isso foi uma surpresa para você. Gostaria de saber por quê. — Obrigado.

— Saboreiem — murmurou Pilar.

Depois que o café foi servido, mergulharam numa conversa leve. David seguiu a deixa de Tereza e deixou o trabalho de fora. Tempo suficiente, concluiu, para chegar ao cerne.

Em precisos vinte minutos, Tereza levantou-se.

— Lamento meu marido não poder vê-lo hoje e conhecer seus filhos encantadores. Seria conveniente se reunir conosco amanhã?

— Como quiser, *signora*.

David levantou-se.

— Às onze, então. Pilar, poderia mostrar aos Cutter a casa de hóspedes e cuidar para que tenham tudo que precisam?

— Claro. Vou só pegar nossos casacos.

Que diabo era isso?, perguntou-se Pilar ao pegar os casacos. Em geral, ela tinha bastante ingerência na administração da casa. Mas a mãe conseguira lhe empurrar uma família inteira sem enviar um único alarme.

Tantas mudanças, e quase da noite para o dia. Era hora de prestar mais atenção, decidiu. Não gostava de mudanças na ordem das coisas quando não estava preparada.

Apesar disso, quando retornou, conversou descontraidamente e engrenou o papel de graciosa anfitriã:

— É uma ida curta de carro. Uma caminhada tranqüila, em tempo bom.

— A chuva de inverno é boa para as uvas.

David tomou-lhe o casaco e ajudou-a a vesti-lo.

— É. Me lembro disso toda vez que reclamo do tempo. — Ela saiu. — Tem uma linha direta que vai de uma casa à outra, portanto você só tem de ligar se precisar de alguma coisa ou tiver alguma pergunta a fazer. Nossa governanta é Maria, e não há nada que ela não saiba fazer. Obrigada — acrescentou quando David lhe abriu a porta lateral na frente do furgão. — Vocês têm lindas vistas — continuou, virando-se para falar com as crianças, que entraram atrás. De qualquer quarto que escolherem. E uma piscina. Claro, não vão poder aproveitá-la no momento, mas são bem-vindos para usar a interna aqui na casa principal, sempre que quiserem.

— Uma piscina coberta? — O humor de Theo se animou. — Legal.

— Isso não quer dizer você aparecer de calção de banho sempre que tiver vontade — avisou o pai. — Não vai querer entregar a casa a eles, Sra. Giambelli. Começaria a fazer terapia numa semana.

— Não funcionou pra você — disparou de volta Theo.

— A gente gosta de ter gente jovem em volta. E é Pilar, por favor.

— David.

Pelas costas dos dois, Maddy virou-se para o irmão e adejou, ensandecida, as pestanas.

— David. Basta pegar a bifurcação à esquerda. Veja a casa ali. É um belo lugar e a chuva dá um certo aspecto de conto de fadas.

— É esta? — De repente interessado, Theo empertigou-se. — É bem grande.

— Quatro quartos. Cinco banheiros. Tem uma linda sala de estar, mas a cozinha, o esplêndido cômodo, é mais aconchegante. Alguém cozinha?

— Papai finge que sim — disse Maddy. — E a gente faz de conta que come.

— Muito espertinha. Você cozinha? — David perguntou a Pilar.

— Sim, e muito bem, mas raras vezes. Bom, talvez sua mulher goste da cozinha quando vier se juntar a você.

O instantâneo e absoluto silêncio fez Pilar se encolher de agonia.

— Sou divorciado. — David encostou defronte à casa. — Somos apenas nós três. Vamos conferir. A gente vê tudo depois.

— Sinto muito — murmurou Pilar, quando os garotos saltaram como foguetes do furgão. — Eu não devia ter...

— Suposição natural. Um homem, um casal de filhos. A gente espera ver a família completa. Não se preocupe. — Ele afagou-lhe a mão com a sua, descontraído, e estendeu-a para abrir a porta. — Você sabe, vai ter briga pelos quartos. Espero que não se incomode com cenas de gritaria.

— Sou italiana. — Foi apenas o que ela disse e desceu do furgão para a chuva.

Capítulo Cinco

I taliana, pensou David mais tarde. E linda. Reservada e graciosa ao mesmo tempo. Não era uma atitude fácil. Nessa área, era mesmo igual à mãe.

Ele sabia interpretar as pessoas, um inestimável segredo do ofício na escorregadia subida executiva em qualquer grande empresa. A interpretação que fizera de Pilar Giambelli era que ela se habituara tanto a dar ordens quanto a recebê-las.

Sabia que ela era casada, e com quem, mas, como não usava aliança, imaginou que o casamento com o infame Tony Avano acabara ou passava por sérios problemas. Teria de descobrir antes de permitir-se pensar nela num nível mais pessoal.

Uma filha. Todo mundo nesse ramo ouvira falar de Sophia Giambelli. Com fama de ser fogo, e de ter classe e ambição em alto grau. Ele iria conhecê-la ao longo do caminho, e perguntava-se como ela recebera sua nomeação para COO. Talvez tivesse de agir com tato político, e estendeu a mão para pegar o maço de cigarros no bolso. Só para lembrar que não estava ali, porque deixara de fumar há três semanas e cinco dias.

E isso o vinha matando.

Pense em outra coisa, ordenou a si mesmo, e sintonizou-se com a música que tocava em volume brutal no novo quarto do filho. Graças a Deus ficava no outro extremo do corredor.

Houve o esperado combate sobre os quartos. Apesar de tudo, os filhos, de modo geral, haviam sido muito contidos. Ele atribuiu isso às maneiras relutantes diante de uma estranha. De qualquer modo, a rixa fora inusitada e sem verdadeiro calor, pois todos os quartos eram atraentes.

Quase uma maravilhosa perfeição, concluiu, com a cintilante madeira e os azulejos, paredes sedosas e móveis luxuosos.

A perfeição, o estilo de elegância informal e a absoluta ordem das coisas causavam-lhe calafrios. Mas esperava que os meninos logo acertassem tudo à sua maneira. Arrumados, não eram. Assim, por mais polido que fosse o exterior, o conteúdo em breve seria bagunçado e todos se sentiriam mais à vontade.

Já exausto de desfazer as malas, David foi até uma das janelas e contemplou os campos lá fora. Pilar tinha razão. A vista era estonteante. Tudo fazia parte de sua vida agora. Ele pretendia deixar sua marca.

No corredor, Maddy saía do seu quarto. Tentara agir com descontração em relação ao aposento, depois de brigar com Theo sobre quem ficaria com qual. A verdade é que se sentia eletrizada. Pela primeira vez na vida, não tinha de dividir um banheiro com o idiota do irmão. E o dela era decorado em tons bacanas de azul e vermelho escuros, com grandes flores salpicadas, e por isso imaginou que tomar um banho ali seria como nadar num jardim misterioso.

E mais, tinha uma cama de quatro colunas. Trancara a porta para poder rolar nela toda com privacidade.

Então se lembrou de que não iria ver Nova York ao olhar pelas janelas, nem ligar para uma das amigas e passar o tempo em algum lugar. Não podia ir ao cinema sempre que estivesse a fim. Tampouco fazer qualquer coisa que se habituara a fazer.

A saudade de casa instalara-se tão quente e pesada no estômago que doía. A única pessoa com quem podia falar era Theo. A pior das opções, em sua opinião, mas a única que restara.

Abriu a porta dele para o estrondo dos Chemical Brothers. Deitado na cama, a guitarra atravessada no peito, Theo tentava acompanhar o ruidoso refrão no estéreo. O quarto já estava um caos, como ela imaginara que ficaria até ele partir para a faculdade.

Que porco!

— Você devia estar tirando as coisas das caixas — disse Maddy.

— Você devia estar se metendo no que é da sua conta — rebateu o irmão.

Ela caiu de bruços sobre os pés da cama.

— Não tem nada pra fazer aqui.

— Acabou de sacar isso? — perguntou Theo.

— Talvez papai deteste e a gente volte pra casa.

— Nem pense nisso. Você viu como ele se derreteu com a velha senhora? — Como também sentia saudades de casa, pôs a guitarra de lado e optou por conversar sobre a perdição de sua existência. — Que quer dizer aquilo?

— Ele parecia uma coisa saída de um filme. Você sabe, do jeito que fica quando põe um dos ternos pra uma reunião? — Ela rolou de costas. — Parecia igual então. Nada vai ser a mesma coisa agora. E olhava para aquela mulher.

— Hum?

— A tal da Pilar. Que tipo de nome é este?

— Acho que é italiano ou coisa assim. Que quer dizer com olhava pra ela?

— Você sabe. Vistoriando.

— Sem essa.

— Cara, os garotos não notam nada. — Sentindo-se superior, ela sentou-se e jogou os cabelos para trás. — Ele não tirava os olhos da mulher.

— E daí? — Theo deu uma sacudida no corpo, um encolher horizontal de ombros. — Ele não tirava os olhos de outras mulheres antes. Escute, aposto que já fez sexo com algumas delas.

— Nossa, acha mesmo? — Enquanto gotejava o sarcasmo, ela se levantou da cama e foi até a janela. — Chuva e vinhas, vinhas e chuva. Talvez, se ele fizer sexo com a filha do patrão, seja apanhado, despedido e a gente volta pra casa.

— Casa onde? Ele perde o emprego, a gente não tem lugar algum pra ir. Cresça, Maddy.

Ela curvou os ombros.

— Que coisa mais sacal!

— E eu não sei?

*T*Y PENSAVA A MESMA COISA SOBRE A VIDA EM GERAL QUAN-do Sophia o chama para uma reunião — uma reunião de cérebros, um debate livre para obter novas idéias, como ela a descreveu. Matraqueava nomes para ele, enquanto passava zunindo pelo departamento de propaganda. Gesticulava, gritava ordens e cumprimentos, e pegava mensagens no caminho.

Ele não lembrava nenhum dos nomes, claro, e todos os rostos eram borrões, enquanto acompanhava os passos de Sophia. Ela se movimentava como um zagueiro com a bola interceptada. Rápida e astuciosa.

Agora encontravam três outras pessoas na sala, todas lhe parecendo Guerreiros Urbanos com roupas da moda, cabelos da moda, óculos pequenos de aros fininhos e palmtops. Nem para salvar a própria vida ele poderia lembrar quem era quem, pois todos tinham nomes andróginos.

Puseram-lhe na mão um tipo de café elegante que ele não queria, e todos falavam ao mesmo tempo, mastigando biscoitos.

Tyler começava a ter uma dor de cabeça mortal.

— Não, Kris, o que procuro é sutil, mas não poderoso. Uma imagem forte, com uma mensagem emocional. Trace, esboço rápido: casal... jovem, descontraído, vinte e poucos anos. Relaxando numa varanda. Sensual, mas mantenha isso descontraído.

Como o cara de cabelos louros cortados em pontas curtas pegou lápis e bloco de desenho, Tyler deduziu tratar-se de Trace.

— É o pôr-do-sol — continuou Sophia, levantando-se da mesa e percorrendo a sala de um lado a outro. — Fim do dia. Um casal liberal, não garotos, em ascensão variável, mas estabelecidos.

— Balanço na varanda — sugeriu a petulante negra de túnica vermelha.

— Acomodado demais. Rural demais. Namoradeira de vime, talvez — disse Sophia. — Cor forte nas almofadas. Velas na mesa. Das grossas, não círios.

Curvou-se sobre os ombros de Trace e emitiu uns ruídos de apreciação.

— Bom, bom, mas faça assim. Faça os dois olhando um pro outro, talvez a perna dela sobre os joelhos dele. Intimidade amistosa. Arregace as mangas dele, coloque-a de calça jeans, não, cáqui. — Ela sentou-se na borda da mesa, os lábios franzidos enquanto pensava. — Quero os dois conversando. Relaxados, curtindo o momento. Apreciando a companhia um do outro depois de um dia movimentado.

— Que tal um deles servir o vinho? Segurar a garrafa.

— Vamos tentar isso. Quer fazer o esboço desse, P. J.?

Com um atrevido assentimento da cabeça, como agora Tyler pensava nela, P. J. pegou o bloco.

— Devia pôr água — disse a segunda mulher, uma ruiva que parecia entediada e chateada, e reprimiu um bocejo.

— Vejo que interrompemos o cochilo de Kris — disse Sophia, com doçura, e Tyler captou o rápido e férvido olhar em silêncio sob as pestanas abaixadas.

— Cenas suburbanas me entediam. Pelo menos a água acrescenta um elemento, e sensualidade subliminar.

— Kris quer água. — Sophia assentiu com a cabeça. — Um tanque, um lago. Podemos conseguir boa luz com isso. Reflexos. Dê uma olhada, Ty. Que acha?

Ele deu o melhor de si para sintonizar-se e parecer inteligente quando Trace virou o esboço ao contrário.

— Não sei nada de propaganda. É um esboço legal.

— Você olha anúncios — lembrou-lhe Sophia. — O tempo todo, quer absorva ou não conscientemente a mensagem. Que é que isso lhe diz?

— Que estão sentados na varanda, tomando vinho. Por que não podem ter filhos?

— Por que deveriam?

— A gente tem um casal, numa varanda. Varanda, em geral, significa casa. Por que eles não podem ter filhos?

— Porque não queremos crianças num anúncio de bebida alcoólica — respondeu Kris, com um laivo de desdém na voz. — Artigo 101 da propaganda.

— Indício de filhos, então. Você sabe, alguns brinquedos na varanda. Aí daria a entender que essas pessoas têm família, estão juntas há algum tempo e continuam felizes o bastante pra se sentar na varanda juntas e tomar uma taça de vinho no fim do dia. Isso é sensual.

Kris começou a abrir a boca, mas notou o brilho que chegava aos olhos de Sophia. E sabiamente tornou a fechá-la.

— Bom. Excelente — disse Sophia. — Ainda melhor pra este. Jogue brinquedos na varanda, Trace. Mantenha a garrafa de vinho na mesa com as velas. Eis então nosso casal aconchegante, mas moderno. Comemore o pôr-do-sol — ela murmurou. — É o seu momento. Relaxe com Giambelli. É o seu vinho.

— Mais aconchegante que moderno — resmungou Kris.

— A gente usa um cenário urbano pro moderno. Dois casais, amigos reunidos pra uma noite. Cena de apartamento. Faça todos jovens, elegantes. Mostre a cidade pela janela. Luzes e silhuetas.

— Mesa de café — contribuiu P. J., já esboçando. — Dois deles sentados no chão. Os outros refestelados no sofá, todos falando ao mesmo tempo. A gente quase ouve a música tocando. Comida espalhada pela mesa. Embalagens pra viagem. É aí que se serve o vinho.

— Bom, perfeito. Comemore na terça-feira. Alguns adesivos.

— Por que terça-feira? — quis saber Ty.

— Porque a gente nunca faz grandes planos pra terça-feira. — Sophia deslizou mais uma vez para a borda da mesa e cruzou as pernas. — Faz planos pro fim de semana. Fora isso, incorre em planos. A noite de terça-feira com amigos é espontânea. Queremos que as pessoas escolham uma garrafa do nosso vinho por um impulso repentino. Só porque é terça-feira. O momento delas, o vinho delas. Esse é o tom.

— Os vinhos Giambelli-MacMillan.

Ela assentiu com a cabeça.

— Correto. Precisamos identificar isso também na campanha. Um casamento. Comemorar nossa união. Champanhe, flores, um casal deslumbrante.

— Lua-de-mel mais sexy — comentou Trace, refinando o outro esboço. — Os mesmos elementos, mas num hotel moderno e elegante. O vestido de noiva pendurado na porta e nosso casal de lábios colados com champanhe no gelo.

— Se estão de lábios colados, não vão pensar em beber — comentou Ty.

— Boa observação. Suspenda o beijo, mas o resto é excelente. Mostre... — Ela começou a gesticular. — Expectativa. Seda, flores, e ponha uma *flûte* na mão deles. Quero olhos travados, em vez de lábios colados. Vão, meus meninos, e criem magia. Vejam o que podem me mostrar em algumas horas. Pensem: momentos. O especial e o comum. — Tornou a cruzar as pernas quando a equipe começou a retirar-se, falando uns com os outros. — Nada mau, MacMillan. Nada mau mesmo.

— Ótimo. Podemos ir pra casa agora?

— Não. Tenho um monte de coisas a resolver aqui, e mais a embalar pra montar um escritório na villa. Sabe desenhar?

— Claro.

— É uma vantagem a mais.

Ela saltou da mesa, foi até o outro lado e pegou um bloco de desenho numa parede de prateleiras.

As prateleiras tinham muitas coisas, notou Tyler. Não apenas entulho de trabalho, mas as quinquilharias que as pessoas, sobretudo as mulheres, em sua opinião, pareciam colecionar. Liderando o bando de catadores de poeira, viam-se sapos. Sapinhos verdes, sapos maiores, de bronze, sapos dançantes, sapos grã-finos, na moda e sapos que pareciam estar acasalando.

Não pareciam em harmonia com a mulher elegantemente vestida que varava como uma bala os corredores, de salto alto e cheirando a uma noite na floresta.

— Procurando um príncipe?

— Hum? — Ela olhou para trás, acompanhando o gesto dele. — Ah. Não, os príncipes exigem demasiada atenção pra funcionar bem. Gosto apenas de sapos. É assim o que vejo. Uma espécie de montagem. Os vinhedos, a imensidão deles à luz do sol. Vinhas prenhes de uvas. Uma figura solitária caminhando pelas fileiras. Então, close-up, enormes cestas de uvas recém-colhidas.

— Não usamos cestas.

— Trabalhe comigo nisso, Ty. Simplicidade, acessibilidade, tradição. Mãos nodosas segurando a cesta. Depois passa para os barris, fileiras e fileiras de barris de madeira, luz baixa das adegas. O mistério, o romance. Uma dupla de caras em roupas de trabalho e aparência interessante sangrando um barril. Vamos usar tinto, um lindo jorro de vinho tinto saindo de um barril. Em seguida, dois trabalhadores diferentes provando, testando. Depois, por fim, uma garrafa. Talvez duas taças e um saca-rolha ao lado. "Da vinha para a mesa. Cem anos de excelência." Não, "De *nossas* vinhas para a *sua* mesa." — Ela franziu a testa ao imaginar o anúncio na mente. — Abrimos com os cem anos de excelência, depois a montagem, e abaixo: "De nossas vinhas para a sua mesa. A tradição Giambelli-MacMillan continua."

Sophia voltou para perto dele, olhou por cima do seu ombro e resfolegou. Ele estava desenhando enquanto ela falava e o resultado eram círculos, homens rijos e uma coluna torta que ela imaginou ser uma garrafa de vinho tinto.

— Você disse que sabia desenhar.

— Eu não disse que sabia desenhar bem.

— Entendo, temos um problema. Esboço não é o meu trunfo, embora, comparada com você, sou Da Vinci. Trabalho melhor quando tenho ajuda visual. — Exalou um sopro e andou de um lado para outro. — Temos de nos contentar com o possível. Mandarei minha equipe enviar os esboços por fax. Vamos coordenar os horários pra podermos realizar uma sessão semanal aqui ou no meu escritório na villa. — Sentou-se no braço da cadeira dele e armou uma carranca para o espaço. Sintonizava-se com sua equipe, e sentira as tendências ocultas. Era uma coisa que tinha de resolver já. — Preciso de meia hora. Por que não vai até a Armani e eu me encontro com você lá?

— Por que tenho de ir à Armani?

— Porque precisa de roupas.

— Tenho muitas roupas.

— Meu bem, suas roupas são como seu desenho. Satisfazem à definição básica, mas não vão ganhar prêmios. Tenho de produzir você, e depois você pode comprar o traje de vinicultor correto pra mim.

Deu-lhe no ombro um tapinha despreocupado e levantou-se.

Ele pensou em argumentar, mas não quis perder tempo. Quanto mais cedo terminassem e rumassem ao norte, mais feliz ficaria.

— Onde fica a Armani?

Ela encarou-o. O cara vivia a uma hora de São Francisco fazia anos. Como podia não saber?

— Fale com a minha assistente, ela vai indicar a direção certa. Chegarei lá logo depois de você.

— Um terno — avisou Tyler ao encaminhar-se para a porta. — É isso aí.

— Humm. — Iriam tratar disso, ela pensou. Seria divertido vesti-lo com aprumo um pouco. Algo como modelar argila. Mas, antes de começar a diversão, tinha de trabalhar. Voltou à mesa e pegou o telefone. — Kris, posso falar com você um minuto? É, agora. Meu tempo está muito apertado.

Com uma girada dos ombros, Sophia começou a juntar pastas e discos.

Trabalhava com Kris havia mais de quatro anos e tinha plena consciência do considerável ressentimento da moça quando Sophia, recém-saída da faculdade, assumira a chefia do departamento. Haviam chegado a um acordo, delicadamente, mas ela não tinha a menor dúvida de que Kris estava agora seriamente contrafeita.

A situação precisava ser remediada, pensou. Tinha de ser resolvida.

Ouviu-se uma rápida batida e Kris entrou.

— Sophia, tenho uma pilha de trabalho.

— Eu sei. Cinco minutos. Vai haver uma difícil mistura de atividades entre aqui e Napa Valley nos próximos meses. Estou no maior aperto, Kris.

— É mesmo? Não parece apertada.

— Porque você não me viu podando vinhas ao amanhecer. Escute, minha avó tem motivos pra fazer o que faz e como faz. Eu nem sempre entendo, e muitas vezes não gosto dessas decisões, mas a empresa é dela. Eu só trabalho aqui.

— Certo. Ãhã.

Sophia parou de embalar, apoiou as mãos na mesa e recebeu em cheio o olhar de Kris.

— Se você acha que vou gostar de fazer malabarismo com meu tempo entre o trabalho que eu amo e me enlamear nos vinhedos, está louca varrida. E se acha que Tyler vai batalhar por uma posição aqui nos escritórios, pense duas vezes.

— Me desculpe, mas ele agora *tem* um cargo nestes escritórios.

— E um que você julga que devia ser seu. Não vou discordar, mas apenas dizer que é temporário. Preciso de você aqui. Não vou conseguir vir de carro aqui todo dia, nem dirigir todas as reuniões e atribuições. Em essência, Kris, você acabou de ser promovida. Não ganha um novo cargo, mas farei tudo ao meu alcance pra lhe dar uma compensação financeira pelas responsabilidades extras que estão prestes a ser jogadas em cima de você.

— Não se trata de dinheiro.

— Mas dinheiro nunca faz mal — concluiu Sophia. — A posição e o cargo de Ty aqui são nominais. Ele não sabe nada de promoção e marketing, Kris, e não está muito interessado em nenhuma das duas coisas.

— Interessado o suficiente pra fazer comentários e sugestões esta manhã.

— Só um minuto. — Ela sabia ser paciente, pensou Sophia, mas não seria pressionada. — Espera que ele fique aqui como um imbecil? Tem direito a expressar uma opinião, e por acaso deu sugestões muito decentes. Foi atirado de um penhasco, sem pára-quedas, e enfrentou a barra. Aprenda a lição.

Kris cerrou os dentes. Trabalhava na Giambelli havia quase dez anos e estava farta de ser passada para trás por aquela preciosa linhagem.

— Ele tem pára-quedas, e você também. Os dois já nasceram com os seus. Se qualquer um de vocês ferrar tudo, saltam. O mesmo não ocorre com o restante de nós.

— Não vou entrar em assuntos de família com você. Vou dizer que você é um membro valorizado da Giambelli, e agora da organização Giambelli-MacMillan. Lamento se acha que suas habilidades e talentos têm sido negligenciados ou subvalorizados. O que eu puder fazer pra corrigir isso será feito. Mas esses ajustes também precisam ser feitos, e nos próximos meses pagarão a todos nós pra terem a certeza de que não ferraremos com nada. Preciso ter condições de contar com você. Se não puder, quero que me diga, pra que eu possa fazer outros arranjos.

— Eu farei meu trabalho. — Kris voltou-se para a porta. — E o seu.

— Bem — murmurou Sophia, quando a porta bateu com força.
— Foi divertido. Com um suspiro, ela tornou a pegar o telefone. —
P. J., preciso de um minuto.

— *N*ÃO, QUEREMOS ALGO CLÁSSICO. ESSA RISCA-DE-GIZ MUITO
sutil, pra começar.

— Ótimo, maravilha. Eu levo. Vamos embora.

— Tyler. — Sophia franziu os lábios e deu-lhe um tapinha na
face. — Experimente, como um bom menino.

Ele agarrou o pulso dela.

— Mamãe?

— Sim, querido?

— Corta essa.

— Se você fizesse mais que remoer sozinho durante os últimos
trinta minutos, a gente já estaria quase porta afora. Este — disse,
entregando-lhe o terno marrom-escuro de riscas finas — e este. —
Escolheu um clássico, preto, de três peças. Para eliminar quaisquer
queixas, afastou-se dele para examinar as camisas. — Shawn? —
Gesticulou para um dos sócios que conhecia de vista. — Meu
amigo, o Sr. MacMillan. Vai precisar de orientação.

— Cuidarei bem dele, Srta. Giambelli. Aliás, seu pai e a noiva
estiveram aqui esta manhã mesmo.

— Verdade?

— É, fazendo compras pra lua-de-mel. Se estiver procurando
alguma coisa especial pro casamento, temos uma jaqueta fabulosa
de noite que ficaria espetacular em você.

— Estou um pouco apertada de tempo hoje — ela conseguiu
dizer. — Vou voltar e ver na primeira oportunidade que tiver.

— Só me avise. Terei o prazer de enviar algumas seleções pra sua
aprovação. Vou já verificar o Sr. MacMillan.

— Obrigada.

Pegou uma camisa social às cegas, fitando com raiva o desenho
tom sobre tom. Não há um minuto a perder, pensou. Compras para

a lua-de-mel antes de concluir o divórcio. Espalhando a notícia em todo o redor.

Talvez fosse melhor ela manter-se fora do circuito habitual na cidade por algum tempo. Não queria esbarrar nas pessoas e tagarelar sobre o casamento do pai toda vez que desse meia-volta.

Por que vinha deixando isso magoá-la? E se o fazia até aí, quanto mais magoava a mãe?

Não havia sentido em enfurecer-se, disse a si mesma, e começou a examinar as camisas como uma mulher que peneira ouro num córrego veloz. Não havia sentido em ficar mal-humorada.

Não havia sentido em continuar pensando nisso.

Passou das camisas para as gravatas, e já tinha uma pequena montanha de opções quando Ty saiu do provador.

Parecia chateado, levemente mortificado e decididamente deslumbrante.

É só tirar o fazendeiro do vale, ruminou, e veja o que a gente consegue. Ombros grandes, largos, quadris estreitos e longas pernas num clássico terno italiano.

— Minha nossa. — Ela inclinou a cabeça, aprovando. — Bem-vestido, você arrasa, MacMillan. Deixe a moda com os italianos que não tem como errar. Chame o alfaiate, Shawn, e vamos pôr este show na estrada.

Ela aproximou-se dele com duas camisas, a tom sobre tom e uma marrom-escura, e segurou-as junto ao paletó.

— Que foi que houve? — perguntou-lhe Ty.

— Nada. As duas vão lhe cair muito bem.

Ele tornou a pegar o pulso dela, segurando-o até ela o olhar.

— Que foi que houve, Sophia?

— Nada — ela repetiu, perturbada por ele ter conseguido ver a preocupação cozinhando em fogo brando dentro dela. — Nada importante. Você está ótimo — acrescentou, esforçando-se por sorrir. — Muito musculoso e sexy.

— Apenas roupas.

Ela levou a mão ao coração e recuou um passo, hesitante.

— MacMillan, se acha que é isso, ainda temos um longo caminho a percorrer até chegar ao meio-campo. — Ergueu uma gravata e passou-a pela camisa. — É, com certeza. Como está a calça? — começou e abaixou a mão para verificar a cintura.

— Se importa?

Agitado, ele afastou a mão dela.

— Se eu fosse bolinar, começaria mais embaixo — provocou Sophia. — Por que não põe o terno preto? O alfaiate pode se entusiasmar com você.

Ele resmungou com a formalidade, mas sentiu-se aliviado por escapar para a intimidade do provador. Ninguém iria se entusiasmar com ele por mais um ou dois minutos.

Não se sentia atraído por Sophia. De modo algum. Mas ela ficara examinando-o, apalpando-o. Ele era humano, não? Homem. E tivera uma reação masculina inteiramente humana.

Que não iria partilhar com algum alfaiate nem com um vendedor esquelético chamado Shawn.

Iria, sim, acalmar-se e deixar que medissem o que precisava ser medido. Comprara tudo que Sophia lhe empurrara e sofrera aquela provação.

Desejava saber o que se passara entre a hora em que fora a primeira vez à área própria para experimentar roupas e tornara a sair. Fosse o que fosse, pusera infelicidade naqueles olhos grandes e escuros dela. O tipo de infelicidade que lhe dera vontade de oferecer-lhe um ombro para se apoiar.

Também era uma reação normal, tranqüilizou-se ao despir o risca-de-giz e vestir o preto. Não gostava que nada nem ninguém se machucassem.

Apesar disso, naquelas circunstâncias, teria de reprimir quaisquer reações normais a ela.

Olhou-se no espelho e balançou a cabeça. Quem diabos iriam os dois enganar pondo-lhe num elegante terno de três peças? Era um maldito fazendeiro e se sentia feliz por sê-lo.

Então cometeu o erro de olhar a etiqueta. Jamais imaginara que uma série de números podia, de fato, fazer o coração parar de bater. Continuava chocado, e já nem remotamente excitado, quando Shawn entrou gorjeando no provador com o alfaiate a reboque.

— PENSE NISSO COMO UM INVESTIMENTO — ACONSELHOU Sophia, ao volante, rumando para o norte, na saída da cidade. — E, querido, você ficou mesmo fabuloso.

— Calada. Não estou falando com você.

Nossa, ele era mesmo uma gracinha, ela pensou. Quem sabe?

— Não comprei tudo que você me mandou? Até aquela medonha camisa de flanela?

— É, e o que custou a você? Camisas, algumas calças, um chapéu e botas. Menos de quinhentos dólares. Minha conta chegou a quase vinte vezes isso. Eu não acredito que comprei roupas por dez mil dólares.

— Vai parecer em tudo um executivo bem-sucedido. Sabe, se eu o conhecesse metido naquele terno preto, teria querido você.

— É mesmo? — Ele tentou esticar as pernas no carro pequeno e não conseguiu. — Eu não vestia o terno esta manhã e você me quis.

— Não. Tive uma momentânea onda de desejo sexual. Inteiramente diferente. Mas alguma coisa num homem de terno de três peças bem talhado mexe comigo. — Que é que mexe com você?

— Mulher nua. Sou um cara simples.

Ela riu e, satisfeita por chegar à estrada aberta, pisou na tábua.

— Não, não é. Achei que fosse, mas não é. Você se saiu muito bem no escritório hoje. Manteve sua posição.

— Palavras e imagens. — Ele deu de ombros. — Que grande coisa há nisso?

— Oh, por favor, não estrague. Ty, eu não disse nada antes de começarmos, porque não queria que suas impressões fossem tingidas por minhas opiniões ou minha experiência, mas acho que devo fazer um resumo básico da personalidade das pessoas com quem você vai trabalhar mais de perto na minha ponta.

— O cara se vira com relativo sucesso. Ele tem um bom cérebro pro que faz e gosta do trabalho. Na certa é solteiro, por isso não tem alguém a empurrá-lo na questão da ambição. E gosta de trabalhar com mulheres atraentes.

— Acertou quase em cheio. — Impressionada, ela o olhou. — É um resuminho conciso pra alguém que diz não gostar das pessoas.

— Não gostar delas não quer dizer que eu não saiba interpretá-las. A petulante, P. J., agora... — Ele baixou a voz quando ela o olhou e riu. — Que foi? — perguntou.

— A petulante P. J., perfeito.

— É, bem, ela tem muita energia. Você a intimida, mas ela tenta não deixar isso transparecer. Quer ser como você quando crescer, mas é jovem demais pra mudar de idéia.

— É uma pessoa fácil pra gente trabalhar. Pega tudo que a gente lhe joga e faz brilhar. É boa pra encontrar novos ângulos, e aprendeu a não ter medo de combater uma idéia defendida por um de nós.

— Porque a ruiva já me detesta — concluiu Ty. — E não tem você em alta estima, tampouco. Não quer ser como você quando crescer. Quer ser agora, e não se importaria muito se você tivesse um repentino e sangrento acidente que a tirasse da jogada, pra ela tomar seu lugar e dirigir o espetáculo.

— Você obteve muito mesmo de seu primeiro dia na escola. Kris é boa, boa de verdade, com conceitos, campanhas e, quando se trata de alguma coisa em que acredita, detalhes. Não é boa gerente porque reprova com sarcasmo os erros das pessoas e tende a ser arrogante com os outros membros da equipe. E você tem razão, no momento ela o detesta só porque você existe no que ela considera ser seu espaço. Nada pessoal.

— É, é sim. Sempre é pessoal. Não me preocupa, mas, se eu fosse você, tomaria cuidado com as suas costas. Ela gostaria de deixar marcas em todo o seu traseiro.

— Já tentou e não conseguiu. — Despreocupada, Sophia tamborilou com as unhas no volante. — Sou muito mais dura do que as pessoas me julgam.

— Eu já saquei isso.

Tyler recostou-se o melhor que pôde. Veriam até que ponto ela era dura após algumas semanas no campo.

Seria um longo e gelado inverno.

Capítulo Seis

Pilar já estava quase adormecendo quando o telefone tocou, às duas da manhã. Sentou-se de um salto na cama e agarrou-o, com o coração subindo para a garganta.

Um acidente? Morte? Tragédia?

— Alô. Sim?

— Sua piranha ignorante. Acha que pode me intimidar pra eu dar o fora?

— Como?

A mão tremia quando a correu pelos cabelos.

— Não vou tolerar você nem suas deploráveis tentativas de importunação.

— Quem fala? — quis saber Pilar, tateando à procura de luz, e depois piscou os olhos com o repentino clarão.

— Sabe muito bem quem é. Você teve a porra de um descaramento quando ligou pra mim e cuspiu sua imundície. Cala a boca, Tony. Vou dizer o que tenho de dizer.

— Rene? — Reconhecendo a voz apaziguadora do marido ao fundo, Pilar lutava para clarear a mente, pensar acima das furiosas marteladas do coração. — De que se trata? Qual o problema?

— Corte simplesmente esse maldito número de inocência. Talvez funcione com Tony, mas comigo não. Sei quem é você. É você que é a puta, querida, não eu. Você é a porra da mentirosa, a porra da hipócrita. Se tornar a ligar pra cá de novo...

— Não fui eu que liguei. — Esforçando-se para se acalmar, Pilar puxou as cobertas até o queixo. — Não sei do que você está falando.

— Ou você ou a piranha da sua filha, pra mim tanto faz. Entenda bem o seguinte: você está fora do quadro, e há anos. É uma desculpa seca e frígida pra uma mulher. Virgem de cinqüenta anos. Tony e eu já procuramos os advogados e vamos tornar legal o que todo mundo já sabe há anos. Homem nenhum no mundo quer você. A não ser que seja pelo dinheiro da sua mãe.

— Rene. Rene. Pare. Pare já. Pilar?

Pilar ouviu a voz de Tony ao sentir o jorro de sangue na cabeça.

— Por que está fazendo isso?

— Sinto muito. Alguém ligou pra cá, disse coisas inteiramente vis a Rene. Ela está muito transtornada. — Ele precisou berrar acima dos gritos agudos: — Claro que disse a ela que você jamais faria uma coisa dessas, mas ela... ela está transtornada — repetiu, parecendo esgotado. — Preciso ir. Ligo pra você amanhã.

— Está transtornada — sussurrou Pilar e começou a balançar-se quando o tom de discar zumbiu em seu ouvido. — Claro que precisava ser acalmada. E eu? E eu?

Desligou o telefone, puxou de volta as cobertas, cedeu ao primeiro instinto e curvou-se numa bola defensiva.

Tremia quando puxou um roupão e escavou no fundo da gaveta de lingeries à procura do secreto maço de cigarros de emergência. Enfiou-os num bolso, abriu as portas de batente e correu para a noite.

Precisava de ar. Precisava de um cigarro. Precisava, pensou ao atravessar o terraço a toda e descer os degraus de pedra, de paz.

Não bastava que o único homem a quem amara, o único homem a quem já se entregara, não a amasse? Não a houvesse respeitado o suficiente para cumprir as promessas feitas? Tinha de ser atormentada agora pela mais recente substituição? Acordada no meio da noite, tratada com gritos e xingamentos?

Afastou-se da casa, entre os jardins, mantendo-se junto às sombras para que, se alguém lá dentro ainda estivesse acordado, não a visse pelas janelas.

Manter as aparências, pensou, furiosa ao ver as faces molhadas. Precisamos manter as aparências a todo custo. Não ficaria bem um dos empregados ver a Sra. Giambelli fumando nas moitas densas no meio da noite. Não ficaria bem ninguém ver a Sra. Giambelli fazer o possível para evitar um colapso nervoso com tabaco.

Dezenas de pessoas poderiam ter ligado para Rene, ocorreu-lhe, ressentida. E era muito provável que ela merecesse a agressão que recebera por qualquer uma. Pelo tom da voz de Tony, Pilar soube que ele tinha uma ótima idéia de quem simplesmente tinha feito a chamada. Era mais fácil, imaginou, amargurada, deixar Rene acreditar que fora ela, a mulher descartada, do que uma amante mais recente.

Mais fácil deixar a eterna sofredora Pilar levar os tapas e insultos.

— Não sou cinqüentona — resmungou, lutando com o isqueiro. — Nem virgem, porra.

— Nem eu.

Ela girou sobressaltada e deixou o isqueiro cair com um pequeno ruído de metal em pedra. A raiva guerreava com a humilhação quando David Cutter avançou para o luar.

— Desculpe se a assustei. — Ele curvou-se para pegar o isqueiro. — Mas achei que tinha de dizer que estava aqui antes de você continuar sua conversa. — Acendeu o isqueiro, examinando no clarão as faces manchadas de lágrimas dela e as pestanas molhadas. Como ela tinha as mãos trêmulas, ele as firmou. — Não consegui dormir — continuou. — Nova casa, nova cama. Saí pra dar uma caminhada. Quer que eu siga em frente?

Só a sua educação, ela imaginou, a impediu de bater em rápida e indignada retirada.

— Eu não fumo. Oficialmente.

— Nem eu. — Mesmo assim, ele deu uma profunda e apreciativa aspirada no ar cheio de fumaça. — Parei. Está me matando.

— Eu nunca fumei oficialmente. Por isso, de vez em quando, saio sem ser vista e peco.

— Seu segredo está seguro comigo. Sou muito discreto. Às vezes desabafar com um estranho faz maravilhas. — Como ela apenas fez que não com a cabeça, ele enfiou as mãos nos bolsos da calça jeans. — Bem, é uma noite agradável, após a chuva. Quer caminhar?

Ela queria correr de volta para dentro, enfiar-se sob as cobertas até passar a nova mortificação. Tinha muitos motivos para saber que os constrangimentos passavam mais rápido quando se ficava de pé e se seguia em frente.

Assim, caminhou com ele.

— Você e sua família já se instalaram? — perguntou, quando acertaram o passo.

— Estamos bem. Período de adaptação. Meu filho se meteu em algumas encrencas em Nova York. Coisa de adolescente, mas dentro de um padrão. Eu quis mudar de ambiente.

— Espero que eles sejam felizes aqui.

— Eu também. — Ele retirou um lenço do bolso da calça, passou-o em silêncio para ela. — Não vejo a hora de dar uma boa olhada nos vinhedos amanhã. São espetaculares agora, com um pouco de luar e uma sugestão de geada.

— Você é bom nisso — ela murmurou. — Em fingir que não deu de cara com uma mulher histérica no meio da noite.

— Você não parecia histérica. Parecia triste e furiosa.

E linda, pensou. Roupão branco e noite escura. Como uma fotografia estilizada.

— Recebi um telefonema angustiante — ela explicou.

— Alguém ferido?

— Ninguém além de mim, e a culpa é minha.

Ela parou, curvou-se para esmagar o cigarro e enterrá-lo no esterco ao lado do caminho. Depois se voltou e deu-lhe uma longa olhada.

Era um rosto agradável, decidiu. Queixo forte, olhos claros. Olhos azuis, lembrou, um azul-escuro que parecia quase preto à noite. Um levíssimo sorriso nos lábios revelou-lhe que ele sabia que ela o examinava, analisava. E ele era paciente e confiante o bastante para deixá-la fazer isso.

Lembrou a forma como ele ria quando pusera os braços em volta dos filhos. Um homem que amava os filhos, e os entendia o bastante para destacar seus interesses a estranhos, como fizera com a mãe dela, inspirava-lhe confiança.

De qualquer modo, era difícil manter as aparências de roupão com aquele homem no meio da noite.

— Já decidiu? — ele perguntou.

— Acho que sim. Em todo caso, como você quase vai viver com a família, logo ouvirá coisas. Meu marido e eu vivemos separados faz inúmeros anos. Ele me informou recentemente, muito recentemente, que íamos nos divorciar. A futura mulher dele é muito jovem. Linda, mordaz. E... muito jovem — ela repetiu com um meio sorriso. — É ridículo, imagino, como esta parte me incomoda. De qualquer modo, é uma situação complicada e difícil.

— Será mais complicada e difícil pra ele se der uma boa olhada no que abandonou.

Ela precisou de um instante para adaptar-se ao elogio.

— É muita bondade sua — disse.

— Não, não é. Você é linda, elegante e interessante. — E não está habituada a ouvir isso, ele percebeu quando ela apenas o fitou. Isso, também, era interessante. — É muita coisa pra um homem abandonar. O divórcio é duro — acrescentou. — Uma espécie de morte, sobretudo quando a gente leva o casamento a sério, pra começar. Mesmo quando tudo que resta dele é a ilusão, é um choque infernal ver o casamento se despedaçar.

— É. — Ela se sentia reconfortada. — É, é sim. Acabei de ser informada que os advogados vão legalizar o fim do meu casamento muito em breve. Por isso, imagino que seja melhor começar a juntar os cacos.

— Talvez devesse apenas varrer alguns do caminho. — Ele tocou de leve o ombro dela, deixando os dedos apenas encostados, quando a sentiu ficar tensa e afastar-se um pouco. — Estamos no meio da noite. Algumas das regras da luz do dia não se aplicam às três da manhã, por isso vou ser franco: eu me sinto muito atraído por você.

Ela sentiu um pequeno aperto no estômago. De prazer ou excitação, não tinha a menor pista.

— Isso é muito lisonjeiro.

— Não é lisonjeiro, é um fato. Lisonja é o que se ouve de um cara num coquetel pensando em fazer um avanço sobre você. Eu devo saber.

Ria para ela agora, aberto e descontraído, como rira na primeira vez que o vira. O aperto voltou, mais forte e profundo dessa vez. Ela percebeu, estupefata, que era pura atração animal.

— Eu fiz muitas lisonjas ao longo do caminho — ele disse. — Assim como imagino que você se desviou de muitas. Por isso estou sendo franco e direto. — Agora o sorriso se desfazia e os olhos, escuros nas sombras, tornavam-se tranqüilos e sérios. — Assim que você abriu a porta hoje, foi como se um raio tivesse me atingido. Não sinto isso há muito tempo.

— David.

Ela recuou outro passo e depois se aproximou de repente, quando ele estendeu o braço para tomar sua mão.

— Não vou fazer nenhum desses avanços sobre você. Mas pensei. — Continuou a olhá-la, firme, intenso, sentindo ao mesmo tempo que o pulso dela começava a disparar. — O que na certa foi o motivo de eu não conseguir dormir.

— Nós mal nos conhecemos. E eu sou...

Uma virgem de cinqüenta anos. Não, ela pensou, não era mesmo, droga. Mas quase. Muito próximo.

— É a pura verdade. Eu não pretendia trazer isso à tona tão cedo, mas pareceu o momento. Uma linda mulher de roupão branco, um cheiro de lar num jardim. Não se pode querer que um homem resista a tudo. Além disso, isso lhe dá alguma coisa pra pensar.

— É, com certeza, dá. Preciso ir.

— Aceita jantar comigo? — Ele levou a mão dela aos lábios... Pareceu o momento também para isso. Gostou do tremor e do sutil perfume ali. — Em breve?

— Não sei. — Ela puxou a mão e sentiu-se uma menina tola, atrapalhada. — Eu... boa-noite.

Voltou correndo pela alameda e chegou ofegante aos degraus. Tinha o estômago embrulhado, o coração falhava as batidas no peito. Eram sensações que não tinha durante tanto tempo que pareciam quase vexatórias.

Mas não se sentia mais furiosa. Nem triste.

*E*RA APENAS MEIA-NOITE EM NOVA YORK QUANDO JEREMY DeMorney recebeu o telefonema. Considerava a pessoa do outro lado da linha não mais que um instrumento, a ser manipulado quando necessário.

— Estou pronto. Pronto pra passar ao próximo estágio.

— Bem. — Sorrindo, Jerry serviu-se de uma taça de conhaque. — Levou muito tempo pra se decidir.

— Tenho muito a perder.

— E mais a ganhar. A Giambelli está usando você, e vai chutá-lo sem pestanejar se isso convier aos seus propósitos.

— Meu cargo continua seguro. A reorganização não mudou isso.

— Por enquanto. Dificilmente você me ligaria se não estivesse receoso.

— Estou farto, só isso. Farto de não ser apreciado pelos meus esforços. Não gosto de ser vigiado nem avaliado por estranhos.

— Claro. Sophia Giambelli e Tyler MacMillan vêm sendo preparados para ocupar os lugares tradicionais, e, mereçam ou não, vão ocupar. Agora tem David Cutter. Um homem inteligente. La Coeur lamenta a perda dele. Vai dar uma séria examinada em todas as áreas da empresa. Uma séria examinada que poderia muito bem revelar certas... discrepâncias.

— Tenho sido cuidadoso.

— Ninguém nunca é cuidadoso o bastante. Que pretende levar para a mesa agora? Vai ter de ser mais que a aposta que discutimos antes.

— O centenário. Se houver problema durante a fusão, sangramento ao longo da campanha publicitária do próximo ano, isso vai corroer a fundação da empresa. Posso fazer algumas coisas.

— Envenenar um velho, por exemplo?

— Isso foi um acidente.

O pânico, a insinuação de gemido no tom de voz, fez Jerry sorrir. Era tudo tão perfeito.

— É assim que chama?

— A idéia foi sua. Você disse que só deixaria o velho doente.

— Oh, eu tenho um monte de idéias. — Ocioso, Jerry examinou as unhas. La Coeur pagava-o tanto por suas idéias, suas idéias menos radicais, quanto por chamar-se DeMorney. — Você pôs a idéia em prática. E ferrou tudo.

— Como eu ia saber que ele tinha o coração fraco?

— Como eu disse antes, ninguém nunca é cuidadoso o bastante. Se você ia matar alguém, devia ter preferido a própria velha. Com o desaparecimento dela, eles não poderiam tapar os buracos no dique tão rápido quanto poderíamos perfurá-los.

— Não sou assassino.

— Tomo a liberdade de discordar. — É exatamente o que você é, pensou Jerry. E por causa disso fará tudo, tudo o que quero agora. — Eu me pergunto se a polícia italiana estaria interessada o bastante pra exumar o corpo de Baptista e fazer exames se, por acaso, receber um telefonema anônimo e esclarecedor. Você assassinou — disse, após uma longa pausa. — É melhor estar preparado pra fazer o que for necessário pra escorá-lo. Se quiser minha ajuda e meu apoio financeiro pra continuar, comece a me mostrar o que pode fazer por mim. Pode começar a me conseguir cópias de tudo. Os documentos legais, os contratos, os planos pra campanha publicitária. Cada passo dela. Os diários dos produtores, Veneza e Napa.

— Será arriscado. Levará tempo.

— Você será pago pelo risco. E pelo tempo. — Era um homem paciente, rico e podia dar-se ao luxo das duas coisas. Investiria nas duas para enterrar os Giambelli. — Não entre mais em contato comigo enquanto não tiver alguma coisa útil.

— Eu preciso de dinheiro. Não posso conseguir o que você quer sem...

— Me dê alguma coisa que eu possa usar. Então eu lhe darei o seu pagamento. Pagamento contra a entrega da mercadoria, amigo. É assim que funciona.

— São videiras. Grande coisa!

— Vão ser grande coisa pra nós. As videiras — informou David ao filho emburrado — representam aquilo que vai pagar seus hambúrgueres com batata frita pelo futuro previsto.

— Vão comprar meu carro?

David olhou-o no espelho retrovisor.

— Não force a barra, amigo.

— Pai, não dá pra viver aqui na Cidade do Fim do Mundo sem rodas.

— Assim que você parar de reclamar, vou pesquisar na revendedora de carros usados mais próxima.

Três meses antes — que inferno, pensou David —, três semanas antes, esse comentário teria resultado no gélido silêncio do filho ou numa observação sarcástica. O fato de a resposta de Theo ter sido engolir em seco, arregalar os olhos e desabar arquejando no banco de trás aqueceu o coração do pai.

— Eu sabia que devíamos ter feito aquelas aulas de ressuscitação pulmonar — comentou David, distraído, ao virar nos lagares MacMillan.

— Está tudo bem. Ele bate as botas, sobram mais batatas pra gente.

Maddy não se incomodou de sair cedo. Nem de passear de carro pelas colinas e vales. O que a incomodava era não ter nada o que fazer. A maior esperança no momento era que o pai, numa folga, iria comprar um carro para Theo. Então poderia espezinhar o irmão para levá-la a qualquer lugar. Qualquer lugar.

— Belo cenário. — David parou o furgão, saltou para contemplar os campos e os trabalhadores que podavam com firmeza as vinhas na manhã gelada. — E isto, tudo isto, meus filhos — continuou, deslizando um braço em volta de cada um quando se juntaram a ele —, nunca será de vocês.

— Talvez um deles tenha uma gatinha como filha. A gente se casa e, então, você trabalha pra mim.

David encolheu os ombros.

— Você está me assustando, Theo. Vamos dar uma conferida.

*T*YLER LOCALIZOU O TRIO, QUE SE DIRIGIA PELAS FILEIRAS abaixo, e xingou baixinho. Turistas, pensou, esperando uma visita e um guia simpático. Não tinha tempo para simpatia. E não queria forasteiros em seus campos.

Adiantou-se para cortar caminho e conduzi-los para fora, parou e examinou Sophia. Esta, decidiu, era a praia dela. Que lide com as pessoas, e ele lidaria com as vinhas.

Desviou-se até ela, notou com má vontade que ela fazia a tarefa, e fazia bem.

— Alguns turistas estão vindo pra cá — avisou-a. — Por que não tira uma folga aqui e leva os três pro lagar, a sala de degustação? Devia ter alguém aqui pra acompanhá-los numa visita-padrão.

Sophia se endireitou e voltou-se para dar uma examinada nos recém-chegados. O pai e o filho pareciam saídos de uma loja L. L. Bean, de artigos de inverno, concluiu, enquanto a filha dera uma guinada à esquerda, para a Goth-land, a terra dos espectros de visual macabro.

— Claro, eu levo. — E tomo uma gostosa xícara de café pelo trabalho. — Mas uma rápida olhada nos campos e uma breve e informativa explicação da fase de poda acabariam magnificamente na adega e deixariam o pai mais inclinado a comprar algumas garrafas.

— Não quero estranhos circulando pelos meus campos.

— Não seja tão territorial e mal-humorado.

Ela abriu um belo sorriso, tomou deliberadamente a mão de Ty e arrastou-o em direção à família.

— Bom-dia! Bem-vindos aos Vinhedos MacMillan. Sou Sophia. Tyler e eu teremos o maior prazer de responder a quaisquer perguntas que desejarem fazer. É o tempo da poda de inverno no momento. Uma parte essencial, até crucial, do processo da fabricação de vinho. Estão excursionando pelo vale?

— Por assim dizer. — Ela tinha os olhos da mãe, pensou David. A forma e a profundidade. Os de Pilar eram mais meigos, mais claros e com um toque de dourado. — Na verdade, eu esperava conhecer vocês dois. Sou David Cutter. Estes são meus filhos, Theo e Maddy.

— Oh. — Sophia logo se recuperou, aceitando a mão oferecida por David, embora sua mente saltasse à frente. Inspecionando todos nós, pensou. Bem, isso seria bom nos dois sentidos. Até então, sua pesquisa só desenterrara que David Cutter era um pai divorciado com dois filhos que galgara a escada empresarial na La Coeur com mão firme e competente durante duas décadas. Descobriria mais num cara a cara. — Ora, mais uma vez sejam bem-vindos. Todos vocês. Gostariam de entrar no lagar ou na casa?

— Eu gostaria de dar uma olhada nos campos. Faz um bom tempo que vi uma poda em andamento. — Avaliando o clima, a cautela e o ressentimento, David virou-se para Tyler. — Tem um belo vinhedo, Sr. MacMillan. E um produto superior.

— Acertou. Tenho trabalho a fazer.

— Vai precisar desculpar Tyler. — Cerrando os dentes, Sophia enlaçou o braço no dele como uma corda para mantê-lo no lugar. — Ele tem uma concentração muito escassa e, no momento, só vê as vinhas. Acrescente a isso o fato de não ter talentos sociais visíveis. Tem, MacMillan?

— As vinhas não precisam de conversa fiada.

— Tudo que se cultiva se sai melhor com estimulação auditiva. — Maddy não se acovardou com a expressão aborrecida de Ty. — Por que vocês podam no inverno? — perguntou. — Em vez de no outono ou no início da primavera?

— Podamos durante a estação de hibernação.

— Por quê?

— Maddy — começou David.

— Tudo bem. — Tyler examinou-a com mais atenção. A menina podia vestir-se como um aprendiz de vampiro, pensou, mas tinha um rosto inteligente. — Esperamos a primeira geada intensa, que força as vinhas à hibernação. A poda então as prepara para o novo crescimento, na primavera. A do inverno diminui a produção. O que buscamos é qualidade, não quantidade. As vinhas sobrecarregadas produzem uvas inferiores em demasia. — Tornou a olhar para David. — Imagino que vocês não têm muitos vinhedos em Manhattan.

— É isso mesmo, e um dos motivos de eu aceitar essa oferta. Eu sentia falta dos campos. Vinte anos atrás, passei um janeiro muito frio e chuvoso, em Bordeaux, podando vinhas para La Coeur. Tenho feito algum trabalho de campo intermitente ao longo dos anos, só pra não perder a mão. Mas nada como aquele inverno muito longo.

— Pode me mostrar como se faz isso? — pediu Maddy a Tyler.

— Bem, eu...

— Eu começo com vocês. — Sentindo pena de Tyler, Sophia irradiou alegria: — Por que você e Theo não vêm comigo? Vamos dar uma olhada de perto em como se faz isso, antes de irmos para o lagar. É um processo fascinante, realmente, embora esta fase pareça muito básica. Exige precisão e prática considerável. Vou mostrar a vocês.

Arrebanhou os garotos para fora do alcance do ouvido.

— Theo vai tropeçar na língua. — David exalou um suspiro. — Ela é uma bela mulher. Não posso culpá-lo.

— É, tem uma boa aparência.

O tom de advertência fez David lutar com um sorriso. Assentiu, contido, com a cabeça.

— E sou velho o bastante pra ser pai dela, por isso não tenha receios nessa direção.

Do ponto de vista de Tyler, Cutter era o tipo exato que Sophia preferia. Mais velho, mais elegante, mais requintado. Sob a vestimenta grossa, via-se classe. A condição de fazendeiro não significava que ele não pudesse vê-la.

Mas isso não vinha ao caso.

— Não há nada entre mim e Sophia — disse, muito decidido.

— Não importa. Vamos apenas desanuviar o ar, certo? Não vim aqui pra me meter no seu caminho, nem interferir em sua rotina. Você é o vinicultor, MacMillan, eu não. Mas pretendo fazer meu trabalho e me manter em dia com cada passo e fase dos vinhedos.

— Você tem os escritórios. Eu tenho os campos.

— Não inteiramente, não. Fui contratado pra coordenar, supervisionar, e porque conheço as vinhas. Não sou apenas um executivo, e, com toda franqueza, já estava farto de tentar ser um. — Se importa? — Ele pegou o podão no invólucro, no cinturão de Tyler, e virou-se para a fileira mais próxima. Sem luva, ergueu galhos, examinou e fez o corte. Foi rápido, eficiente e correto. — Conheço as vinhas — repetiu. — Mas isso não as torna minhas.

Irritado, Tyler tomou de volta a ferramenta e enfiou-a na bainha, como uma espada.

— Tudo bem, vamos desanuviar mais o ar. Não gosto de ninguém me vigiando pelas costas, nem de saber que vai me dar notas, como quando eu estava na escola. Estou aqui pra fazer vinho, não amigos. Sou eu quem dirige este vinhedo.

— Dirigia — disse David, sem alterar a voz. — Agora nós o dirigimos, quer gostemos ou não.

— Nós não gostamos — ele rebateu, curto e grosso, e afastou-se.

Cabeça-dura, inflexível e territorial, pensou David. Seria uma batalha interessante. Olhou para onde Sophia entretinha os filhos. Os hormônios palpitantes de Theo quase transmitiam raios de luz vermelha, tipo loucos por sexo. E isso, pensou David, cansado, seria complicado.

Foi caminhando até lá e viu, com aprovação, a filha cortar um galho.

— Bom trabalho. Obrigado — disse a Sophia.

— É um prazer. Imagino que queira se encontrar comigo pra saber o resumo de meus planos da campanha promocional. Estou instalando um escritório na villa. Esta tarde ficaria bem pra você? Talvez às duas.

Menina inteligente, ele pensou. Dá o primeiro passo, estabelece o terreno. Que família!

— Claro, está bem pra mim. Vou só tirar esses dois do seu caminho.

— Eu quero ver o resto — disse Maddy. — De qualquer modo, não tem nada pra fazer em casa. É chato.

— Não acabamos de desfazer as malas.

— Tem muita pressa nisso? — Sophia pôs a mão no ombro de Maddy. — Se não tiver, pode deixar Theo e Maddy comigo. Preciso voltar pra villa daqui a mais ou menos uma hora, e posso deixá-los. Vocês estão na casa de hóspedes, certo?

— Isso mesmo. — David conferiu as horas no relógio de pulso. Tinha algum tempo antes de sua reunião. — Se não forem atrapalhar.

— De jeito nenhum.

— Ótimo! Vejo você às duas. Vocês, caras, não se metam em apuros.

— Você acha que a gente está atrás disso — resmungou Maddy baixinho.

— Se não se meterem — disse Sophia quando David se afastou —, não vão se divertir o bastante. — Gostara dos garotos. O intenso interrogatório de Maddy era divertido e a mantinha alerta. Era gostoso ver-se o objeto da paixonite à primeira vista de um adolescente.

Além disso, quem sabia mais sobre um homem, como ele se comportava, como pensava, como planejava, do que seus filhos? Uma manhã com os adolescentes de David Cutter seria interessante e, ela acreditava, informativa.

— Vamos arrastar Tyler — sugeriu — e fazer com que nos leve ao lagar. Não conheço tão bem a operação da MacMillan quanto a da Giambelli. — Guardou a ferramenta. — Vamos todos aprender alguma coisa.

$\mathcal{P}$ILAR ANDAVA DE UM LADO A OUTRO NA SALA DO TRIBUNAL da juíza Helen Moore e tentava não se afligir. A vida, pensou, parecia fugir ao seu controle. Não tinha a menor idéia de como agarrá-la de volta. Pior ainda: não tinha mais certeza de quanto queria conservá-la.

Acima de tudo, precisava de uma amiga.

Mal vira a mãe ou a filha naquela manhã. De propósito. Era covardia, imaginou, evitar os mais íntimos. Mas precisava de tempo para absorver os estragos, tomar suas decisões, proteger a ridícula ferida que ainda lhe arranhava as entranhas.

Estendeu instintivamente a mão para brincar com a aliança e sentiu o rápido sobressalto de não encontrá-la mais ali. Teria de habituar-se àquele dedo nu. Não, o diabo que teria. Iria sair nessa tarde mesma e comprar alguma bugiganga daquelas que ofuscam os olhos, de preço descomunal, e pôr no anular da mão esquerda.

Um símbolo, disse a si mesma. De liberdade e novos começos.

De fracasso.

Num suspiro de derrota, desabou numa poltrona assim que Helen entrou apressada.

— Lamento, passamos um pouco da hora.

— Tudo bem. Você sempre fica tão distinta e esplêndida nessas togas.

— Se algum dia eu perdesse estes sete quilos extras, passaria a usar um biquíni por baixo.

Despiu a toga e pendurou-a. Em vez de um biquíni, usava um discreto duas-peças marrom.

Matronal demais, pensou Pilar. Quadrada demais. E muito Helen.

— Agradeço de coração você arranjar tempo pra mim hoje. Sei como anda ocupada.

— Temos duas horas. — Helen instalou-se na cadeira atrás da mesa, tirou os sapatos e mexeu os dedos dos pés. — Quer sair pra almoçar?

— Na verdade, não, Helen... Sei que não é advogada de divórcio, mas... Tony está agindo pra finalizar tudo bem rápido. Não sei o que fazer.

— Posso cuidar disso pra você, Pilar. Ou recomendar alguém. Conheço vários tubarões escorregadios que se desincumbiriam bem dessa tarefa.

— Eu me sentiria muito mais à vontade se você cuidasse do caso, e se fosse mantido o mais simples possível. E limpo.

— Ora, que decepção! — Fechando a cara, Helen encaixou no rosto os óculos pendurados. — Eu adoraria deixar Tony sangrando pelas orelhas. Vou precisar de seus documentos financeiros — começou, puxando para si um bloco amarelo de anotações. — Por sorte, forcei você a separar suas finanças das dele anos atrás. Mas vamos manter seu traseiro coberto. Ele pode muito bem fazer exigências monetárias, imobiliárias e assim por diante. Você *não* vai concordar com nada. — Ela baixou os óculos para fitar Pilar por cima dos aros com um olhar que apavorava os advogados. — Falo sério, Pilar. Ele não leva nada. *Você* é a parte lesada. Foi ele quem entrou com a petição de divórcio. Quer se casar de novo. Não vou deixar que lucre com isso. Entendeu?

— Não se trata de dinheiro.

— Não pra você. Mas ele leva uma vida muito cara e vai querer continuar levando. Quanto você tem canalizado pra ele durante a última década?

Sem graça, Pilar mudou de posição na poltrona.

— Helen...

— Exatamente. Empréstimos jamais pagos. A casa em São Francisco, a casa na Itália. A mobília nas duas.

— Nós vendemos...

— Ele vendeu — corrigiu Helen. — Você não quis me escutar então, mas agora ou escuta ou procura outro advogado. Nunca recebeu de volta a justa parcela da propriedade paga com seu dinheiro, pra começar. E estou careca de saber que ele também desviou muitas de suas jóias e bens pessoais para o bolso dele. Isso dançou. — Ela repôs os óculos e recostou-se. O gesto e a linguagem do corpo mudaram de juíza para amiga: — Pilar, eu amo você e vou lhe dizer o seguinte: você deixou que ele a tratasse como um capacho. Droga, quase bordou "Bem-vindo" nas tetas e o convidou a lhe pisar de cima a baixo. E eu e os outros que a amam detestamos ver isso.

— Talvez eu tenha feito isso. — Ela não iria chorar agora; apenas absorver a nova dor. — Eu o amava e em parte achava que, se precisasse muito de mim, ele iria retribuir esse amor. Aconteceu uma coisa ontem à noite, e tudo mudou, me mudou, imagino.

— Conte.

Levantando-se, Pilar vagueou pelo escritório e falou a Helen do telefonema.

— Quando ouvi Tony dar aquelas desculpas indiferentes, desligar na minha cara pra acalmar Rene depois que ela me atacou, fiquei enojada de todos nós. E mais tarde, quando tornei a me acalmar, percebi uma coisa. Não o amo mais, Helen. Talvez não o ame há anos. Isso me torna digna de pena.

— Não mais, não mesmo. — Helen pegou o telefone. — Vamos pedir a comida. — Vou explicar o que precisa ser feito. Depois, querida, vamos fazer tudo. Por favor. — Estendeu a mão. — Me deixe ajudar você. Ajudar pra valer.

— Tudo bem. — Pilar suspirou. — Tudo bem. Leva mais de uma hora?

— Creio que não. Carl, peça sanduíches de peito de frango, saladas de acompanhamento, dois cappuccinos e uma garrafa grande de água mineral. Obrigada.

Ela desligou o telefone.

— Perfeito. — Pilar sentou-se mais uma vez. — Tem alguma joalheria boa, bem cara, perto daqui?

— De fato, tem. Por quê?

— Se você tiver tempo antes de tornar a se enfatiotar nessa toga, pode me ajudar a comprar uma coisa simbólica e vistosa. — Ergueu a mão esquerda. — Uma coisa que deixe Rene louca quando vir.

Helen assentiu com aprovação.

— Agora falamos a mesma língua.

Capítulo
Sete

Domingo deslizou semana adentro como um bálsamo numa branda porém irritante comichão. Sophia não iria gastar as horas da manhã coberta de lã, flanela e podando vinhas. Não iria ficar com Ty bafejando em seu cangote à espera de ela cometer um erro.

Podia ir de carro até a cidade fazer algumas compras revigorantes e ver gente. Lembrar o que era ter uma vida.

Com isso em mente, pensou em chamar uma de suas amigas e estabelecer algumas horas de confraternização. Depois decidiu que preferia passar esse tempo frívolo com a mãe.

No próximo dia livre, resolveu, faria planos com os amigos. Passaria um fim de semana em São Francisco, daria uma festa e ofereceria um jantar no apartamento, iria a uma boate. Agora atiçaria a mãe a tirar um dia de meninas.

Deu batidinhas enérgicas na porta da mãe e depois a abriu sem esperar resposta. Jamais tinha de esperá-la.

A cama já se achava feita, as cortinas abertas para a vacilante luz do sol. Quando Sophia entrou, Maria chegou do banheiro anexo.

— Mama?

— Ah, há muito se levantou e saiu. Acho que está na estufa.

— Eu a encontro. — Sophia recuou e hesitou. — Maria, eu mal vi mamãe a semana inteira. Tudo bem com ela?

Maria contraiu os lábios e ocupou-se à toa e sem necessidade com as rosas amarelas na cômoda de Pilar.

— Ela não dorme bem. Eu sei. Come como um passarinho, e só se a gente insistir. Ralhei com ela outro dia, e ela me disse que é estresse de fim de semana. Que estresse? — Maria ergueu as mãos viradas para cima. — Sua mãe adora o Natal. É aquele homem quem a aborrece. Não quero falar mal do seu pai, mas, se ele fizer meu bebê adoecer, vai ter de se ver comigo.

— Você vai ter de entrar na fila — murmurou Sophia. — Vamos cuidar dela, Maria. Vou ver onde está agora.

— Faça com que ela coma!

Natal, pensou Sophia, descendo apressada as escadas. Era o pretexto perfeito. Iria pedir à mãe que lhe desse uma mãozinha com algumas compras de última hora.

Examinou a casa ao atravessá-la rápido. Os bicos-de-papagaio vermelhos e as estrelas brancas da mãe, em dezenas de vasos de prata, misturavam-se com miniaturas de azevinhos em luxuriantes arranjos por todo o saguão. A folhagem nova, verde e entrelaçada com minúsculas luzes brancas e uma brilhante fita vermelha formava grinaldas em volta dos vãos das portas.

Os três anjos Giambelli exibidos na longa mesa da sala de jantar. Tereza, Pilar e Sophia, ela pensou, os rostos esculpidos que refletiam cada uma delas aos doze anos.

Como pareciam umas com as outras. Vê-los era sempre um leve sobressalto, um pequeno puxão de divertido prazer. A continuidade, o inegável elo de sangue das três gerações. Emocionara-se quando ganhara o seu anjo alguns anos antes. Emocionara-se ao ver as próprias feições no corpo gracioso e sinuoso. E, percebeu, passando a ponta do dedo no trio, ainda se emocionava.

Um dia recairia sobre ela a encomenda do anjo para um filho seu. Que idéia estranha, ruminou. Não desagradável, mas com certeza estranha. A próxima geração, quando chegasse a hora, cabia a ela começar.

Avaliada pelas que tinham vindo antes, ficava um pouco atrás nesse dever familiar específico. Mas também não era uma coisa que pudesse escrever no seu calendário mensal. Apaixonar-se. Casar-se. Conceber filhos.

Não, essas coisas não se incluíam à perfeição na agenda de uma vida. Ela imaginava que gostaria de ter tudo isso com o homem certo e na hora certa. Mas era tão fácil cometer um engano. E amor, casamento e filhos não podiam ser riscados da página de lembretes como uma inconveniente consulta ao dentista.

A não ser que se fosse Anthony Avano, corrigiu-se, aborrecendo-se com a automática pontada de ressentimento que veio na cola da idéia. Nessa área não tinha a menor intenção de seguir o exemplo do pai. Quando fizesse a escolha, e as promessas que a acompanhavam, iria cumpri-las.

Então, por enquanto, três anjos tinham de bastar.

Ela virou-se para examinar a sala. Velas em espigões, nacos de prata e ouro e mais folhagens verdes magistralmente dispostos. A grande árvore, uma das quatro que pela tradição se punham na villa, transbordante de guirlandas de cristal, cheia de preciosos enfeites trazidos da Itália, erguia-se régia perto das janelas. Os presentes já se achavam amontoados embaixo e a casa cheirava a pinheiro e cera de vela.

O tempo fugira, pensou, culpada. Grande parte. A mãe, a avó e os empregados haviam trabalhado como troianos na decoração da casa para os feriados, enquanto ela se enterrara no trabalho.

Devia ter tirado tempo, *criado* tempo para ajudar. Não pôs isso na sua agenda, pôs, Sophia?, pensou com um estremecimento. A festa anual de Natal já quase chegara e ela nada fizera para ajudar no planejamento ou nos preparativos.

Iria corrigir isso imediatamente.

Saiu pela porta lateral, arrependendo-se no mesmo instante por não ter parado e pego um casaco quando o vento a atingira. Em conseqüência, seguiu correndo pela sinuosa alameda de pedras e cortou à esquerda rumo à estufa.

O calor quente e úmido pareceu muito convidativo.

— Mama?

— Aqui. Sophie, espere até você ver meus narcisos. São espetaculares. Acho que vou levá-los junto com as açucenas para o salão. São muito festivos.

Pilar parou e ergueu os olhos.

— Cadê seu casaco?

— Esqueci.

Sophia curvou-se, beijou a face da mãe e deu uma boa e longa olhada.

Tinha o antigo suéter arregaçado nos cotovelos e bem frouxo nos quadris, os cabelos puxados para trás, presos na nuca.

— Está emagrecendo.

— Ah, não estou. — Pilar descartou a afirmação com as mãos metidas nas luvas de jardinagem manchadas. — Você andou falando com Maria. Se não me empanturro três vezes por dia, ela se convence de que vou definhar. Na verdade, roubei dois biscoitos doces no caminho pra cá, e imagino que despontem dos quadris a qualquer momento.

— Isso deve sustentar você até o almoço. Que eu vou comprar. Estou tão atrasada com as compras. Socorro!

— Sophia. — Com um balanço de cabeça, Pilar transferiu a guirlanda de narcisos e começou a ocupar-se com as tulipas que acomodava. Elas vão florescer, pensou, e trazer cor para esses sombrios dias de inverno. — Você começou a fazer compras de Natal em junho e terminou em outubro. Como sempre, para deixar o resto de nós com ódio.

— Tudo bem, você me pegou. — Sophia içou-se para a bancada de trabalho. — Mesmo assim, estou morrendo de vontade de ir à cidade e me divertir algumas horas. Foi uma semana brutal. Vamos tirar o resto do dia de folga.

— Estive lá dois dias atrás. — Franzindo o cenho, Pilar pôs as tulipas de lado. — Sophie, essa nova ordem das coisas que sua avó estabeleceu é demais pra você? Acorda ao amanhecer todo dia, e depois passa horas no escritório aqui. Sei que não tem visto nenhum dos seus amigos.

— Eu vicejo na pressão. Apesar disso, preciso de uma assistente e creio que você devia dar conta desse recado.

— *Cara*, nós duas sabemos que eu seria inútil pra você.

— Não, eu não sei disso. Tudo bem, a gente muda pro plano B. Vou pôr você pra trabalhar. Fez toda a decoração da casa e está linda, aliás. Sinto muito não ter ajudado.

— Tem andado ocupada.

— Eu não devia ter andado tão ocupada. Mas agora é o horário de escritório, e isso abrange o tempo de planejar uma festa. Precisa me manter informada, o que é parte do dever de uma assistente. Muito bem, que flores vai levar lá pra dentro? Vou ajudar você com elas, depois a gente liga o relógio.

A filha, pensou Pilar, fazia a sua cabeça rodopiar.

— Sophie, realmente.

— É, realmente. Você é a estagiária. Eu sou a chefe. — Ela deslizou da bancada e esfregou as mãos uma na outra. Tenho de compensar todos os anos que você mandou em mim. Sobretudo entre os doze e os quinze anos.

— Não, os anos da puberdade não. Você não seria tão cruel.

— Pode apostar. Você perguntou se esse novo sistema era demais pra mim. Não é. Mas chega bem perto. O negócio é o seguinte. Não estou acostumada a preencher os meus arquivos, etiquetas de telefone e digitar. Como não estou a fim de admitir pra *Nonna*, nem pra MacMillan, o mínimo do que me sinto espremida, você podia me ajudar a sair desta.

Pilar bufou e tirou as luvas.

— Está fazendo isso pra me manter ocupada, como Maria me persegue pra comer.

— Em parte — admitiu Sophia. — Mas isso não muda o fato de que eu perco tempo todo dia fazendo trabalho básico de escritório. Se puder delegar isso, talvez consiga na verdade começar mais uma vez a namorar nesta década. Sinto falta de um homem.

— Tudo bem, mas não me culpe se não conseguir encontrar nada nos arquivos. — Pilar puxou a fina fita dos cabelos e correu a mão por eles. — Não faço trabalho básico de escritório desde os dezesseis anos, e mesmo então era tão ruim que a Mama me despediu.

Virou-se, desatou a rir e então notou que Sophia, boquiaberta, olhava sua mão.

Sem graça, Pilar quase escondeu a mão, e o rubi de cinco quilates e lapidação quadrada no dedo, atrás das costas.

— É um pouco demais, não é?

— Não sei. Acho que fiquei cega pelo clarão. — Sophia tomou a mão da mãe, examinou a pedra e os estonteantes diamantes, também quadrados, embutidos em fileira numa ranhura em volta do quadrado. — Uau. *Magnífico.*

— Eu queria alguma coisa. Devia ter contado a você. Mas tem andado tão ocupada... Droga. — Pilar tentou explicar. — Usei seu horário pra evitar conversar com você. Sinto muito.

— Não tem de se desculpar comigo por comprar um anel, Mama. Só que, pra mim, seria possível considerar esse um pequeno monumento.

— Eu estava furiosa. A gente não devia fazer nada quando está furiosa. — Para ter alguma coisa com que se ocupar, Pilar pegou as ferramentas de jardinagem e começou a substituí-las. — Filha, Helen está cuidando do divórcio pra mim. Eu devia ter...

— Ótimo. Ela não vai deixar que escalpem você. Não me olhe assim, Mama. Você tem cuidado de mim, toda a minha vida teve o cuidado de jamais falar contra meu pai. Mas eu não sou cega, nem idiota.

— Não. — Dominada pela tristeza, Pilar pôs de lado a pequena pá de transplante. — Não, você jamais foi qualquer das duas coisas.

E viu, e entendeu muito mais que devia uma criança.

— Se você deixasse, ele tomaria seu dinheiro e qualquer outra coisa que não estivesse definida. Não poderia evitar. Eu me sinto melhor sabendo que tia Helen está cuidando dos seus interesses. Agora vamos levar estas flores pra casa.

— Sophie. — Pilar pôs a mão no braço da filha, quando ela pegou um vaso de açucenas. — Sinto muito que isso a magoe.

— Você nunca me magoou. Ele sim, sempre. Não acho que ele possa evitar isso também. — Pegou um segundo vaso. — Rene vai engolir a língua quando vir essa pedra.

— Eu sei. Era essa a idéia.

Durante mais de cinqüenta anos, a Giambelli da Califórnia realizara luxuosas festas de Natal para a família, amigos, empregados e associados. Com o crescimento da empresa, também se estendeu a lista de convidados.

Seguindo a tradição estabelecida pela sucursal italiana da empresa, as festas se realizavam simultaneamente no último sábado antes do Natal. Abria-se a casa à família e aos amigos, e o lagar que abrigava a adega aos empregados. Os associados, dependendo da posição na cadeia hierárquica, eram incluídos no lugar adequado.

Os convites para a casa-grande eram selecionados como ouro e muitas vezes usados como símbolo de status ou sucesso. Mesmo assim, os Giambelli não economizavam nas festividades do lagar. Comida elegante e copiosa, vinho fluindo livremente e decorações e entretenimentos de primeira classe.

Esperava-se que cada membro da família desse o ar de sua presença nos dois locais de festejos.

Após fazê-lo desde os quinze anos, Sophia sabia muito bem que a festa do lagar era de longe mais divertida. E muito menos cheia de parentes irritantes.

Ouvia a prole da prima Gina esganiçando-se uns com os outros no fim do corredor. Vira frustradas as esperanças de que Don e o rebanho permanecessem na Itália na noite anterior com a chegada deles.

Apesar disso, sua presença não seria tão importuna quanto a do pai e de Rene. A mãe fincara pé que fossem convidados, batendo de frente com *La Signora* sobre a questão. O consolo era que o convite aos dois fora para o lagar.

Isso, ela pensou apertando o fecho dos brincos de diamante em forma de lágrima, ficaria entalado no gogó de Rene.

Recuou e examinou os resultados no espelho giratório. O treme-luzente longo prateado, com bolero curto e ajustado, caía bem. O grande decote formava uma bela moldura para o colar de diamantes que, como os brincos, haviam sido presentes da avó.

Virou-se, conferiu o caimento da saia e gritou um convite à batida que ouviu na porta.

— Mas olhe só você! — Helen entrou, bonita e rechonchuda de rosa fosco. — Cintila pra todos os lados.

— É lindo, não? — Sophia deu outra volta, de farra. — Comprei em Nova York, pensando no Ano-novo, mas não consegui resistir a usá-lo esta noite. Não está exagerado demais com os diamantes?

— Diamantes nunca são demais. Querida. — Ela fechou a porta. — Eu queria um minuto. Detesto trazer isso à tona agora, bem antes de você ter de se confraternizar com centenas de pessoas, mas Pilar me disse que Tony e Rene vêm.

— Que é que tem?

— O divórcio foi concluído. Ontem. Não passou, na verdade, de uma formalidade após esses anos todos. Como Tony tinha pressa e não complicou o processo com negociações financeiras, trataram apenas de preencher os documentos.

— Entendo. — Sophia pegou a bolsa de noite, abriu e fechou a lingüeta. — Já contou à Mama?

— Sim. Acabei de contar. Ela está ótima. Pelo menos parece. Sei como é importante para ela que você faça o mesmo.

— Não se preocupe comigo, tia Helen. — Ela atravessou o quarto, tomou as mãos da tia. — Você é formidável. Não sei o que ela faria sem você.

— Pilar precisa seguir em frente.

— Eu sei.

— E você também. — Helen apertou as mãos de Sophia. — Não deixe Rene ter a satisfação de ver que isso a magoa, em nível algum.

— Não vou deixar.

— Ótimo. Agora tenho de descer e vigiar meu marido. Se deixar James sozinho lá embaixo tão cedo, ele vai surripiar os canapés e arruinar o bufê. — Helen abriu a porta e olhou para trás. — Tony não fez muitas coisas admiráveis na vida. Você é uma delas.

— Obrigada.

Sozinha, Sophia exalou um longo suspiro. Depois empertigou os ombros e voltou ao espelho. Abrindo a bolsa, pegou o batom. E pintou os lábios de vermelho-assassinato sangrento.

DAVID TOMOU UM GOLE DE UM MERLOT BEM ENCORPADO, misturou-se aos convidados amontoados junto das imponentes paredes de pedra do lagar, tentou sintonizar-se com as ousadas músicas da banda que no momento entretia o filho, e examinou a área em busca de Pilar.

Sabia que os Giambelli iriam comparecer por algum tempo. Fora bem treinado na pompa e protocolo das festas dos dias santos. Esperava-se que dividisse seu tempo entre as festas, o que — embora não expresso nesses termos exatamente — era ao mesmo tempo um privilégio e um dever.

Vinha aprendendo rápido que quase toda atribuição na organização tinha como epígrafe as duas coisas.

Não via do que se queixar. Haviam lhe oferecido um desafio, o que ele precisava. Estava sendo bem compensado em termos financeiros, o que apreciava. E associava-se a uma empresa que respeitava. E valorizava.

Tudo que vira nas últimas semanas confirmara que a Giambelli-MacMillan era uma organização orientada pela família, dirigida com muita eficiência e pouco sentimento. Não fria, mas calculada.

O rei e a rainha eram o produto. O dinheiro, embora respeitado e esperado, não era a meta. O vinho, sim. Ele descobrira a verdade oposta nos últimos anos na La Coeur.

Agora, vendo o filho divertir-se de verdade, observando a filha interrogar interminavelmente o coitado de um vinicultor sobre algum ponto do processo, sentia-se satisfeito.

A mudança fora exatamente o que todos precisavam.

— David. Bom ver você.

Ele voltou-se e a breve surpresa registrou-se quando viu o rosto sorridente de Jeremy DeMorney.

— Jerry, que surpresa vê-lo por aqui.

—Eu tento nunca perder uma animada festa anual da Giambelli, e sempre venho à adega antes de ir à villa. Muito democrático da parte de *La Signora* convidar representantes da concorrência.

— É uma lady e tanto.

— Uma espécie rara. Como tem sido sua adaptação em trabalhar para ela?

— Ainda são os primeiros dias. Mas a mudança foi boa. Fico feliz por tirar os meninos da cidade. Como vai tudo em Nova York?

— Estamos conseguindo andar, mas tateando sem você. — A pequena ferroada na declaração não se suavizou com o sorriso afetado. — Lamento, continuamos magoados. Detestei te perder, David.

— Nada dura para sempre. Alguém mais por aqui de La Coeur?

— Duberry veio de avião da França. Conhece a velha senhora há cem anos. Pearson, representando o grupo local. Alguns altos executivos de outros rótulos. Isso nos dá uma chance de tomar o vinho dela e espionar uns aos outros. Tem alguma fofoca pra mim?

— Como eu disse, ainda são os primeiros dias. — Embora falasse com descontração, manteve-se cauteloso. O programa de ação de Jerry, fofocas e punhalada empresarial pelas costas, fora um dos motivos de ter sido tão fácil deixar La Coeur. — Mas é uma grande festa. Com licença, chegou a pessoa que eu esperava.

Talvez por toda a vida, pensou David, ao deixar Jerry sem olhar para trás e abrir caminho entre a multidão, ao encontro de Pilar.

Ela usava azul. Veludo azul-escuro com um longo cordão de pérolas. Parecia calorosa, majestosa e, ele diria, inteiramente confiante, se não notasse o rápido lampejo de pânico nos olhos dela.

Pilar virou o rosto, e logo seus olhos encontraram os dele. E, meu Deus, ela corou. Ou, pelo menos, experimentou algo diferente. Só de pensar no que ela sentiu, sua mente começou a trabalhar com agitação.

— Estava aguardando sua chegada. — Ele tomou a mão dela antes que ela pudesse reagir. — Como um garoto aguarda uma colega de classe na festinha da escola. Sei que você veio aqui para confraternizar com todos, mas preciso de um minutinho apenas.

Era como ser arrebatada com um único aceno caloroso.

— David...

— Não pode confraternizar sem vinho. Não fica bem. — Ele a conduziu para a frente. — Falaremos de negócios, do clima. Só vou dizer umas cinco ou dez vezes que você está linda. — Pescou uma *flûte* de champanhe numa bandeja. — Não vejo como oferecer outra coisa com essa elegância.

A mesma agitação retornou ao estômago dela.

— Não consigo acompanhar o seu ritmo.

— Nem eu mesmo consigo me acompanhar. Estou deixando você nervosa. — Tocou a *flûte* de leve na dela. — Eu diria que lamento, mas seria mentira. É melhor começar um relacionamento com franqueza, não acha?

— Não. Sim. Pare. — Ela tentou rir. Ele parecia um sofisticado cavalheiro naquele preto formal, com os belos cabelos louros cintilando à luz trêmula. — Seus filhos vieram?

— Vieram. Gemeram diante da idéia de serem arrastados pra cá, e agora se divertem como nunca na vida. Você está linda. Eu disse que ia repetir isso, não disse?

Ela quase deu umas risadinhas contidas, mas lembrou que tinha quarenta e oito anos, não dezoito, e imaginou que não iria cair nessa.

— É, acho que disse.

— Acho que não podemos encontrar um canto escuro pra ficar de chamego, que acha?

— Não. É definitivo.

— Então terá apenas de dançar comigo, e me dar uma chance de fazer você mudar de idéia.

Ela sentiu-se tonta ao pensar que ele poderia fazê-la mudar de idéia. Que desejava que o fizesse. Incompetente, disse a si mesma com firmeza. Ridículo. Era anos mais velha que ele.

Deus do céu, que deveria fazer? Falar? Sentir?

— Milhões de pensamentos passam pela sua cabeça — ele murmurou. — Eu gostaria que me contasse todos.

— Nossa. — Ela apertou com a mão a barriga, onde uma sensação suave e estranha deslizou em meio às palpitações. — Você é bom pra burro nisso.

— Que bom que acha isso, porque começo a me sentir desajeitado toda vez que vejo você.

— Me faz de boba. — Ela inspirou fundo e se acalmou. — David, você é muito atraente...

— Você acha? — Ele tocou-lhe os cabelos, não pôde evitar. Adorava o jeito como caíam, curvos em volta do rosto dela. — Pode ser mais específica?

— E muito charmoso — ela acrescentou, esforçando-se por manter a voz firme. — Estou muito lisonjeada, mas ainda não conheço você. E, além disso... — Baixou a voz, imobilizando o sorriso. — Olá, Tony, Rene.

— Pilar. Você está linda — disse Tony, curvando-se para beijá-la no rosto.

— Obrigada. David Cutter, apresento Tony Avano e Rene Foxx.

— Rene Foxx Avano — corrigiu-a Rene com um ronronado. Ergueu a mão, girou os dedos para fazer fulgir a aliança de casamento cercada por diamantes. — A partir de hoje.

Não fora uma punhalada no coração, percebeu Pilar, como imaginara que seria. Mais um ardor, porém, um rápido choque, que tanto a irritara quanto machucara.

— Parabéns. Sei que serão felizes juntos.

— Oh, já somos. — Rene enlaçou o braço no de Tony. — Vamos voar pra Bimini logo depois do Natal. Deve ser adorável estar fora desse frio e chuva. Você realmente devia tirar um tempo pra curtir umas férias, Pilar. Está pálida.

— Que estranho! Ainda agora eu pensava em como ela parece cheia de vida esta noite. — Avaliando o terreno, David ergueu a mão de Pilar e beijou-lhe os dedos. — Deliciosa, de fato. Que bom que tive a chance de conhecer você, Tony, antes de deixar o país. — Com toda tranqüilidade, David passou o braço pela cintura de Pilar.

— Tive muita dificuldade pra encontrar você nos últimos dias. — Lançou um olhar a Rene, apenas alguns graus abaixo de delicado. — Agora entendo por quê. Informe ao meu escritório seus planos de viagem, sim? Temos negócios a discutir.

— Meu pessoal sabe dos planos.

— Parece que o meu não. Queiram nos dar licença, por favor? Precisamos cumprimentar algumas pessoas antes de irmos pra villa.

— Isso foi indelicado — sussurrou Pilar.

— E daí? — Fora-se o encanto do flerte. Em seu lugar, instalara-se a força da fria e implacável natureza. Não ficava, ela pensou, nem um pouco menos atraente nele. — Além de eu não gostar dele, a princípio, sou o COO e devia ter sido informado de que um dos vice-presidentes iria sair do país. Ele vem se esquivando de mim há dias, evitando meus telefonemas. Não gosto disso.

— Tony simplesmente ainda não se habituou a ter de prestar contas a você, nem a ninguém.

— Terá de se ajustar. — Por cima da cabeça dela, David localizou Tyler. — Como terão também outros. Por que não ajuda a abrir um pouco o caminho e me apresenta a algumas das pessoas que estão se perguntando que diabos eu faço aqui?

*T*YLER TENTAVA SER INVISÍVEL. DETESTAVA FESTAS GRANDES. Gente demais com quem falar, poucas demais a quem tinha alguma coisa a dizer. Já fizera seus planos. Uma hora no lagar, uma hora na casa principal. Depois podia sair sem ser visto, rumar para casa, assistir a um jogo pela ESPN e ir dormir.

Pelo que perceberia, a música era alta demais, o lagar apinhado demais e a comida calórica demais. Não se importava de olhar as pessoas, sobretudo quando pareciam tão elegantes, educadas e tentando parecer melhores do que aquelas com quem conversavam.

Era como assistir a uma peça e, desde que pudesse ficar em segurança na platéia, dava para agüentar um pouco.

Vira o pequeno drama entre Pilar e Rene. Tyler gostava tanto de Pilar que teria sacrificado seu canto e ficado ao lado dela se David Cutter já não estivesse lá. Cutter irritava-o antes de mais nada, mas tinha de dar-lhe pontos pela rápida ação. O beijinho na mão fora uma boa jogada, que parecera aborrecer Rene e Avano.

E qualquer coisa que tivesse dito varrera logo aquele sorriso idiota da cara de Avano.

Avano era um imbecil, pensou Tyler, tomando o vinho. Mas com Rene incitando-o, podia ser perigoso. Se Cutter conseguisse mantê-lo na linha, quase valia a pena tê-lo na composição.

Quase.

— Por que está aí parado sozinho?

Tyler baixou os olhos e franziu a testa para Maddy.

— Porque não quero estar aqui.

— Então por que está? Você é adulto. Pode fazer o que quiser.

— Continue pensando assim, menina, que está fadada à decepção.

— Você simplesmente gosta de ser irritável.

— Não, eu simplesmente *sou* irritável.

Ela franziu os lábios e fez que sim com a cabeça.

— Certo. Posso tomar um gole do seu vinho?

— Não.

— Na Europa, ensinam as crianças a apreciar vinho.

Disse isso de forma tão majestosa, ali parada, coberta com camadas de preto e uns sapatos medonhos de matar, que Tyler teve vontade de rir.

— Então, vá para a Europa. Aqui isso se chama contribuir para a delinqüência.

— Estive na Europa, mas não me lembro muito bem. Vou voltar. Talvez more em Paris por algum tempo. Eu estava conversando com o Sr. Delvecchio, o fabricante de vinho. Ele disse que o vinho era um milagre, mas na verdade é apenas uma reação química, não é?

— É as duas coisas. E nenhuma das duas.

— Tem de ser. Eu ia fazer uma experiência e imaginei que você podia me ajudar.

Tyler piscou os olhos para ela, uma menina bonita, pessimamente malvestida e com uma mente inquiridora.

— Como? Por que não fala com seu pai?

— Porque você é o vinicultor. Achei que eu podia pegar algumas uvas, botar numa tigela e ver o que acontece. Pegaria outra tigela, com o mesmo tipo e peso de uvas, e faria algumas coisas. O tipo de coisa que você faz.

— Eu como uvas numa tigela — ele disse, mas ela despertara seu interesse.

— Veja, uma das tigelas seria deixada de lado, milagre do Sr. Delvecchio. A outra, eu processaria com aditivos e técnicas. Forçando a reação química. Depois ia ver qual tinha funcionado melhor.

— Mesmo que use o mesmo tipo de uva, terá variações entre os testes.

— Por quê?

— Você fala das compradas em loja nesta época do ano. Talvez não tenham vindo do mesmo vinhedo. Mesmo que tenham, envolvem variações. Tipo de solo, fertilidade, penetração da água. Quando são colhidas. Como são colhidas. Não se podem testar as uvas na videira, porque já estão fora. O sumo em cada tigela poderia ser muito diferente, mesmo que você deixasse as duas de lado.

— O que é sumo?

— Suco. — Vinho de tigela, ele pensou. Interessante. — Mas, se quiser fazer a experiência, deve usar tigelas de madeira. A madeira dará ao sumo uma certa personalidade. Não muita, mas um pouco.

— Uma reação química — disse Maddy com um sorriso. — Está vendo? É ciência, não religião.

— Meu bem, o vinho é isso e muito mais.

Sem pensar, ele ofereceu-lhe a taça.

Ela tomou delicadamente, desviando o olhar apenas para garantir que o pai não se achava por perto. Experimentando, deixou o vinho rolar na língua antes de engolir.

— É muito bom.

— Muito bom? — Com um abano de cabeça, ele tomou de volta a taça. — Este é de uma excepcional safra Pinot Noir. Só um bárbaro o acharia "muito bom".

Ela deu um sorriso encantador, porque agora sabia que o tinha.

— Você vai me mostrar os grandes barris de vinho e as máquinas um dia?

— Vou. Claro.

— O Sr. Delvecchio disse que vocês fazem o branco em aço inoxidável e os tintos em madeira. Não tive chance de perguntar a ele por quê. Por quê?

*M*AS NÃO ERA UMA GRAÇA?, PENSOU SOPHIA. O GRANDE E mal-humorado MacMillan absorto no que parecia uma conversa séria com a Mortícia em miniatura. E, a julgar pelas aparências, divertia-se. Estava com uma bela aparência.

Essa constatação alegrou-a ainda mais, por ter decidido não levar nenhum acompanhante. Um convidado específico significava que iria precisar dedicar-lhe toda atenção. Livre, ela tinha muito mais espaço para circular e curtir a companhia de alguém que mais a intrigasse.

No momento, achou que Tyler se encaixava nesse papel.

Levaria algum tempo para conseguir chegar até ele. Afinal, tinha obrigações a cumprir. Mas o mantinha no canto da visão quando começou a abrir caminho entre a multidão.

— Sophia. Estonteante como sempre.

— Jerry. Boas festas. — Ela curvou-se e beijou-lhe as duas faces. — Como vão os negócios?

— Tivemos um ano de campanha publicitária. — Ele passou o braço pelos ombros dela e guiou-a por entre os grupos na sala de degustação, em direção ao bar. — E esperamos outro. Um passarinho me contou que você anda planejando uma brilhante campanha promocional.

— Esses passarinhos falam demais, não acha? — Ela deu um belo sorriso ao barman. — Champanhe, por favor. Outro do rebanho gorjeou sobre o lançamento de um novo rótulo. Mercado médio, alvo americano.

— Alguém terá de abater esses pássaros. Eu vi a matéria elogiosa na *Vino* sobre o seu Cabernet 1984.

— Uma excelente safra.

— E o leilão correu muito bem para você. Que pecado o seu, Sophia, me deixar em pé, parado, quando estava em Nova York. Sabe como eu aguardava, ansioso, para sair com você.

— Não pude evitar. Mas não faltarei ao compromisso na próxima viagem.

— Conto com isso.

Era um homem atraente, elegante, de uma atração quase delicada. O mínimo toque de fios grisalhos nas têmporas realçava a classe, a leve covinha no queixo acrescentava charme.

Nenhum dos dois falaria no pai dela, nem no mal guardado segredo da infidelidade da mulher de Jerry. Em vez disso, manteriam o encontro como um leve e amistoso flerte.

Entendiam um ao outro, pensou Sophia, muito bem. A concorrência entre a Giambelli e a La Coeur era intensa, e muitas vezes acirrada. E Jeremy DeMorney não estava acima de usar quaisquer meios disponíveis para puxar sua ponta da corda.

Ela admirava isso.

— Eu até vou dar um pulo até lá, pra um jantar — ela acrescentou. — E o vinho. Vinho Giambelli-MacMillan. Íamos querer o melhor, afinal.

— Então talvez o conhaque La Coeur, no meu apartamento.

— Ora, você sabe como me sinto em relação à mistura de negócios e... negócios.

— Você é uma mulher cruel, Sophia.

— E você, um homem perigoso, Jerry. Como vão os filhos?

— Estão ótimos. A mãe foi passar o Natal com eles em Saint Moritz.

— Deve sentir saudades.

— Claro. Achei que podia passar um ou dois dias no Valley antes de voltar pra casa. Que tal a gente misturar prazer e prazer?

— É tentador, Jerry, mas estou atolada. Acho que só vou voltar à superfície depois do dia primeiro. — Ela captou um movimento pelo canto dos olhos e viu a mãe afastar-se para o banheiro das mulheres. Com Rene alguns passos atrás. — Por falar em atolada, tenho de resolver uma coisa agora mesmo. Adorei ver você.

— E você — ele respondeu, quando ela já se encaminhava por entre a multidão.

Seria ainda mais adorável vê-la, pensou Jerry, quando ela e o resto da família estivessem arruinados.

Ajudar a causar isso seria misturar negócios com negócios, decidiu. E prazer com prazer.

Rene cruzou a porta do banheiro das senhoras, confortável e revestido de madeira, um passo atrás de Pilar.

— Conseguiu cair de pé, não foi?

Rene se apoiou na porta, para desencorajar alguém de entrar atrás delas.

— Você teve o que queria, Rene. — Embora sentisse que iria ficar com as mãos trêmulas, Pilar abriu a bolsinha e pegou o batom. Pretendia ter dois minutos íntimos antes de fazer as últimas rodadas e dirigir-se para a villa. — Eu não devia ser mais um problema pra você.

— As ex-mulheres são sempre um problema. Ouça o seguinte: não vou tolerar que me ligue, nem pra Tony, e cuspa seus insultos neuróticos.

— Eu não liguei.

— Você é uma mentirosa. E covarde. Agora vai se esconder atrás de David Cutter. — Ela agarrou a mão de Pilar e virou-a para cima, de modo que o anel fulgiu nas luzes. — Que tinha você pra conseguir arrancar isso dele, sua bajuladora?

— Eu não preciso de um homem pra comprar jóias, nem qualquer outra coisa pra mim, Rene. É uma das diferenças elementares entre nós.

— Não, vou dizer qual é a diferença elementar entre nós. Eu corro atrás do que quero, às claras. Se acha que vou deixar Tony se escafeder da jogada porque você corre gemendo pra sua família, se enganou. Não vai descartá-lo, nem David Cutter vai. Se você tentar... pense só em toda a informação que ele poderia passar aos seus concorrentes.

— Ameaçar a família, ou a empresa, não ajudará Tony a garantir a posição dele na empresa. Nem a sua.

— Veremos. Sou agora a Sra. Avano. E o Sr. e a Sra. Avano vão se juntar à família, e aos outros executivos de alto escalão, na villa esta noite. Tenho certeza de que seu convite foi mal direcionado.

— Vai apenas se constranger — disse Pilar.

— Eu não me constranjo facilmente. Lembre-se do seguinte: Tony tem uma parte da Giambelli, e eu uma parte dele. Sou mais jovem que você e muito mais jovem que sua mãe. Ainda estarei aqui quando vocês se forem.

— Estará? — Deliberadamente, Pilar virou-se para o espelho, devagar, e com todo cuidado pintou os lábios. — Quanto tempo acha que vai levar pra Tony enganar você?

— Ele não ousaria. — Segura do seu poder, Rene sorriu. — Ele sabe que, se fizer, eu o matarei. Não sou uma esposa paciente, passiva. Tony me disse que abominável companheira de cama você era. A gente deu boas risadas. Meu conselho? Se quiser trazer Cutter na coleira, passe ele pra sua filha. Ela me parece alguém que sabe entreter um homem na cama.

Tão logo Pilar deu meia-volta, Sophia abriu a porta.

— Oh, que divertido! Conversa de meninas? Rene, que coragem a sua usar esse tom de verde com seu colorido.

— Foda-se, Sophia.

— Erudita, como sempre. Mama, precisam de você na villa. Sei que Rene vai nos dar licença. Precisa de espaço e intimidade pra retocar a maquiagem.

— Ao contrário, vou simplesmente deixar as duas a sós pra você segurar sua mãe quando ela se dissolver em lágrimas indefesas. Não estou acabada, Pilar — acrescentou Rene, abrindo a porta. — Mas você, sim.

— Que divertido! — Sophia examinou o rosto da mãe. — Parece que você não vai se dissolver em lágrimas, indefesas ou não.

— Não, acabei com elas. — Pilar largou o batom de volta na bolsa e fechou-a com um estalo. — Sophie, querida, seu pai se casou com ela hoje.

— Ora, que ele vá pro inferno! — Num longo suspiro, ela avançou, envolveu a mãe nos braços e apoiou a cabeça em seu ombro. — Feliz Natal.

Capítulo Oito

Sophia esperou o momento propício. Precisava pegar o pai sozinho para dizer o que tinha a dizer, e não com Rene toda enroscada nele como uma hera venenosa no tronco de uma árvore. Prometeu a si mesma que seria calma, madura e clara como cristal. Perder as estribeiras não era uma boa opção.

Fez sala enquanto esperava e dançou com Theo, tão divertido que quase curara seu humor azedo.

Quando viu Rene na pista de dança com Jerry, pôs-se em movimento.

Não se surpreendeu ao ver o pai enfiado numa mesa de canto, flertando com Kris. Isso a revoltou um pouco, mas não a surpreendeu vê-lo jogar charme em cima de outra mulher no dia do casamento.

Ao aproximar-se, porém, captou os sinais sutis — um leve toque, um olhar promissor —, que lhe revelaram ser mais que um flerte. E aí, sim, surpreendeu-se.

O pai, teve certeza, traía Rene com Kris. Mesmo assim, era tão típico dele, tão ridiculamente ele, que mal deteve o seu avanço.

Não sabia qual dos três naquele desastrado triângulo era o maior idiota, e no momento isso não era problema seu.

— Kris, lamento interromper este afetuoso momento, mas preciso falar com meu pai. A sós.

— É um prazer ver você também. — Kris levantou-se. — Faz tanto tempo que se deu ao trabalho de aparecer no escritório que quase esqueci como você é.

— Não creio que eu deva prestar contas a você, mas não deixarei de enviar uma foto.

— Ora, princesa — começou Tony.

— Não enche. — Sophia manteve o tom de voz tranqüilo, nivelado, mas o olhar que disparou ao pai fez desaparecer a cor do rosto dele e fechar sua boca. — Vamos atribuir toda esta situação à insanidade da festa de Natal. Teremos uma reunião, Kris, no meu escritório, quando meu horário permitir. Por esta noite, deixemos os negócios de lado em favor de assuntos pessoais. Pode se considerar com sorte por ter sido eu quem viu vocês antes de Rene. Agora preciso falar com meu pai sobre negócios de família.

— Com você ao volante, sua família não vai ter muito do que se pode chamar de negócios. — Deliberadamente, Kris curvou-se e passou a ponta do dedo pelas costas da mão de Tony. — Mais tarde — murmurou e saiu sem pressa.

— Sophie, você teve uma impressão totalmente errada. Kris e eu estávamos apenas tomando um drinque de confraternização.

O olhar dela varou-o como uma lâmina.

— Poupe isso pra Rene. Eu conheço você há mais tempo. O tempo suficiente pra não ter o mínimo interesse por suas trepadas. Por favor, não interrompa — disse, antes que ele pudesse expressar um protesto nervoso. — Não vai levar muito tempo. Entendo que as congratulações são necessárias. Ou, se não necessárias, exigidas pela mais elementar educação. Então aceite a porra dos meus parabéns.

— Ora, Sophie. — Ele se levantou, estendeu o braço para tomar a mão da filha, mas ela se pôs fora de alcance. — Sei que você não gosta de Rene, mas...

— Eu não dou a mínima pra Rene e, no momento, não dou muito mais pra você.

Ele parecia sinceramente surpreso e magoado. Ela se perguntou se treinara a expressão no espelho ao se barbear.

— Sei que não fala a sério. Lamento que esteja contrariada.

— Não, não lamenta. Lamenta eu estar encostando você na parede e cobrando o seguinte: você se casou hoje, e não se deu ao trabalho de me dizer. Esse é o primeiro ponto.

— Princesa, foi uma cerimônia simples, pequena. Nem eu nem Rene achamos...

— Só feche a matraca. — A resposta dele fora rápida e tranqüila, mas Sophia sabia a verdade. Nem sequer lhe ocorrera contar a ela. — Você veio para uma reunião de família, e sob o manto profissional; será uma reunião de família, exibir-se e à sua nova mulher, além de inoportuno é... É bastante insensível de sua parte, mas se agrava muitos níveis acima, porque você não teve a decência de primeiro contar à Mama sobre o casamento. Esse é o segundo ponto.

Elevara a voz, apenas o suficiente para fazer virarem algumas cabeças. Constrangido, Tony chegou mais perto. Tomou o braço dela e puxou-o com delicadeza.

— Por que não vamos lá pra fora, que eu explico? Não há necessidade alguma de fazer uma cena aqui.

— Ah, há sim. Toda necessidade. Estou resistindo desesperadamente à tentação de fazer só isso. Porque eis a sacanagem, seu filho-da-mãe. Você jogou essa mulher na cara de minha mãe. — Espetou um dedo no peito dele quando a raiva se elevou e assumiu o controle. — Você deixa Rene encurralar minha mãe, cuspir nela toda, fazer cenas, feri-la, e fica sentado aqui, babando por mais uma mulher... e jovem o bastante pra ser sua filha, se você se lembra que tem uma. Esse é o terceiro ponto, maldito seja você. Terceiro e você está fora. Fique longe dela e de mim. Mantenha distância e cuide pra que sua *esposa* faça o mesmo. Caso contrário, eu vou machucar você, prometo, vou fazer você sangrar.

Ela deu uma brusca meia-volta, recuperou-se, captou o diverti-do e falso sorriso no rosto de Kris. Deu um passo nessa direção, mais um, não inteiramente segura de aonde pretendia ir. Então sentiu agarrarem-lhe o braço e afastarem-na multidão adentro.

— Má idéia — disse Tyler, tranqüilo, deslizando o aperto do braço para a cintura, a fim de mantê-la perto. — Na verdade, péssima idéia assassinar membros do quadro executivo na festança da empresa. Vamos lá pra fora.

— Não quero ir lá pra fora.

— Mas precisa. Está frio. Você esfria. Até agora só entreteve um punhado de pessoas que estavam perto o bastante pra ouvir você perfurar Avano. Parabéns, aliás. Mas, soltando fumaça assim, vai acabar encenando um espetáculo pra festa toda.

Ele quase a empurrou pela porta.

— Pare de empurrar, pare de me arrastar. Não gosto de ser guiada por um homem.

Desprendeu-se com um safanão, contornou e por um triz não o acertou.

— Vá em frente. O primeiro golpe é grátis. Depois deste, eu revido.

Ela inspirou fundo, exalou e tornou a inspirar, olhando-o furiosa. A cada exalação, o longo cintilante disparava centelhas no luar.

Era, pensou, escandalosa e magnífica. E perigosa como um punhado de dinamites com os pavios já sibilando.

— É isso aí — ele disse, assentindo com a cabeça. — Mais algumas e talvez você consiga ver além do sangue nos olhos.

— Que canalha!

Ela se afastou das paredes cobertas de hera do lagar, dos arbustos envoltos em luzes festivas. Longe das risadas, da música que pulsava contra as janelas altas e estreitas. Dirigiu-se à sombra dos velhos ciprestes, onde podia descarregar a raiva até ficar mais uma vez calma.

Ele ouviu-a resmungando em italiano. Parte, ele entendia e nada daquilo parecia especialmente agradável.

— Não pude evitar — ela disse, voltando-se para onde ele estava, à espera de extravasar de vez.

Baixou as mãos agitadas lateralmente.

— Não, não imagino que pudesse. Sempre foi uma moleca mimada e malcriada.

Como fazia frio, e ela começava a tremer, ele tirou o paletó e passou-o em volta dos ombros dela.

O acesso de raiva se extinguira, deixando-a ferida e vazia por dentro.

— Não me incomodo com ele e Kris, apesar de isso complicar o meu departamento. Sei lidar com isso, com ela. Mas ele magoa minha mãe.

— Ela está se arranjando, Sophie. Vai ficar bem. — Ty enfiou as mãos nos bolsos, para não ceder à enorme vontade de acariciá-la e abraçá-la. Ela parecia muito infeliz. — Lamento que ele tenha magoado você.

— É. Bem, qual a novidade? — A explosão de raiva deixara-a com uma maçante dor de cabeça e o estômago em carne viva. — Acho que devo agradecer a você por ter me tirado de lá antes que eu perdesse o controle com os espectadores.

— Se você se refere a Kris, ela não me parece espectadora. É mais uma operadora. Mas, por qualquer das duas coisas, dispenso os agradecimentos.

Ela virou-se, viu pela expressão em seu rosto que ele começava a ficar sem graça. Como achou isso enternecedor, ergueu-se nas pontas dos pés e beijou-o de leve na face.

— Mesmo assim, obrigada. Eu não estava gritando, estava? Perco a noção quando tenho um ataque de raiva.

— Não muito, e o conjunto tocava alto.

— Já é alguma coisa, então. Bem, creio que já terminei meu trabalho aqui. Que tal me acompanhar a pé até a villa? Pode garantir que eu não tenha mais uma explosão de raiva.

— Acho que sim. Quer seu casaco?

— Seria muito bom. — Ela sorriu e fechou mais o paletó dele na frente. — Eu estou com o seu.

Os JARDINS DA VILLA CINTILAVAM COM MILHARES DE LUZES feéricas. Os terraços aquecidos eram enfeitados com flores e árvores ornamentais. Grupos de mesa atraíam os convidados a afluírem à luz das estrelas, aproveitarem a noite e a música que saía ondulando pelas portas e janelas do salão de baile.

Pilar usou isso como pretexto para ter um momento ao ar livre antes de retornar ao interior e circular entre os convidados, e como um dever. Pensou em esgueirar-se para fumar um cigarro de emergência.

— Está se escondendo?

Ela saltou no canto sombrio e depois relaxou quando viu que era o padrasto.

— Você me pegou de surpresa.

— Eu também dei uma fugida aqui pra fora. — Num movimento exagerado, ele espichou o pescoço, olhando para um lado e outro, e suspirou. — Você tem um aí?

A risada soou maravilhosa.

— Só um — ela sussurrou de volta. — A gente pode dividir.

— Acenda, parceira. Sua mãe está ocupada. Temos tempo suficiente pra fumar um.

Ela acendeu o cigarro e os dois ficaram ali nas sombras, amigável e conspiratoriamente passando o cigarro entre si.

Tranqüila na companhia dele, ela encostou-se à parede da casa e prestou atenção. As luzes brilhavam nos campos, destacando os entrelaçamentos e dedos nus das vinhas. Atrás delas, o glamour da música avolumava-se.

— É uma linda festa.

— Como sempre. — Com muito pesar por ambos, Eli apagou o final do cigarro. — Você, sua mãe e Sophia se superaram este ano.

Espero que Tereza tenha lhe dito o quanto a gente apreciou todo o trabalho que vocês tiveram neste evento.

— Disse. À maneira dela.

— Então me deixe agradecer à minha. — Envolveu-a nos braços e guiou-a numa dança. — Uma mulher bonita jamais deveria ficar sem par de dança.

— Oh, Eli. — Ela apoiou a cabeça no ombro dele. — O que eu faria sem você? Ando numa confusão tão grande.

— Você não, Pilar, você já era adulta, com uma filha, quando me casei com sua mãe. Tentei não interferir na sua vida.

— Eu sei.

— Tereza já faz o suficiente por nós dois — ele disse, levando-a a dar risadinhas. — Vou dizer o que penso. Ele nunca foi bom o bastante pra você.

— Eli...

— Jamais seria bom o bastante. Você desperdiçou muitos anos com Tony Avano, mas conseguiu ter uma filha maravilhosa. Valorize isso e não desperdice o resto de sua vida querendo saber por que não deu certo.

— Ele se casou com Rene. Assim, sem mais nem menos.

— Tanto melhor. — Ele fez que sim quando ela se virou para olhá-lo. — Pra você, pra Sophia, e todos os envolvidos. Eles se combinam, assim como são. E o casamento deles simplesmente o conduz um passo a mais para fora da sua vida. Se fosse do meu jeito, ele também estaria fora da empresa. Totalmente fora. E desconfio que é o que vai acontecer no próximo ano.

— Ele é bom no que faz.

— Outros serão igualmente bons, e não me darão indigestão. Sua mãe tem lá suas razões para mantê-lo. Mas não tão importantes quanto antes. Deixe que ele se vá — disse Eli, beijando-lhe a testa. — Vai afundar ou nadar. Nos dois casos, não é mais problema seu.

Do terraço abaixo, Tony ouviu, e sua boca endureceu. Continuava atormentado pelo que fora um ataque completamente desnecessário e inconveniente da própria filha, repetia sem parar a si mesmo. Conseguira livrar-se, mas fora em público. Em público e num evento empresarial.

Que de empresarial, pensou, nada tivera.

Não acreditava, não mesmo, que os Giambelli fossem demiti-lo. Mas tornariam difícil a sua vida.

Achavam que ele era idiota, descuidado. Mas se enganavam. Já tinha um plano em andamento para garantir uma sólida segurança financeira. Sabia Deus que precisava de dinheiro, e muito. Rene já esgotara os recursos que ele tinha.

Claro que fora insensato envolver-se com Kris. Vinha se esforçando o máximo para romper o caso, com delicadeza. Até então, fora um pouco mais problemático do que previra. Era realmente lisonjeiro que uma linda jovem como Kris fosse tão afeiçoada, tão relutante a seguir o próprio caminho. E furiosa, lembrou, furiosa o bastante para telefonar a Rene no meio da noite.

Mesmo assim, tudo se resolvera. Rene deduzira que quem ligara fora Pilar, e ele não a corrigira. Por que corrigiria?

Tomou o vinho, apreciou a luz das estrelas e, como era de seu feitio, começou a afastar os problemas antes que se enraizassem.

Também vinha se conduzindo bem com Kris, decidiu. A promessa de ajudá-la no avanço para o cargo de Sophia na Giambelli represara essa inundação, tão magnificamente quanto uma pequena jóia em geral represava as inundações de Rene.

Tudo se resumia, pensou, a conhecer a fraqueza da presa.

E conhecê-la, usá-la, mantinha o status.

Pretendia continuar levando a vida que julgava merecer. Era hora de canalizar seus recursos, um pouco mais aqui, um pouco mais ali. E aguardar com ansiedade o futuro.

SOPHIA ANDAVA PELO CÍRCULO DE AMIGOS E FAZIA O MElhor possível para evitar a prima Gina. A mulher vinha se tornando mais que uma peste. Elevara o nível do constrangimento. Não apenas vestia o que parecia uma tenda vermelha de Natal com vinte quilos de lantejoulas, mas se ocupava em trombetear qualquer um que acuasse o brilhantismo do marido.

Sophia notou que Don se mantinha bem perto do bar. Semi-embriagado, tentava parecer invisível.

— Tudo bem com sua mãe?

Ela parou e sorriu para Helen.

— Quando a vi pela última vez, sim. Oi, tio James.

Virou-se para dar um abraço apertado no marido de Helen. James Moore fora uma das pessoas constantes em sua vida, e muito mais um pai que o seu próprio.

Ele se deixara ficar gorducho, perdera mais cabelos que conservara, porém, por trás dos óculos de aros prateados, lampejou os olhos verdes para ela. Era como o tio preferido de qualquer um, e um dos mais sorrateiros advogados de defesa na Califórnia.

— A moça mais bonita na sala, não é, Helen?

— Sempre.

— Não aparece pra me ver há semanas — queixou-se James.

— Vou compensar. — Ela deu-lhe o segundo beijo na face. — *La Signora* anda me mantendo muito ocupada.

— Foi o que eu soube. Trouxemos um presente pra você.

— Adoro presentes, me dê.

— Está ali, marcando passo com aquela ruiva.

Sophia olhou e soltou um rápido ganido de prazer ao ver Lincoln Moore.

— Eu achava que Linc ainda continuava em Sacramento.

— Ele vai pôr você a par — disse James. — Vá até lá. Convença-o a se casar com você desta vez.

— James. — Helen arqueou uma sobrancelha. — Vamos procurar Pilar. Vá se divertir.

Lincoln Moore era alto, moreno e bonito. E também a coisa mais próxima de um irmão que Sophia tinha. Em vários estágios da vida dos dois, haviam usado os dois meses que ela era mais velha em proveito próprio. A amizade das mães fora o elo que garantira a criação dos dois juntos. Por isso nenhum deles jamais se sentira filho único.

Ela chegou por trás, passou o braço pela curva do dele e perguntou à ruiva:

— Este cara está dando em cima de você?

— Sophie. — Rindo, ele levantou-a do chão e deu-lhe um rápido giro. — Minha irmã adotiva — disse à ruiva. — Sophia Giambelli, Andrea Wainwright. Minha namorada. Seja boazinha.

— Andrea. — Sophia ofereceu a mão. — A gente conversa depois.

— Não, nada disso. Ela mente sobre mim. É um passatempo.

— É um prazer conhecê-la. Linc me fala muito sobre você.

— Ele também mente. Vocês dois vieram de Sacramento?

— Na verdade, não, sou residente do Hospital San Francisco, no turno do pronto-socorro.

— Machucado no basquete. — Linc ergueu a mão direita e exibiu um dedo engessado. — Desloquei tentando encestar. Andy deu uma olhada e o consertou. Depois eu dei em cima dela.

— Na verdade, deu em cima de mim antes do conserto do dedo. Como não pude deslocar o resto das juntas, aqui estou. E é uma festa maravilhosa.

— Estou morando de novo em São Francisco — disse Linc a Sophia. — Decidi dar um impulso em meu pai num trabalho na firma dele. Quero uma verdadeira experiência legal antes de me aprofundar na área política. Sou um reconhecido assistente judicial, e não tanto assim, mas vai me dar o que preciso até passar para o Tribunal de Justiça.

— Que maravilha! Linc, é fabuloso. Sei que seus pais devem estar emocionados por terem mais uma vez você em casa. Vamos arranjar tempo pra pôr o papo em dia, certo?

— Certíssimo. Eu soube que você anda sobrecarregada no momento.

— Sempre se dá um jeito. Quando faz os exames?

— No próximo mês.

— Ele é brilhante, você sabe — ela disse a Andy. — Isso às vezes é um verdadeiro pé no traseiro.

— Não comece, Sophie.

— Divirtam-se. — Ela avistou Ty entrando, a expressão infeliz. — O dever me chama. Não saia à francesa, sem ver minha mãe. Sabe como ela é maternal com você.

— Pode deixar. Vou ligar pra você.

— É melhor mesmo. Foi um prazer conhecer você, Andrea.

— Você também. — Andy ergueu os olhos para Linc. — Então, você é brilhante?

— Ééé. Uma maldição.

Rindo, ele a arrastou para a pista de dança.

— Sorria, MacMillan.

Ty baixou os olhos para Sophia.

— Por quê?

— Porque vai dançar comigo.

— Por quê? — Ele reprimiu um suspiro quando ela lhe tomou a mão. — Desculpe. Fiquei tempo demais com Maddy Cutter. A garota não pára de fazer perguntas.

— Vocês dois parecem estar se dando bem. A gente dançaria melhor se você me tocasse de verdade.

— Certo. — Ele passou a mão pela cintura dela. — É uma garota interessante e inteligente. Você viu meu avô?

— Não o vejo há algum tempo. Por quê?

— Quero falar com ele, e com *La Signora*. Depois imagino que, tendo liquidado isso, possa ir pra casa.

— Você é um verdadeiro animal festeiro. — Ela deslizou a mão pelo ombro e enfiou-a, brincalhona, nos cabelos dele. Muito cheios, pensou. Todo grosso e rebelde. — Viva um pouco, Ty. É Natal.

— Ainda não. Resta muito trabalho a fazer antes do Natal, e depois.

— Escute. — Ela cutucou mais uma vez os cabelos dele para que ele parasse de percorrer com os olhos os convidados à procura do avô e a encarasse. — Não tem trabalho a fazer esta noite, e eu ainda devo a você por ter me resgatado.

— Você não estava em apuros. Todos os demais estavam. — Não era gratidão o que ele buscava, mas distância. Uma distância segura. Ela era sempre perigosa, mas colada num homem era letal. — E quero examinar alguns gráficos e desenhos. Qual a graça? — exigiu saber, quando ela desatou a rir.

— Eu só estava imaginando como seria se você algum dia se soltasse um pouco. Aposto que é um selvagem, MacMillan.

— Eu me solto — ele resmungou.

— Me diga alguma coisa. — Ela roçou os dedos pela nuca dele, gostou do jeito como seus olhos azuis lacustres fulgiram de aborrecimento. — Uma coisa que não tenha nada a ver com vinho ou trabalho.

— Que mais existe?

— Arte, literatura, uma divertida experiência infantil, uma fantasia ou um desejo secreto.

— Minha fantasia atual é me mandar daqui.

— Capriche. Vamos lá. A primeira coisa que lhe vier à cabeça.

— Arrancar este vestido de você, e ver se seu gosto é igual ao cheiro. — Ele esperou um instante. — Beleza, isso calou você.

— Apenas momentaneamente, e só porque estou avaliando minha reação. Porque me vejo muito mais intrigada pela imagem do que esperava. — Ela inclinou a cabeça para trás e examinou o rosto dele. Oh, sim, gostava dos olhos, sobretudo agora, quando lançavam centelhas de calor. — O que você imagina que seja isso?

— Já respondi a perguntas suficientes por uma noite.

Ele começou a recuar, mas ela o impediu apertando a mão no seu ombro.

— Que tal a gente cumprir o dever aqui e depois ir pra sua casa?

— É tão fácil assim pra você?

— Às vezes, é.

— Não pra mim, mas obrigado. — O tom dele se tornou desinteressado e frio quando afastou mais uma vez o olhar dela e circulou-o pelo salão. — Mas eu diria que você tem um monte de alternativas aqui, se estiver a fim de uma ficada rapidinha de uma noite só. Eu vou pra casa.

Ele recuou e afastou-se.

Ela levou quase dez segundos para recuperar a respiração, e mais três para a fúria irromper e esfolar-lhe a garganta. A demora permitiu que ele saísse da sala e descesse o primeiro lance de escada, antes que ela o segurasse.

— Não, não vai. — Ela sibilou as palavras, baixinho, e o contornou. — Aqui dentro.

Entrou no salão da família e fechou as portas com estrondo.

— *Cazzo! Culo!* Seu filho-da-mãe.

Mesmo então, a voz saiu baixa e controlada. Ele não sabia o quanto isso lhe custara.

— Você tem razão. — Ele interrompeu-a antes que ela cuspisse todo o veneno. — Aquilo foi despropositado e desnecessário, e eu sinto muito.

A desculpa, dada com tranqüilidade, transformou a raiva em lágrimas, mas ela as reprimiu por pura força de vontade.

— Sou uma puta, em sua opinião, porque penso em sexo como um homem.

— Não. Nossa. — Ele não quisera dizer isso, mas apenas irritá-la como ela o irritara. Depois se afastar dela como do diabo. — Não sei o que pensar.

— Estaria tudo muito bem, não estaria, se eu fingisse relutância, se deixasse você me seduzir. Mas, como sou honesta, sou barata.

— Não. — Ele prendia os braços dela agora, esperando firmar os dois. — Você me deixa excitado. Sempre deixou. Eu não devia ter dito o que disse. Nem feito o que fiz. Pelo amor de Deus, não chore.

— Eu *não* vou chorar.

— Ótimo. Tudo bem. Escute, você é linda, excessiva e além da compreensão. Consegui manter as mãos longe de você até agora e vou continuar mantendo.

— Está com elas em mim agora.

— Desculpe. — Ele deixou os braços caírem dos lados. — Desculpe.

— Está me dizendo que me insultou porque é covarde?

— Escute, Sophie. Vou pra casa esfriar a cabeça. Vamos voltar ao trabalho amanhã e esquecer que isso aconteceu.

— Acho que não. Eu deixo você excitado, é? — Ela deu-lhe um empurrãozinho, avançando, e ele recuou. — E sua resposta é me dar um tapa.

— Foi a resposta errada. Já pedi desculpa.

— Nada boa. Tente isto.

Já se lançara sobre ele antes que ele pudesse agir. Só restou a reação.

Ela tinha a boca quente, macia e muito hábil. Provava, voraz, a dele. O corpo sensual, gostoso e muito feminino. Colava-o intimamente no dele.

Ele ficou com a mente vazia. Admitiria isso depois — apenas passara do ligado para o desligado como um interruptor, não lhe restando escudo algum contra o salto de pantera da excitação. Ela tinha o gosto igual ao cheiro; até aí, ele ficou sabendo.

Escuro, perigoso e feminino.

Ele puxou-a mais para perto, antes que ela pudesse evitar, e respondeu ao cortante beliscão dos dentes dela, mesmo quando seu coração acelerou além do suportável.

Num minuto, ela se enroscava nele como uma trepadeira exótica, estranguladora, e no seguinte desprendeu-se dele, deixando-o sem um pingo de sangue na cabeça.

— Dê um jeito nisto.

Ela correu um dedo levemente pelo seu lábio inferior e voltou-se para mais uma vez abrir as portas com força.

— Espere um minuto, droga.

Ele prendeu-lhe o braço e virou-a para si. Não sabia o que planejava fazer, mas não seria nada agradável.

Então viu o absoluto choque no rosto dela. Antes que pudesse reagir, ela o empurrou para o lado e atravessou correndo o salão até a mesa.

— *Dio! Madonna*, quem faria uma coisa dessas?

Viu então os três anjos Giambelli. Tinta vermelha riscava de cima a baixo os três rostos esculpidos como sangue de ferimentos de chibatadas. Escritas de um lado ao outro do peito de cada um, no mesmo violento matiz, as cruéis mensagens:

PIRANHA Nº 1

PIRANHA Nº 2

PIRANHA Nº 3

— Sente-se, Sophie. Vou tirar os anjos antes que sua mãe ou sua avó vejam. Vou levá-los pra casa e limpar.

— Não, eu faço isso. Acho que é esmalte de unha. Uma abominável sacanagem de menina — ela disse, sem se alterar. Perder a calma de nada adiantaria, pensou, juntando as três estatuetas. E não conseguia encontrar raiva sob a tristeza. — Rene, eu imagino. Ou Kris. As duas odeiam as Giambelli no momento.

— Me deixe cuidar disso pra você. — Ele apoiou as mãos nos ombros dela. — Quem quer que tenha feito isso sabia que ia ferir você. Posso limpar e pôr de volta aí antes que alguém note.

Ela queria empurrar os anjos naquelas mãos grandes e fortes, e ir junto com eles. Por isso, recuou.

— Cuido disso sozinha, e você está com pressa pra ir pra casa.

— Sophie.

Ele falou num tom tão paciente, tão bondoso, que ela suspirou.

— Preciso fazer isso eu mesma. E ficar furiosa com você por mais algum tempo. Portanto, vá embora.

Ele deixou-a, mas, assim que chegou lá fora, voltou-se e subiu os degraus de pedra para o salão de baile. Ficaria ali por algum tempo, decidiu. Só para assegurar-se de que a única coisa machucada naquela noite fossem os anjos de madeira.

* * *

$\mathcal{E}$M SEU QUARTO, SOPHIA LIMPOU COM TODO CUIDADO AS estatuetas. Eram, como desconfiara, manchas de esmalte vermelho forte.

Não se podiam destruir as Giambelli tão facilmente. Um ato de vandalismo, mesquinho e medonho, mas não permanente.

Levou-os de volta para o primeiro piso, recolocou-os no lugar e viu que esse único ato devolveu-lhe o equilíbrio.

Mais fácil, percebeu, do que se estabilizar contra o que se passara entre ela e Tyler.

Babaca, pensou, dirigindo-se a um espelho antigo e acrescentando uma nova camada de pó-de-arroz ao nariz. O babaca sem dúvida sabia beijar quando fazia algum esforço, mas isso não o tornava menos babaca. Esperava que sofresse. Esperava que passasse uma noite longa, suada e desconfortável. Se chegasse cansado e infeliz no dia seguinte, ela poderia simplesmente ajudá-lo a sair da difícil situação.

Mas, em compensação...

Olhou-se no espelho ao desenhar os lábios com o dedo.

Deixou logo cair a mão para pegar o batom na bolsa, quando as portas se abriram.

— Sophia.

— *Nonna.* — Ela lançou um olhar aos três anjos. Tudo nos conformes. — Só dando alguns retoques. Já vou voltar.

Tereza fechou as portas atrás de si.

— Vi você correr atrás de Tyler.

— Humm.

Deixando a coisa por aí, Sophia pintou com cuidado os lábios.

— Você acha, porque sou velha, que não reconheço a expressão no seu olhar?

— Que expressão, *Nonna?*

— Sangue quente.

Sophia deu uma leve encolhida dos ombros e repôs a tampa no batom.

— Tivemos uma discussão.

— Uma discussão não exige a substituição do batom.

Rindo agora, Sophia se virou.

— Que olhos penetrantes você tem, vovó. Nós tivemos uma discussão, e eu resolvi à minha maneira. Pra mim, é legal e moral beijar Ty, *Nonna*. Não somos parentes consangüíneos.

— Eu amo você, Sophia. E amo Tyler.

Sophia amoleceu. Tais palavras raras vezes saíam da boca de Tereza.

— Eu sei.

— Eu não pus os dois juntos pra machucarem um ao outro.

— Por que nos pôs juntos?

— Pelo bem da família. — Como o dia fora longo, Tereza entregou os pontos e sentou-se. — O sangue quente obscurece o julgamento. Trata-se de um ano crucial, e já antes de começar temos uma sublevação. Você é uma linda jovem.

— Alguns dizem que me pareço com minha avó.

Tereza se permitiu um pequeno sorriso. Também ela olhou os três anjos e seus olhos se suavizaram.

— Um pouco, talvez. Você lembra mais, porém, seu avô. Ele era lindo, como uma pintura. Eu me casei por dever, mas não foi uma provação. E ele era bondoso. A beleza é uma arma, *cara*. Cuidado com o uso que faz dela, pois sem essa bondade vai se voltar e revidar em você.

Sophia sentou-se.

— Eu sou... dura, *Nonna*?

— É.

Tereza estendeu o braço e tocou de leve a mão da neta.

— Não é uma coisa ruim. Uma mulher frágil é moldada com demasiada facilidade e ferida igualmente com demasiada facilidade. Sua mãe sofreu as duas coisas. Ela é minha filha, Sophia — acrescentou a avó, friamente, quando Sophia se enrijeceu. — Vou dizer o que penso. Você não é frágil e segue o seu caminho. Estou satisfeita com você. Acho apenas que ser dura pode torná-la frágil, se não tiver cuidado. Tome cuidado.

— Está satisfeita comigo, *Nonna*, porque, ao seguir meu caminho, eu sigo o seu?

— Talvez. Você é uma Giambelli. O sangue se revela.

— Também sou Avano.

Tereza inclinou a cabeça, enfurecendo a voz:

— Você é a prova, não é, de qual descendência é a mais forte? Seu pai está em você. Ele é um homem astuto, e você sabe ser. É ambicioso e você também. Mas a fraqueza dele jamais foi a sua. A falta de vontade dele o arruinou tanto quanto a falta de coragem. Você tem vontade e coragem, e por isso pode ser dura e não frágil.

— Sei que você odeia meu pai — disse Sophia, baixinho. — Esta noite, eu também.

— Ódio é uma palavra forte. Não devia usá-la contra seu pai, não importa o que ele seja, nem o que fez. Não sinto o menor ódio por Anthony Avano. — Tereza tornou a levantar-se. — Não tenho quaisquer sentimentos por ele agora. Ele fez a última opção no que se refere a mim. Vamos lidar um com o outro uma última vez, depois ele não existirá mais pra mim.

— Pretende demiti-lo.

— Ele fez sua opção — repetiu Tereza. — Agora terá de arcar com as conseqüências. Não é pra você se preocupar. — Estendeu a mão. — Venha, você devia estar na festa. Vamos procurar sua mãe e mostrar a eles as três gerações das mulheres Giambelli.

ERA MUITO TARDE QUANDO TONY ABRIU A PORTA E ENTROU no apartamento. Imaginava se alguém sabia que ele tinha a chave, depois de todo esse tempo.

Levara a própria garrafa de vinho, um seleto da adega pessoal. O Barolo manteria as coisas civilizadas. As conversas comerciais, a palavra "chantagem" jamais lhe passou pela mente, deviam sempre ser conduzidas de maneira civilizada.

Desarrolhou a garrafa na cozinha, deixou o vinho na bancada para respirar e escolheu duas taças. Embora se decepcionasse por não encontrar frutas frescas na geladeira, virou-se com o queijo Brie.

Mesmo às três da manhã, a apresentação importava.

Fora uma sorte ter marcado o encontro tão tarde. Exigira-lhe certa façanha baixar o facho de Rene. Ela passara mais de uma hora, mesmo depois da ida de carro para casa, fazendo-lhe um sermão sobre as Giambelli, o tratamento dispensado a ela, o futuro dele na empresa. E dinheiro.

Dinheiro era o principal problema, claro.

Dificilmente podia culpá-la por isso.

O estilo de vida deles exigia muito dinheiro. Ao contrário de Pilar, Rene não era rica, nem contribuía com nada para as despesas do casal. E, ao contrário da ex-mulher, gastava dinheiro como se logo tornasse antiquado ter algum no bolso.

Não importa, pensou, arrumando biscoitos salgados com o queijo. Seria uma questão simples e civilizada aumentar o fluxo de caixa.

As Giambelli pretendiam desligá-lo da empresa. Tinha certeza disso agora. Nem Pilar nem Sophia se levantariam em sua defesa. Sabia que havia uma possibilidade, mas preferira ignorá-la e esperar o melhor. Ou mais exatamente, admitia ali, em privado, deixara Rene encostá-lo na parede.

Mas tinha opções. Várias opções. A primeira das quais chegaria a qualquer minuto.

Esse primeiro acordo comercial seria um tapa-buraco, ganharia tempo para ele. Tinha outras possibilidades, que podiam ser ampliadas se necessário. Tinha contatos e perspectivas.

Tereza Giambelli lamentaria muito tê-lo subestimado. Numerosas pessoas lamentariam muito.

No fim, cairia de pé, como sempre. Não tinha a menor dúvida.

A batida à porta o fez sorrir. Serviu duas taças de vinho, arrumou-as com a garrafa numa bandeja com o queijo e os biscoitos. Pôs a bandeja na mesa de centro na sala de estar.

Puxou os punhos da camisa, alisou os cabelos e encaminhou-se até a porta, pronto para começar as negociações.

PARTE DOIS

O cultivo

Não é ter e descansar, mas cultivar e transformar-se,
que constitui a natureza da perfeição na concepção da cultura.

MATTHEW ARNOLD

Capítulo
Nove

— Eu não sei por que tínhamos de voltar aqui — queixou-se Ty.

— Porque eu preciso de mais algumas coisas. — Podia ter adiado, admitiu Sophia. Mas nenhum motivo para desperdiçar uma viagem a São Francisco sem parar no seu apartamento. Já não tivera pena de Tyler e pegara o SUV de Eli, em vez de seu conversível? — Escute — continuou. — Eu expliquei que no início vou ter de fazer uma verificação aleatória nos escritórios. Kris vai continuar a resistir à nova cadeia de comando. Ela precisa nos ver juntos, como uma equipe.

— Que equipe!

— Estou me arranjando. — Ela parou no estacionamento e puxou o freio. — Acho que a gente podia fazer uma trégua de festas de fim de ano. No momento, Ty, não tenho tempo pra brigar com você.

Saltou do carro, bateu a porta e enfiou as chaves na sua pasta.

— Qual o problema? — perguntou Tyler.

— Eu não tenho problema. O problema é você.

Ele contornou o carro até ela e inclinou-se sobre o pára-choque. Sophia andava nervosa fazia dois dias, pensou. Tempo suficiente para qualquer um preocupar-se. Não achava que a causa fosse o incidente na festa de Natal. Ela saíra por cima.

— Uma equipe, lembra? Continua transtornada com os anjos?

— Não. Cuidei deles, não? Estão como novos.

— Ééé, cuidou muito bem. Então, qual o problema agora?

— Quer saber o problema? Ótimo. Detesto acordar ao raiar de todo dia e andar pelos campos no frio. Mas tenho feito isso. Depois volto ao trabalho que fui formada pra fazer. E sou obrigada a fazer malabarismos da villa aos escritórios aqui, onde tenho uma pessoa no comando que não apenas dorme com meu pai, mas está pronta pra puxar meu tapete.

— Despeça-a.

— Ah, é uma idéia. — Ela bateu o dedo na têmpora, a voz desprendendo desdém. — Como não me ocorreu isso? Seria talvez porque estamos há semanas numa reorganização, no meio de uma imensa, intensa e vital campanha promocional, e não tenho ninguém qualificado pra assumir o trabalho dela? Sim, você sabe, acho que talvez seja este o motivo de eu não ter chutado aquele traseiro odioso e traiçoeiro.

— Escute, menina malcriada, se está com areia no sapato, sacuda o pé pra limpar.

— Não tenho tempo — ela rebateu, irritada, e, para prová-lo, retirou a agenda estufada. — Gostaria de dar uma olhada aqui, ver meus horários nas próximas semanas?

Tornou a guardá-la, brusca, na pasta.

— Então está com dificuldades. — Ele encolheu de leve os ombros. — Tire as manhãs de folga pra fazer o que tem de fazer. Eu faço seu trabalho nos vinhedos.

Ela disparou-lhe um olhar que parecia uma bala.

— Ninguém faz meu trabalho por mim, MacMillan. Mas você acertou em cheio ao dizer que estou sob grande pressão. Preciso treinar minha mãe, que tem pouco a nenhum interesse por relações públicas. Tive de desmarcar três encontros, com três homens muito interessantes, porque estou enterrada em trabalho. Minha vida social já começa a ir pela descarga abaixo. Não consegui passar por Rene durante dois dias e entrar em contato com meu pai, que não apareceu no escritório *dele*. E é imperativo que eu fale com ele sobre uma das nossas principais contas nas próximas quarenta e oito horas, pois alguém, que infelizmente não será eu, vai precisar voar a San Diego pra uma reunião daqui a quarenta e nove horas.

— Que tal Margaret? Achei que ela ia assumir a maioria das contas maiores.

— Acha que já não tentei? Tenho cara de imbecil? — Cansada, frustrada e farta, ela se dirigiu pisando forte no elevador da garagem e apunhalou o botão. — Ela viajou para a Itália ontem à tarde. Nem ela nem o escritório estão inteiramente atualizados sobre a conta da Twiner, porque sempre foi a queridinha do meu pai. Como não quero que o pessoal da Twiner saiba que temos um buraco no grupo, venho sapateando com eles há quatro dias.

— Ninguém faz o seu trabalho — observou Ty. — Mas você está fazendo o do seu pai.

— Não. Estou cheia de fazer isso. Mas vou fazer o da Giambelli, e por isso o tenho coberto enquanto puder. Não gosto disso, estou de saco cheio e com uma dor de cabeça de amargar.

— Tudo bem. — Ele surpreendeu os dois estendendo a mão para massagear-lhe os ombros enrijecidos quando entraram no elevador. — Tome uma aspirina, depois a gente trabalha pra resolver tudo, um passo de cada vez.

— Ela não tem o direito de me impedir de falar com meu próprio pai. Nem no nível pessoal nem no profissional.

— Não, não tem. — Esta, pensou Ty, era a verdadeira dor de cabeça. — É um jogo de poder. Ela não vai conseguir o que deseja, a não ser que você a deixe saber como isso a irrita. Tente contorná-lo.

— Se eu fizer isso, vou fazer com que pareça um... maldito seja. *É* um idiota. Sinto tanta raiva dele por me colocar nessa posição. Se eu não resolver isso até o fim do dia...

— Vai resolver até o fim do dia.

— É. — Ela soprou forte e saiu do elevador no terceiro andar. Virou-se para examiná-lo. — Por que está sendo tão legal comigo?

— Pra livrar você da pressão. Além disso, a Twiner é uma grande aposta. Eu não passo o tempo todo nos campos — ele disse, ao vê-la arquear as sobrancelhas. — Se me dissesse que estava tentando encontrar seu pai, eu teria lhe dado uma mão. Você não procurou Cutter.

Ela comprimiu os lábios.

— Não. Mas imagino que ele saiba que alguém anda aprontando alguma. Vai identificar o alvo muito em breve.

— Então teremos de ser mais rápidos. Trabalho em equipe, lembra?

— Só porque você antipatiza mais com ele do que comigo.

— E isso significa o quê?...

A pergunta a fez rir ao enfiar a chave na fechadura.

— Que é um motivo tão relevante quanto qualquer outro. Preciso apenas pegar algumas coisas, entre elas umas pastas antigas que quero que minha mãe examine. E acho que talvez eu tenha algumas anotações sobre a Twiner que vão tapar parte desse buraco. Deixarei você em casa por volta do jantar. — Ela parou e virou-se. — A não ser — disse, acrescentando com um sorriso vagaroso — que queira encomendar e experimentar um novo tipo de trabalho em equipe.

— Corta essa.

— Você gostou de me beijar.

— Quando eu era garoto, gostava de maçã verde. Descobri que fazem um inferno no organismo.

— Eu sou madura.

Ele estendeu a mão à frente dela para virar a maçaneta.

— É o que você diz.

Ela deu-lhe um aperto amistoso no braço ao virar-se.

— Estou começando a gostar de você, MacMillan. Que diabos vamos fazer em relação a isso?

Abriu a porta, avançou um passo para dentro e estancou.

— Pai?

Teve uma breve impressão, não mais que um borrão, antes de Ty empurrá-la mais uma vez porta afora. Mas aquela imagem manchada e gravada na mente era só o que via.

O pai, desabado na poltrona, o lado do rosto, o prateado cintilante nas têmporas, a frente da camisa toda coberta de uma crosta escura. E os olhos, os belos e inteligentes olhos, enevoados e arregalados.

— Pai. Ele está... Eu tenho de... Meu pai.

Pálida como um lençol, ela já começava a tremer quando Ty a empurrou contra a parede do lado de fora do apartamento.

— Escute, Sophia. Ouça. Use o celular. Ligue para a emergência. Ligue já.

— Uma ambulância. — Ela lutava para atravessar o nevoeiro que queria tomar-lhe a mente, e começou a lutar com Tyler. — Ele precisa de uma ambulância. Preciso ir ter com ele.

— Não.

Ele prendeu-lhe os braços e deu-lhe uma sacudida forte. — Você não pode ajudar seu pai.

Engavetou a idéia de voltar e checar ele mesmo. Não podia deixar Sophia sozinha. E já vira o suficiente para saber que não havia mais nada a fazer.

Puxou-a para o chão, abriu sua pasta e retirou o celular.

— Preciso chamar a polícia — disse.

Sophia levou a cabeça aos joelhos ao ouvi-lo dar à telefonista de emergência as informações necessárias. Não conseguia pensar. Não queria pensar ainda. De algum modo tinha de refazer-se e superar o choque.

— Estou muito bem — disse. A voz saiu baixa, quase calma, embora as mãos a contradissessem. — Sei que ele está morto. Tenho de ir até ele.

— Não. — Tyler instalou-se no chão ao lado dela e passou o braço pelos seus ombros tanto como contenção quanto reconforto. — Não sabe. Não está bem. Sinto muito, Sophia. Não pode fazer mais nada.

— Sempre há alguma coisa. — Ela ergueu a cabeça. Tinha os olhos secos. Ardendo de secura. — Alguém matou meu pai e tenho de fazer alguma coisa. Eu sei como ele era. — A voz falhou e as lágrimas que escaldavam na garganta afloraram e derramaram-se. — Ainda é meu pai.

— Eu sei.

Tyler forçou mais o aperto até ela apoiar a cabeça em seu ombro. Precisava fazer alguma coisa, pensou, enquanto ela chorava. Mesmo que fosse apenas esperar.

Ele não a deixou. Sophia disse a si mesma para lembrar que, independentemente do que acontecera ou não, entre os dois, quando tudo ficara o pior imaginável, Tyler continuara com ela.

Ela sentou-se no sofá do apartamento do outro lado do corredor defronte ao seu. Fora a duas festas ali, lembrou. O casal gay que ali morava dava festas deliciosas. E Frankie, um artista gráfico que muitas vezes trabalhava em casa, abrira a porta para ela e a polícia. E, abençoado fosse, fechara-se discretamente no quarto para dar-lhes intimidade.

Sem dúvida, a notícia iria percorrer o prédio como fogo elétrico. Mas por enquanto estava sendo um amigo. Ela também se lembraria disso.

— Não sei o que ele fazia no meu apartamento — repetiu Sophia.

Tentava examinar o rosto do homem que a interrogava. Como era o seu nome — detetive Lamont? Claremont? —, suas feições continuavam deslizando para fora de foco.

— Seu pai, ou outra pessoa, tinha uma chave?

O nome era Claremont. Alexander Claremont.

— Não, eu... Sim. — Sophia ergueu a mão, apertou o dedo na têmpora como para libertar o pensamento. — Meu pai. Eu dei uma chave a ele pouco depois de me mudar. Ele ia fazer uma reforma no apartamento dele, e eu ia sair do país. Ofereci-lhe usar meu apartamento enquanto eu estivesse fora. Acho que nunca recebi a chave de volta. Nem tornei a pensar mais nisso.

— Ele usava o apartamento com freqüência?

— Não. Nem usou quando ofereci; ele se hospedou num hotel.

Ou disse que se hospedara, ela pensou. Usara o apartamento na ocasião, e desde então? Ela não chegara na volta de uma viagem e sentira que alguém estivera lá em sua ausência?

Poucas coisas fora do lugar.

Não, era idiotice. Teria sido o serviço de limpeza. O pai não tinha motivo algum para usar aquele apartamento. Tinha o seu próprio, com Rene.

Ele enganou a sua mãe, murmurou-lhe uma voz na mente. Enganava Rene.

— Srta. Giambelli?

— Sinto muito. Que foi que disse?

— Quer um pouco d'água? Alguma coisa? — interrompeu Tyler, querendo dar-lhe um momento para sintonizar-se mais uma vez.

— Não, não, obrigada. Desculpe, detetive. Estou perdendo o fio da meada.

— Tudo bem. Eu perguntei quando foi a última vez que você teve contato com seu pai?

— Na noite de sábado. Houve uma festa em nosso vinhedo. É um evento anual. Meu pai estava lá.

— A que horas ele saiu?

— Eu não sei dizer. Eram muitos convidados. Ele não se despediu de mim.

— Foi sozinho?

— Não, sua mulher foi com ele. Rene.

— Seu pai era casado?

— É, se casou no dia da festa. Rene Foxx. Não entraram em contato com ela?

— Eu não sabia dela. Posso encontrar essa senhora no endereço de seu pai?

— Sim, eu... sim — ela repetiu, mordendo de volta o que quase escapara da língua.

— Você tem uma arma, Srta. Giambelli?

— Não.

— Não guardava nenhuma arma no apartamento?

— Não. Não gosto de armas.

— Seu pai tinha?

— Não sei. Não que eu saiba.

— Quando foi a última vez que você esteve no apartamento?

— Há algumas semanas. Como eu disse, estou hospedada basicamente na cidade de Napa pelos próximos meses. Vim hoje aqui, depois que o Sr. MacMillan e eu saímos do escritório no centro, pra pegar mais algumas coisas.

— Como era seu relacionamento com seu pai?

Ela se enrijeceu. Sentado a seu lado, Tyler sentiu.

— Ele era meu pai, detetive. Que tal eu lhe poupar o trabalho de me perguntar se o matei? Não, não matei. Nem sei quem o matou ou por quê.

A voz de Claremont continuou firme:

— Ele tinha inimigos?

— Obviamente.

— Que você soubesse? — ele acrescentou sem titubear.

— Não. Não conheço ninguém que poderia tê-lo matado.

Claremont baixou os olhos para o bloco e pareceu examinar algumas anotações.

— Há quanto tempo seus pais se divorciaram?

— Já estão separados de fato há sete anos.

— Separados?

— É. Não viviam juntos, em nenhum verdadeiro sentido, desde que eu era criança.

— Essa Rene Foxx seria a segunda mulher do seu pai?

— Correto.

— Casados há apenas dois dias.

— Assim me informaram.

— Quando seus pais se divorciaram, Srta. Giambelli?

Formou-se então uma bola fria no estômago dela. Não iria deixá-lo perceber os nervos à flor da pele.

— Creio que o divórcio saiu na véspera de meu pai se casar com Rene. Foi apenas uma formalidade, detetive. — Embora com os joelhos trêmulos, ela se levantou. — Sinto muito, tenho de ver minha família. Não quero que saibam pelo noticiário da noite nem por um estranho. Preciso ir pra casa. Pode me dizer... o que acontecerá com meu pai agora? Que providências precisam ser tomadas?

— Vamos continuar com a investigação. Minha parceira está trabalhando no outro lado do corredor com a equipe na cena do crime. Vou conversar sobre as providências com o parente mais próximo.

— Sou filha única do meu pai.

— A esposa dele é a parenta mais próxima, Srta. Giambelli.

Ela abriu a boca e fechou-a. Quando ergueu a mão trêmula, Tyler simplesmente tomou-a na sua e segurou-a.

— Entendo. Claro. Preciso ir pra casa, Ty.

— Nós já vamos.

— Sr. MacMillan, tenho algumas perguntas a lhe fazer.

— Eu lhe dei meu endereço. — Tyler olhou para trás ao conduzir Sophia até a porta. — Sabe onde me encontrar.

— Ééé. — Claremont deu um tapinha no bloco quando a porta se fechou. — Isto eu sei.

Tinha o pressentimento de que ele e a parceira iriam fazer um passeio pelo campo, muito em breve.

Foi até a porta do quarto, certo de que, se a abrisse, o vizinho ia estatelar-se porta afora, primeiro a orelha. Em vez disso, bateu. Era melhor manter as coisas amistosas enquanto fazia mais perguntas.

* * *

*A*LEXANDER CLAREMONT GOSTAVA DE VINHO FRANCÊS, Sapatos italianos e do estilo do *blues* americano. Criado em São Francisco, era o filho do meio de pais de classe média, que tinham dado duro para garantir uma vida boa e educação para os três filhos.

O irmão mais velho era pediatra; o caçula, professor em Berkeley. Alexander Claremont planejara ser advogado.

Nascera para ser policial.

Nas mãos de um tira, a lei era uma entidade diferente em relação ao que era nas de um advogado. Para este, existia para ser moldada, torcida, manipulada e feita sob medida para encaixar-se nas necessidades do cliente.

Ele entendia e, num nível muito básico, respeitava isso.

Para o policial, era a linha a ser trilhada.

A linha de ação que Claremont venerava.

Agora, mal se haviam passado duas horas após entrar no local do crime, pensava na linha a trilhar.

— Que acha da filha?

Ele não respondeu a princípio, mas a parceira já se habituara a isso. Era ela quem dirigia, porque chegara primeiro ao carro.

— Rica — ele acabou por dizer. — Classuda. Cabeça-dura. Não disse nada que não queria. Passaram montes de coisas pela sua mente, mas tomou cuidado com as palavras.

— Família grande, importante. Um grande e suculento escândalo — comentou Maureen Maguire, freando no sinal.

Tamborilou com os dedos no volante.

Ela e Claremont eram dois pólos opostos, o que em sua opinião explicava por que haviam encontrado o ritmo certo após os atritos iniciais, três anos atrás, e trabalhavam bem juntos.

Mais branca impossível, irlandesa, sardenta, ela tinha cabelos louro-avermelhados, olhos azul-claros e uma covinha na face esquerda. Aos trinta e seis anos, mais quatro que Claremont, era confortavelmente casada, e ele, um solteiro radical, levava uma aconchegante vida suburbana, enquanto ela, uma vida urbana numa área residencial elegante.

— Ninguém viu o cara entrar. Nenhum veículo. Estamos levantando as empresas de táxi pra saber se deixaram alguém lá. Pela aparência do corpo, ele foi morto nas últimas trinta e seis horas. Tinha a chave do apartamento no bolso, junto com trezentos dólares, trocados, e muitos cartões de crédito. Um Rolex de ouro, abotoaduras de ouro com bonitos diamantezinhos. O apartamento é cheio de objetos que poderiam ser levados facilmente. Nada foi roubado.

Ele lançou-lhe um olhar.

— Não brinca.

— Acabei de conferir a lista. Duas taças de vinho, uma cheia, outra quase. Só uma com impressões, as dele. Baleado onde estava sentado. Sem luta, nenhum sinal de luta. Pelo ângulo dos disparos, o assassino estava sentado no sofá. Agradável festinha tipo queijos e vinhos e, oh, me desculpe, bam, bam, bam. Você está morto.

— O cara se divorciou e casou de novo no espaço de um dia. O interlúdio romântico deu errado?

— Talvez. — Maureen franziu os lábios. — Difícil saber pela cena do crime. Três disparos, calibre vinte e cinco, eu diria, e à queima-roupa. Não foi um estrondo muito grande, mas é surpreendente ninguém ter ouvido nada num prédio elegante como aquele. Estranho, ãh, como um homem recém-casado não volta pra casa e a esposa não comunica seu desaparecimento.

Ela estacionou e olhou para outro prédio elegante.

— Vamos descobrir por quê.

RENE ACABARA DE CHEGAR DE UMA SESSÃO DE TRÊS HORAS no salão de beleza. Nada lhe levantava mais o astral que um longo paparico. A não ser as compras. Mas ela também cuidara disso com uma rápida incursão na Neiman's, onde se tratara com generosidade.

Tony, pensou, ao servir-se uma tacinha de vermute, ia pagar, e pagar caro por esse ataque de mau humor.

Ele saíra assim antes, durante dois dias numa ocasião, quando ela o pressionara sobre algum problema. O bom era que sempre voltava, sempre com alguma jóia muito atraente, e, claro, concordava em fazer qualquer coisa que ela exigisse, para começar.

Não se importava muito, pois lhe dava algum tempo livre para si mesma. Além disso, agora era legal e certo. Ergueu a mão esquerda e examinou o brilho dos anéis. Era a Sra. Anthony Avano e pretendia continuar assim.

Ou arrancar-lhe tudo num divórcio.

Quando a campainha tocou, ela sorriu. Seria Tony, de volta, a rastejar. Sabia que não devia usar a própria chave quando sumia. A última vez que o fizera, ela lhe apontara uma arma.

Uma coisa a favor de Tony: ele aprendia rápido.

Ela abriu a porta, preparada para fazê-lo implorar, e franziu o cenho para o casal que exibia distintivos.

— Sra. Avano?

— Sim. De que se trata?

— Sou o detetive Claremont e esta é a minha parceira, detetive Maguire, do Departamento de Polícia de São Francisco. Podemos entrar?

— Por quê?

— Por favor, Sra. Avano. Podemos entrar?

— Tony está na cadeia? — ela sibilou entre dentes ao recuar. — Que diabos ele fez?

— Não, senhora, ele não está na cadeia. — Maureen entrou. — Lamento, Sra. Avano. Seu marido está morto.

— Morto? — Rene soltou uma lufada irritada de ar. — Que ridículo! Vocês cometeram um engano.

— Não é engano algum, Sra. Avano — disse Claremont. — Podemos nos sentar?

Rene sentiu um leve aperto no estômago e recuou.

— Espera que eu acredite que Tony está morto. Morto simplesmente?

— Lamentamos muito, senhora. Que tal nos sentarmos?

Maureen começou a tomar-lhe o braço, mas ela se afastou de chofre.

Perdera um pouco da cor no rosto, mas continuava com os olhos cheios de vida. E raiva.

— Foi um acidente?

— Não, senhora. Poderia nos dizer quando viu seu marido, ou teve contato com ele, pela última vez?

Rene arregalou os olhos para Claremont.

— Na noite de sábado, madrugada de domingo, eu acho. Que foi que aconteceu com Tony?

— Não ficou preocupada por não ter notícias dele?

— Tivemos uma briga — ela respondeu, bruscamente. — Tony muitas vezes fica amuado depois. Não sou mãe dele.

— Não, senhora — concordou Maureen. — É a esposa dele. Vocês se casaram há pouco, não?

— Isso mesmo. Que foi que aconteceu com ele?

— Anthony Avano foi baleado e morto.

Ela jogou a cabeça para trás, mas quase imediatamente a cor retornou-lhe de repente ao rosto.

— Eu sabia! Avisei a ele que ela ia fazer uma loucura, mas ele não me ouviu. Ela andava nos atormentando, não andava? Esses tipos calados, a gente não pode confiar neles.

— Quem é ela, Sra. Avano?

— A ex-mulher dele. — Ela inspirou fundo, voltou-se e foi pegar o drinque. — *Ex*-mulher. Pilar Giambelli. A cadela o matou. Se não foi ela, a vagabundinha da filha.

Ele não sabia o que fazer por ela, ali sentada no banco do carona, os olhos fechados. Mas sabia que não estava dormindo. A postura era um verniz fino e flexível, e ele não tinha certeza do que encontraria se conseguisse quebrá-lo.

Então lhe ofereceu seu silêncio na longa estirada para o norte.

A energia, a vitalidade que Sophia possuía como ar, desaparecera. Era o que mais o preocupava. Parecia uma boneca sentada a seu lado. Talvez fosse uma bolha, um vazio entre o choque e o estágio seguinte, de dor da perda. Ele não conhecia nada disso. Jamais perdera alguém importante. Com certeza jamais perdera alguém de forma tão brutal e repentina.

Quando ele virou na alameda, ela abriu os olhos. Como se pressentisse a casa. Entrelaçou os dedos no colo.

A bolha explodiu, pensou Ty, vendo as juntas embranquecerem.

— Vou entrar com você — ofereceu-se.

Ela começou a recusar, aquela resposta condicionada tipo eu consigo fazer sozinha. Era duro admitir que não sabia se poderia fazer qualquer coisa sozinha naquele momento. E ele era da família. Ela precisava de família.

— Obrigada. Minha mãe. — Teve de engolir em seco quando ele parou o furgão na base dos degraus. — Vai ser muito difícil pra minha mãe.

— Sophia. — Ele pôs a mão na dela e cerrou o aperto quando ela quis afastá-la. — Sophia — repetiu, até ela olhar para ele. — As pessoas sempre acham que têm de ser fortes. Não têm.

— As Giambelli têm. Estou entorpecida, Ty. E receio o que vai acontecer quando não estiver. Receio começar a pensar. Receio começar a sentir. Só posso fazer a coisa seguinte.

— Então faremos a coisa seguinte.

Ele saltou do carro e contornou-o até o lado dela. Num gesto que fez a garganta dela arder, tomou-lhe a mão.

A casa estava quente e perfumada pelas flores da mãe. Sophia olhou o majestoso saguão em volta como uma estranha. Nada mudara. Como era possível nada haver mudado?

Viu Maria vindo pelo corredor. Tudo se move como um sonho, pensou. Até os passos ecoam como um sonho.

— Maria, onde minha mãe está?

— Lá em cima, trabalhando no seu escritório. Srta. Sophia?

— E *La Signora*?

Nervosa, Maria olhou para Tyler.

— Nos campos com o Sr. Mac.

— Pode mandar alguém chamá-los, por favor? Chamar meus avós?

— Sim, agora mesmo.

Ela saiu rápido, enquanto Sophia se virava em direção às escadas, a mão fechada na de Tyler. Ouviu uma música que vinha do escritório. Uma melodia ligeira e superficial. Quando atravessou o umbral, viu a mãe, os cabelos puxados para trás, curvada sobre o teclado do computador.

— Que quer dizer com você cometeu uma operação ilegítima? Maldito, eu odeio você.

Outra hora a confusa frustração teria divertido Sophia. Agora isso e tudo o mais davam-lhe vontade de chorar.

— Mama?

— Oh, graças a Deus, Sophia, fiz alguma coisa. Não sei o quê. Já estou treinando há uma hora e continuo inútil nesta coisa.

Ela recuou da mesa, ergueu os olhos... e imobilizou-se.

— Que é? Que foi que houve? — Conhecia cada linha, cada curva, cada expressão do rosto da filha. Sentiu o estômago revirar-se dolorosamente ao precipitar-se para o outro lado do aposento. — Que aconteceu?

— Mama. — Tudo muda agora, pensou Sophia. Tão logo dissesse, nada jamais seria de novo como antes. — Mama, é o papai.

— Está doente? Ferido?

— Ele...

Ela não saberia dizer as palavras. Em vez disso, soltou a mão de Ty e deu um abraço apertado na mãe.

A revirada no estômago de Pilar parou. Tudo dentro dela parou.

— Oh, meu Deus. Oh, meu Deus. — Colando o rosto no de Sophia, começou a balançar. — Não. Oh, filhinha, não.

— Sinto, sinto muito, Mama. A gente o encontrou. No meu apartamento. Alguém... alguém o matou lá.

— Como? Espere. — Tremendo, ela recuou. — Não.

— Sente-se, Pilar.

Tyler já levava as duas para o sofá de dois lugares encostado na parede.

— Não, não. Não pode ser. Eu preciso...

— Sentem-se — repetiu Tyler, e baixou-as gentilmente. — Me escutem. Olhem pra mim. — Esperou Pilar tatear em busca da mão da filha. — Sei que é difícil para as duas. Avano estava no apartamento de Sophia. Não sabemos por quê. Parecia que tinha ido se encontrar com alguém lá.

Pilar piscou. Sua mente falhava, como se faltasse uma peça na engrenagem.

— No apartamento de Sophia? Por que diz isso? Que quer dizer?

— Tinha uma garrafa de vinho na mesa. Duas taças. — Ele lembrava a cena. Uma morte rematada com silenciosa elegância. — É provável que a pessoa com quem ele se encontrou lá o tenha matado. A polícia já interrogou Sophia.

— Sophia. — Ela apertou os dedos da filha como uma pinça. — A polícia.

— E vão fazer mais perguntas a ela. A você. Talvez a todos nós. Sei que é difícil, é difícil pensar direito, mas vocês precisam se preparar pra lidar com eles. Acho que deviam chamar um advogado. As duas.

— Eu não quero um advogado. Não preciso de advogado. Por Deus, Ty, Tony foi assassinado.

— Exato. No apartamento da sua filha, apenas dias depois de se divorciar de você e se casar com outra. Apenas dois dias depois de Sophia acuar o pai em público.

A culpa, terrível e violenta, cravou seus dentes no íntimo de Sophia.

— Maldito seja, Ty, se alguma de nós fosse matar meu pai, já teria feito anos atrás.

Tyler desviou o olhar para o de Sophia. A energia voltara, notou, e furiosa. O que, decidiu, era uma vantagem.

— É isso que vai dizer aos tiras? Vai dizer aos repórteres quando começarem a ligar? A publicidade é o seu ofício, Sophie. Pense.

A respiração dela chegava rápido demais. Não podia detê-la. Alguma coisa dentro de si queria explodir, romper a frágil pele do controle e gritar. Então sentiu a mão da mãe trêmula na sua, e arrastou tudo de volta ao íntimo.

— Tudo bem. Mas ainda não. Temos o direito de ficar de luto primeiro. — Puxou a mãe mais para junto de si. Temos o direito de ser humanas primeiro. — Levantou-se e foi até a porta com pernas que pareciam frágeis e vacilantes. — Você poderia descer agora, conversar com a *Nonna* e Eli? Diga a eles o que precisam saber. Quero ficar a sós com minha mãe.

— Certo. Pilar. — Ele curvou-se e tocou-lhe o joelho. — Sinto muito.

Encontrou os olhos de Sophia ao sair. Viu apenas a grande e escura profundidade daqueles olhos ao fechar a porta entre os dois.

Capítulo Dez

Ty tinha razão, mas Sophia só ia preocupar-se com isso mais tarde. Talvez ajudasse ter alguma coisa insignificante para ruminar. Os repórteres começaram a ligar menos de dez minutos depois de ela contar à mãe e antes que conseguisse descer e falar com a avó.

Sabia a linha de ação que iriam adotar. Unidade. E dispunha-se a chocar-se de frente com a polícia e com isso amortecer o golpe para a mãe.

Não haveria comentários à imprensa enquanto ela não tivesse condições de redigir o comunicado certo. Nem entrevistas. Tinha plena consciência de que o assassinato do pai geraria um circo na mídia, mas os Giambelli não entrariam no picadeiro central para apresentar-se.

Isso significava que tinha de dar inúmeros telefonemas para os membros da família e empregados principais. Mas o primeiro — maldito Tyler — era para Helen Moore.

Precisavam de assistência legal.

— Liguei pra tia Helen — disse a Tereza.

— Ótimo. — Sentada no salão da frente, as costas bem retas, a avó tinha o rosto composto. — Sua mãe?

— Ela precisou de alguns minutos a sós.

Com um assentimento de cabeça, Tereza ergueu a mão e tomou a de Sophia. Era uma ligação, e bastava.

— Em quem você mais confia pra redigir uma declaração à imprensa e filtrar os telefonemas?

— Em mim. Quero fazer eu mesma, *Nonna*.

— Ótimo. — Tereza deu-lhe um aperto e soltou a mão. — Sinto pela sua dor, *cara*. Tyler nos contou tudo que aconteceu. Não me agrada que tenha sido interrogada antes de falar com Helen ou James.

— Não tenho nada a esconder. Não sei de nada. Meu pai foi baleado sentado na poltrona em meu apartamento. Como poderia deixar de dizer a eles qualquer coisa que ajude a encontrar quem o matou?

— Se não sabe de nada, não poderia dizer nada que ajudasse. — Ela descartou a polícia com um gesto impaciente. — Tyler, pegue um pouco de vinho pra Sophia.

Quando o telefone tocou mais uma vez, ela bateu a mão no braço da poltrona.

— Eu vou cuidar disso — começou Tyler.

— Não, não queremos alguém da família falando com a imprensa hoje. — Sophia esfregou a testa, ordenou-se a pensar. — Você devia buscar David. Peça que venha. Se der, explique tudo a ele, vou preparar uma declaração. Por enquanto, é apenas isto: a família se isolou e não tem comentários a fazer.

— Eu o trago aqui. — Tyler atravessou a sala até ela e ergueu seu rosto com a mão no queixo. — Você não precisa de vinho, precisa de uma aspirina.

— Não preciso de nenhuma das duas coisas. — Ela recuou. — Me dê meia hora — disse à avó.

— Sophie. — Eli saiu do lado de Tereza e abraçou-a. — Descanse um pouco.

— Não posso.

— Tudo bem, faça o que for melhor pra você. Vou começar a dar os telefonemas.

— Eu posso fazer isso.

— Pode, mas eu farei. E tome a aspirina.

— Está bem, por você.

*A*JUDOU. A ASPIRINA E O TRABALHO. UMA HORA DEPOIS, ELA se sentia mais equilibrada, tinha a declaração esboçada e resumira os fatos para David.

— Vou cuidar da imprensa, Sophia. Cuide de você e de sua mãe.

— Superaremos tudo. Você precisa ficar atento a algum repórter empreendedor que tente se aproximar da villa e da MacMillan. Você tem filhos, e essa ligação com a família também será feita.

— Vou falar com os meninos. Eles não vão vender uma matéria aos tablóides sensacionalistas, Sophia.

— Me desculpe. Eu não quis dar a entender isso. Mas ainda são crianças. Podem ser atormentados e pegos desprevenidos.

— Vou falar com eles — ele repetiu. — Sei que isso é duro pra você. Nem consigo imaginar como é duro pra você. E sua mãe. — Levantou-se. — Qualquer coisa que eu puder fazer é só me avisar.

— Agradeço a você. — Ela hesitou, avaliando-o enquanto o fazia. Sentimentos mesquinhos, programas de ação da empresa tinham de ser postos de lado. — Meus avós confiam em você, senão não estaria aqui. Assim, também vou confiar. Vou instalá-lo aqui em casa pra cuidar dos telefones. E dar meu espaço, mas talvez eu precise dele.

Ela dirigiu-se à porta e então simplesmente parou no meio da sala. Olhou-o, ele pensou, sem expressão. Como se algum mecanismo interno se houvesse encerrado.

— Por que não descansa um pouco?

— Não posso. Desde que continue a me movimentar, dou conta. Sei o que as pessoas achavam dele. Sei o que vão dizer dele, aos sussurros em coquetéis, em artigos jocosos na imprensa. — O que *eu* pensava dele. O que *eu* disse a ele. Oh, meu Deus, não pense nisso agora. — Nada mais pode feri-lo. Mas pode e vai ferir minha mãe. Por isso, não devo parar. — Ela apressou-se a sair. — Acho que a biblioteca seria o melhor lugar — ela começou. — Vai ter privacidade lá, e é conveniente se precisar de alguma coisa em que não pensou.

Ela estava no meio das escadas, descendo, quando Maria abriu a porta da frente para a polícia. Claremont olhou por cima da cabeça da governanta e viu Sophia.

— Srta. Giambelli.

— Detetive. Está tudo bem, Maria. Vou cuidar disso. Tem mais alguma informação pra mim? — ela perguntou, continuando a descer as escadas.

— Desta vez, não. Gostaríamos de falar de novo com você, e com sua mãe.

— Minha mãe está descansando. David, este é o detetive...

— Claremont — ele concluiu. — E minha parceira, detetive Maguire.

— David Cutter, detetives Claremont e Maguire. O Sr. Cutter é o executivo-chefe de operações da Giambelli-MacMillan. Vou levá-los até o salão e estarei com vocês em apenas um instante.

— Sua mãe está em casa, Srta. Giambelli?

— Eu disse que minha mãe está descansando. Ela não tem condições de falar com vocês neste momento.

— Sophia. — Pilar desceu as escadas, segurando o corrimão com uma das mãos, Helen logo atrás. — Tudo bem. Quero fazer o que puder.

— A Sra. Avano — começou Helen, com o cuidado de usar o nome de casada de Pilar — deseja responder às suas perguntas. Sei que levarão seu estado emocional em consideração. Juíza Moore — acrescentou com um frio aceno de cabeça. — Sou uma velha amiga da família.

Claremont a conhecia. E fora submetido a um interrogatório rigoroso pelo marido dela. Advogados a postos.

— Está representando a Sra. Avano, juíza Moore?

— Estou aqui pra oferecer apoio e conselhos à minha amiga, caso sejam necessários.

— Que tal nos sentarmos? — sugeriu Pilar. — Sophia, poderia pedir a Maria que providencie café?

— Claro.

Refinada e civilizada, pensou Claremont. Viu onde a filha obtivera aquela classe. Mas mulheres de classe também matam, assim como todos os outros tipos.

Sobretudo quando são abandonadas por uma modelo mais jovem.

Apesar disso, ela respondeu às perguntas diretamente.

Não vira nem falara com o falecido desde a famosa festa. Não ia ao apartamento da filha fazia mais de um mês. Não tinha a chave. Não possuía arma, embora admitisse, antes que a juíza a interrompesse, a existência de armas na casa.

— Ficou perturbada quando seu marido concluiu o divórcio pra se casar com Rene Foxx?

— Sim — concordou Pilar, mesmo com Helen abrindo a boca. — É tolice negar, Helen. Claro que fiquei perturbada. Não considero o fim de um casamento motivo pra comemorar. Mesmo quando o casamento tinha se tornado uma mera formalidade. Ele era pai da minha filha.

— Vocês brigaram?

— Não. — Ela curvou os lábios e suscitou na mente de Claremont uma Madona com o porte elegantemente pesaroso. — Era difícil brigar com Tony. Ele contornava a maioria das discussões. Eu lhe dei o que ele queria. Nada mais havia a fazer, havia?

— Eu cuidei do divórcio para a Sra. Avano — interveio Helen. — Foi amigável dos dois lados. Em termos legais, tão simples quanto é possível nessas questões.

— Mas ficou perturbada, mesmo assim — declarou Maureen. — Perturbada o bastante pra ligar pra residência do seu ex-marido na semana passada, no meio da noite, e fazer certas acusações e ameaças.

— Eu não fiz nada disso. — Pela primeira vez surgiu a luz de uma batalha nos olhos dela. — Jamais liguei pro apartamento de Tony, nem sequer falei com Rene. Ela imaginou isso.

— Sra. Avano, podemos facilmente investigar as ligações telefônicas.

— Então, por favor, façam isso. — Ela enrijeceu a espinha e também a voz: — Por mais descontente que eu estivesse com as escolhas que Tony fazia, eram as escolhas dele. Não tenho o hábito de ligar pra ninguém no meio da noite e fazer ameaças ou acusações.

— A atual Sra. Avano afirma o contrário.

— Então ela está enganada, ou mentindo. Ela, sim, ligou pra mim no meio da noite, e me acusou disso, foi insultuosa e descontrolada. O senhor vai encontrar essa chamada nos registros telefônicos, detetive, mas não a minha.

— Por que ela mentiria?

— Eu não sei. — Com um suspiro, Pilar esfregou a têmpora. — Talvez não mentisse. Sei que alguém ligou de fato pra ela, e ela imaginou que tivesse sido eu. Estava furiosa, me detestava acima de tudo.

— Sabe a que horas o Sr. Avano deixou as dependências aqui na noite da festa?

— Não. Com franqueza, eu o evitei o máximo possível, bem como a Rene, naquela noite. Era embaraçoso e constrangedor pra mim.

— Sabe por que ele foi ao apartamento de sua filha às... — A empresa de táxi já dera a informação. Claremont olhou o bloco, como se refrescasse a memória. — Três da manhã?

— Não.

— Onde estava nessa hora?

— Na cama. A maioria dos convidados já tinha ido embora por volta de uma da manhã. Fui para o meu quarto algum momento antes das duas. Sozinha — acrescentou, prevendo a pergunta. —

Dei boa-noite a Sophia e fui direto para a cama, porque estava cansada. Tinha sido um longo dia.

— Poderia nos dar licença um momento? — pediu Helen, e indicou com um gesto que os detetives saíssem da sala.

— Dá pra ir daqui a São Francisco em uma hora — especulou Maureen no corredor. — Ela não tem álibi algum para a hora em questão. Tem um motivo decente.

— Por que se encontrar com o ex no apartamento da filha?

— Tudo em família.

— Talvez — respondeu Claremont, e retornou quando a juíza os chamou.

— Detetives, a Sra. Avano reluta em trazer à tona uma informação. Anthony Avano foi seu marido por muitos anos e eles têm uma filha. Ela se aflige em dizer alguma coisa que prejudique a reputação dele. Mas, como eu a aconselhei, é mais construtivo passar essa informação, pois talvez seja útil na sua investigação. E, além disso... Além disso, Pilar — ela disse, tranqüila —, eles vão ter o quadro muito em breve de outras fontes.

— Está bem. — Pilar levantou-se e andou pela sala. — Está bem. Você me perguntou se eu tinha alguma idéia do motivo de ele ter ido ao apartamento de Sophia. Não sei com certeza, mas... Tony tinha uma fraqueza por mulheres. Algumas pessoas bebem, algumas jogam, algumas têm casos amorosos. Tony tinha os últimos. Talvez tenha combinado encontrar alguém lá, pra romper um caso ou...

— Sabe com quem poderia estar envolvido?

— Não, parei de procurar há muito tempo. Mas havia alguém. Ele sabia quem tinha ligado pra Rene naquela noite, tenho certeza. E parecia nervoso na festa. Isso era incomum em Tony. Raras vezes se irritava. Foi meio rude com David Cutter, e não tão sociável como era do seu costume. Acho, revendo a situação, que estava metido em alguma encrenca. Não sei. Nem quis saber, pra não ter nada a ver com aquilo. Se eu tivesse querido... sei que teria feito diferença. É doloroso.

Claremont levantou-se.

— Agradecemos sua cooperação, Sra. Avano. Gostaríamos de conversar com os outros membros da família agora, o Sr. Cutter e todos os membros de sua equipe presentes durante a festa.

Queria especificamente interrogar mais uma vez Sophia. Conduziu-a a sós, enquanto a parceira acompanhava David Cutter.

— Você não disse que teve uma briga acalorada com seu pai na noite em que ele foi morto.

— É, não disse porque você não me perguntou. Agora que o fez, eu preciso esclarecer. Uma briga é entre duas pessoas sobre um ponto de desacordo. Não houve briga alguma.

— Então como qualificaria isso?

— Palavras duras. Palavras duras que vinham sendo acumuladas fazia muito tempo. É difícil pra mim, detetive, saber que foram as últimas palavras que disse a ele. Embora fossem sinceras, e eu quisesse dizê-las, é difícil. Estava furiosa. Ele tinha se casado horas depois da conclusão do divórcio com minha mãe. Não se deu ao trabalho de me falar de seus planos, nem de fazer à minha mãe a cortesia de informá-la, e veio a um evento de família com a nova mulher no braço. Foi uma coisa descuidada, insensível e bem típica dele. Eu disse isso a ele.

— Minha informação é de que você ameaçou seu pai.

— Ameacei? Talvez tenha ameaçado. Eu estava furiosa, magoada, envergonhada. Rene tinha encostado minha mãe contra a parede e a atacado... verbalmente. O que era de todo desnecessário, pois já tinha o que queria. Ele deixou que isso acontecesse. Meu pai era brilhante em deixar que as coisas acontecessem e permanecer de algum modo alheio aos estragos feitos.

A NOTÍCIA SE ESPALHOU POR TODO O PAÍS E CHEGOU AO outro lado do Atlântico. Sentado no escritório, no primeiro andar de sua casa, Donato tomava conhaque e pensava. A casa silenciara, afinal, embora ele esperasse que o bebê acordasse aos berros muito em breve.

Gina dormia e, se não fosse pelo circo habitual do meio da noite, ele teria se esgueirado e passado uma hora relaxante com a amante.

Melhor não correr o risco.

Tony Avano morrera.

A reunião marcada com Margaret Bowers na manhã seguinte seria e precisaria ser adiada. Isso lhe daria tempo para tomar a decisão iminente. Preferira manter as transações comerciais com Tony. Sabia exatamente onde estava com Tony Avano.

Agora Tony morrera e haveria uma grande sublevação. Falatório, fofocas, atrasos, problemas. Ele podia usar tudo em proveito próprio.

Precisava voltar à Califórnia, claro. Teria de oferecer apoio e condolências a Pilar e Sophia. E assegurar a *La Signora* que faria tudo que ela lhe exigisse para manter a produção da Giambelli.

Como faltavam apenas dois dias para o Natal, convenceria Gina de que precisava ficar em casa e não perturbar as crianças. Sim, isso era bom. E ele poderia levar sua linda dama como companhia.

Ninguém notaria a diferença.

É, e isso lhe daria tempo para decidir o que tinha de ser feito, e como fazê-lo.

Coitado do Tony, pensou, e ergueu o conhaque. Descanse em paz.

JEREMY DEMORNEY DIMINUIU O VOLUME DO NOTICIÁRIO DA noite e tirou o smoking. Alegrava-o ter terminado cedo a noite. Era melhor estar em casa, sozinho, que em público, quando a notícia o alcançasse.

Tony Avano, o desprezível canalha, morrera.

Quase lamentável, em certo sentido. O clima atual amadurecera Avano para a colheita. E Jerry esperara um bom e longo tempo por isso.

Deixara para trás uma ex-esposa pesarosa, imaginou, uma viúva alegre e uma filha enlutada. Muito mais do que merecera.

Ao despir-se, pensou em voar de volta à Califórnia e comparecer a qualquer serviço fúnebre planejado pelos Giambelli. Depois descartou a idéia.

Era público e notório que o falecido e não-pranteado Avano dormira com a mulher de Jeremy.

Ah, eles haviam resolvido tudo como pessoas civilizadas, claro. Sem contar o lábio partido que dera à mulher adúltera como presente de separação. Divórcio, acordo financeiro e uma simulada boa educação em público.

Bem, pensou Jerry, haviam sobrepujado todos no fingimento.

Enviara uma mensagem pessoal à família expressando solidariedade e pesar. Era melhor, em todos os aspectos, manter distância da família por enquanto.

Faria sua jogada lá quando estivesse pronto.

No momento, teria uma festinha independente. Maldito fosse se não iria abrir uma garrafa de champanhe e comemorar o assassinato.

Sophia passou quase uma semana cuidando do assassinato do pai como uma atribuição profissional. Com as emoções em suspenso, deu telefonemas, tomou providências, fez perguntas, respondeu a elas e zelou pela mãe como um falcão.

Quando corria de encontro a uma parede, e topava com muitas, fazia o possível para transpô-la ou tentava atravessá-la por um acesso subterrâneo. A polícia nada lhe dava além da mesma conversa. A investigação continuava em andamento. Todas as pistas vinham sendo ativamente seguidas.

Tratavam-na com ressentimento, ela pensou, não diferente do que fariam com uma repórter. Ou suspeita.

Rene recusava-se a atender aos telefonemas, e ela cansou-se de deixar dezenas de recados na secretária. Mensagens solidárias, preocupadas, polidas, irritadas e ressentidas.

O pai *teria* uma cerimônia fúnebre. Com ou sem a informação ou cooperação da viúva.

Desculpou-se com a mãe, citando alguns problemas no escritório de São Francisco que exigiam sua atenção, e preparou-se para ir de carro à cidade.

Tyler encostava o carro na entrada para veículos quando ela saiu da casa.

— Aonde vai?

— Tenho negócios a tratar.

— Onde?

Ela tentou desviar-se dele para a garagem e viu-o interceptar-lhe a passagem.

— Escute, estou com pressa. Vá podar uma vinha.

— Onde?

Ela sentiu os nervos querendo rebentar, e não podia deixá-los aflorarem.

— Preciso correr até a cidade. Tenho trabalho a fazer.

— Ótimo. A gente vai no meu carro.

— Não preciso de você hoje.

— Trabalho de equipe, lembra?

Ele reconhecia uma mulher que vinha oscilando numa corda-bamba e não iria deixá-la dirigir.

— Posso cuidar disso, MacMillan.

Por que diabo ela não disse que ia fazer compras?

— Ééé, você pode cuidar de tudo. — Ele pôs a mão no braço dela e abriu a porta com a outra. — Entre.

— Já lhe ocorreu que eu preferia ficar sozinha?

— Já lhe ocorreu que não estou nem aí? — Para resolver o problema, ele apenas a ergueu no colo e sentou-a no banco. — Prenda o cinto — ordenou e bateu a porta.

Ela pensou em abrir a porta com um chute e depois dar outro nele. Mas temia nunca mais parar. Sentia tanta raiva por dentro, enfurecida por tamanha dor. E lembrou a si mesma, como prometera que faria, que ele ficara a seu lado no pior momento.

Ele deslizou para trás do volante. Talvez isso se devesse ao fato de conhecê-la por mais de metade da sua vida. Talvez por ter prestado mais atenção a ela nas últimas semanas do que nos últimos vinte anos. Em qualquer das duas hipóteses, pensou, conhecia aquele rosto bem demais. E a compostura não era uma verdadeira máscara, pelo menos no momento.

— Então.

Ele ligou o carro e olhou-a.

— Aonde vai mesmo?

— Procurar a polícia. Não consigo obter as respostas por telefone.

— Tudo bem.

Ele engrenou a primeira e desceu a entrada para carros.

— Não preciso de um cão de guarda, Ty, nem de um ombro grande e largo ou de um apoio emocional.

— Tudo bem. — Ele continuou dirigindo. — Oficialmente, eu concordaria, desde que você também não precisasse de um saco de pancadas.

Como resposta, ela cruzou os braços e fitou direto em frente. Uma mortalha de nevoeiro cobria as montanhas, rendilhada de neve, como uma fotografia de foco suave. A vista estonteante nada fez para animá-la. Em sua mente, só via uma página arrancada de uma revista da indústria que chegara junto com a correspondência na véspera.

A fotografia dela, da avó e da mãe, publicada meses antes, fora corrompida, como os anjos Giambelli. Tinham usado caneta vermelha desta vez, retalhando de vermelho-sangue o rosto das três, rotulando-as de piranhas assassinas.

Era a resposta aos repetidos telefonemas a Rene?, perguntou-se Sophia. Acharia a tal mulher que essa trapaça infantil a assustaria? Não iria deixar que isso a assustasse. E quando queimara a página nas chamas da lareira sentira repugnância, raiva, mas não medo.

Mesmo assim, um dia depois, não conseguia tirá-la da cabeça.

— Eli pediu a você pra ser minha babá? — perguntou a Tyler.

— Não.

— Minha avó?

— Não.

— Então quem?

— O negócio é o seguinte, Sophia. Eu recebo ordens no trabalho quando sou obrigado. Não as recebo na vida pessoal. Isto é pessoal. Está claro?

— Não. — Ela desviou então os olhos das montanhas e examinou o igualmente irresistível perfil dele. — Você nem gostava do meu pai, e não é tão louco assim por mim.

— Eu não gostava do seu pai. — Ele disse isso sem se desculpar e sem prazer. E apenas por isso não aguilhoava. — O júri continua aí fora, em cima de você. Mas eu gosto, sim, da sua mãe, e não gosto mesmo de Rene, nem do fato de tentar incitar os tiras contra Pilar, e talvez contra você, no assassinato.

— Então vai ficar emocionado ao saber que minha segunda parada hoje é Rene. Preciso fazer uma visita ou duas a ela para falar sobre a cerimônia fúnebre.

— Cara, não vai ser divertido? Acha que vai haver puxões de cabelos e mordidas?

— Vocês, homens, têm mesmo um orgasmo com esse tipo de coisa, não têm? É simplesmente doentio.

— Ééé.

Ele suspirou, forte e desejoso, fazendo-a rir, a primeira risada descontraída e genuína em dias.

OCORREU A SOPHIA QUE ELA NA VERDADE NUNCA ESTIVERA numa delegacia de polícia real. A idéia que fazia fora ficcionalmente gerada, e por isso esperava corredores escuros e úmidos, com linóleo gasto no piso, escritórios barulhentos, superlotados, personagens resmungonas, de olhos carrancudos, e o mau cheiro de café ruim servido em copinhos de papel.

Em segredo, buscava com ansiedade a experiência.

Em vez disso, encontrou uma atmosfera de trabalho com pisos limpos e largos corredores que emanavam um leve cheiro de desinfetante. Não diria que era silenciosa como um túmulo, mas, quando se encaminhou para o gabinete dos detetives com Ty, ouviu os saltos clicarem no chão.

A área dos detetives era dispersa com escrivaninhas, utilitárias, mas não gastas e arranhadas como esperara. Desprendia-se um cheiro de café, sim, mas fresco e saboroso. Via armas, logo já era alguma coisa. Presas em cinturões ou penduradas a tiracolo. Parecia estranho vê-las na sala bem iluminada onde o ruído mais alto era o estalo dos teclados de computador.

Examinando o espaço em volta, conectou-se com Claremont. Ele olhou para uma porta na lateral da sala, levantou-se e dirigiu-se para eles.

— Srta. Giambelli.

— Eu preciso falar com você sobre meu pai. Sobre as providências para o enterro e a investigação.

— Quando falei com você ao telefone...

— Sei o que me disse ao telefone, detetive. Quase nada. Acho que tenho direito a mais informação, e com certeza de saber quando vão liberar o corpo do meu pai. Saiba que meu próximo passo será passar por cima de você. Vou começar a usar toda a conexão que tenho. E, acredite, minha família tem muitos contatos.

— Eu sei. Que tal usarmos o escritório do tenente?

Indicou-o com um gesto e, depois, xingou baixinho quando a porta lateral se abriu e sua parceira saiu com Rene.

Magnífica de preto. As faces pálidas, os cabelos brilhando como o sol e enroscados na nuca, era a imagem perfeita da viúva socialite. Sophia imaginou que ela estudara cuidadosamente os resultados antes de sair e não resistira a aliviar o preto com um delicado brochinho cravejado de diamantes.

Fitou o broche por um longo momento e desviou a atenção para a dona.

— Que está acontecendo aqui? — exigiu saber a viúva. — Eu disse que ela tem me importunado. Ligando pra mim constantemente, me ameaçando. — Apertou com força um lenço na mão. — Quero registrar uma ordem pra que ela não se aproxime de mim. Pra todas elas. Elas mataram o coitado do meu Tony.

— Vem treinando esse número há muito tempo, Rene? — perguntou Sophia friamente. — Ainda precisa de um pouco mais de ensaio.

— Quero proteção policial. Elas mandaram matar Tony por minha causa. São italianas. Têm ligações com a Máfia.

Sophia desatou a rir, um ruído borbulhante a princípio e que se avolumou e avolumou, até ela não conseguir parar. Recuou cambaleando e sentou-se no banco baixo junto à parede.

— Oh, é isso aí, é isso aí. Há um viveiro de crime organizado na casa da minha avó. Bastou apenas uma ex-modelo, uma vagabunda arrivista social e cavadora de ouro, pra desmascarar tudo. — Não se dera conta de que a risada se transformara em pranto, que as lágrimas lhe escorriam pelas faces. — Quero enterrar meu pai, Rene, me deixe fazer isso. Me deixe participar disso que nunca mais vamos ter de nos ver novamente, nem falarmos uma com a outra.

Rene tornou a enfiar o lenço na bolsa. Atravessou a sala, que ficara muito silenciosa. E esperou Sophia mais uma vez levantar-se.

— Ele me pertence. E você não vai participar de nada.

— Rene.

Sophia estendeu o braço e arquejou quando sua mão foi bruscamente afastada com um tapa.

— Sra. Avano.

O tom de Claremont ao segurar o braço de Rene foi de advertência.

— Não vou tolerar que ela me toque. Se você ou alguém de sua *família* ligar mais uma vez pra mim, vão ter de se haver com meus advogados.

Empinou o queixo e saiu a passos largos da sala.

— Pura maldade — murmurou Sophia. — Pura maldade.

— Srta. Giambelli. — A detetive Maureen tocou-lhe o braço.
— Por que não vem se sentar e me deixa trazer um pouco de café pra
você?

— Não quero café. Vai me dizer se há algum progresso em sua
investigação?

— Não temos nada de novo pra lhe dizer. Lamento.

— Quando o corpo do meu pai será liberado?

— O corpo de seu pai será liberado ainda esta manhã para o
parente mais próximo.

— Entendo. Perdi meu tempo, e o seu. Com licença.

Saiu da sala e já puxava o telefone da bolsa. Tentara Helen
Moore primeiro, e soubera apenas que a juíza estava no tribunal e
indisponível.

— Acha que pode deter Rene? — perguntou Ty.

— Não sei. Tenho de tentar. — Ligou em seguida para o escritório de James Moore, e ficou frustrada ao ser informada de que ele
se encontrava numa reunião. Como último recurso, mandou chamar Linc. — Linc? É Sophia. Preciso de ajuda.

$\mathcal{P}$ILAR SENTOU-SE NUM BANCO DE PEDRA NO JARDIM. FAZIA
frio, mas, Deus do céu, precisava de ar. Sentia-se encurralada em
casa de uma forma que jamais sentira antes. Encurralada pelas paredes e as janelas, guardada pelas pessoas que mais a amavam.

Vigiada, pensou, com tanto cuidado quanto uma inválida que
poderia falecer a qualquer momento.

Pensavam que sofria, e ela os deixava pensar assim. Seria esse o
maior dos seus pecados?, perguntou-se. Permitir que todos acredi-
tassem que se achava arrasada de sofrimento?

Quando nada sentia. Nem podia sentir.

A não ser, de forma horrível, uma levíssima pontada de alívio.

Sentira choque, pesar e dor, mas tudo passara muito rápido. E a
ausência de sentimento a envergonhava, tanto que evitava a família
o máximo possível. A ponto de passar quase todo o Natal em seus

aposentos, sem condições de reconfortar a filha, por temer que ela visse a falsidade da mãe.

Como uma mulher passava tão rápido do amor ao desamor, à insensibilidade?, perguntava-se. Teria existido o tempo todo falta de paixão e compaixão em seu íntimo? E teria sido essa falta que rechaçara Tony dela? Ou fora o que ele fizera tão sem consideração durante o casamento que acabara com qualquer capacidade que ela tivera de sentir?

Pouca importância tinha isso agora. Ele morrera, e ela se sentia vazia.

Levantou-se, voltou-se em direção à casa e parou quando viu David na alameda

— Eu não quis incomodar você.

— Tudo bem.

— Venho tentando não atrapalhar.

— Não era necessário.

— Achei que sim. Parece cansada, Pilar.

E solitária, ele pensou.

— Acho que estamos todos. Sei que você trabalhou dobrado nos últimos dias. Espero que saiba o quanto apreciamos isso. — Quase recuou quando ele avançou em sua direção. — Como foi seu Natal?

— Movimentado. Digamos que ficarei feliz com a virada de janeiro e o início da escola dos meninos. Posso fazer alguma coisa por você?

— Não, nada, verdade. — Ela pretendia pedir licença e fugir para seus aposentos. Mais uma vez. Viu, porém, alguma coisa nele. E, olhando-o, ouviu as palavras jorrarem-lhe da boca: — Sou tão inútil aqui, David. Não sei ajudar Sophia. Sei que ela está tentando desligar a mente de tudo relacionado ao trabalho, e perdendo muito tempo tentando me treinar no escritório aqui. Eu simplesmente estrago tudo.

— Que coisa mais tola pra dizer!

— Não é. Estrago sim. Jamais trabalhei de verdade num escritório e o curto período em que trabalhei foi há mais de vinte e cinco anos. Tudo mudou. Não consigo fazer o maldito do computador funcionar e não conheço a linguagem, nem entendo a finalidade quase o tempo todo. Em vez de dar como devia com a palmatória nas minhas mãos pelos erros que cometo, ela afaga minha cabeça porque não quer me afligir. E é ela que está aflita, e eu não posso ajudar a minha filha. — Apertou a têmpora com os dedos. — Por isso fujo. Sou danada de boa em fugas. Ela está adoecendo em relação a Tony, tentando impedir que Rene exija o corpo dele. Não se permite chorar pela dor da perda. Não se tem conclusão alguma pra dar fim a isso, e não terá nenhuma até a polícia... Mas ela precisa do rito, desse ritual, e Rene não aceita.

— Ela precisa lidar com tudo à sua própria maneira. Você sabe. Assim como você precisa lidar à sua.

— Não sei qual é a minha. Preciso entrar. Tenho de encontrar as palavras certas.

Não querendo deixá-la sozinha, David foi andando com ela até a casa.

— Pilar, acha que Sophia não sabe o que ela significa pra você?

— Ela sabe. Assim como sei o que não significava para o pai. É difícil um filho ter de conviver com isso.

— Eu sei. Mas convivem.

— Você algum dia temeu não ser o bastante pra eles?

— Todo dia.

Ela deixou escapar o início de uma gargalhada.

— Que coisa terrível de minha parte, mas é um alívio ouvir você dizer isso.

Abriu a porta lateral e viu a filha no sofá, o rosto branco como giz, com Linc Moore sentado ao seu lado, segurando a mão dela.

— Que foi? — Pilar atravessou correndo a sala e agachou-se diante de Sophia. — Oh, filhinha, que foi?

— Chegamos tarde demais. Linc tentou, conseguiu até uma ordem de proteção judicial temporária, mas era tarde demais. Ela mandou cremar meu pai, Mama. Já tinha tomado as providências antes...

— Sinto muito. — Ainda segurando a mão de Sophia, Linc estendeu a outra para Pilar. — Ela o levou direto para o crematório. Já tinha começado antes de conseguirmos a ordem de proteção judicial temporária.

— Ele se foi, Mama.

Capítulo Onze

Durante o longo inverno, as vinhas dormiram. Os campos estendiam-se, hectare por hectare, sugavam as chuvas, endureciam-se com as geadas e mais uma vez suavizavam-se com as curtas e sedutoras temporadas de calor.

Para um fazendeiro, para uma colheita, o ano era um círculo que se repetia infinitas vezes, com as variações e surpresas, os prazeres e tragédias absorvidos no todo.

A vida parecia uma contínua espiral a girar.

Próximo a fevereiro, as pesadas chuvas atrasaram o ciclo de poda e trouxeram frustração e o inverno molhado de uma boa safra. A neblina escureceu os campos e montanhas.

Fevereiro era a espera. Para alguns, parecia que já durava uma eternidade.

No terceiro andar da Villa Giambelli, Tereza mantinha o escritório. Preferia aquele, longe do enxame da casa. E adorava ver das janelas aquela imponência que lhe pertencia.

Todo dia subia os lances de escadas, uma boa disciplina para o corpo, e trabalhava durante três horas. Nunca menos, raras vezes mais. O aposento era confortável. Ela acreditava que os ambientes confortáveis aumentavam a produtividade. Também acreditava em satisfazer-se onde importava.

A escrivaninha fora do pai. Antiga, de carvalho escuro e gavetas fundas. A tradição. Em cima, um telefone de duas linhas e um computador de alta potência. O progresso.

Embaixo, a velha Sally roncava baixinho. O lar.

Ela acreditava, com absoluta convicção, nas três coisas.

Por isso o escritório era agora ocupado pelo marido e seu neto, a filha, a neta, David Cutter e Paulo Borelli.

O velho e o novo, ela pensou.

Esperou que servissem o café, e a chuva batesse como suaves punhos no telhado e nas janelas.

— Obrigada, Maria. — Isso assinalava o fim do interlúdio social e o início do trabalho. Tereza cruzou as mãos quando a governanta saiu e fechou a porta. — Lamento — começou — não termos tido condições de nos reunir todos antes. A perda do pai de Sophia e as circunstâncias da morte dele adiaram certas áreas de trabalho. E a recente doença de Eli impediu a realização dessa reunião.

Olhava-o então. O marido ainda lhe parecia um pouco frágil. A gripe transformara-se tão rápido em febre e calafrios que a assustara.

— Eu estou bem — ele disse, mais para tranqüilizá-la que aos demais. — Ainda com as pernas meio fracas, mas me restabelecendo. O homem não tem muitas opções além de se restabelecer quando tantas enfermeiras o espetam.

Ela sorriu, porque sabia que era o que ele queria, mas ouviu o fraco chiado da respiração no peito do marido.

— Enquanto Eli se recuperava, eu o mantinha o máximo possível a par dos movimentos da empresa. Sophia, tenho seu relatório e as projeções relativas à campanha do centenário. Embora a gente também vá discutir isso individualmente, gostaria que você mantivesse todos atualizados.

— Claro. — Sophia levantou-se, abriu um portfólio que continha protótipos dos anúncios, junto com relatórios sobre as mensagens completas ao público-alvo, estatísticas de consumidor e os locais de eventos selecionados. — A primeira fase da campanha vai começar em junho, com a propaganda colocada como indicada nos pacotes — começou, passando os pacotes em volta. — Criamos uma campanha direcionada a três segmentos, tendo como alvo o consumidor superior, sofisticado, o de classe média e o mais efêmero, o jovem e casual bebedor de vinho com orçamento limitado.

Enquanto ela falava, Tyler se desligava. Ouvira o relato antes. Tinha, Deus o livrasse, participado de vários estágios do desenvolvimento da campanha. A exposição ensinara-lhe o valor do que ela fazia, mas não conseguira despertar-lhe nenhum interesse verdadeiro por isso.

Relatórios de longo alcance do tempo prognosticavam uma tendência de aquecimento. Demasiadas coisas, muito em breve, levariam algumas variedades de uva a sair da dormência. Ele precisava manter um olho afiado nisso, nos sinais reveladores do mínimo movimento nos brotos, no suave sangramento nos cortes de poda.

Um corte antes da hora significava o perigo dos danos da geada.

Preparara-se para cuidar disso, quando chegasse o momento, mas...

— Vejo que estamos mantendo Tyler acordado — disse Sophia com doçura e trouxe-o de volta.

— Não, não estão. Mas, como você interrompeu meu cochilo, a segunda fase trata da participação pública. Degustações de vinho, visitas ao vinhedo, eventos sociais, bailes de gala aqui e na Itália, o que gera publicidade. — Ele levantou-se para pegar mais café no carrinho. — Sophia sabe o que faz. Acho que ninguém aqui vai discordar disso.

— E nos campos? — perguntou Tereza. — Sophia sabe o que faz? Ele não se apressou a responder e tomou o café.

— Está se saindo muito bem, para uma mão-de-obra principiante no campo.

— Por favor, Ty, vai me deixar encabulada com todos esses elogios excessivos.

— Muito bem — murmurou Tereza. — David? Comentários sobre a campanha?

— Inteligente, refinada, completa. Minha única preocupação, como pai de adolescentes, é que os anúncios dirigidos ao mercado da garotada de vinte e um a trinta anos façam o vinho parecer uma diversão muito boa.

— E é mesmo — observou Sophia.

— E que desejamos projetar que seja — ele concordou. — Mas me preocupo ao fazer anúncios tão eficientes e atraentes para um público jovem que possam influenciar os ainda mais jovens. Trata-se de conversa de pai — admitiu. — Mas também fui um garoto que quando queria beber até passar mal fazia isso sem nenhuma influência de marketing. — Pilar emitiu um ruidozinho e calou-se. Mas, como David se sentava ao lado dela, fizera questão de sentar-se, ouviu. — Pilar? Idéias?

— Não, eu só... bem, na verdade, acho a campanha maravilhosa e sei o duro que Sophia deu trabalhando nela, e Tyler, claro, e a equipe dela. Mas acho que David tem certa razão sobre esse, bem, terceiro segmento. É difícil comercializar uma coisa que atrai o grupo do mercado jovem sem seduzir as idades inadequadas a beber. Se pudéssemos fazer algum tipo de ressalva...

— As ressalvas são chatas e diluem a mensagem — começou Sophia, mas franziu os lábios ao tornar a sentar-se. — A não ser que a gente faça uma coisa divertida, brilhante, responsável e que se funda com a mensagem. Por favor, me deixem pensar nisso.

— Ótimo. Agora, Paulie.

Então foi Sophia que se desligou, enquanto o capataz falava das vinhas e de várias vindimas testadas nos barris e tanques.

Idade, ela pensou. Idade. Vindima. Maturidade. Perfeição. Precisava do gancho. Paciência. O bom vinho exige paciência para ser feito. Recompensas. Idade, recompensas, paciência. Ela encontraria.

Sentia comichão nos dedos para pegar papel e escrever. Trabalhava melhor quando anotava as palavras e as via no papel. Levantou-se para pegar mais café e, de costas para a sala, escreveu rápido num guardanapo.

Dispensaram Paulie e foi a vez de David. Em vez de projeções de marketing, análises de custo, previsões e números que Sophia esperava, a avó largou o relatório escrito dele de lado.

— Cuidaremos disso depois. No momento, gostaria de sua avaliação de nossas pessoas-chave aqui.

— Também tem meus relatórios escritos sobre isso, *La Signora*.

— Tenho — ela concordou e apenas ergueu as sobrancelhas.

— Tudo bem. Tyler não precisa de mim nos vinhedos e sabe disso. O fato de que é meu trabalho supervisioná-los e eu ser outro par de mãos competente ainda não abrandou a resistência dele. Uma resistência pela qual não posso culpá-lo, mas que interfere, sim, na eficiência. Fora isso, os vinhedos da MacMillan são tão bem dirigidos quanto qualquer outro com que me associei. Como são os da Giambelli. Ajustes continuam sendo feitos, mas o trabalho dele fundindo as operações e coordenando as equipes é excelente.

"Sophia se sai muito bem no vinhedo, embora não seja seu forte. Assim como o marketing e a promoção não são o de Tyler. O fato de ela suportar o peso ali, e ele no campo, resulta numa mistura razoavelmente boa e bastante interessante. Mas há algumas dificuldades nos escritórios de São Francisco."

— Eu tenho conhecimento das dificuldades — disse Sophia. — Estou resolvendo.

— Uma só — corrigiu David. — Sophia, você tem uma empregada difícil, raivosa, não-cooperadora e que há várias semanas vem tentando solapar sua autoridade.

— Tenho uma reunião marcada com ela amanhã à tarde. Conheço minha gente, David. Posso cuidar disso.

— O que eu quero saber é qual o grau de dificuldade, raiva e não-cooperação de Kristin Drake. — Ele esperou um instante. — Ela anda falando com outras empresas. Seu currículo chegou a meia dúzia de mesas nas últimas duas semanas. Uma de minhas fontes na La Coeur me disse que ela vem fazendo inúmeras reivindicações e acusações, com você sendo o seu alvo preferido, quando acha que tem o ouvido certo.

Sophia absorveu a traição, a decepção e assentiu com a cabeça.

— Eu cuido dela.

— Cuide mesmo — aconselhou Tereza. — Quando não é leal, uma empregada precisa, no mínimo, ser digna. Não vamos tolerar um membro da equipe usando fofoca e insinuações como meio de negociação para um cargo em outra empresa. E Pilar?

— Está aprendendo — disse David. — Trabalho de escritório não é o forte de Pilar. Acho que a tem empregado mal, *La Signora*.

— Como foi que disse?

— Em minha opinião, sua filha seria mais bem aproveitada como porta-voz, uma ligação para a empresa onde não se desperdiçassem o charme e a elegância dela como no trabalho de digitação. Eu me pergunto por que não pede a Pilar que ajude nos passeios e nas degustações, oportunidade em que os visitantes poderiam ser regalados com sua companhia e ter a vantagem extra do contato pessoal com um membro da família. Ela é uma excelente anfitriã, *La Signora*. Mas não é uma excelente secretária.

— Está dizendo que cometi um erro esperando que minha filha aprendesse o trabalho da empresa?

— Estou — respondeu David, tranqüilamente, e fez Eli ter um ataque de tosse.

— Desculpe, desculpe. — Eli acenou com a mão quando Tyler se levantou de um salto para servir-lhe um copo d'água. — É que eu tentei engolir a risada. Não devia. Nossa, Tereza, ele tem razão, e você sabe disso. — Pegou o copo, bebeu com cuidado até a pressão no peito acalmar-se. — Ela detesta ter uma visão errônea, e quase nunca tem. Sophia? Como sua mãe vem se saindo no trabalho de sua assistente aqui?

— Ela quase não teve tempo pra... É terrível — admitiu Sophia e desatou a rir. — Oh, Mama, eu sinto tanto, mas você é a pior auxiliar de escritório que já existiu. Eu não podia mandar você à cidade trabalhar com minha equipe nem num milhão de anos. Você tem idéias — acrescentou, preocupada quando a mãe nada disse. — Como hoje, sobre a ressalva. Mas não opina, a não ser quando pressionada, e mesmo então não sabe como pô-la em prática. Mais que tudo, odeia cada minuto que fica presa em meu escritório.

— Eu tenho tentado. E obviamente fracassado — disse Pilar, levantando-se.

— Mama...

— Não, está tudo bem. Prefiro que você seja franca a que me trate com condescendência. Peço que me deixem tornar isso mais fácil pra todos os envolvidos. Eu desisto. Agora, se me derem licença, vou procurar uma coisa em que seja boa. Tipo me sentar em algum lugar e parecer elegante e charmosa.

— Eu vou falar com ela — começou Sophia.

— Não vai. — Tereza ergueu a mão. — Ela é adulta, não uma criança que a gente apazigua. Sente-se. Vamos terminar a reunião.

Era, pensou Tereza ao levar o café à boca, animador ver a filha mostrar uma reação de raiva e um traço de autoridade.

Finalmente.

Ele não teve tempo para aplacar o constrangimento de Pilar, mas, como achava que participara do constrangimento, David foi atrás dela. Nas últimas semanas, Maria tornara-se um de seus canais de notícias da dinâmica familiar. Com a ajuda dela, foi procurar Pilar na estufa.

Encontrou-a ali com luvas de jardinagem e um avental, replantando mudas em vasos que haviam brotado de podas.

— Tem um minuto?

— Tenho todo o tempo do mundo — ela disse, sem dispensar-lhe sequer um olhar ou um grama de cordialidade. — Eu não faço nada.

— Você não faz nada num escritório que a satisfaça ou realize uma meta. É diferente. Lamento que a minha avaliação tenha magoado você, mas...

— Mas negócios são negócios.

Ela o olhou então de frente.

— É. Negócios. Você quer digitar e cuidar de arquivos, Pilar? Participar de reuniões sobre campanhas publicitárias e estratégias de marketing?

— Quero me sentir útil. — Ela largou a pazinha. Será que todos a julgavam igual às flores de que cuidava?, perguntou-se. Era? Uma coisa que exigia um clima controlado e um cuidadoso manuseio para nada fazer além de ser atraente num cenário bonito? — Estou cansada. Farta e cheia de me fazerem sentir que nada tenho a oferecer. Sem habilidade, talentos nem cérebro.

— Então você não ouviu.

— Oh, eu ouvi você. — Ela arrancou as luvas e também as largou. — Devo ser elegante e charmosa. Como uma boneca bem confeccionada, que pode ser tirada na hora certa, no lugar certo e ser guardada no armário o resto do tempo. Bem, não, obrigada. Já fiquei guardada tempo demais.

Começou a empurrá-lo para passar, puxou com força o braço quando ele fechou a mão nele. Depois o fitou em choque, quando ele simplesmente lhe tomou o outro braço e a impediu de afastar-se.

Ninguém a segurava assim. Simplesmente não.

— Espere um instante.

— Tire as mãos de mim.

— Num minuto. Primeiro, charme é talento. Elegância é habilidade. E exige cérebro saber a coisa certa a dizer na hora certa e fazer as pessoas se sentirem bem-vindas. Você é boa nessas coisas, então por que não as usa? Segundo, se acha que cuidar de turistas, dar explicações em degustações e visitas é um trabalho sem valor, vai pensar diferente se tiver coragem de experimentar.

— Não preciso que você me diga...

— Parece que sim.

Pilar quase ficou boquiaberta quando ele a interrompeu. Era outra coisa que raras vezes se fazia. Lembrou como ele lidara com Tony na noite da festa. Usava agora aquele mesmo tom frio e claro com ela.

— Lembre-se de que eu não trabalho pra você.

— Lembre-se — ele rebateu — que em essência trabalha. A não ser que saia arrogante como uma criança mimada, vai continuar a trabalhar pra mim.

— *Va' al diavolo.*

— Não tenho tempo pra uma viagem ao inferno no momento — ele respondeu, sem alterar a voz. — Sugiro que ponha seus talentos na arena certa. Precisa conhecer a empresa pra cuidar das visitas ao lagar e ter paciência pra responder às perguntas que ouvirá repetidas vezes. Empurrar o produto sem parecer que está empurrando. Ser graciosa, informativa e divertida. E, antes de começar, tem de dar uma boa e intensa olhada em si mesma e parar de ver a esposa descartada de um homem que só valorizava a si mesmo.

Ela ficou boquiaberta, sim, e os lábios tremeram antes de conseguir formar as palavras:

— Que coisa horrível de dizer!

— Talvez. Mas já era hora de alguém dizer. Desperdício me aborrece. Você se deixou desperdiçar, e isso começa a me encher o saco.

— Você não tem o direito de me dizer essas coisas. Seu cargo na Giambelli não lhe dá liberdades pra ser cruel.

— Meu cargo na Giambelli não me dá o direito de falar a verdade como a vejo. Tampouco me dá o direito de fazer isto — acrescentou e puxou-a para junto de si. — Mas desta vez é pessoal.

Pilar estava chocada demais para detê-lo ou expressar o mínimo protesto. E, quando ele colou a boca na sua, rijo e furioso, ela nada pôde fazer além de sentir.

A boca de um homem — quente e firme. As mãos de um homem — exigentes e fortes. O choque de sentir o corpo apertado no dele, sentir aquele calor, aquelas formas. A ameaça sexual.

O sangue precipitou-se para sua cabeça, uma longa e imensa onda de força. E o corpo, o coração, famintos, saltaram na inundação de prazer.

Com um gemido baixo, ela passou os braços em volta dele. Os dois bateram na mesa de trabalho, fazendo tombar os vasos. Vaso contra vaso, um ruído igual ao choque de espadas. Nervos e necessidades, há tanto tempo amortecidos, ganharam bruscamente vida e chiaram por todo o organismo dela. Tudo parecia despertar ao mesmo tempo, ameaçando sobrecarga, quando, com os joelhos enfraquecidos, ela avançou a boca, sedenta, sobre a dele.

— Quê? — Ofegante, ela conseguiu apenas um arquejo quando ele a ergueu do chão e deitou-a na bancada. — Que estamos fazendo?

— A gente pensa nisso depois.

Ele tinha de tocá-la, apalpar a carne sob as mãos. Já lhe puxava o suéter, impulsionado por um ímpeto sexual que o fazia sentir-se como um adolescente no banco de trás de um carro.

A chuva açoitava as paredes de vidro e o ar era quente e úmido, perfumado de flores, de terra e do perfume dela. Pilar gemia colada nele, tremores fortes e rápidos. Deliciosos ruidozinhos zumbiam em sua garganta.

Ele queria devorá-la, engoli-la inteira e deixar as sutilezas para depois. Não lembrava a última vez que sentira esse desejo feroz de acasalar-se se precipitando por dentro.

— Pilar, me deixe...

Lutava com o botão da calça dela.

Se ele não tivesse dito seu nome, ela o teria esquecido, esquecido tudo e simplesmente se entregado às exigências de seu próprio corpo. Mas o nome a trouxe de volta num sobressalto. E trouxe a primeira palpitação de pânico.

— Espere. Isto é... não podemos. — Ela o empurrou, embora jogasse a cabeça para trás e tremesse com o roçar dos dentes dele em sua garganta. — David. Não. Espere. Pare.

— Pilar. — Ele não conseguia retomar a respiração, encontrar o equilíbrio. — Eu quero você.

Fazia quantos anos desde que ouvira essas palavras? Há quantos anos as via nos olhos de um homem? Tantos, pensou Pilar, que não podia confiar em si mesma para pensar nem agir racionalmente.

— David. Não estou pronta pra isso.

Ele continuava com as mãos nela, envolvendo sua cintura, bem abaixo do suéter, onde a pele era quente e ainda trêmula.

— Mas me pareceu.

— Eu não esperava... — Ele tinha mãos muito fortes, ela pensou. Palmas fortes e duras. Tão discrepante. — Por favor, poderia se afastar?

Ele ficou exatamente onde estava.

— Eu quis você no primeiro minuto em que a vi. Assim que abriu a porta da frente.

O prazer disparou por todo o corpo dela, perseguido pelo pânico e a perplexidade.

— Eu estou...

— Não. — Ele logo a cortou. — Não diga que está lisonjeada.

— Claro que estou. Você é muito atraente e... — E ela não conseguia *pensar* direito quando ele a tocava. — Por favor. Quer se afastar?

— Está bem. — Mas lhe custou. — Você sabe que o que aconteceu aqui não acontece o tempo todo, com todo mundo.

— Acho que pegamos um ao outro de surpresa — ela começou e com cuidado deslizou para fora da bancada.

— Pilar, não somos crianças.

— Não, não somos. — Ficou agitada por ter de ajeitar o suéter, lembrar a sensação das mãos dele embaixo. Nela. — O que é um dos motivos. Tenho quarenta e oito anos, David, e você... bem, você não tem.

Ele não imaginara que alguma coisa na situação o faria rir. Mas fez.

— Não vai querer usar um punhado de anos como desculpa.

— Não é desculpa. É um fato. Outro é que só nos conhecemos há pouco tempo.

— Dois meses e dois dias. O tempo que me imaginei pondo as mãos em você. — Ele correu os dedos pelos cabelos dela, que o encarava. — Não planejava saltar sobre você na estufa e arrancar suas roupas no meio de vasos de turfa. Mas funcionou pra mim na hora. Quer uma coisa mais convencional? Pego você às sete pra jantar.

— David. Meu marido morreu apenas há algumas semanas.

— Ex-marido — ele disse, gélido. — Não o ponha entre nós, Pilar. Não vou tolerar isso.

— Quase trinta anos não podem ser descartados da noite para o dia, não importam as circunstâncias.

Ele tomou-a pelos ombros, levantou-a do chão, antes que ela percebesse como estava furioso.

— Tony Avano deixou de ser sua zona de segurança, Pilar. Lide com isso. E lide comigo. — Beijou-a mais uma vez, forte e demoradamente, e soltou-a. — Sete horas — declarou e saiu a passos largos para a chuva.

O desqualificado filho-da-mãe, no túmulo, *não* ia complicar a sua vida nem a de Pilar, decidiu David. Com longas passadas, os ombros curvados, a fúria borbulhava sob sua pele.

Não iria permitir. Teria de haver uma conversa franca, com todos os segredos e sombras projetadas na luz. Muito em breve.

Como ele seguia com o olhar furioso para baixo, e Sophia olhava onde pisava ao sair numa corridinha pela chuva, os dois colidiram-se na alameda.

— Opa — ela conseguiu dizer e bateu a mão no chapéu que enfiara às pressas para protegê-la do pior da água. — Achei que você tinha ido pra casa.

— Eu tinha de fazer uma coisa primeiro. Acabei de tentar seduzir sua mãe na estufa. Você tem algum problema com isso?

Sophia deixou a mão tombar do lado.

— Como?

— Você me ouviu. Eu me sinto atraído por sua mãe e apenas agi de acordo. Pretendo seriamente agir de novo o mais cedo possível. É problema pra você?

— Há...

— Não tem uma interpretação rápida? Uma resposta inteligente?

Mesmo no nevoeiro de choque, ela reconheceu um homem furioso e frustrado.

— Não, me desculpe. Estou processando.

— Bem, quando terminar, me mande um maldito memorando.

Quando David saiu, desabalado, Sophia quase viu o vapor que subia dele. Dividida entre o choque e a preocupação, bateu mais uma vez a mão no chapéu e precipitou-se para a estufa.

Quando irrompeu porta adentro, viu Pilar ali parada, em pé, fitando a bancada de trabalho. Vasos espalhados, derrubados, e várias mudas esmagadas, além de qualquer salvação.

Isso lhe deu uma ótima idéia do que acontecera, e onde.

— Mama?

Pilar saltou e apressou-se a pegar as luvas de jardinagem.

— Sim?

Devagar agora, Sophia avançou. A mãe tinha as faces afogueadas, os cabelos em desordem como ficam os cabelos de uma mulher quando um homem corre as mãos por eles.

— Acabei de ver David.

Pilar deixou as luvas caírem dos dedos, que haviam ficado dormentes, e logo as pegou.

— Ah?

— Ele disse que tentou seduzir você.

— Ele o quê?

Não era pânico agora, mas horror que subira para a garganta de Pilar.

— E pela sua aparência, ele teve um bom início.

— Foi só uma... — Acovardada, Pilar pegou o avental, mas não conseguiu lembrar como vesti-lo. — Tivemos um desentendimento, e ele ficou aborrecido. Não vale mesmo a pena falar disso.

— Mama. — Com delicadeza, Sophia pegou as luvas, o avental e largou-os. — Você sente alguma coisa por David?

— Realmente, Sophia, que pergunta.

Pergunta que você não responde, ela pensou.

— Tentemos o seguinte. Você se sente atraída por ele?

— É um homem atraente.

— Concordo.

— Nós não... quer dizer, eu não... — Sem saber mais o que fazer, Pilar apoiou as mãos na bancada. — Sou muito velha pra isso.

— Não seja ridícula. Você é uma mulher linda, em pleno vigor da vida. Por que não poderia ter um romance?

— Não estou atrás de romance.

— Sexo, então.

— Sophie!

— Mama! — Sophia falou no mesmo tom horrorizado e abraçou a mãe. — Corri a toda pra cá temendo que a tivesse magoado e que você estivesse transtornada. Em vez disso, encontro você corada, amarfanhada, depois do que imagino ter sido um delicioso bocado de apalpação masculina pelo nosso novo e muito sexy executivo-chefe de operações. Que maravilha!

— Não é maravilha nenhuma e não vai acontecer de novo. Sophia, eu fui casada por quase três décadas. Dificilmente posso me recuperar e saltar nos braços de qualquer outro homem nesta altura da vida.

— Papai se foi, Mama. — Sophia manteve os braços apertados em volta da mãe, mas suavizou a voz: — Para mim é difícil aceitar conviver com a forma como aconteceu e aceitar que me negassem até mesmo a chance de me despedir. É duro, mesmo sabendo que ele não me amava de verdade.

— Oh, Sophie, amava sim.

— Não. — Ela se desprendeu então. — Não como eu queria, precisava ou buscava. Você, sim, sempre. Ele nunca estava lá quando eu precisava. Nem quando você precisava. Não era do feitio dele dar. Agora você tem uma chance de curtir alguém que vai lhe dar atenção.

— Oh, filhinha.

Pilar estendeu a mão e afagou a face da filha.

— Eu quero que tenha isso — disse Sophia. — E ficaria muito triste, muito zangada, se você jogar fora esta chance por causa de uma coisa que nunca existiu. Eu amo você. Quero que seja feliz.

— Eu sei. — Pilar beijou-lhe as duas faces. — Eu sei. Leva tempo pra se ajustar. E, oh, *cara*, o problema não é apenas seu pai e o que aconteceu conosco, o que aconteceu com ele. O problema é comigo. Não sei como conviver com outro homem ou se quero ficar com alguém.

— Como vai saber se não experimentar? — Sophia pensou em sentar-se na bancada, depois refletiu melhor. Sobre as circunstâncias. — Você gosta dele, não gosta?

— Bem, claro que sim. — Gostar?, pensou. Uma mulher não precisava quase rolar nua em terra de cultivo com um homem de quem gostava. — É um homem muito agradável — conseguiu dizer. — Um bom pai.

— E você se sente atraída por ele. Ele tem um magnífico traseiro.

— Sophia.

— Se você me disser que não notou, vou ter de violar um mandamento e chamar minha mãe de mentirosa. Depois tem aquele sorriso. Aquele sorriso rápido.

— Ele tem olhos bondosos — murmurou Pilar, esquecendo-se de si mesma e fazendo a filha suspirar.

— É, tem, sim. Você vai sair com ele?

Pilar ocupou-se em arrumar os vasos.

— Não sei.

— Saia. Explore um pouco. Veja como é. E leve uma das camisinhas que estão na minha mesinha-de-cabeceira.

— Oh, pelo amor de Deus.

— Pensando melhor, não leve uma. — Sophia passou o braço pela cintura de Pilar e deu umas risadinhas contidas. — Leve duas.

Capítulo
Doze

Maddy observava atentamente o pai dar o nó na gravata. Era a do Primeiro Encontro, cinza com listras azul-marinho. Ele *dissera* aos filhos que só iria sair com a Sra. Giambelli para jantar fora, e por isso ela e Theo achariam que se tratava de alguma coisa comercial. Mas a gravata era uma revelação mortal.

Tinha de pensar como se sentia a respeito.

No momento, porém, entretinha-se pressionando-o a deixá-la pôr um piercing no nariz.

— É um símbolo de auto-expressão.

— É anti-higiênico.

— É uma antiga tradição.

— Não da família Cutter. Você não vai mandar furar o nariz, Madeline. E pronto.

Ela suspirou e fez uma cara feia. Na verdade, não tinha o menor desejo de mandar furar o nariz, mas queria um terceiro piercing, no lóbulo da orelha esquerda. Começar pelo nariz para chegar aonde queria era uma boa estratégia. Do tipo, pensou, que o pai apreciaria se soubesse.

— O corpo é meu.

— Não até você fazer dezoito anos, não. Até esse dia feliz, é meu. Vá aporrinhar seu irmão.

— Não posso. Não estou falando com ele. — Ela rolou de costas na cama do pai e ergueu as pernas para o alto. Embora metida no habitual preto, Maddy começava a ficar meio cansada disso. — Posso fazer uma tatuagem então?

— Oh, claro. Vamos todos fazer uma esta semana. — Ele se voltou. — Que tal estou?

Maddy inclinou a cabeça e examinou.

— Melhor que a média.

— Você é um conforto tão grande pra mim, Maddy.

— Se eu tirar dez em meu trabalho de ciência, posso mandar furar o nariz?

— Se Theo tirar um dez em qualquer coisa, talvez eu pense em deixar que ele fure o nariz.

Como as duas pontas da afirmação eram igualmente exageradas, ela riu.

— Puxa, papai.

— Tenho de ir. — Ele ergueu-a da cama e carregou-a do quarto com o braço em volta da cintura e os pés dela balançando acima do chão.

O hábito mais antigo que ela conseguia lembrar nunca deixava de provocar-lhe um borbulho de felicidade no peito.

— Se não posso fazer no nariz, poderia só fazer outro na orelha esquerda? Pra uma argolinha?

— Se está tão segura e decidida a abrir mais buracos no corpo, vou pensar no assunto.

Ele parou na porta de Theo e bateu com a mão livre.

— Suma, verme.

David baixou os olhos para a filha.

— Imagino que se refira a você.

Empurrou a porta e viu o filho deitado na cama, o telefone na orelha, em vez de sentado à escrivaninha com o dever de casa. Teve sensações ambivalentes. Aborrecimento, porque os deveres com certeza não haviam sido feitos, e prazeroso alívio, pelo fato de o filho já ter conquistado novos amigos na escola para interferir com os estudos.

— Te ligo depois — resmungou Theo. — Eu só estava descansando um pouco.

— Ééé, o mês inteiro — comentou Maddy.

— Tem muita comida que vocês podem preparar no forno de microondas. Deixei o número do restaurante no bloco junto ao telefone e vocês têm o do meu celular. Só liguem se for necessário. Nada de brigas, estranhos nus na casa e não toquem em bebidas alcoólicas. Faça seu dever da escola, nada de telefone nem TV antes de terminar, e não ponha fogo na casa. Esqueci alguma coisa?

— Nada de sangue no tapete — contribuiu Maddy.

— Certo. Se tiverem de sangrar, sangrem nos azulejos. — Ele deu um beijo no cocuruto da filha e largou-a no chão. — Devo estar de volta lá pela meia-noite.

— Pai, eu preciso de um carro.

— Ãhã. E eu de uma mansão no Sul da França. Imagine só. As luzes apagadas às onze — acrescentou ao afastar-se.

— Eu *preciso* ter rodas — gritou Theo atrás e xingou baixinho quando ouviu o pai descer as escadas. — É o mesmo que estar morto aqui, sem rodas.

Tornou a deitar-se na cama para remoer com o teto.

Maddy apenas balançou a cabeça.

— Você é tão idiota, Theo.

— Você é tão medonha, Maddy.

— Jamais vai conseguir um carro aporrinhando papai. Se eu ajudar você a ganhar um carro, vai ter de me levar ao shopping doze vezes, sem me sacanear.

— Como vai conseguir me ajudar a ganhar um carro, sua panaquinha?

Mas ele já pensava na possibilidade. Ela quase sempre conseguia o que queria.

Maddy entrou saracoteando no quarto, ficou à vontade.

— Primeiro o trato. Depois a gente conversa.

$\mathcal{T}$EREZA NÃO ERA DE OPINIÃO QUE UM PAI DEVESSE AFROUXAR os cuidados a certa altura da vida de um filho e acompanhasse os acontecimentos em silêncio. Afinal, ficaria uma mãe na praia e veria o filho, fosse qual fosse a idade, debatendo-se sem mergulhar?

A maternidade não terminava quando o filho atingia a maturidade. Na opinião de Tereza, jamais terminava. Quer o filho gostasse ou não.

O fato de Pilar ser adulta, com uma filha também adulta, não a impediu de ir ao quarto dela. Nem a impediu de dizer umas verdades ao ver a filha vestir-se para a saída noturna.

Saída noturna com David Cutter.

— As pessoas vão falar.

Pilar atrapalhava-se com os brincos. Cada estágio do ato básico de vestir-se tomava enormes proporções.

— É só um jantar.

Com um homem. Um homem atraente que deixara perfeitamente claro o desejo de dormir com ela. *Dio.*

— As pessoas encontram combustível pra fofoca num pensamento. Vão ligar os motores por algum tempo sobre você e David confraternizando.

Pilar pegou as suas pérolas. Eram pérolas formais demais? Antiquadas demais?

— Isso aborrece você, Mama?

— Aborrece você?

— Por que aborreceria? Eu não fiz nada que interesse a alguém.

Com dedos que pareciam ter ficado enormes e desajeitados, ela lutava com o fecho.

— Você é uma Giambelli. — Tereza atravessou o quarto, tomou o colar das mãos de Pilar e enganchou o fecho. — Só este basta. Acha que, só porque optou por formar um lar e criar uma filha, não fez nada de interessante?

— Você formou um lar, criou uma filha e dirigiu um império. Em termos comparativos, estou bem aquém das expectativas. Isso ficou muito claro hoje.

— Está agindo como uma tola.

— Estou, Mama? — Ela virou-se. — Há apenas dois meses você me lançou na empresa e não me foi necessário sequer algum tempo pra provar que não tenho talento nenhum para a coisa.

— Eu não devia ter esperado tanto tempo pra fazer isso. Se não a tivesse lançado, você não teria provado nada. Anos atrás, cheguei aqui com metas específicas em mente. Ia dirigir a Giambelli e fazer com que fosse a melhor do mundo. Ia me casar, criar os filhos e vê-los crescer felizes e saudáveis. — Automaticamente, ela se pôs a rearrumar os frascos e potes na penteadeira de Pilar. — Um dia passaria para as mãos deles o que eu tinha ajudado a construir. O sonho de ter vários filhos não se realizou. Lamento por isso, mas não por você ser minha filha. Talvez você lamente que suas metas de casamento e filhos não se realizaram. Mas lamenta, Pilar, por Sophia ser sua?

— Claro que não.

— Acha que me decepcionei com você. — Os olhos dela se encontraram com os de Pilar no espelho, nivelados e claros. — E me decepcionei, sim, por você ter deixado um homem governar sua vida, fazer com que se sentisse menos do que era. E por não ter feito nada para mudar isso.

— Eu o amei por um longo tempo. Foi o meu erro, mas a gente não manda no próprio coração.

— Acha que não? — perguntou Tereza. — De qualquer modo, nada que eu dizia a você conseguia influenciá-la. E, revendo o passado, meu erro foi ter tornado tudo fácil demais pra você ficar à deriva como ficou. Isso agora acabou e você ainda é muito jovem

para não estabelecer novas metas. Quero que participe de sua herança, seja parte do que me foi legado. Eu insisto.

— Mesmo que não possa me tornar uma empresária.

— Então se torne outra coisa — rebateu Tereza, impaciente e
virando-se para encarar diretamente a filha. — Deixe de pensar em
si mesma como o reflexo do que um homem via em você e *exista*.
Perguntei se o que as pessoas vão falar a incomodaria. Quem dera
que tivesse mandado todo mundo ao diabo. Que falem! É hora de
dar a elas alguma coisa sobre o que falar.

Surpresa, Pilar balançou a cabeça.

— Você fala como Sophia.

— Então escute. Se você quer David Cutter, mesmo por
enquanto, pegue. Uma mulher que se senta e espera que lhe dêem
alguma coisa, em geral, acaba com as mãos vazias.

— É só um jantar — começou Pilar, e interrompeu-se quando
Maria chegou à porta.

— O Sr. Cutter está lá embaixo.

— Obrigada, Maria. Diga a ele que a Srta. Pilar já vai descer. —
Tereza virou-se de novo para a filha, reconheceu e até aprovou o leve
pânico que viu em seus olhos. — Você está com a mesma expressão
no rosto de quando tinha dezesseis anos e um rapaz a esperava no
salão. É bom ver mais uma vez isso. — Curvou-se e roçou os lábios
na face de Pilar. — Aproveite a noite.

Sozinha, Pilar levou um instante para acalmar-se. Já não tinha
dezesseis anos e era apenas um jantar, lembrou a si mesma quando
saiu. Seria simples, civilizado e com toda a probabilidade muito
agradável. Só isso.

Ainda nervosa, abriu a bolsa no topo das escadas, para conferir
se não esquecera nada. Piscou, de choque, e pousou-os sobre duas
embalagens de camisinha.

Sophia, pensou, apressando-se a fechar de novo a bolsa. Pelo
amor de Deus! A risada que lhe fez coçar a garganta era jovem e tola.
Quando a deixou sair, sentiu-se ridiculamente aliviada.

Desceu para ver o que ia acontecer em seguida.

* * *

Era um encontro. Não havia outra palavra para isso, admitiu Pilar. Nada mais trazia aquele brilho róseo a uma noite, nem punha aquela vertigem na barriga. Talvez décadas haviam-se passado desde que ela tivera um encontro, mas tudo lhe voltava agora, sonoro e claro.

Talvez tivesse esquecido o que era sentar-se a uma mesa iluminada à luz de velas diante de um homem e conversar. Apenas conversar. E mais, ser ouvida por ele, ter toda a sua *atenção*. Ver os lábios dele se curvarem para alguma coisa que ela dissesse. Lembrar, porém, passar mais uma vez por isso, era como receber um gole d'água fresco antes de perceber com que desespero se tornara sedenta.

Não que pretendesse deixar qualquer coisa resultar do encontro, além de, bem, amizade. Toda vez que se permitia lembrar o que a própria filha pusera escondido em sua bolsa, Pilar ficava com as mãos úmidas.

Mas a amizade com um homem atraente e interessante seria deliciosa.

— Pilar! Que maravilha ver você!

Ela reconheceu a nuvem de perfume e a animada ferroada na voz, antes de erguer os olhos.

— Susan. — Já ajeitava o sorriso social. — Mas você não está mesmo esplêndida! Susan Manley, David Cutter.

— Não, não se levante, não se levante. — Susan, uma loura cintilante e recém-saída da recuperação da última cirurgia plástica facial, adejou a mão para David. — Eu ia voltando para a minha mesa, depois de empoar o nariz, e vi você. Charlie e eu viemos aqui com uns clientes dele, de fora da cidade. Uns chatos mortais, ainda por cima — disse, com uma piscadela. — Eu dizia ainda outro dia a Laura que a gente devia se encontrar. Faz tanto tempo. Que bom ver você saindo, e com uma aparência tão boa, querida. Sei que fase horrível tem sido essa pra você. Um grande choque pra todo mundo.

— É. — Pilar sentiu a rápida fisgada de remorso e o lento esvaziamento do prazer da noite. — Fiquei grata por sua nota.

— Eu só gostaria de ter podido fazer mais. Bem, não queremos falar de coisas tristes, não é? — Deu um apertozinho no braço de Pilar, fazendo ao mesmo tempo uma avaliação do companheiro de jantar. — Espero que sua mãe esteja bem.

— Muito bem, obrigada.

— Tenho de ir. Não posso deixar o coitado do Charlie em apuros com aqueles dois. Foi um grande prazer conhecê-lo, Sr. Cutter. Pilar, eu ligo pra você semana que vem e a gente sai pra almoçar.

— Conto com isso — respondeu Pilar, e pegou o vinho quando Susan se afastou deslizando. — Desculpe. O Valley não é muito mais que uma cidadezinha em alguns aspectos. É difícil ir a algum lugar sem topar com pessoas que a gente conhece.

— Então por que se desculpar?

— É embaraçoso. — Ela tornou a largar o vinho, deixou os dedos no pé da taça e correu-os acima e abaixo. — E, como previu minha mãe, as pessoas vão falar.

— É mesmo? — Ele retirou a mão dela da taça. — Então vamos dar a elas alguma coisa do que falar. — Levou a mão aos lábios, mordiscou de leve as juntas. — Eu gosto de Susan — disse, ao ver os olhos de Pilar arregalados. — Ela me deu a abertura pra isso. Que é — ele perguntou em voz alta — que você acha que ela vai dizer a Laura amanhã, quando ligar?

— Eu só posso imaginar. David. — Vibrações dispararam por todo o seu braço. Mesmo depois de retirar a mão da dele, palpitavam na pele. — Não estou à procura... de alguma coisa.

— Que engraçado, nem eu estava. Até ver você. — Ele curvou-se com um ar íntimo. — Vamos fazer alguma coisa pecaminosa.

O sangue precipitou-se para a cabeça dela.

— Como?

— Vamos... — ele baixou a voz para um sussurro sedutor — pedir sobremesa.

A respiração que se obstruíra nos pulmões dela saiu numa ruidosa explosão de gargalhada.

— Perfeito.

E foi. A ida de carro à noite, sob as geladas estrelas e uma fria lua branca. A música a tocar suave no rádio enquanto eles debatiam, com alguma veemência, sobre um livro que os dois haviam lido recentemente. Mais tarde ela pensaria em como era estranho sentir-se tão relaxada e tão estimulada, tudo ao mesmo tempo.

Quase suspirou ao ver as luzes da villa. Praticamente em casa, constatou. Começara a noite quase engolida pelos próprios nervos e terminava-a com pena de que não durasse mais tempo.

— Os meninos ainda estão acordados — comentou David, notando a casa de hóspedes iluminada como um cassino de Las Vegas. — Vou ter de matar os dois.

— É, eu já percebi o pai assustador e brutal que você é. E como seus filhos têm medo de você.

Ele lançou-lhe um olhar de esguelha.

— Eu não me incomodaria de ver um ou outro tremor neles.

— Acho que é meio tarde pra isso. Você criou dois filhos felizes e bem ajustados.

— Continuo trabalhando nisso. — Ele tamborilou com os dedos no volante. — Theo se envolveu numa encrenca em Nova York. Furto de loja, saindo escondido do apartamento. As notas dele, nunca astronômicas, despencaram.

— Sinto muito, David. Os anos da adolescência às vezes são difíceis pra todo mundo. Ainda mais difíceis quando se é pai sozinho. Eu poderia contar algumas histórias sobre Sophia de arrepiar os cabelos nessa idade. Seu filho é um rapaz bom. Imagino que esse tipo de comportamento tenha sido apenas uma expressão normal de conflitos emocionais.

— Acho que me deu a sacudida que eu talvez precisasse. Vinha deixando Theo viver um pouco livre demais apenas porque era mais fácil. Sem horas suficientes de dia, sem energia suficiente no fim do dia. Foi mais difícil pra Maddy do que pra Theo quando a mãe partiu, e por isso compensei mais com ela que com ele.

— Reconsiderações — ela disse. — Eu conheço tudo sobre elas.

— Com Theo e Maddy foram reconsiderações de reconsiderações. De qualquer modo, esse é um dos motivos de eu ter preferido comprar o furgão e dirigir de uma ponta a outra do país, em vez de nos jogar aos três num avião. Isso nos deu algum tempo. Nada como uma viagem de quase cinco mil quilômetros num veículo fechado pra cimentar uma unidade familiar, se a gente sobreviver a isso.

— Foi muita coragem sua.

— Quer falar de coragem? — Ele subiu descontraído a trilha para a villa. — Tenho sido o principal provador nessa experiência de vinho que Maddy está fazendo. É brutal.

Pilar riu baixinho.

— Não deixe de nos informar se arranjarmos um concorrente na fabricação.

Fez menção de pegar a maçaneta da porta, mas ele pôs-lhe a mão no ombro, detendo-a.

— Eu vou até aí. Vamos terminar a noite direito.

Os nervos dela afloraram de volta. O que ele queria dizer com isso, exatamente?, ela perguntou-se, quando ele contornou o furgão. Devia convidá-lo a entrar, para ficarem de agarramento no salão? Com certeza que não. Fora de questão.

Ele ia apenas acompanhá-la até a porta. Os dois iam desejar-se boa-noite, talvez trocar um beijo casual — muito casual. Entre amigos, lembrou a si mesma, e recuou quando ele abriu a porta.

— Obrigada. Foi tudo delicioso, o jantar e a noite.

— Pra mim também.

David tomou-lhe a mão e não se surpreendeu por encontrá-la gelada. Vira a cautela retornar aos olhos dela quando ele abrira a porta. E isso não o incomodara nem um pouco. Não estava acima de ter um estímulo do ego por saber que intimidava uma mulher.

— Quero ver você de novo, Pilar.

— Oh. Bem, claro. Vamos...

— Não em grupo — ele rebateu e virou-a para junto de si quando chegaram à varanda. — Não a trabalho. A sós. — Puxou-a mais para perto. — E por motivos muito pessoais.

— David...

Mais uma vez, porém, ele cobriu-lhe a boca com a sua. Delicado, desta vez. Persuasivo. Não com aquela brusca e chocante onda de calor que despertara com rudeza todos os seus desejos adormecidos, mas com uma tepidez lenta e tranqüila, que desfazia pacientemente todos os nós impeditivos da tensão no íntimo dela. Ele a amolecia até os ossos parecerem cera, derretendo-se.

Quando ele recuou, roçou com as mãos o rosto dela, deslizando os dedos pelas faces até a garganta.

— Ligo pra você.

Ela fez que sim com a cabeça e estendeu cegamente a mão para a porta, atrás.

— Boa-noite, David.

Entrou e fechou a porta. Por mais tola que se sentisse, disse a si mesma, sabia que ia subir flutuando até o alto da escadaria.

𝒜s ADEGAS SEMPRE LEMBRAVAM A SOPHIA O PARAÍSO DE UM contrabandista. Todos aqueles espaços grandes e ecoantes, cheios de barris de vinho envelhecendo. Sempre gostara de passar o tempo ali, e mesmo quando era criança um dos vinicultores a deixava sentar-se a uma mesinha e provar uma tacinha de um dos barris.

Ainda bem menina, aprendera a distinguir a diferença, pela visão, o aroma, o paladar, entre o vinho premiado de excepcional safra e o comum. Entender as sutilezas que tornavam um vinho superior ao outro.

Embora isso lhe houvesse destruído o gosto pelo comum, que mal havia nisso? Ela buscava, reconhecia e exigia qualidade, porque fora ensinada a não tolerar nada menos.

Mas não era no vinho que pensava agora, embora já tivessem retirado os vinhos de tonéis envelhecidos e arrumado as taças para amostragem. Pensava nos homens.

Também fizera um estudo, gostava de pensar. Conhecia uma mistura inferior, reconhecia o que tinha chance de deixar um gosto residual amargo e o que se revelaria com o tempo.

Por isso, acreditava, nunca tivera qualquer relacionamento sério, duradouro, com um homem. Nenhum dos que provara tinha o sabor certo, o buquê correto, por assim dizer, para convencê-la de que se satisfaria apenas com uma variedade.

Embora tivesse plena confiança em sua capacidade de fazer as escolhas certas para si, e conseguir aproveitar sem conseqüências os vôos de degustação, não tinha tanta confiança quanto à da mãe na mesma área.

— É o terceiro encontro deles em duas semanas — comentou.

— Humm.

Ty segurou uma taça de vinho palhete junto a uma lareira para conferir a cor. Como o avô, como *La Signora*, mantinha-se fiel aos métodos antigos e tradicionais. Classificou-o com um dois pela cor e a claridade, e anotou as marcas superiores no gráfico.

— Minha mãe e David.

Para obter a atenção dele, Sophia deu-lhe um soco de leve no braço.

— Que é que há com eles?

— Vão sair de novo hoje à noite. A terceira vez em duas semanas.

— E que é que eu tenho a ver com isso?

Ela soprou forte.

— Minha mãe é vulnerável. Não vou dizer que não gosto dele, porque gosto. Até a incentivei no início, quando ele mostrou algum interesse por ela, mas achei que era apenas uma aventurazinha sem importância.

— Sophia, talvez você se surpreenda, mas eu estou trabalhando e realmente não quero falar sobre os assuntos pessoais de sua mãe.

Ele girou delicadamente o vinho, enfiou o nariz na taça e inalou. Tinha toda a concentração dirigida.

— Eles não fizeram sexo.

Tyler estremeceu visivelmente e perdeu o buquê do vinho.

— Droga, Sophie.

— Se já tivessem feito sexo a esta altura, eu não precisaria me preocupar. Significaria que foi apenas uma atraçãozinha física, e não um acontecimento. Acho que está se tornando um acontecimento. E até onde a gente sabe sobre David mesmo? Além do ponto de vista profissional. É divorciado e não sabemos por quê. Talvez seja mulherengo ou oportunista. Pensando bem, ele foi atrás de minha mãe logo depois de meu pai...

Tyler cheirou mais uma vez o vinho e anotou os números.

— Você parece estar dizendo que sua mãe não conseguiria atraí-lo pelos próprios méritos.

— Não estou mesmo. — Insultada, Sophia pegou uma taça de Merlot e, com uma expressão de raiva, olhou a luz através dele. — Ela é linda, inteligente, charmosa e tudo que um homem quer numa mulher. — Mas não o que o pai queria, lembrou. Repugnada consigo mesma, marcou a amostra inferior pela turvação. — Eu não me preocuparia com a coisa se ela conversasse comigo. Mas só me disse que ela e David curtem a companhia um do outro.

— Nossa, você acha?

— Ora, feche a matraca! — Ela cheirou o vinho, anotou sua opinião, provou-o, deixando-o descansar atrás da gengiva inferior, e tocou-o com a ponta da língua para julgar a acidez e o conteúdo tânico. Girou-o e, em seguida, deixou que os vários elementos de sabor se misturassem e cuspiu. — Ainda está imaturo.

Tyler provou-o e viu que concordava com ela.

— Vamos deixar envelhecer um pouco. Muitas coisas se tornam o que têm de ser se a gente as deixa em paz durante algum tempo.

— É filosofia o que acabo de ouvir?

— Quer uma opinião ou só alguém pra concordar com você?

— Acho que querer as duas coisas é esperar demais.

— Isso mesmo.

Ele ergueu a taça de vinho seguinte e segurou-a junto à luz. Mas olhava Sophia. Era difícil não olhar, admitiu. Não olhar, não se maravilhar. Ali estavam os dois numa adega fria, úmida, cercados por um fogo crepitando, os cheiros de fumaça, madeira e terra, sombras mergulhando e dançando.

Algumas pessoas diriam que era romântico. Ele se esforçava ao máximo para não ser uma delas. Como vinha fazendo para não pensar em Sophia como pessoa, muito menos como mulher. Era, na melhor das hipóteses, uma parceira, sem a qual ele podia se arranjar.

E no momento a parceira estava preocupada. Talvez ele achasse que ela andava se preocupando por antecipação, ou metendo o bedelho onde não era chamada, mas, se tinha uma certeza absoluta sobre Sophia, era que ela amava a mãe sem reservas.

— A ex-mulher dele o descartou, a ele e aos filhos — ele acabou dizendo.

Sophia ergueu o olhar do vinho que segurava.

— Descartou?

— Ééé, decidiu que havia um mundo grande e antigo aí, e que tinha direito a isso. Não podia explorá-lo, nem a si mesma, com dois filhos e o marido a tiracolo. Então se mandou.

— Como é que sabe disso?

— Maddy conversa comigo. — E ele se sentiu culpado por repetir coisas que lhe haviam dito. O rapazinho não contou muita coisa sobre a vida familiar, mas o suficiente para lhe dar uma imagem clara. — Ela não fica revelando segredos, nem nada disso, só deixa as coisas escaparem de vez em quando. Pelo que entendi, a mãe não entra em contato com eles com muita freqüência, e Cutter está no comando desde que ela partiu. Theo se meteu numa pequena encrenca, e Cutter aceitou o cargo aqui pra tirar o filho da cidade.

— Então ele é um bom pai. — Ela sabia bem demais o que era ser descartada pelo pai. — Isso não quer dizer que seja bom para minha mãe.

— Não acha que cabe a ela decidir isso? Se você procura defeitos em todo homem que vê, vai encontrar.

— Eu não faço isso.

— É exatamente isso o que você faz.

— Não preciso procurar muito fundo em você — disse Sophia com a voz melosa. — São todos muito óbvios.

— Sorte pra nós dois!

— O que já é um nível acima do seu padrão. Você dificilmente procura. É mais fácil se manter envolvido até a tampa com as vinhas do que se envolver com um ser humano.

— Estamos falando da minha vida sexual? Devo ter perdido alguma coisa.

— Você não tem vida sexual.

— Não em comparação com a sua. — Ele largou a taça para fazer as anotações. — Mas, também, quem tem? Você corta os homens como uma faca no queijo. Uma fatia longa, lentamente, uma mordiscada, e descarta. Está cometendo um erro ao achar que pode estabelecer esses padrões para Pilar.

— Entendo. — A mágoa dominou-a. Ele a fizera parecer mais uma vez vulgar. Como seu pai. Precisando puni-lo por isso, aproximou-se mais. — Ainda não cortei você, cortei, Ty? Nem consegui dar o primeiro corte. É por isso que tem medo de fazer uma experiência com uma mulher capaz de pensar em sexo como um homem?

— Eu não quero fazer uma experiência com uma mulher que pensa em tudo como um homem. Sou meio tacanho nesse sentido.

— Por que não expande seus horizontes? — Ela inclinou a cabeça para trás, convidativa. — Ouse — provocou.

— Não estou interessado.

Ainda o testando, ela enroscou os braços no pescoço dele, estreitando-os quando ele ergueu os dele para afastá-los.

— Qual de nós está blefando? — provocou, os olhos escuros, ardentes, envolvendo-o e penetrando-o com seu perfume. Roçou os lábios nos dele, uma carícia sedutora. — Por que não me prova? — perguntou, baixinho.

Era um erro, mas não seria o primeiro. Ty agarrou-a e deslizou as mãos pelos seus quadris acima.

O perfume era ao mesmo tempo maduro e evasivo. Tormento deliberado e eficaz para um homem.

— Olhe pra mim — ele ordenou e tomou a boca que ela lhe oferecia.

Tomou o que e como queria. Longo, devagar e profundo. Deixou o gosto dela deslizar pela língua, como faria com um excelente vinho, e depois o absorveu quase indolente, com certeza prazerosamente, no organismo.

Roçou os lábios nos dela, virando-a pelo avesso. De algum modo, tocou-os de leve em toda ela, e o tentado tornou-se o tentador. Sabendo disso, Sophia não poderia resistir.

Sentia ali muito mais do que já imaginara. Muito mais do que já lhe haviam oferecido ou aceitado.

Ele a olhava, intensamente. Enquanto brincava com a sua boca, fazendo-lhe a cabeça rodopiar e o corpo sacudir-se, olhava-a com toda a paciência de um gato. Só isso já era uma emoção nova e chocante.

Correu mais uma vez os dedos pelos lados dela, aquelas mãos largas apenas roçando-lhe os seios. E afastou-a.

— Você não me é indiferente, Sophia. Eu não gosto disso.

Ele virou-se para tomar um gole na garrafa de água usada para limpar o palato.

— O vinicultor também é um cientista. — O ar parecia espesso quando ela o sorveu um pouco. — Já ouviu falar em reações químicas?

Ele virou-se e entregou a garrafa a ela.

— Já. E um bom vinicultor não se apressa, porque algumas reações químicas só deixam confusão.

A pequena punhalada decepcionou mais que feriu.

— Você não pode apenas dizer que me quer?

— Posso, posso dizer. Eu quero você, tanto que às vezes dói respirar quando você não está perto o bastante.

Como agora, ele pensou, quando o gosto dela continuava vivo dentro de si.

— Mas, quando eu levar você pra cama, vai me olhar do jeito como acabou de olhar. Não vai ser só outra vez, só outro homem. Vai ser apenas eu, e você vai saber.

Uma vibração percorreu a pele dela. Teve de forçar-se a não esfregar as mãos nos braços para rechaçá-la.

— Por que você faz isso parecer uma ameaça?

— Porque é. — Afastando-se dela, ele pegou a taça seguinte de vinho e retornou ao trabalho.

Capítulo
Treze

Claremont estudou o arquivo Avano. Passou grande parte do tempo que podia definir com dificuldade como livre examinando os dados, as provas, o local do crime e os relatórios do médico-legista. Quase podia recitar mecanicamente as declarações e os depoimentos.

Após quase dois meses, o caso era considerado pela maioria como um beco sem saída. Sem suspeitos viáveis, sem pistas tangíveis, sem respostas fáceis.

Isso o obcecava.

Não acreditava em crimes perfeitos, mas em oportunidades perdidas.

Que estava perdendo?

— Alex. — Maureen parou junto à mesa dele e sentou-se na quina.

Já usava o casaco contra o tormento que era São Francisco em fevereiro. Seu caçula tinha um trabalho de história a ser entregue no dia seguinte, o marido restabelecia-se de uma gripe e eles teriam o que sobrara de um bolo de carne para o jantar.

Ninguém ia alegrar-se em sua casa, mas ela precisava ficar ali.

— Vá pra casa — ela disse ao parceiro.

— Sempre há uma ponta solta — ele se queixou.

— Ééé, mas nem sempre a gente consegue amarrá-la. Avano continua em aberto, e parece que vai continuar assim, a não ser que a gente tenha sorte e alguma coisa caia em nosso colo.

— Eu não acredito em sorte.

— Ééé, bem, pra mim é o aspecto mais importante da vida.

— Ele usa o apartamento da filha pra um encontro — ele começou, e ignorou o longo suspiro de resignação da sua parceira. — Ninguém vê o cara entrar, ninguém ouve os tiros, ninguém vê ninguém mais entrar ou sair.

— Porque foi naquele bairro às três da manhã. Os vizinhos dormiam e, habituados aos barulhos do centro, não ouviram o estalo de um calibre vinte e cinco.

— Arma sacal. Arma de mulher.

— Como?

Ela bateu na sua própria de nove milímetros.

— Arma de mulher civil — corrigiu Claremont com o que era quase um sorriso. — Vinho e queijo, encontro tarde da noite num apartamento vazio. Passando a mulher pra trás, parece. E talvez este seja o ângulo. Talvez tenha sido armado pra cheirar a coisa de mulher.

— A gente também examinou homens.

— Talvez precise examinar mais uma vez. A ex-Sra. Avano, ao contrário da viúva, tem confraternizado com um certo David Cutter.

— Isso me diz que o gosto dela por homens melhorou.

— Ela fica legalmente casada com um mulherengo filho-da-mãe durante quase trinta anos. Por quê?

— Escute, meu marido não anda namorando por aí e eu sou doida por ele. Mas às vezes me pergunto por que continuo legalmente casada. Ela é católica — concluiu Maureen com outro suspiro, sabendo que não ia chegar em casa tão cedo. — Católica italiana e praticante. O divórcio não sairia fácil.

— Ela deu quando ele pediu.

— Não quis atrapalhar o cara. É outra coisa.

— Ééé, e como católica divorciada não poderia se casar de novo, não é? Nem se juntar a outro homem com a aprovação da Igreja.

— Então ela mata pra desobstruir o caminho? Extrapolando, Alex. Na medição do pecado católico, o assassinato ultrapassa em muito o divórcio.

— Ou alguém faz por ela. Cutter é trazido para a empresa, *acima* de Avano. Tem de causar algum atrito. Cutter gosta da aparência da abandonada e futura esposa divorciada de Avano.

— Investigamos Cutter de cima a baixo e de lado. Ele está limpo.

— Talvez, ou talvez não tenha tido um bom motivo pra sujar as mãos antes. Veja, descobrimos que Avano passava por dificuldades financeiras. A não ser que a viúva seja uma atriz digna de Oscar, eu diria que isso lhe veio como uma grande e desagradável surpresa. Assim, seguindo a teoria de que Avano guardava seus problemas financeiros pra si mesmo, e não era o tipo de passar sem seu caviar de esturjão por muito tempo, aonde ele iria em busca de um paliativo? Não a uma de suas amigas socialites — continuou Claremont. — Não teria condições de mostrar a cara no baile beneficente seguinte. Vai à Giambelli, onde foi salvo de perigos financeiros periodicamente durante anos. À ex-mulher, talvez.

— E seguindo sua linha de raciocínio, se ela concordou, Cutter perdeu as estribeiras. Caso contrário, Avano tornou-se abominável, e foi Cutter quem perdeu. Há uma grande distância entre perder as estribeiras e meter três balas num homem. — Mesmo assim, pensou. Era uma coisa a ser considerada, e eles tinham pouquíssimas coisas até agora. — Imagino que vamos conversar com David Cutter amanhã.

* * *

DAVID FAZIA MALABARISMOS COM AS HORAS DO DIA ÚTIL entre os escritórios de São Francisco, o de casa, os vinhedos e o lagar. Com dois adolescentes para criar e um emprego exigente, muitas vezes investia catorze horas.

Mas nunca fora tão feliz na vida.

Na empresa La Coeur, passara quase o tempo todo atrás de uma mesa de escritório. Viajara uma ou outra vez para sentar-se no outro lado da mesa de alguém. Trabalhara num setor que lhe interessava e rendera-lhe respeito, além de um bom salário.

E quase vivia desmaiando de tanta chateação.

O método prático de trabalho com participação ativa, que não apenas lhe haviam concedido, mas esperavam que ele empregasse na Giambelli-MacMillan, transformava cada dia numa pequena aventura. Vinha mergulhando os dedos em áreas do negócio de vinho que haviam sido apenas teoria ou papelada.

Distribuição, engarrafamento, remessa de cargas por navio, marketing. E, acima de tudo, a própria uva. Das vinhas para a mesa.

E que vinhas. Poder vê-las expandir-se, envoltas nos nevoeiros do vale. O linear e etéreo que misturava luz e sombra. E, quando a geada tremeluzia sobre elas ao amanhecer, ou o frio luar as salpicava à meia-noite, era pura magia.

Quando atravessava as fileiras, absorvendo o mistério daquele ar úmido, e os delgados braços das vinhas o cercavam, era como viver numa pintura onde podia, e queria, deixar as próprias pinceladas.

Havia um caso de amor ali que ele esquecera, trancado atrás do aço e vidro de Nova York.

A vida familiar ainda continha conflitos. Theo combatia e se debatia contra as regras quase todo dia. Parecia a David que elas trituravam o garoto a maioria das vezes.

Tal pai, tal filho, pensava freqüentemente. Mas não era um grande conforto quando se via no meio da zona de combate. Passou a perguntar-se por que seu próprio pai, diante de um rebento tão mal-humorado, cabeça-dura e brigão, apenas não o trancara no sótão até ele fazer vinte e um anos.

Maddy não era nada mais fácil. Parecia ter desistido do piercing no nariz. Agora vinha fazendo campanha para pintar mechas coloridas nos cabelos. Aturdia-o constantemente como uma menina sensata podia viver ansiando por fazer coisas esquisitas no corpo.

Ele não tinha a menor idéia de como entrar na mente de uma menina de catorze anos. Nem certeza absoluta se queria fazê-lo.

Mas os dois estavam se estabelecendo. Fazendo amigos. Encontrando um ritmo.

Achou estranho que nenhum dos filhos houvesse comentado o seu relacionamento com Pilar. Em geral, provocavam-no sem piedade sobre os encontros. Achou, talvez, que agora julgassem tratar-se de trabalho. Melhor assim.

Viu-se sonhando acordado, como muitas vezes fazia, quando a mente vagava para Pilar. Balançou a cabeça e mudou de posição na cadeira. Não era hora de devaneios. Tinha um encontro com os gerentes de departamento dentro de vinte minutos e precisava rever suas anotações.

Como o tempo era curto, não gostou de ser interrompido pela polícia.

— Detetives. Que posso fazer por vocês?

— Gostaria de alguns minutos de seu tempo — respondeu Claremont, enquanto Maureen varria o escritório com os olhos.

— Alguns minutos é exatamente o que posso ceder. Sentem-se.

Grandes poltronas confortáveis de couro, notou Maureen. Num grande e confortável escritório de esquina, com uma vista estupenda de São Francisco das largas janelas. Um escritório puro-sangue para um jóquei de mesa, e totalmente masculino com o esquema de cores marrom-claro e vinho, e uma brilhante escrivaninha de mogno.

Ela se perguntou se o escritório fora feito sob medida para combinar com o homem, ou vice-versa.

— Suponho que isto tenha a ver com Anthony Avano — começou David. — Algum progresso na investigação?

— O caso continua em aberto, Sr. Cutter. Como descreveria seu relacionamento com o Sr. Avano?

— Não tínhamos nenhum, detetive Claremont — respondeu David, sem rodeios.

— Vocês dois eram executivos da mesma empresa, trabalhavam basicamente a partir deste prédio.

— Por muito pouco tempo. Eu trabalhava na Giambelli menos de duas semanas quando Avano foi assassinado.

— Em duas semanas, formou alguma impressão — interferiu Maureen. — Teve reuniões, conversaram sobre negócios.

— Seria de imaginar, não? Mas eu ainda precisaria marcar uma reunião com ele, e só tivemos uma única conversa, que ocorreu na festa, na véspera do assassinato. Foi a única vez que o vi cara a cara, e na verdade não era hora de conversar sobre negócios.

Não falou de sua impressão, notou Claremont. Mas teriam de chegar lá.

— Por que não se encontrou com ele?

— Conflitos de horários — respondeu David, num tom imperturbável.

— Seus ou dele?

David recostou-se. Não gostava da direção do interrogatório, nem da insinuação.

— Dele, parece. Várias tentativas para alcançá-lo revelaram-se malsucedidas. No período entre minha chegada e a morte dele, Avano não veio ao meu escritório, pelo menos quando eu estava aqui, nem retornou meus telefonemas.

— Isso deve ter aborrecido você.

— Aborreceu, sim. — David assentiu com a cabeça para Maureen. — Foi disso que tratei durante nossa breve conversa no lagar. Deixei claro que esperava que ele arranjasse tempo pra se encontrar comigo no horário comercial. É óbvio que isso nunca ocorreu.

— Encontrou-se com ele fora do horário comercial?

— Não. Detetives, eu não conhecia o homem. Não tinha qualquer motivo verdadeiro para gostar ou não dele, nem pensar nele em particular. — David mantinha a voz nivelada, beirando a indiferença, como fazia quando terminava um encontro comercial tedioso. — Embora entenda que tenham de explorar todas as possibilidades na investigação, acharia que estão na raspa de tacho se me vêem como suspeito de assassinato.

— Você está saindo com a ex-mulher dele.

David sentiu-se abalado com a declaração incisiva, mas manteve a expressão passiva quando tornou a curvar-se para a frente. Devagar.

— Correto. A ex-mulher, que já era ex-mulher quando ele foi assassinado e quando começamos a nos ver socialmente. Não creio que isso transponha alguma linha legal.

— Soubemos que a ex-Sra. Avano não tinha o hábito de ver homens socialmente, até pouquíssimo tempo atrás.

— Talvez — disse David a Maureen — porque não tenha conhecido um homem que gostasse de ver socialmente, até pouquíssimo tempo atrás. Acho isso lisonjeiro, mas não um motivo para assassinato.

— Ser abandonada por uma mulher mais jovem muitas vezes é — disse Maureen, descontraída, e viu olhos frios rebentarem em chamas.

Não apenas a vendo socialmente, ela concluiu. Seriamente comprometido.

— Mas que é isto? — exigiu saber David. — Pilar o matou porque ele quis outra mulher, ou é insensível porque está interessada em outro homem tão em cima do assassinato do marido? Como vocês entortam essa hipótese nos dois lados?

Furioso, pensou Maureen, mas controlado. Bem o tipo de composição que poderia calmamente tomar vinho e dar um tiro num homem.

— Não estamos acusando ninguém — ela continuou. — Apenas tentando ter uma imagem clara.

— Permitam-me ajudar vocês. Avano viveu sua própria vida à maneira dele por vinte anos. Pilar Giambelli, a dela, e de forma muito mais admirável. Qualquer negócio que Avano pudesse ter tido naquela noite era só dele, e nada tinha a ver com ela. Minha convivência com a Sra. Giambelli, a essa altura, está completamente fora de questão.

— Você supõe que Avano tivesse negócios naquela noite. Por quê?

— Não suponho nada. — David inclinou a cabeça para Claremont ao levantar-se. — Eu tenho uma reunião.

Claremont continuou onde estava.

— Sabia que o Sr. Avano passava por dificuldades financeiras?

— As finanças de Avano não eram problema meu, nem minha preocupação.

— Teriam sido, se estivessem relacionadas à Giambelli. Não ficou curioso ao saber por que ele o evitava?

— Fui trazido pra cá de fora. Era de esperar algum ressentimento.

— Ele se ressentia do senhor?

— Talvez. Nunca chegamos a nos encontrar pra conversar sobre isso.

— Agora quem está evitando? — Claremont levantou-se. — Tem uma pistola, Sr. Cutter?

— Não, não tenho. Tenho dois filhos adolescentes. Não há armas de nenhum tipo em minha casa, e nunca houve. Na noite em que Avano foi assassinado, eu estava em casa com meus filhos.

— Eles podem confirmar isso?

David cerrou as mãos em punhos.

— Eles saberiam se eu tivesse saído. — Não iria deixar os filhos serem interrogados pela polícia. Pelo menos sobre um ser humano desprezível como Avano. — Isso é tudo que vamos conversar até eu consultar um advogado.

— É um direito seu. — Maureen levantou-se e jogou o que apostava ser seu trunfo. — Obrigada pelo seu tempo, Sr. Cutter. Vamos interrogar a Sra. Giambelli sobre as finanças do ex-marido dela.

— Eu diria que a viúva dele sabe mais.

Maureen continuou:

— Pilar Giambelli foi casada com ele por muito mais tempo, e fazia parte da empresa para a qual ele trabalhava.

David enfiou as mãos nos bolsos.

— Ela sabe menos sobre a empresa que qualquer um de vocês.

— E, pensando nela, tomou uma decisão: — Nos últimos três anos Avano vinha desviando, sistematicamente, dinheiro da Giambelli. Fraude pelo acréscimo de artigos falsos às contas de despesas, aumento do número de vendas e recibos de viagens ou feitas apenas por motivos pessoais. Não em grande quantidade de uma só vez, e ele roubava de vários bolsos, para que isso passasse despercebido. Na posição dele, profissional e pessoal, ninguém questionaria, e ninguém nunca fez isso, os números que apresentava.

Claremont assentiu com a cabeça.

— Mas você, sim.

— É. Descobri parte disso no dia da festa e, numa dupla conferência, comecei a ver o esquema. Pra mim, ficou claro que ele vinha espoliando durante algum tempo sob seu nome, o de Pilar e o da filha. Não se dava ao trabalho de falsificar a assinatura delas nos comprovantes de despesas, apenas assinava. Num total simplesmente de mais de seiscentos mil nos últimos três anos.

— E você o confrontou... — sugeriu Maureen.

— Jamais. Eu pretendia fazê-lo, e creio que deixei essa intenção clara durante nossa conversa na festa. Tive a impressão de que ele entendeu que eu sabia de alguma coisa. Era a empresa, detetive, e seria resolvido pela empresa. Comuniquei o problema a Tereza Giambelli e Eli MacMillan no dia seguinte à festa. A conclusão foi que eu ia cuidar disso, fazer o que tinha de ser feito num acordo em que Avano devolvesse o dinheiro. Ele se demitiria da empresa. Se recusasse qualquer das estipulações esboçadas, os Giambelli tomariam medidas legais.

— Por que ocultaram essa informação?

— Era o desejo da velha Sra. Giambelli que a neta não fosse humilhada pelo fato de o comportamento do pai tornar-se público. E me pediram que nada dissesse, a não ser que fosse diretamente interrogado pela polícia. A essa altura, *La Signora*, Eli MacMillan e eu somos as únicas pessoas que sabem. Avano está morto, e parecia desnecessário agravar o escândalo pintando-o como ladrão, além de namorador.

— Sr. Cutter — disse Claremont. — Quando se trata de assassinato, nada é desnecessário.

DAVID MAL FECHARA A PORTA NAS COSTAS DOS POLICIAIS E inspirara fundo para estabilizar-se, quando ela tornou a abrir-se. Sophia não batera, entrara sem pensar.

— Que é que eles queriam?

Ele teve de ajustar-se rápido, afastar logo a preocupação e a raiva e deixá-las para depois.

— Estamos os dois nos atrasando para a reunião.

Ele recolheu as anotações e deslizou-as com os relatórios, os gráficos e os memorandos para dentro da pasta.

— David. — Sophia simplesmente ficou com as costas para a porta. — Eu podia ter ido atrás dos policiais e tentado obter as respostas que não consegui tirar deles. Esperava que você fosse mais compreensivo.

— Eles tinham perguntas, Sophia. Acompanhamentos, eu acho que é assim que chamam.

— Por que você, e não eu ou várias outras pessoas no prédio? Você mal conhecia meu pai, nunca trabalhou com ele, nem, até onde sei, passou algum tempo com ele. Que poderia dizer à polícia sobre ele, ou o assassinato, que já não tenha sido dito?

— Pouco ou nada. Sinto muito, Sophia, mas precisamos adiar esta conversa, pelo menos por enquanto. As pessoas estão esperando.

— David, me dê algum crédito. Eles vieram direto ao seu escritório, e ficaram aqui tempo suficiente pra ter havido alguma coisa. A notícia corre — ela concluiu. — Eu tenho o direito de saber.

Ele nada disse por um instante, mas examinou o rosto dela. Sim, tinha o direito de saber, decidiu. E ele, nenhum direito de tirá-lo dela.

Pegou o telefone.

— A Srta. Giambelli e eu vamos chegar alguns minutos atrasados para a reunião — disse à secretária. Indicou uma poltrona, acenando com a cabeça. — Sente-se.

— Vou ficar em pé. Você talvez tenha notado, eu não sou frágil.

— Notei que sabe cuidar de si mesma. A polícia fez algumas perguntas que resultaram, pelo menos em parte, do fato de eu ter saído com sua mãe.

— Entendo. Têm alguma teoria de que você e a Mama andaram envolvidos num longo e secreto caso amoroso? Esta poderia ser facilmente descartada pelo fato de até uns dois meses atrás vocês morarem a quase um país de distância um do outro. Além de que meu pai já vivia abertamente com outra mulher durante vários anos, alguns encontros pra jantar são insignificantes.

— Sei que eles estão cobrindo todos os ângulos.

— Suspeitam de você ou da Mama?

— Eu diria que suspeitam de todos. Isso é parte da descrição das atribuições do trabalho deles. Você tem sido cuidadosa em não comentar comigo, em todo caso, sobre como se sente sobre meu relacionamento com a sua mãe.

— Ainda não decidi como me sinto, em termos precisos. Quando decidir, digo a você.

— Muito justo — ele disse, sem se alterar. — Eu sei como me sinto, portanto vou dizer a você. Gosto muito de Pilar. Não pretendo causar nenhum problema nem aborrecer sua mãe. Lamentaria também lhe causar algum, primeiro porque ela a ama, e segundo porque gosto de você. Mas acabei de me ver na posição de optar entre causar algum aborrecimento a vocês duas ou deixar meus filhos serem interrogados e nada fazer para impedir a investigação de chegar a um beco sem saída.

Ela então sentiu vontade de sentar-se. Alguma coisa lhe dizia que ia precisar. Por causa disso, o orgulho a manteve de pé.

— Que disse você à polícia que vai me aborrecer?

A verdade, ele pensou, como um remédio, era mais bem dada numa única dose rápida.

— Seu pai andou desfalcando a empresa durante vários anos. As somas eram dispersas e relativamente moderadas, motivo pelo qual continuaram não-detectadas por tanto tempo.

Embora a cor se esvaísse do rosto de Sophia, ela não se encolheu. Não se encolheu nem quando o golpe da traição a atingiu com força no coração.

— Não há algum engano? — ela começou e descartou-o antes que ele pudesse responder. — Não, claro que não há. Você não cometeria um engano. — Havia um leve toque de ressentimento naquela afirmação. Ela não pôde evitar. — Há quanto tempo você soube?

— Confirmei no dia da festa. Pretendia me encontrar com seu pai dois dias depois para conversar com...

— Para despedi-lo — ela corrigiu.

— Para pedir que se demitisse. Conforme as instruções de seus avós. Comuniquei o desvio de fundos a eles no dia seguinte à festa. Ele teria a oportunidade de pagar os fundos e se demitir. Fizeram isso por você... por sua mãe também, pela empresa, mas sobretudo por você. Sinto muito.

Ela assentiu com a cabeça e virou-se de costas, esfregando as mãos nos braços.

— Sim, claro. Agradeço você estar sendo honesto comigo agora.

— Sophia...

— Por favor, não. — Ela se aproximou quando ele avançou. — Não me peça desculpas de novo. Não vou desmoronar. Eu já sabia que ele era um ladrão. Vi um dos broches de minha mãe, uma relíquia de família, na lapela de Rene. Era pra ser deixado pra mim, por isso sei que minha mãe não deu a ele. Soube quando a vi usando, no luto de viúva, que ele tinha roubado. Não que tivesse pensado nisso assim. Tanto quanto não teria pensado no dinheiro que drenava da empresa como roubo. Pilar, ele achava, tinha tantos badulaques que não iria se importar. A empresa, dizia a si mesmo, pode se dar ao luxo de me emprestar um pouco mais de capital. É, ele era um campeão em racionalizar seu comportamento patético.

— Se você preferir ir para casa a participar da reunião, posso transmitir suas desculpas.

— Não tenho a menor intenção de perder a reunião. — Ela virou-se de costas. — Não é estranho? Eu sabia o que meu pai fazia com a Mama todos esses anos, ninguém me contou. Conseguia perdoá-lo, ou dizia a mim mesma que ele era simplesmente o que era, e tornava isso, embora não muito bem, de algum modo marginalmente aceitável. Ora, roubar dinheiro e jóias era muito menos importante que roubar a dignidade e o respeito próprio de uma pessoa, como fez com minha mãe. Mas pra mim foi preciso isto agora pra enfrentar em cheio que ele não valia nada como ser humano. Foi preciso isto pra eu parar de sangrar por ele. Eu me pergunto: por quê? Bem, eu me encontro com você na reunião.

— Espere alguns minutos.

— Não. Ele já teve mais do meu tempo a que tinha direito.

Sim, ele pensou ao sair do escritório. Muitíssimo parecida com a avó.

COMO ERA A VEZ DE SOPHIA DIRIGIR, TYLER VEIO DE CARRO da cidade em silêncio. A não ser, pensou, que se incluísse o volume do rádio. Diminuíra-o duas vezes, só para vê-la aumentar de novo. Os encontros departamentais já lhe davam dor de cabeça, como a ópera que agora saía aos berros dos alto-falantes, mas ele decidiu deixar para lá. Com certeza, impedia qualquer pretexto para conversas.

Ela não parecia no clima para conversa. Ele não sabia ao certo para que clima ela estava, mas tinha absoluta certeza de que não era para conversa.

Dirigia rápido demais, mas ele já se habituara a isso. Mesmo com qualquer tempestade cozinhando em fogo brando dentro de si, ela não era descuidada quando guinava o carro nas curvas e encostas da estrada.

Ainda assim, ele quase suspirou quando viu os telhados de sua casa. Já ia chegar lá, ileso, e poderia livrar-se das roupas de cidade e cair em abençoado silêncio e solidão.

Mesmo de boca fechada com tanta firmeza, pensou, Sophia simplesmente o exauria.

Mas quando ela parou o carro no fim da entrada de veículos, desligou o motor e saltou antes dele, ele perguntou:

— Que está fazendo?

— Entrando — ela gritou, virando a cabeça para trás e acrescentando um breve e cintilante olhar às palavras.

— Por quê?

— Porque não estou a fim de ir pra casa.

Ele fez tinir as chaves no bolso.

— Foi um longo dia.

— Não foi mesmo?

— Tenho coisas a fazer.

— Que conveniente! Estou atrás de coisas a fazer. Seja amigo, MacMillan. Ofereça um drinque pra mim.

Resignado, ele enfiou a chave na fechadura.

— Pegue seu próprio drinque. Você sabe onde fica tudo.

— Gentil até o fim. É disso que eu gosto em você. — Ela entrou e se encaminhou direto para o grande salão e a estante-bar. — Com você, Ty, não há fingimentos, jogos. Você é o que é. Mal-humorado, grosseiro e previsível.

Ela escolheu uma garrafa ao acaso. Variedade e safra especial não importavam naquele momento. Enquanto a desarrolhava, olhava o salão em volta. Pedra e madeira — materiais duros, hábil e proporcionadamente bem trabalhados num ambiente para móveis grandes, simples e monocrômicos.

Sem flores, pensou, sem arestas suaves, sem brilho.

— Veja esta casa, por exemplo. Sem acessórios supérfluos nem espalhafatosos. Ela diz que mora aqui um homem viril, sem tempo pra aparências. Você está cagando para aparências, não é, Ty?

— Não especificamente.

— É muita coragem sua. Você é um indivíduo corajoso. — Ela serviu duas taças. — Algumas pessoas vivem e morrem pelas aparências, você sabe. É o que mais importa. Eu, eu sou mais um tipo médio feliz. Não se pode confiar em alguém que faz das aparências uma religião, e nos que cagam para as aparências a gente acaba confiando demais.

— Se vai tomar meu vinho e ocupar meu espaço, é melhor me dizer o que pôs você nesse estado de espírito e acabar logo com isso.

— Oh, eu tenho muitos estados de espírito. — Ela tomou o vinho, rápido demais, pelo prazer, e serviu-se uma segunda taça. — Sou uma mulher de muitas faces, Tyler. Você ainda não viu nem metade. — Atravessou a sala até ele. — Uma espécie de pistoleira sexual fanfarrona. Gostaria de ver mais?

— Não.

— Oh, sem essa, não me decepcione mentindo. Nada de jogos nem fingimentos, lembre-se. — Ela correu a ponta de um dedo pela camisa dele acima. — Você quer mesmo pôr as mãos em mim, e o que é muito conveniente, eu quero mesmo ser bolinada.

— Quer se embriagar e transar? Lamento, mas isso não se encaixa nos meus planos para esta noite.

Ele tirou a taça da mão dela.

— Que foi que houve? Quer que eu pague um jantar pra você primeiro? — ela provocou.

Ele largou a taça.

— Tenho melhor opinião de mim. E, surpresa, de você também.

— Ótimo. Vou simplesmente procurar alguém que não seja tão exigente. — Ela deu três passos largos em direção à porta e ele agarrou-lhe o braço. — Largue. Já teve sua chance.

— Vou levar você pra casa.

— Eu não vou pra casa.

— Vai pra onde eu levar.

— Eu mandei você me largar! — Ela rodopiou.

Estava disposta a arranhar, enfiar as unhas e estapear, já sentia a liberação jorrar de cima a baixo. E ficou mais que surpresa do que ele quando o agarrou com força e desabou em prantos.

— Merda. Tudo bem. — Ele fez a única coisa que lhe ocorreu. Ergueu-a nos braços, levou-a até uma poltrona e sentou-se com ela no colo. — Ponha tudo pra fora e nós dois vamos nos sentir melhor.

Enquanto ela chorava, o telefone tocou em algum lugar embaixo da almofada do sofá onde ele o perdera na última vez. E o antigo relógio de parede acima da lareira começou a martelar a hora.

Ela não se envergonhava das lágrimas. Afinal, eram apenas outra forma de paixão. Mas preferia outros métodos de liberação. Quando secara de tanto chorar, ficou onde estava, enroscada e aquecida nele, e mais reconfortada do que imaginara.

Ele não a afagou nem acariciou, não balançou nem murmurou aquelas palavras tolas e tranqüilizantes que as pessoas tendiam a usar para estancar as lágrimas. Simplesmente a deixou continuar e purgar-se.

Em conseqüência, ela também se sentiu mais grata do que imaginara.

— Desculpe.

— É, somos dois.

A resposta a fez relaxar. Inspirou fundo e longamente, aspirando o perfume dele, que a prendia, enquanto ela se prendia a ele. E depois exalando.

— Se tivesse me tomado num sexo selvagem, eu não me teria debulhado em lágrimas sobre você todo.

— Bem, se eu tivesse sabido as minhas opções na hora...

Ela riu e apoiou a cabeça no ombro dele apenas um instante, antes de desprender-se de seu colo.

— Na certa estamos em melhor situação assim. Meu pai roubava da empresa. — Antes que ele pudesse decidir como responder, ela avançou um passo em sua direção. — Você sabia.

— Não.

— Mas não está surpreso.

Ele levantou-se, desejando sinceramente que não fosse o início de outra batalha.

— Não, não estou surpreso.

— Entendo. — Ela desviou o olhar dele e fixou-o na lareira, onde o último fogo da noite se reduzira a cinzas. Adequado, pensou. Sentia-se exatamente assim... fria e vazia. — Certo. Bem. — Enrijeceu a espinha e enxugou os últimos vestígios de lágrimas. — Eu pago minhas dívidas. Vou preparar um jantar para você.

Ele começou a protestar. Então pesou as opções de solidão contra uma refeição quente. Ela sabia cozinhar, lembrou.

— Você sabe onde fica a cozinha.

— Sim, eu sei. — Ela chegou mais perto, ergueu-se nas pontas dos pés e beijou-lhe a face. — Pagamento inicial — disse e livrou-se do casaco ao sair da sala.

Capítulo
Catorze

— Você não me ligou de volta.

Margaret foi atrás de Tyler na vinícola MacMillan. Tivera várias satisfatórias e bem-sucedidas reuniões desde seu retorno de Veneza. A carreira avançava a passos largos, ela sabia que estava bem após esquematizar duas cuidadosas investidas de compras antes de voltar à Califórnia. Vinha criando o refinamento que, sempre acreditara, uma viagem internacional refletia numa mulher.

Restava apenas uma meta, que pretendia alcançar enquanto estava nos Estados Unidos. Conquistar Tyler MacMillan.

— Desculpe. Tenho andado atolado.

Fevereiro era um mês fraco na fabricação de vinho, mas isso não significava que não se trabalhasse. Sophia programara uma festa de degustação de vinhos nessa noite no território dele. Embora não se sentisse muito satisfeito com o evento, entendia o valor. E sabia da importância de fazer tudo nos conformes.

— Eu imagino. Passei os olhos pelos planos para a campanha do centenário. Você fez um trabalho maravilhoso.

— Foi Sophia quem fez.

Margaret acompanhou-o quando ele se dirigiu à sala de degustação.

— Você não se dá crédito suficiente, Ty. Quando vai aparecer para dar uma olhada na operação na Itália? Acho que ficaria impressionado e satisfeito.

— Ouvi boatos sobre isso. Não tenho tempo no momento.

— Quando tiver, vou mostrar a área. Comprar pra você uma massa no fantástico e pequeno restaurante italiano que descobri. Servem nosso vinho lá agora e estou negociando com uns dos hotéis de primeira pra destacar nosso rótulo neste verão.

— Parece que você também tem andado ocupada.

— Adoro. Ainda existe uma pequena resistência de algumas das contas ligadas a Tony Avano e seu estilo de negócios. Mas eu os estou convencendo. A polícia tem mais alguma novidade sobre o que aconteceu com ele?

— Não que eu saiba.

Com que rapidez, perguntou-se Ty, vazaria a informação sobre o desfalque?

— É terrível. Ele era um cara muito popular com as contas. E o pessoal na Itália adorava Avano. Mas não são abertos a ponto de se reunir pra tomar *grappa* e fumar charutos comigo.

Ele parou e sorriu-lhe.

— Mas que situação!

— Eu sei jogar com os rapazes. Preciso rumar de volta no fim de semana, fazer várias paradas no caminho aqui nos Estados Unidos. Tinha esperança de que a gente pudesse se encontrar. Preparo um jantar pra você.

Que negócio era esse de mulheres se oferecendo para cozinhar para ele? Parecia faminto?

— É que... — ele se interrompeu ao ver Maddy chegar. A garota sempre lhe levantava o ânimo. — Ei. Mas é a cientista louca.

Embora secretamente satisfeita, Maddy olhou-o com desdém.

— Consegui minha fórmula secreta.

Segurava dois potes de manteiga de amendoim cheios de líquido escuro.

— Parece muito assustadora.

Ty pegou uma das amostras, inclinou a que lhe estendia Maddy de um lado para outro e viu-o sibilar.

— Talvez você possa provar na degustação hoje à noite. Ver o que as pessoas dizem.

— Humm. — Podia apenas imaginar os comentários dos esnobes enólogos após um gole do vinho de cozinha de Maddy. E por causa disso começou a rir. — É uma idéia.

— Não vai me apresentar à sua amiga?

Não que Margaret não gostasse de crianças, sobretudo a uma distância segura. Mas tentava ganhar algum tempo.

— Oh, desculpe. Margaret Bowers, Maddy Cutter.

— Oh, você deve ser a menina de David. Seu pai e eu nos encontramos algumas vezes hoje.

— Não brinca. — O ressentimento por ser chamada de menina cozinhava em fogo brando. Ela virou-se para Ty, ignorando o comentário de Margaret. — Eu vou fazer todo esse relatório sobre o vinho, e por isso quero, assim, observar e entender do assunto.

— Claro. — Ele abriu o frasco e cheirou-o. A diversão brilhou em seus olhos. — Eu mesmo gostaria de observar este.

— Ty? Que tal amanhã à noite?

— Amanhã?

— O jantar. — Margaret manteve a voz descontraída. — Tem muita coisa relacionada à operação italiana que eu gostaria de conversar com você. Espero que possa me orientar um pouco, bombear minhas áreas fracas. Tenho algumas noções meio vagas sobre alguns aspectos e acho que conversar com um vinicultor expert que tem inglês como a língua materna ajudaria mesmo.

— Claro.

Ele estava muito mais interessado no vinho de Maddy no momento e foi atrás do bar pegar uma taça.

— Às sete? Tenho um delicioso Merlot que trouxe comigo.

— Que ótimo!

O líquido que Tyler despejou na taça jamais seria delicioso, de qualquer modo.

— Até amanhã, então. Prazer em conhecer você, Maddy.

— Falou. — Ela bufou de leve quando Margaret saiu. — Você é um grande panaca.

— Como?

— Ela não parou de paquerar você e o panaca aí, assim, distraído.

— Ela não estava me paquerando e você não deve falar assim.

— Estava, sim. — Maddy sentou-se num banco junto ao bar. — As mulheres sacam essas coisas.

— Talvez, mas você não se qualifica como mulher.

— Eu já menstruei.

Ele ia começar a beber, mas teve de largar a taça porque estremeceu.

— Por favor.

— É uma função biológica. E, quando uma fêmea tem condições físicas de conceber, ela é, fisicamente, mulher.

— Ótimo. Maravilha. — Não era um debate no qual quisesse entrar. — Cale a boca.

Deixou o vinho, tal como era, pousar na língua. Nada sofisticado, para dizer o mínimo, muitíssimo ácido e excessivamente doce, graças ao açúcar que ela deve ter acrescentado.

Mesmo assim, Maddy conseguira fazer vinho numa vasilha de cozinha. Vinho ruim, mas não era isso o que importava.

— Você tomou? — ele perguntou.

— Talvez. — Ela largou o segundo pote no balcão. — Eis o vinho do milagre. Sem aditivos. Eu li que às vezes se acrescenta sangue de boi pra encorpar e dar cor. Não sabia onde encontrar. Além disso, parece nojento.

— Não aprovamos esse tipo de prática. Um pouco de carbonato de cálcio retiraria uma pequena parte da acidez, mas vamos deixar como está. No todo, não é um fracasso completo como vinho de garrafão. Você conseguiu, menina. Muito bem! — Corajoso, serviu-se um gole do vinho do milagre, examinou, cheirou e tomou. — Interessante. Turvo, imaturo e rascante, mas é vinho.

— Vai ler meu relatório e verificar meus gráficos quando eu terminar?

— Claro.

— Beleza. — Ela fez as pestanas adejarem. — Vou preparar um jantar pra você.

Deus do céu, ela o divertia.

— Sabichona.

— Afinal — disse David ao entrar —, alguém que concorda comigo. — Aproximou-se e enganchou o braço no pescoço da filha. — Cinco minutos, lembra?

— A gente se distraiu. Ty disse que eu podia vir à degustação.

— Maddy...

— Por favor. Ele vai incluir meu vinho.

David olhou por cima dela.

— É um homem corajoso, MacMillan.

— Você nunca passou uma noite enchendo a cara e tentando fazer um quatro com as pernas?

Com um sorriso, David cobriu as orelhas de Maddy.

— Uma ou duas vezes, e felizmente sobrevivi pra me arrepender. Seu clube de vinho pode se opor à inclusão.

— É. — A idéia também divertiu Ty. — Vai ampliar a perspectiva deles.

— Ou envenená-los.

— Por favor, pai. É pela ciência.

— Foi o que você disse dos ovos podres que guardava no quarto. Não saímos realmente de Nova York por motivos profissionais — ele se dirigiu a Ty. — Os novos inquilinos na certa continuam esterilizando o quarto com vapores. Tudo bem, mas se transforme numa abóbora às dez. Vamos. Theo está no carro. Vai nos levar pra casa dirigindo.

— Vamos todos morrer — disse Maddy, com ar solene.

— Fora. Eu já vou logo. — Ele retirou-a do banco e deu-lhe uma palmada de leve no traseiro para apressá-la. — Tyler, eu só queria dizer que sou grato por você deixá-la passar o tempo aqui.

— Ela não me atrapalha.

— Claro que sim.

Tyler largou as taças na pia embaixo do balcão do bar.

— Certo, atrapalha. Mas não me incomodo.

— Se achasse que incomodava, eu a levaria daqui. Também percebo que se sente mais à vontade com ela do que comigo. Eu atrapalho você, e você se incomoda.

— Não preciso de supervisor.

— É, não, não precisa. Mas a empresa precisava, e precisa, de sangue novo. Um forasteiro. Alguém que saiba olhar o grande quadro de todos os ângulos e sugerir um caminho diferente quando é viável.

— Tem sugestões pra mim, Cutter?

— Uma delas poderia ser acabar com a timidez, e aí podemos armar uma fogueira de acampamento com ela e tomar umas cervejas.

Tyler nada disse por um momento, pois tentava julgar se se sentia divertido ou chateado.

— Acrescente os seus e a gente poderia ter uma explosão dos diabos.

— É uma idéia. Trago Maddy de volta mais tarde. E retorno pra buscar às dez.

— Eu posso levá-la pra casa, poupe a viagem.

— Agradeço. — David dirigiu-se para a porta e parou. — Escute, faria o favor de me dizer se ela tiver... se começar a ter uma paixonite por você? Provavelmente é normal, mas eu gostaria de deter a coisa se guinar pra esse lado.

— Não é assim. Acho que estou mais perto de grande irmão, talvez de tio. Mas seu menino tem uma paixão campeã por Sophie.

David arregalou os olhos, piscou-os e esfregou o rosto com as mãos.

— Essa me escapou. Achei que veio e se foi na primeira semana. Danação.

— Ela sabe lidar com isso. Não faz nada melhor que lidar com o macho da espécie. Não vai machucar o rapaz.

— Ele vai dar um jeito de machucar a si mesmo.

Pensou em Pilar e estremeceu.

— Difícil criticá-lo pelo gosto, hem? Nessas circunstâncias?

David devolveu-lhe um olhar afável.

— Outro sabichão — murmurou e saiu.

*P*ILAR ESCOLHEU UM DUAS-PEÇAS SIMPLES DE COQUETEL, achando que o verde-fosco, com as lapelas de cetim, ficava a meio caminho entre o profissional e o festivo. Perfeito, esperava, para usar como anfitriã da degustação de vinho.

Aceitara a função para provar — à família, a David e até a si mesma — que era competente. Passara uma semana ajudando com as visitas, sendo treinada — delicadamente, pensava agora. Os membros da equipe tratavam os da família com luvas de pelica.

Abalara-lhe os nervos simplesmente perceber o pouco que sabia sobre o lagar, os vinhedos, o processo, as áreas públicas e a atividade da venda no varejo. Precisaria de mais que uma semana e uma sutil educação para aprender a lidar sozinha com qualquer uma dessas áreas. Mas, por Deus, sabia cuidar de um grupo numa degustação de vinho.

E decidira prová-lo.

Iria aprender agora como lidar com muitas coisas, sua própria vida inclusive. Parte dessa vida incluía sexo. Assim, bom para ela.

Com esse pensamento, sentou-se na beira da cama. A idéia de avançar para um relacionamento íntimo com David a apavorava. O fato de fazê-lo a irritava. E apavorada e irritada, fizera de si mesma, admitia, uma pilha de nervos.

A batida à porta levou-a mais uma vez a levantar-se de um salto, pegar a escova e fixar o que esperava fosse uma confiante e descontraída expressão no rosto.

— Sim? Entre.

Ela exalou um enorme suspiro e desistiu do fingimento quando viu Helen.

— E graças a Deus que é você. Estou farta de fingir que sou uma mulher do século vinte e um.

— Parece. Roupa fabulosa.

— Por baixo estou tremendo. Que bom que você e James vieram para a degustação!

— Arrastamos Linc junto. A namorada atual dele vai trabalhar hoje à noite.

— Ainda a residente de hospital?

— É. — Helen sentou-se na poltrona curva de veludo, sentindo-se em casa. — Começo a achar que ele está ficando sério em relação a ela.

— E?

— Eu não sei. É uma boa menina, bem-educada. Concentrada, o que ele precisava, e independente, o que eu aprecio.

— Mas é seu filhinho.

— Mas é meu filhinho — concordou Helen. — Sinto saudade às vezes do menino de joelhos ralados e cadarços desamarrados. Ainda o vejo naquele alto e bonito advogado metido no terno de três peças que entra e sai da minha vida agora. E, nossa — disse com um suspiro. — Estou velha. Como sua filhinha está segurando a barra?

Pilar largou a escova.

— Você já soube o que Tony fez.

— Sua mãe achou melhor que eu soubesse, pra poder cobrir quaisquer medidas legais que possam surgir. Sinto muito, Pilar.

— Eu também. Era tão desnecessário. — Ela voltou-se. — E tão do feitio dele. É nisso que está pensando.

— Não importa o que eu penso. A não ser que você comece a culpar a si mesma.

— Não, desta vez não. E espero que nunca mais. Mas é duro, muito duro pra Sophia.

— Ela vai superar. Nossos filhinhos se tornaram adultos fortes e capazes, sem que a gente visse, Pilar.

— Eu sei. Quando foi que fizemos vista grossa? E, apesar disso, não podemos deixar de nos preocupar com eles, podemos?

— A tarefa nunca termina. Sophia ia saindo para a MacMillan quando chegamos. Recrutou Linc pra ir com ela, na hipótese de ter algum levantamento pesado na montagem. Ele vai manter a mente dela ocupada.

— É sempre bom ver os dois juntos, quase como irmão e irmã.

— Humm. Agora se sente. — Helen deu um tapinha na poltrona. — Prenda a respiração e me fale do seu romance com David Cutter. Com quase trinta anos de casamento como experiência, preciso viver de segunda-mão.

— Não é na verdade... gostamos da companhia um do outro.

— Nada de sexo ainda, hem?

— Helen. — Dando-se por vencida, Pilar sentou-se na poltrona. — Como posso fazer sexo com ele?

— Se esqueceu como funciona, há muitos bons livros sobre o assunto. Vídeos. Sites da Internet. — Atrás das lentes os olhos dela dançavam. — Vou lhe dar uma lista.

— Falo sério.

— Eu também. Alguns têm material quente.

— Pare com isso. — Mas ela riu. — David tem sido muito paciente, mas não sou idiota. Ele quer sexo e não vai continuar se conformando com os amassos na varanda, nem...

— Amassos? Vamos lá, Pilar. Detalhes, quero todos os detalhes.

— Digamos que ele tem uma boca muito criativa e, quando a usa, eu lembro o que é ter vinte anos.

— Oh. — Helen abanou a mão diante do rosto. — Sim.

— Mas eu *não* tenho vinte anos. E meu corpo com certeza não tem. Como posso deixar que ele me veja nua? Meus peitos estão indo pro México.

— Querida, os meus pousaram na Argentina faz três anos. James não parece se incomodar.

— Mas é aí que está a questão. Vocês dois vivem juntos há quase trinta anos. Passaram pelas mudanças juntos. Pior ainda, David é mais moço que eu.

— Pior? Ocorrem-me coisas muito piores que isso.

— Tente se pôr no meu lugar. Ele é um homem de quarenta e três anos. Eu, uma mulher de quarenta e oito. É uma enorme diferença. Um homem da idade dele em geral sai com mulheres mais jovens. Muitas vezes mulheres bem mais jovens, com corpos enxutos, que não afrouxam.

— Muitas vezes iguais a cabeças vazias que não pensam — concluiu Helen. — Pilar, a verdade é que ele está namorando você. E se você se sente tão pouco à vontade com seu corpo, o que me irrita quando penso no que se tornou o meu em comparação, cuide pra que esteja escuro na primeira vez que saltar sobre ele.

— Você é uma grande ajuda.

— É, sou, porque se ele for dissuadido por seios que não têm vinte anos nem são empinados, então não vale seu tempo. É melhor descobrir do que especular e projetar. Você quer dormir com ele? Basta dizer sim ou não. — Ela acrescentou, antes que a amiga pudesse responder. — Instinto visceral, desejo primal. Sem restrições.

— É.

— Então compra uma incrível roupa de baixo pra você e manda brasa.

Pilar mordeu o lábio.

— Já comprei a roupa de baixo.

— Quente como o diabo. Vamos ver.

QUASE VINTE E QUATRO HORAS APÓS A DEGUSTAÇÃO E TYLER ainda formava uma imagem na mente que o fazia rir. Duas dúzias de membros enólogos arrogantes e caras limpas do clube haviam recebido o choque de suas vidas tacanhas com uma amostra do que ele chamava de Vin de Madeline.

— "Sem sofisticação alguma" — repetiu, rindo mais uma vez —, "mas núbil". Minha nossa, de onde tiraram essa coisa? Núbil.

— Tente conter a alegria. — Sentada atrás da escrivaninha no escritório da villa, Sophia continuava examinando os modelos que Kris escolhera para os anúncios. — E eu ficaria grata se me avisasse da próxima vez que você decidir acrescentar uma misteriosa safra de vinho à seleção.

— Candidata de última hora. E em nome da ciência.

— As provas são em nome da tradição, reputação e promoção. — Ela ergueu brevemente os olhos e cedeu quando ele apenas lhe sorriu. — Tudo bem, foi divertido e vamos poder transformar a coisa num interessante e jovial artigo para o boletim informativo. Talvez até passe a ter algum interesse humano despertado pelas anedotas.

— Seu sangue corre em publicidade.

— Com certeza. O que é uma sorte para todos os envolvidos, pois alguns membros teriam ficado muito ofendidos se eu não estivesse lá para contornar a situação.

— Alguns membros são muito pomposos, idiotas, todos cheios de nove-horas.

— É, e esses idiotas pomposos cheios de nove-horas compram muitos vinhos nossos e falam deles em eventos sociais. Como a fabricante do vinho é tão pouco sofisticada e núbil quanto o vinho dela, a gente pode jogar com isso em vantagem própria. — Ela fez outra anotação e pôs em cima o peso do tolo sapo verde de vidro que ele lhe dera no Natal. — Na próxima vez que quiser fazer alguma experiência, me avise.

Ty esticou as pernas.

— Relaxe, Sophia Giambelli.

— Esta, segundo o rei dos animais da festa. — Ela pegou uma fotografia colorida e entregou-lhe. — Que acha dela?

Ele recebeu a foto e examinou a loura de olhos pretos como carvão.

— Vem com o número do telefone?

— Foi o que achei. É sexy demais. Eu disse a Kris que desejava uma modelo saudável. — Sophia olhou com expressão de raiva o espaço adiante. — Tenho de despedir essa moça. Não está nem tentando se ajustar às mudanças. Pior ainda, ignora ordens diretas, deixando o resto do pessoal em desgraça. — Suspirou. — Meus espiões me disseram que ela teve um encontro com Jerry DeMorney, da La Coeur, ainda outro dia.

— Se está causando problema, por que se preocupa em cortá-la? Não me venha com a desculpa esfarrapada de que não consegue substituir a infeliz durante a campanha ou a reorganização.

— Tudo bem. Eu hesito porque Kris é boa e detesto ter que perdê-la. E tem íntimo conhecimento da campanha, dos meus planos de longo alcance, e poderia muito bem aliciar alguns outros membros da equipe a sair com ela. Hesito, em nível pessoal, porque acho que estava envolvida com meu pai, e a demissão talvez a incite a tornar a coisa pública. Qualquer atitude que eu tome vai causar problema. Mas não se pode adiar por mais tempo. Cuidarei disso amanhã.

— Eu poderia cuidar.

Sophia fechou a capa do arquivo.

— É na verdade muito gentil de sua parte. Mas deve partir de mim. E convém avisar que, se você cortá-la, vai significar muito mais trabalho para o resto de nós. Sobretudo porque minha mãe não vai fazer, nem tentar, qualquer trabalho chato e repetitivo.

— Isso sem dúvida me anima.

— Estava pensando em perguntar a Theo se ele gostaria de um trabalho de meio período. A gente precisa de um funcionário para pequenas tarefas duas tardes por semana.

— Ótimo. Aí ele pode ficar aqui sonhando acordado com você.

— Quanto mais ficar perto de mim, mais rápido vai superar. O contato diário diminui a intensidade dos hormônios dele.

— Você acha? — murmurou Ty.

— Ora, Tyler, isso foi um tipo distorcido de elogio, ou apenas sua maneira mal-humorada de dizer que eu o deixo nervoso?

— Nenhuma das duas coisas. — Ele examinou mais uma vez a vistosa foto. — Eu prefiro a loura de olhos sonolentos e lábios cheios e fazendo biquinho.

— Água oxigenada e colágeno.

— E daí?

— Meu Deus, eu adoro os homens. — Ela levantou-se, foi até ele, envolveu com as mãos seu rosto e deu-lhe um beijo estalado na boca. — Você é simplesmente muito gostoso.

Um forte puxão na mão fez com que ela desabasse no colo dele. Um instante depois, sua risada rápida foi interrompida e o coração martelava.

Ele não a beijara assim antes, com impaciência, calor e fome, tudo misturado, num ataque quase brutal. Não a beijara como se não tivesse o suficiente. Jamais se saciaria. O corpo dela tremeu uma vez — de surpresa, em defesa, em resposta. Então correu a mão pelos cabelos dele e fechou os punhos neles.

Mais, pensou. Queria mais dessa agitação, dessa precipitação, até a relutante necessidade.

Quando ele ia afastá-la, ela o acompanhou, deslizando sobre as duras linhas de seu corpo, mesmo quando ele interrompeu o beijo. Arranhou com os dentes, devagar, o lábio inferior dele. Deliberadamente. E viu-o baixar o olhar para acompanhar o movimento.

— A que se deve isso? — perguntou.

— Me deu vontade.

— Muito bom. Faça de novo.

Ele não pretendera fazê-lo na primeira vez. Mas agora o apetite por ela se aguçara, sem ser saciado.

— Por que não, diabos?

Ela curvou os lábios quando ele os tomou. Não tão desesperado desta vez, nem tão violento. Imaginava muito bem o que seria deslizar para dentro dela. Em todo aquele calor suave. Mas não sabia se conseguiria libertar-se de novo, nem se afastar totalmente.

Ainda pensando nisso, ele já abria os botões da blusa dela. Ainda pensando nisso, sentiu-se puxado para o chão.

— Se apresse.

Já ofegante, Sophia arqueou o corpo quando ele fechou as mãos à sua volta.

Rápido. Ele imaginava rápido, violento e furioso. Uma transa descuidada, só calor, sem luz. Era o que ela queria. O que os dois queriam. Arrastou-a para cima, colou mais uma vez a boca na dela. Quando ela puxou o cinto dele, Ty contraiu a barriga de desejo e ansiedade.

A porta do escritório se abriu.

— Ty, eu preciso... — Eli parou no meio da frase e arregalou os olhos para o neto, para a moça na qual pensava como neta, embolados no chão. A cor se esvaiu das faces dele quando recuou, trôpego. — Me desculpem.

Depois que a porta bateu, Ty já se levantara e girava nos calcanhares. Com a mente zonza, o corpo agitando-se com força, esfregou as mãos no rosto.

— Oh, perfeito. Simplesmente perfeito.

— Opa.

Com a resposta de Sophia, ele abriu os dedos e olhou-a por eles.

— Opa?

— Meu cérebro está meio danificado. É o melhor que posso fazer. Oh, meu Deus. — Ela sentou-se e fechou a blusa. — Não é um momento típico da família da gente. — Desesperou-se e apoiou a cabeça nos joelhos. — Minha nossa. Como é que vamos resolver isso?

— Eu não sei. Acho que tenho de falar com ele.

Ela ergueu um pouco a cabeça.

— Eu posso fazer isso.

— Você despede os membros insatisfatórios da equipe; eu falo com os avós chocados.

— Muito justo.

Ela ajoelhou-se e baixou os olhos, abotoando por fim a blusa.

— Ty, sinto muito mesmo. Eu nunca faria qualquer coisa pra afligir Eli, nem pra causar um problema entre vocês dois.

— Eu sei.

Ele levantou-se e, após uma breve hesitação, estendeu a mão para ajudá-la a levantar-se.

— Eu quero fazer amor com você.

O organismo já avariado dele sofreu.

— Acho que nós dois queremos, o que está muito claro. Só não sei o que vamos fazer em relação a isso. Preciso ir atrás dele.

— É.

Depois que ele saiu apressado, ela foi até a janela e cruzou os braços. E sentiu um enorme desejo de também ter uma coisa igualmente vital e específica a fazer. Tudo que lhe restara era pensar.

*T*YLER ENCONTROU O AVÔ ENCAMINHANDO-SE PARA OS vinhedos, com Sally fielmente na sua cola. Não disse nada, não tinha elaborado o que diria assim que o fizesse. Apenas emparelhou o passo ao lado de Eli e pôs-se a andar entre as fileiras.

— Vamos ter de manter uma vigília de geada — comentou o avô. — A temporada de calor irritou as vinhas.

— É, já estou cuidando disso. Ah... está quase na época de gradar a terra lavrada com rastelo.

— Espero que a chuva não atrase a gradagem. — Como o neto, Eli examinava as videiras e quebrava a cabeça para encontrar as palavras certas. — Eu... devia ter batido.

— Não, não devia... — Esquivando-se, Ty agachou-se e esfregou o pêlo de Sally. — Simplesmente aconteceu.

— Bem. — Eli pigarreou. Não tinha de falar com ele sobre as formas e os significados do sexo. Graças a Deus. Fizera a façanha anos atrás. O neto era um adulto que conhecia tudo sobre pássaros e abelhas, e responsabilidade. Mas... — Puxa vida, Ty. Você e Sophie.

— Simplesmente aconteceu — ele repetiu. — Acho que não devia ter acontecido, e acho que não devo dizer a você que não vai acontecer de novo.

— Não é da minha conta. É só que vocês dois... Diacho, Ty, vocês foram quase criados juntos. Sei que não têm laços sangüíneos e que nada vai impedir nenhum dos dois de fazer isso. Foi apenas um choque, só isso.

— Pra todos nós — concordou Tyler.

Eli avançou um pouco.

— Você ama Sophie?

No íntimo de si, Tyler sentiu apertarem-se os nós escorregadios da culpa.

— Vovô, nem sempre isso tem a ver com amor.

Eli parou então, virou-se e encarou-o.

— Meu equipamento pode ser mais velho que o seu, menino, mas funciona do mesmo jeito. Sei que não tem a ver sempre com amor. Só estava perguntando.

— Temos um calor que continua, só isso. Se tanto faz pra você, eu preferiria não me aprofundar nesses pontos ainda não-resolvidos.

— Oh, pra mim tanto faz. Os dois são adultos e têm o cérebro funcionando. Os dois foram criados direito, portanto, o que fizerem só diz respeito a vocês. Mas na próxima vez tranque primeiro a maldita porta.

ERAM QUASE SEIS HORAS QUANDO TYLER CHEGOU EM CASA, exaurido, tenso e irritado consigo mesmo. Achou que uma cerveja gelada e um chuveiro quente talvez o pusessem mais uma vez em forma. Ao segurar o puxador da geladeira, viu o bilhete que grudara ali na noite anterior como um lembrete:

Jantar, casa de M — 7.

— Merda. — Apoiou a cabeça na porta. Ia conseguir chegar na hora, imaginou, se se apressasse. Mas simplesmente não tinha o menor ânimo. Nem estava em clima algum para conversar sobre negócios, ainda que incluísse uma refeição decente e boa companhia.

Ele jamais seria uma boa companhia nessa noite.

Estendeu a mão para pegar o telefone e descobriu que o pusera de novo no lugar errado. Praguejando, abriu a geladeira, pretendendo abrir a garrafa antes de começar a procurá-lo. E lá estava o telefone, enfiado entre uma garrafa de vinho e uma caixa de leite.

Compensaria a falta com Margaret, pensou, lendo o número do telefone dela. Levando-a para jantar ou almoçar fora. Seja o que for, antes que ela deixasse a cidade.

ELA NÃO OUVIU O TELEFONE TOCAR. TINHA O CORPO TODO debaixo do chuveiro e cantava. Aguardara ansiosamente pela noite o dia todo, remarcando reuniões, escrevendo relatórios e fazendo ligações. E parando afinal, a caminho de casa, para comprar uma fatia de carne do tamanho de um homem, e duas enormes batatas de Idaho. Comprara também uma torta de maçã e pretendia fazê-la passar como obra sua.

O homem não precisava saber tudo.

Era, ela sabia, o tipo de refeição que ele apreciava.

Já pusera a mesa, arrumara as velas, escolhera a música, estendera na cama o vestido que ia usar. E na cama foram dispostos travesseiros sobre lençóis novos.

Já haviam tido dois ou três encontros antes. Não que tivesse se enganado, acreditando que Ty os considerava como tais. Mas esperava mudar isso após essa noite.

Saiu do chuveiro e começou a preparar-se.

Era sempre excitante arrumar-se para um homem. Parte da antecipação. As crenças feministas de Margaret não lhe negavam o prazer desse tipo de ritual, mas a ajudavam a comemorar o rito feminino.

Passou creme, perfume, enfiou-se no vestido de seda e se imaginou seduzindo MacMillan enquanto comiam a torta de maçã.

Sempre sentira um grande desejo por ele, pensou ao inspecionar o apartamento para saber se estava tudo em ordem. Concluiu que a promoção, a viagem e a excitação de suas novas responsabilidades lhe tinham dado a confiança para torná-lo bem consciente desse desejo.

Retirou o vinho que planejara para a noite. E percebeu a luz da secretária eletrônica piscando no telefone da cozinha.

— Margaret. É Ty. Escute, vou ter de transferir o jantar pra outra data. Devia ter ligado mais cedo, mas... surgiu uma coisa no escritório. Sinto muito. Ligo de novo amanhã. Se você não tiver planos, é minha convidada para sairmos e repassarmos os negócios. Sinto muito mesmo não ter ligado mais cedo.

Ela fitou a secretária eletrônica, imaginou-se arrancando-a da parede e atirando-a longe. Claro que isso não mudaria nada. Era uma mulher muito prática para entregar-se a um inútil ataque de raiva.

Prática demais, pensou, lutando contra as lágrimas de decepção, para deixar comida e vinho irem para o lixo porque um *homem* idiota, desatencioso, faltara a um encontro.

Que vá pro inferno. Havia muitos outros de onde ele vinha. Muitos, lembrou, ao abrir o forno e preparar-se para grelhar a carne. Tivera várias ofertas interessantes na Itália. Quando voltasse, talvez simplesmente aceitasse uma delas e visse aonde levava.

Mas por enquanto iria abrir o maldito vinho, pôr-se à vontade e beber.

Capítulo
Quinze

Pilar aproximou-se da casa de hóspedes pela porta dos fundos. Era um hábito amistoso. Julgava ter se tornado amiga de Theo. Ele era um rapazinho interessante e interessado, assim que se raspasse a superfície. Um menino, pensou, que precisava da influência suavizante de uma mãe.

Comovia-a o fato de que parecia gostar, em vez de ressentir-se, da companhia dela quando aparecia na villa para usar a piscina. Conseguira atraí-lo para a sala de música e fazê-lo tocar — ou pelo menos brincar com — o piano. Fora um passo fácil dali para abrir um diálogo, e um debate, sobre música.

Esperava que ele se entretivesse tanto com eles quanto ela.

Maddy era outra história. Educada, mas sistematicamente fria. E observava, pensou Pilar, tudo e todos. Não era tanto ressentimento quanto avaliação. Uma avaliação, sabia Pilar, diretamente ligada ao seu relacionamento com o pai dela.

Esse aspecto parecia ter passado direto pela cabeça de Theo. Mas Pilar reconhecia o julgamento de mulher para mulher nos olhos de Maddy. Até então, ela não chegara ao ponto de criticar.

Perguntava-se se David era tão alheio quanto o filho ao fato de a filha estar guardando seu território.

Encaixou a bolsa a tiracolo no ombro ao começar a subir a calçada dos fundos. O conteúdo não era de subornos, assegurou-se. Apenas lembranças. E ela não ficaria mais do que fosse agradável para todos eles. Embora em parte desejasse que quisessem sua companhia por algum tempo, que preparasse o almoço para eles, que ouvisse a conversa deles.

Também sentia falta de alguém com quem fazer o papel de mãe.

Se o destino lhe houvesse dado outra ajuda, teria tido uma casa cheia de filhos, um grande cachorro bagunceiro, costuras rasgadas para coser, briguinhas nas quais pudesse agir como árbitro.

Em vez disso, gerou uma filha inteligente e linda que precisara de bem poucos cuidados. E aos quarenta e oito anos, reduzira-se a cuidar das flores no lugar dos filhos pelos quais ansiara.

E sentir pena de si mesma, lembrou, não era nada atraente. Deu uma ágil batida à porta e aprontou o sorriso.

O sorriso oscilou um pouco quando David veio abri-la. De camisa de trabalho e calça jeans, tinha uma xícara de café na mão.

— Mas que coisa mais conveniente. — Ele tomou-lhe a mão e puxou-a para dentro. — Estava pensando em você neste momento.

— Eu não esperava encontrar você em casa.

— Estou trabalhando aqui hoje.

Porque quis, e porque sabia que ia encabulá-la, manteve a mão dela firme na sua e curvou-se para beijá-la.

— Oh, bem. Como não vi o furgão...

— Theo e Maddy uniram forças contra mim. Feriado, sem escola. O pesadelo de todo pai. Resolvemos a coisa deixando-os me aporrinharem até eu dar as chaves a Theo e os dois irem para o shopping e ao cinema até o fim do dia. Por isso sua visita é perfeita.

— Sério? — Ela soltou a mão e ajeitou várias vezes, com pequenos movimentos nervosos, a alça da bolsa. — É mesmo?

— Me impede de ficar sentado aqui imaginando as encrencas em que eles podem se meter. Quer café?

— Não, eu tenho mesmo... Só parei pra deixar duas coisas para os meninos. — Perturbava-a ficar na casa a sós com ele. Durante todo o tempo, desde que ele se mudara para ali, ela conseguira evitar esse acontecimento. — Maddy está tão interessada em todo o processo de fabricação de vinho, achei que gostaria de ler sobre a história da Giambelli da Califórnia.

Ela tirou o livro que comprara na loja de presentes do lagar.

— Acertou em cheio com o gosto dela. Vai adorar e martelar Ty e a mim com perguntas novas em folha.

— Ela tem uma mente ativa.

— E eu não sei?

— Trouxe esta partitura para Theo. Ele está tão envolvido nessa coisa de *rock-techno*, mas achei que talvez se divertisse tentando alguma das clássicas.

— Sergeant Pepper. — David examinou a partitura. — Onde encontrou isto?

— Eu tocava e levava minha mãe à loucura. Era meu trabalho.

— Você usava contas como símbolo de paz e amor? — ele provocou.

— Claro. Fiz um par delas com tecido estampado em cores vivas quando tinha a idade de Maddy.

— Fez? Tantos talentos escondidos. — Ele manobrou-a, simplesmente chegando mais perto, até as costas dela se encostarem na bancada da cozinha. — Não trouxe um presente para mim.

— Não sabia que estaria aqui.

— E agora que estou? — Ele se aproximou mais e apoiou as palmas na bancada, em cada lado dela. — Tem alguma coisa na bolsa para mim?

— Lamento. — Ela tentou rir, manter a situação leve, mas era difícil quando estava sufocando. — Da próxima vez. Eu preciso mesmo voltar ao lagar. Tenho de ajudar numa visita esta tarde.

— A que horas?

— Quatro e meia.

— Humm. — Ele deu uma olhada no relógio da cozinha. —
Uma hora e meia. Eu me pergunto, o que a gente podia fazer em
noventa minutos?

— Eu podia preparar seu almoço.

— Tenho uma idéia melhor.

E com as mãos na cintura dela, girou-a devagar em direção à
porta interna.

— David.

— Não há ninguém em casa, além de mim e de você — ele
disse, mordiscando-lhe o queixo, a garganta e a boca, enquanto a con-
duzia para fora da cozinha. — Sabe o que andei pensando outro dia?

— Não.

Como poderia? Não sabia o que ela mesma pensava naquele
momento.

— É um negócio complicado. Minha namorada mora com a
mãe.

Ela riu, então, da idéia de ser chamada de namorada.

— E eu moro com meus filhos. Não tenho lugar nenhum pra ir
e fazer tudo que imagino fazer com você. Sabe que coisas imaginei
fazer com você?

— Já estou sacando a imagem. David, estamos no meio do dia.

— O meio do dia. — Ele parou na base da escada. — É uma
oportunidade. Detesto oportunidades perdidas, você não?

Ela subia as escadas com ele, o que lhe parecia um feito milagro-
so, pois tinha os joelhos nocauteados e o coração mourejando como
se ela estivesse escalando uma montanha.

— Eu não esperava... — As palavras continuavam abafadas contra a boca dele. — Não estou preparada.

— Querida, eu cuido disso.

Cuida disso? Como poderia ele fazê-la usar roupa de baixo sexy,
ou transformar a impiedosa luz do dia nas suaves e lisonjeiras sombras da noite? Como poderia...

Então lhe ocorreu que ele quisera dizer proteção, e isso a fez
sentir-se eufórica e tola.

— Não, eu não quis dizer... David, eu não sou jovem.

— Nem eu. — Ele recuou ligeiramente na porta do quarto. Arrastá-la para dentro não era a maneira certa. Ela precisava de palavras, e talvez, percebeu, ele também. — Pilar, eu tenho um monte de sentimentos complicados por você. Um que não é complicado, pra mim, é que é você que eu quero. Você toda.

Os nervos dela nadavam, então, numa torrente de calor.

— David, você precisa saber. Tony foi meu primeiro. E meu último. Faz muito tempo. E eu... ai, meu Deus. Estou tão fora de forma.

— Saber que não teve ninguém mais me lisonjeia, Pilar. — Ele roçou os lábios nos dela. — Isso me mortifica. — E mais uma vez: — E me excita.

Tornou a pôr a boca na dela pela terceira vez, num beijo que oscilava no limite entre sedução e exigência.

— Venha pra minha cama. — Ele guiou-a para lá, fascinado com a forma como o coração deles martelava junto. — Me deixe tocar você, me toque.

— Não consigo respirar. — Ela se esforçou para aspirar o ar quando ele lhe tirou o casaco. — Sei que estou tensa, sinto muito. Parece que não consigo relaxar.

— Eu não quero você relaxada. — Ele mantinha os olhos nos dela ao desabotoar-lhe a blusa, roçando os dedos na carne exposta. — Desta vez, não. Ponha as mãos nos meus ombros, Pilar. Tire os sapatos.

Ela tremia, e ele também. Como a primeira vez, ele pensou. Para ela. Para mim. E tão assustador e intenso como se de fato fosse.

O sol de fim de inverno entrava pelas janelas do quarto, banhando-o de luz. No silêncio da casa, ele ouvia cada falha na respiração dela. Quando deslizou os dedos de leve por ela, sentiu-a trêmula, mas suave.

— Macia. Quente. Linda.

Ele fazia-a acreditar em suas palavras. E se os dedos dela tremeram quando lhe desabotoaram a camisa, ele não pareceu incomodar-se. Se ela saltou como uma idiota quando ele correu as juntas dos dedos pela sua barriga, quando abriu o fecho de sua calça, ele não escarneceu de impaciência.

E, o melhor de tudo, ele não parou.

Acariciava-a com as mãos, devagar e firme, fazendo-a sentir vontade de chorar para ser mais uma vez tocada. Sentir mais uma vez aquele acúmulo de calor na barriga, os longos e líquidos puxões que o acompanhavam. Parecia natural deitar-se de costas na cama, ter o corpo dele, o peso dele, apertado no dela.

Parecia natural e glorioso finalmente entregar-se de novo.

Ela esqueceu a luz do sol e todas as falhas que revelava. E regozijou-se na sensação de receber um homem.

Ele não queria apressar-se. Mas a hesitação dela tornara-se avidez. Movia-se embaixo dele, arqueando os quadris, tocando as mãos com rápidos beliscões e arranhões das unhas que o excitaram de forma inacreditável.

Ele esqueceu a paciência, e todas as dúvidas que desejava aliviar. E banqueteou-se.

Entrelaçaram os dedos quando rolaram pela cama e separaram-se para descobrir novos segredos a explorar. Uma onda de prazer inundou-a, ela chamou o nome dele e depois gemeu quando ele a cobriu de mordidinhas.

Uma onda de energia arrebatou-a, trancou-a naquela gloriosa fronteira entre excitação e liberação, quando o sangue se enfurece e o corpo deseja com avidez. Ela tremia ali, impotente, e deixava a glória de cada dor, cada ardor, espancá-la.

Quando ele baixou a mão para buscar a sua, ela já estava quente e úmida.

Explodiu sob ele, atordoada demais para sentir-se constrangida pela reação pronta, e chocada demais para resistir ao violento mergulho de seu próprio corpo. O mundo ficou brilhante, ofuscante e ela entregou-se à repentina urgência da boca e das mãos dele.

Toda minha. A macia e úmida pele que cheirava a primavera, as curvas sutis, a ávida e franca reação. Ele queria tomar tudo que era seu agora. Dar tudo que tinha. Ela movia-se junto dele, como se os dois houvessem gozado juntos, assim mesmo, milhares de vezes. Estendia-lhe os braços como se o houvessem sempre segurado quente e perto.

E ele tinha mais, tanto que desejava mostrar-lhe e tirar-lhe nessa primeira exploração. Mas a necessidade impelia loucamente os dois e amortecia o controle.

Ela olhou-o quando ele mais uma vez se estendeu sobre o seu corpo.

Mais uma vez ergueu os braços e abriu-os. E, abraçando-o, recebeu-o dentro de si.

Arqueou o corpo para ele, acolheu-o com prazer, e fechou-se à sua volta em aceitação.

Os dois moveram-se juntos à luz do sol, num ritmo que se acelerava, uma necessidade que pulsava, e então mergulharam.

Ela gritou, abafando o som ao lado da garganta dele. Provou-o ali quando seu coração deu o salto final.

O SOL BRILHAVA TAMBÉM EM SÃO FRANCISCO, MAS ISSO SÓ acrescentava dimensão à dor de cabeça de Sophia. Enfrentava Kris do outro lado da mesa. O pior de tudo, em sua opinião, era que a mulher não vira a merecida demissão aproximar-se. Como isso poderia ter lhe escapado; com todas as advertências e diretrizes, só adicionava combustível ao fogo que as levara a esse ponto.

— Você não quer ficar aqui, Kris. Deixou isso claro.

— Fiz um trabalho melhor neste escritório do que qualquer outra pessoa na empresa. Você e eu sabemos. E você não gosta disso.

— Ao contrário. Sempre respeitei seu trabalho.

— Sem esse papo furado.

Sophia inspirou fundo para estabilizar-se, forçou-se a continuar calma, permanecer profissional.

— Você tem muito talento, o que eu admiro. O que não admiro, e que não pode ser mais tolerado nem ignorado, é a sua deliberada rejeição da política da empresa e sua atitude para com a autoridade.

— Quer dizer minha atitude para com você.

— Um comunicado para você: eu sou a autoridade.

— Porque seu nome é Giambelli.

— Se se trata ou não disso, não é o problema, nem é da sua conta.

— Se Tony ainda estivesse vivo, você não estaria sentada atrás desta mesa. Eu é que estaria.

Sophia engoliu o ressentimento que se avolumou em sua garganta.

— Foi assim que ele se meteu na sua cama? — perguntou, com uma pitada de diversão no tom. — Prometendo meu emprego a você? Muito esperto da parte dele, tolice sua. Meu pai não dirigia esta empresa e não tinha nenhum peso aqui.

— Vocês cuidaram disso. Todas as três Giambelli.

— Não, foi ele quem cuidou. Mas isso não vem ao caso. O fato é que sou a gerente deste departamento e você não trabalha mais para mim. Vai receber sua rescisão de contrato, incluindo o salário integral de duas semanas. Quero o escritório livre de suas coisas pessoais até o fim do expediente.

As duas se levantaram. Sophia teve a impressão de que, sem a mesa entre elas, Kris teria recebido mais que um disparo verbal. Isso apenas mostrava a que ponto seu relacionamento se deteriorara, e ela lamentou que não pudessem engalfinhar-se de fato.

— Muito bem. Tenho outras ofertas. Todo mundo na empresa sabe quem é o verdadeiro poder aqui, o poder criativo.

— Espero que consiga o que merece na La Coeur — respondeu Sophia, e viu o queixo de Kris cair de surpresa. — Não há segredos. Mas vou avisá-la de que se lembre da cláusula de confidência no contrato que assinou quando entrou nesta empresa. Se passar adiante informações sobre a Giambelli a algum concorrente, será processada.

— Eu não preciso passar nada adiante. Sua iminente campanha é mal concebida e banal. Uma vergonha.

— Não é uma sorte, então, que você não tenha mais de ser associada a ela? — Sophia então contornou a mesa, passando perto de Kris, quase desejando que ela a agredisse. Quando chegou à porta, abriu-a. — Acho que já dissemos tudo que tínhamos de dizer uma à outra.

— Este departamento vai afundar, porque, quando eu for embora, outros irão comigo. Vamos ver até onde você e o fazendeiro avançam sozinhos. — Kris saracoteou em direção à porta e parou para um sorriso malicioso. — Tony e eu dávamos boas risadas sobre vocês dois.

— Estou chocada por saber que vocês arranjavam tempo pra brincar ou conversar.

— Ele me respeitava — disparou de volta Kris. — Ele sabia quem realmente dirigia este departamento. Tivemos algumas conversas interessantes sobre você. Piranha número três.

Sophia baixou a mão e apertou com força o braço de Kris.

— Então foi você. Vandalismo mesquinho, cartas anônimas. Tem sorte de eu não ter mandado prender você, além de despedir.

— Chame a polícia... depois tente provar. Isso vai me proporcionar uma última gargalhada.

Soltou o braço, bruscamente, e saiu.

Deixando a porta aberta, Sophia voltou direto à sua mesa e chamou a segurança. Queria que Kris saísse escoltada do prédio. Agora que o primeiro rompante de raiva passara, não se surpreendia que houvesse sido Kris quem desfigurara as relíquias de família e enviara a fotografia.

Mas isso a repugnava.

Nada podia fazer a respeito. Como nada podia fazer a respeito dos arquivos que Kris talvez já houvesse copiado e levado, mas podia ter certeza de que não haveria uma pilhagem de última hora.

Longe de sentir-se satisfeita, mandou chamar P. J. e Trace.

Enquanto esperava, andava de um lado para outro. Nesse estado, Tyler entrou.

— Vi Kris atravessar o corredor soltando fumaça — ele comentou e sentou-se confortavelmente numa poltrona. — Ela me xingou de caipira idiota, dominado a chicote pelas mulheres. Imagino que você seja a mulher com o chicote.

— Mostra o que ela sabe. Você não tem nada de idiota, e até agora ofereceu uma resistência dos diabos ao chicote. Meu Deus! Estou irada.

— Deduzi que as coisas não tinham corrido muito bem quando vi as línguas de fogo disparando das orelhas dela.

— Eu não parei de desejar que ela me desse um soco, pra eu poder esmagá-la. Estaria me sentindo muito melhor agora se ela tivesse dado. A desgraçada me xingou de piranha número três. Eu gostaria de mostrar a ela o que uma verdadeira piranha italiana sabe fazer quando instigada. Manchar com esmalte de unha nossos anjos, me enviar uma carta anônima.

— Pare, volte. Que carta?

— Nada.

Ela acenou com a mão no ar e manteve o ritmo.

Ele puxou a mão dela e baixou-a.

— Que carta?

— Só uma foto de alguns meses atrás, de mim, minha mãe e minha avó. Usou caneta vermelha desta vez, mas o sentimento era o mesmo que pôs nos anjos Giambelli.

— Por que você não me contou?

— Porque o envelope estava endereçado a mim, porque me deixou fula da vida e porque eu não ia dar à pessoa que me enviou essa foto a satisfação de falar nisso.

— Se receber outra, eu quero saber. Está claro?

— Ótimo, maravilha, você é o primeiro da fila. — Furiosa demais para ficar parada, Sophia se soltou: — Ela disse que meu pai ia ajudá-la a ocupar meu lugar. Imagino que ele tenha prometido isso a ela, não teve mais escrúpulos em oferecer a ela o que era meu do que em tirar a jóia de minha mãe pra dar a Rene.

E isso doía, ele pensou, examinando o rosto dela. Mesmo agora, Avano conseguia varar aquela concha de defesa e cortar-lhe o coração.

— Sinto muito.

— Você acha que eles mereciam um ao outro. Eu também acho. Agora se acalme, agora se acalme — ela repetia como um mantra. — Já passou, acabou, e se mortificar por isso não vai ajudar. Temos de seguir em frente. Preciso conversar com P. J. e Trace, pra começar, e ficar calma. Tenho de estar controlada.

— Quer que eu saia?

— Não. Isso seria melhor como uma equipe. — Ela abriu a primeira gaveta e retirou um frasco de aspirinas. — Devia tê-la despedido semanas atrás. Você tinha razão neste ponto. Eu estava errada.

— Preciso anotar o que você disse. Pode me emprestar um lápis?

— Cale a boca. — Grata porque a descontração de Ty a acalmara, ela inspirou fundo e abriu uma garrafa d'água. — Me diga com toda franqueza, Ty: o que é que você acha da campanha do centenário?

— Quantas vezes eu vou ter de repetir que essa não é a minha área?

— Como consumidor, droga. — Ela engoliu de uma só vez três comprimidos de Tylenol e bebeu um longo gole da garrafa d'água. — Você tem uma maldita opinião sobre tudo o mais no mundo, não tem?

— Isso é que é ser calma e controlada — ele comentou. — Acho que é esperta. Que mais você quer?

— Isso basta. — Esgotada, ela sentou-se na quina da mesa. — Ela conseguiu mexer comigo, eu detesto reconhecer isso. — Conferiu as horas no relógio. — Preciso resolver logo isso, e depois nós temos uma reunião com Margaret.

A pontadinha de culpa fez com que ele mudasse de posição na poltrona.

— Eu devia ter me encontrado com ela ontem à noite; tive de adiar. Não consegui me comunicar com ela hoje.

— Ela deve aparecer às seis.

— Oh, bem. — Droga. — Se incomoda de eu usar seu telefone?

Sophia fez um gesto e saiu para pedir à secretária que trouxesse café.

— Não está lá — disse Tyler, quando ela voltou. — Faltou a duas reuniões de manhã.

— Não faz o estilo de Margaret. Vamos tentar mais uma vez a casa dela — ela começou, e depois mudou de assunto quando P. J. e Trace chegaram à porta. — Entrem e se sentem. — Fez um gesto e depois fechou tranqüilamente a porta. — Preciso que saibam — disse, atravessou a sala de volta à sua mesa — que tive de demitir Kris.

P. J. e Trace trocaram rápidos olhares de esguelha.

— O que vejo que não chega a ser surpresa alguma pra vocês. — Como não obteve resposta, decidiu pôr as cartas na mesa: — dizer que espero que os dois saibam o quanto valorizo vocês e que espero que saibam como são importantes para este departamento, para a empresa e pessoalmente pra mim seria chover no molhado. Entendo que talvez continue a insatisfação com as mudanças feitas no fim do ano passado, e se algum de vocês tiver problemas a expor ou comentários específicos estou aberta à discussão.

— Que tal uma pergunta? — sugeriu Trace.

— Perguntas, então.

— Quem vai ficar no lugar da Kris?

— Ninguém.

— Você não pretende contratar alguém pra ocupar o cargo dela?

— Eu preferiria que vocês dois dividissem o trabalho, o cargo e as responsabilidades dela.

— Prioridade no escritório dela — anunciou P. J., levantando a mão.

— Saco — sibilou Trace, bufando.

— Tudo bem, vamos recapitular. — Sophia dirigiu-se até a porta e abriu-a ao ouvir a batida da secretária, para que servisse o café para todos. — Não apenas não estão surpresos com a recente virada dos acontecimentos, mas, a não ser que eu tenha errado o alvo, não estão muito chateados nem decepcionados.

— É grosseiro falar da recém-demitida. — P. J. examinou o café e olhou para Sophia. — Mas... você não está no escritório todo dia. Nunca esteve, porque não é assim que trabalha. Faz muitas viagens, comparece a reuniões externas. E desde dezembro trabalha em casa pelo menos três vezes por semana. Mas nós estamos aqui.

— E?

— O que Peej está tentando dizer, sem o risco de uma viagem ao inferno pela sacanagem, é que é difícil trabalhar com Kris. Mais difícil ainda trabalhar pra ela — acrescentou Trace. — Ou seja, como ela cuidava de tudo quando não tinha você por perto. Decidiu que era a responsável, e nós, junto com todos os demais no departamento, apenas subalternos. Eu já andava muito de saco cheio e por ser subordinado. Vinha até pensando em procurar outro emprego.

— Você podia ter falado comigo. Puxa, Trace.

— Eu ia. Antes de tomar qualquer decisão. Agora, bem, está resolvido o problema. Só que acho que P. J. e eu devíamos mudar para o escritório de Kris.

— Eu falei primeiro. Vacilou, dançou. Sophia, ela vem tentando fazer a cabeça das pessoas aqui. Tipo motim empresarial ou coisa assim. Talvez tenha arranjado alguns seguidores. Você pode perder algumas pessoas boas junto com ela.

— Tudo bem. Vou marcar uma reunião com todo o pessoal ainda pra esta tarde. Controle de danos. Lamento não ter estado no controle neste caso. Quando tudo se acalmar, eu gostaria de recomendações. Pessoas que vocês acham que devam ser analisadas pra promoção ou reaproveitamento.

— Beleza. — P. J. levantou-se de um salto. — Vou fazer um esboço de como reorganizarei meu novo escritório. — Virou-se para Ty. — Gostaria apenas de dizer que ser o tipo calado, forte, não torna você um cara dominado por mulheres. Mas interessante. Kris ficou realmente danada da vida porque você não tentou forçar a barra e acabar de traseiro no chão. Em vez disso, não diz nada, a não ser que tenha alguma coisa a dizer. E, quando diz, faz sentido.

— Puxa-saco — disse Trace, baixinho.

— Não preciso ser puxa-saco, já fiquei com o maior escritório. Com um adejo das pestanas, ela saiu.

— Eu gosto de trabalhar aqui. Gosto de trabalhar com você. Eu teria me decepcionado se tudo tivesse sido resolvido de outro jeito.

Com isso, saiu assobiando.

— Sente-se melhor?

— Muito. Um pouco com raiva de mim mesma por deixar tudo chegar a esse ponto e por tanto tempo, mas, fora isso, muito melhor.

— Ótimo. Que tal marcar essa reunião de pessoal, e eu tento encontrar Margaret. Está a fim de um encontro pra jantar, se ela quiser?

— Claro, mas isso não vai deixá-la feliz. Tem tesão por você.

— Corta essa.

— Quem avisa amigo é — rebateu Sophia, inconseqüente, e tornou a sair para organizar a reunião com a secretária.

Mulheres, pensou Tyler, procurando o número da casa de Margaret no fichário de telefones de Sophia. E elas diziam que os homens só pensavam em sexo. Só porque ele e Margaret se davam bem, haviam saído uma ou duas vezes, não significava...

Desviou os pensamentos quando um homem atendeu ao telefone na terceira chamada.

— Estou tentando entrar em contato com Margaret Bowers.

— Quem fala?

— Tyler MacMillan.

— Sr. MacMillan. — Uma brevíssima pausa. — Aqui é o detetive Claremont.

— Claremont? Desculpe, devo ter ligado para o número errado.

— Não, não ligou. Estou no apartamento da Sra. Bowers. Ela está morta.

PARTE TRÊS

A florescência

*As flores são lindas; o amor é como a flor, e
a amizade, uma árvore protetora.*

SAMUEL TAYLOR COLERIDGE

Capítulo
Dezesseis

Março rugia pelo vale num vento implacável e galopante. Endurecia o terreno e fazia matraquearem os dedos nus das vinhas. O frio intenso das névoas do amanhecer penetrava o corpo das pessoas e triturava seus ossos. Haveria receio de danos e perdas até a chegada do verdadeiro calor da primavera.

Haveria receio de muitas coisas.

Sophia parou primeiro nos vinhedos e decepcionou-se por não ver Tyler percorrendo com gravidade e altivez as fileiras, examinando os galhos em busca de novos brotos. Sabia que a fase de destorroamento da terra lavrada estava prestes a começar, se o tempo permitisse. Homens munidos de instrumentos constituídos por uma grade com dentes de pau pulverizariam e arejariam o solo, revolvendo a terra ressequida e as plantas marrom-amareladas, e devolvendo o nitrogênio ao terreno.

Para o vinicultor, a quietude de fevereiro desfazia-se no movimentado e crítico mês de março.

O inverno, branca e caprichosa feiticeira, dominava o vale. E dava aos que ali viviam muito tempo para pensar.

Ele devia estar dando tratos à bola, claro. Sentado no escritório, ela imaginou, mudando de direção, rumo à casa. Reexaminando os gráficos, os registros e os arquivos. Fazendo algumas anotações em seu diário de vinicultor. Mas ainda assim ruminando.

Hora de pôr um ponto final nisso.

Ia bater à porta. Não, decidiu, quando a gente batia, era fácil demais ser mandada embora. Em vez disso, abriu-a, tirando a jaqueta ao entrar.

— Ty?

Jogou a jaqueta no pilar do corrimão e, seguindo o instinto, dirigiu-se ao escritório.

— Tenho trabalho a fazer — ele respondeu, sem dignar-se a erguer os olhos.

Até aquele momento ele estivera na janela. Vira-a caminhando entre as fileiras e mudando de rumo em direção à casa. Chegara a pensar em descer e trancar a porta. Mas isso lhe parecera ao mesmo tempo mesquinho e inútil.

Ele a conhecia havia muito tempo para acreditar que uma fechadura a manteria longe.

— Que foi?

— Você está um bagaço.

— Obrigado.

— Nenhuma palavra da polícia ainda?

— Você tem a mesma chance de saber que eu.

É a pura verdade, ela pensou. E a espera vinha deixando-a nervosa. Fazia quase uma semana que o corpo de Margaret fora encontrado. No chão, perto de uma mesa, arrumada para dois, com um filé intocado no prato, restos de velas e uma garrafa vazia de Merlot.

Era isso, ela sabia, que continuava a atormentar a mente de Tyler. O outro lugar fora posto para ele.

— Eu falei com os pais dela hoje. Vão levar o corpo de volta a Columbus para o enterro. É duro pra eles. E pra você.

— Se eu não tivesse cancelado...

— Não sabe se teria feito alguma diferença. — Ela levantou-se e aproximou-se dele. Parada atrás, começou a massagear-lhe os ombros. — Se ela tinha uma doença cardíaca que ninguém sabia, poderia ter tido uma crise a qualquer momento.

— Se eu estivesse lá...

— Se. Talvez. — Sentindo por ele, ela deu-lhe um beijo de leve no alto da cabeça. — Escute o que digo, essas duas palavras vão deixar você louco.

— Ela era jovem demais pra ter um maldito ataque cardíaco. E não me venha com o argumento das estatísticas. Os tiras estão investigando e não passam informação. Isso quer dizer alguma coisa.

— Isso só quer dizer no momento que foi uma morte sem testemunhas, e que ela era ligada, pela Giambelli, ao meu pai. Pura rotina, Ty. Até que nos digam outra coisa, é pura rotina.

— Você disse que ela sentia alguma coisa por mim.

Se pudesse voltar atrás, decidiu Sophia, cortaria a língua antes de proferir essa única e descuidada observação.

— Eu só estava gozando você.

— Não, não estava. — Entregando os pontos, ele fechou o diário de vinicultor. — Sabe o que dizem da visão em retrospecto. Eu não vi. Ela não me interessava nesse sentido, logo eu não quis ver.

— Não é culpa sua, e ficar remoendo isso não vai ajudar em nada. Lamento que tenha acontecido. Eu gostava dela.

Sem pensar, ela passou os braços em volta dos ombros dele.

— Eu também.

— Vamos descer. Vou preparar uma sopa.

— Por quê?

— Porque vai nos dar o que fazer além de pensar. E esperar. — Ela girou a cadeira dele até colocá-lo de frente. — Além disso, tenho fofocas e ninguém pra contar.

— Eu não gosto de fofoca.

— Que pena! — Ela puxou-o pela mão, satisfeita por ele tê-la deixado levantá-lo. — Minha mãe dormiu com David.

— Ah, que saco, Sophie. Por que me conta esse tipo de coisa?

Ela deu um breve sorriso, enlaçando o braço no dele.

— Porque você não vai espalhar esse tipo de fofoca fora da família, e não acho que seja um assunto apropriado para *Nonna* e eu conversarmos no café-da-manhã.

— Mas é apropriado pra conversar comigo enquanto preparamos a sopa. — Ele simplesmente não entendia a mente feminina. — Como é que você sabe, aliás?

— Realmente, Ty — ela exclamou, enquanto desciam as escadas. — Em primeiro lugar, conheço a Mama, e bastou dar uma olhada nela. Em segundo lugar, vi os dois juntos ontem, e transparecia.

Tyler não perguntou como transparecia. Era bem provável que ela o dissesse, e ele não ia entender, de qualquer modo.

— Como se sente em relação a isso?

— Não sei. Em parte gostei muito. Que bom pra você, Mama! Por outro lado, fiquei de queixo caído, achando que a minha mãe não devia fazer sexo. É o meu lado imaturo. Estou trabalhando nele.

Ele parou na base da escada e virou-a.

— Você é uma boa filha. — Com uma pancadinha do dedo, ergueu o queixo dela. — E não é nem metade tão má quanto dizem.

— Oh, eu sei ser má. Se David magoá-la, vai simplesmente descobrir até que ponto eu sei ser má.

— Eu imobilizo o cara e você esfola ele.

— Combinado. — Ela desviou os olhos quando ele continuou a olhá-los fundo. E o sangue começou a agitar-se. — Ty. — Levou a mão ao rosto dele, quando ele se curvou para ela. E uma batida à porta levou-a a praguejar: — Diabos! Que há de errado com o nosso timing? Quero que se lembre onde paramos. É pra lembrar *mesmo*!

— Acho que eu já tinha isso programado, claro.

Não menos irritado com a interrupção, ele dirigiu-se a passos largos até a porta e escancarou-a. E sentiu uma intensa aflição.

— Sr. MacMillan. — Era Claremont parado ao lado de Maureen Maguire, no ar frio. — Podemos entrar?

Entraram na sala de estar, de atmosfera masculina e bagunçada. Tyler não pensara em acender a lareira nessa manhã, e por isso fazia frio. Um jornal, de vários dias atrás, continuava empilhado na mesa de centro. Uma brochura despontava embaixo. Maureen não conseguiu decifrar bem o título.

Notou que Tyler não se dera ao trabalho de pegá-lo, como faziam muitas pessoas. E não parecia muito a fim de sentar-se. Mas, quando desabou numa poltrona, Sophia introduziu-se no braço da poltrona ao seu lado. E isso fez dos dois uma unidade.

Claremont pegou o bloco de notas e estabeleceu o ritmo.

— Você disse que namorava Margaret Bowers.

— Não, não disse. Disse que saímos duas vezes.

— Isso em geral é interpretado como namoro.

— Eu não interpretei assim. Interpretei que saímos duas vezes.

— Você era esperado para jantar com ela na noite em que morreu.

— É. — Embora não transparecesse qualquer expressão condenatória na voz de Claremont, ainda assim ferroava. — Como eu já disse antes, fiquei retido aqui, liguei pra ela em algum momento, por volta das seis. A secretária eletrônica atendeu e deixei uma mensagem dizendo que não ia conseguir chegar a tempo.

— Não deu muita importância a ela — interveio Maureen.

— Não, não dei.

— Exatamente o que reteve você?

— Trabalho.

— Na villa?

— Foi o que disse na última vez que perguntou. Continua valendo. Em essência, perdi a noção do tempo e esqueci o jantar até chegar em casa.

— Você ligou às seis pra ela e ainda tinha uma hora. Podia chegar a tempo. — Maureen inclinou a cabeça. — Ou ligar e dizer que ia chegar um pouco atrasado.

— Podia. Mas não fiz. Não estava a fim de dirigir até a cidade. Tem algum problema?

— A Srta. Bowers morreu com a mesa ainda posta pra dois. Isso é um problema.

— Detetive Claremont? — interrompeu Sophia, num tom agradável. — Ty não está sendo mais específico porque, imagino, acha que vai me constranger. Tivemos um encontro no escritório da villa no início daquela tarde.

— Sophia.

— Ty. — Ela continuou no mesmo tom. — Acho que os detetives vão entender que você talvez não estivesse no clima de dirigir até São Francisco e jantar com uma mulher, quando muito pouco antes tinha se embolado com outra no chão do escritório. Tivemos um encontro — ela continuou. — Não planejado, imprevisto e muito provavelmente inadequado, mas o avô de Tyler entrou na sala. — Para enfatizar o que desejava dizer, correu os dedos pelos cabelos de Ty. — O velho Sr. MacMillan pode confirmar isso, caso achem necessário perguntar a ele se estávamos mesmo nos agarrando durante o expediente de trabalho. Nessas circunstâncias, acho compreensível que Ty talvez estivesse meio exausto e não no clima de dirigir até a cidade pra um jantar de negócios com Margaret. Mas o importante, a não ser que eu seja idiota, é que ele, pra começar, não foi, e por isso não tem nada a ver com o que aconteceu a ela.

Claremont ouviu com paciência, assentiu com a cabeça e desviou o olhar de volta a Tyler. Já era um passo, supunha, para avaliar a impressão que tinha dos dois. E outro para notar que MacMillan parecia sem graça e a mulher Giambelli, divertida.

— Já jantou antes com a Srta. Bowers no apartamento dela?

— Não. Só estive lá. Peguei-a uma vez para uma reunião de negócios no Four Seasons. Saímos juntos. Faz mais ou menos um ano.

— Por que simplesmente não pergunta se ele já dormiu com ela? — sugeriu Sophia. — Ty, você e Margaret já...

— Não. — Dilacerado entre a irritação e o mal-estar, ele lhe disparou um olhar fulminante. — Deus do céu, Sophie.

Antes que pudesse recuperar a compostura, ela bateu-lhe de leve no ombro e tomou a dianteira:

— Ela se sentia atraída por ele, e ele não percebia. Os homens muitas vezes não percebem, e Ty é um pouco mais denso com esse tipo de coisa que a maioria. Eu tenho tentado levá-lo pra cama há...

— Quer parar com isso? — Ele teve de esforçar-se para não afundar a cabeça nas mãos. — Escute, lamento o que aconteceu com Margaret. Era uma boa mulher. Eu gostava dela. E talvez, se não tivesse cancelado, poderia ter ligado para acionar o serviço de emergência quando ela teve o ataque cardíaco. Mas não vejo o que essas perguntas têm a ver com alguma coisa.

— Já deu alguma vez uma garrafa de vinho à Srta. Bowers?

Tyler passou a mão pelos cabelos.

— Não sei. Provavelmente. Dou garrafas de vinho a muitas pessoas, e a parceiros comerciais. Meio que faz parte do negócio.

— Vinho com o rótulo Giambelli, o rótulo italiano?

— Não. Uso o meu próprio. Por quê?

— A Srta. Bowers consumiu quase uma garrafa inteira de Merlot Castello di Giambelli na noite em que você ia jantar com ela. A garrafa continha digitalina.

— Não entendi.

Quando ele recuou na poltrona, Sophia apertou a mão em seu ombro.

— Ela foi assassinada? — perguntou Sophia. — Envenenada? Margaret foi... Se você estivesse lá. Se tivesse tomado o vinho...

— É possível que, se mais de uma pessoa partilhasse a garrafa, a dosagem não fosse letal — declarou Claremont. — Mas a Srta. Bowers consumiu quase a garrafa inteira, e certamente de uma vez só. Tem alguma idéia de como a digitalina entrou numa garrafa de Merlot italiano e no apartamento da Srta. Bowers?

— Tenho de ligar pra minha avó. — Sophia levantou-se de um salto. — Se houve adulteração de produto, precisamos cuidar logo disso. Preciso de toda a informação contida naquela garrafa. O ano da safra. Preciso ter uma cópia do rótulo pra analisar.

— Sua avó já foi informada — disse Maureen. — Como também as autoridades italianas competentes. Adulteração de produto é uma possibilidade, mas nesse momento não temos a menor idéia de quando a Srta. Bowers obteve a garrafa ou se foi dada a ela. Não podemos confirmar se não foi ela própria quem adicionou a dose.

— Se matar? Isso é ridículo. — Ty levantou-se. — Ela não era suicida. Estava indo às mil maravilhas quando falei com ela, feliz com o trabalho, excitada com as novas responsabilidades, a viagem.

— Tem algum inimigo, Sr. MacMillan? Alguém que poderia ter sabido de seus planos com a Srta. Bowers naquela noite?

— Não. E não sou um alvo. Em primeiro lugar, se o vinho foi adulterado com... eu teria sabido. Teria cheirado ou provado. É o que faço.

— Exatamente — concordou Maureen.

Sophia sentiu os pêlos da nuca se eriçarem.

— Tyler, você já respondeu a perguntas demais. Vamos chamar um advogado.

— Não preciso de um maldito advogado.

— Vamos ligar pro tio James. Já.

— É seu direito. — Claremont levantou-se. — Uma pergunta a você, Srta. Giambelli. Sabia de alguma coisa sobre o relacionamento entre a Srta. Bowers e seu pai?

O sangue dela congelou-se.

— Pelo que sei, eles não tinham nenhum, além do profissional.

— Entendo. Bem, obrigado pelo tempo de vocês.

— *M*EU PAI E MARGARET.

— É bem provável que ele estivesse jogando uma isca para você.

Mas Sophia receava a isca, digerindo, avaliando a textura.

— Se havia alguma coisa entre eles, e a morte dos dois estiver relacionada...

— Não se precipite, Sophie.

Ele pôs a mão na dela brevemente e levou-a à alavanca de marcha para entrar na villa. Sabia como ela estava abalada. Não manifestara objeção alguma quando ele se enfiara atrás do volante do carro dela para levá-los.

— Se houve adulteração. Se houver uma chance, a mínima chance, de outras garrafas...

— Não se precipite — ele repetiu. Parou o carro e contornou-o até ela. Tomou-lhe então a mão e segurou-a. — Temos de tirar isso a limpo. Cada passo, cada detalhe. Não podemos entrar em pânico. Porque, se houve adulteração, Sophie, era simplesmente o que a pessoa que fez isso queria: pânico, caos, escândalo.

— Eu sei. Escândalo é minha ocupação. Sei lidar com isso. Vou pensar em alguma coisa para virar a publicidade. Mas... meu pai e Margaret, Ty. Se havia alguma coisa aí... — Ela apertou mais a mão dele, quando ele começou a balançar a cabeça. — *Tenho* de pensar. Se havia, ele sabia da adulteração? Quantas vezes por ano ele viajava à Itália? Oito, dez, doze?

— Não entre nessa, Sophia.

— Por quê? Você entrou. Acha que não vejo? Você entrou, outros vão entrar. Não quero acreditar nisso da parte dele. Tenho de aceitar todo o resto, mas não quero acreditar nisso.

— Você está dando um salto grande demais, rápido demais. Diminua a marcha. Fatos, Soph. Vamos começar pelos fatos.

— O fato é que duas pessoas estão mortas. — Como viu que a sua mão começava a tremer, puxou-a da dele e saiu do carro. — Margaret assumiu a maioria das contas e responsabilidades de meu pai. Se havia ou não um relacionamento pessoal entre eles, isso é uma ligação.

— Tudo bem. — Ele queria oferecer-lhe alguma coisa, mas parecia que ela só queria lógica fria. — Primeiro a gente cuida do vinho — disse, quando subiram os degraus. — Depois dos efeitos residuais.

A família encontrava-se no salão da frente, David em pé junto à janela, falando ao telefone. Sentada, reta como um soldado, Tereza tomava café. Acenou com a cabeça quando Ty e Sophia entraram, e apenas indicou as cadeiras.

— James está a caminho. — Eli andava de um lado para outro defronte à lareira. A tensão parecia pesar-lhe e fazer seu rosto perder a firmeza. — David está falando com a Itália agora, dando início ao controle de danos.

— Me deixe pegar café pra vocês — ofereceu-se Pilar.

— Mama. Sentada.

— Eu preciso fazer alguma coisa.

— Mama. — Sophia levantou-se e foi até o carrinho de café, para ficar ao lado da mãe. — Papai e Margaret?

— Eu não sei. — Pilar segurava firmemente o bule, embora por dentro tremesse. — Simplesmente não sei. Achava... Eu tinha a impressão de que Rene trazia Tony com rédea curta.

— Não o bastante. — Sophia manteve a voz calma. — Ele estava envolvido com uma mulher no meu escritório.

— Oh. — Pilar deixou escapar, em forma de suspiro. — Quem dera que eu pudesse dizer a você, Sophie. Mas simplesmente não sei. Sinto muito.

— Entenda o seguinte. — Sophia virou-se para a avó. Esperou. — Se havia alguma coisa entre Tony Avano e Margaret Bowers, a polícia vai especular que qualquer um de nós, qualquer de nós ligado aos dois, poderia ter participado da morte deles. Somos uma família. Vamos apoiar uns aos outros e nos defender até isso acabar. — Olhou para David quando ele baixou o telefone. — Então?

— Estamos rastreando — ele começou. — Vamos recolher todas as garrafas de Merlot dessa safra. Muito em breve poderemos determinar de que barril foi retirada a garrafa. Partirei pela manhã.

— Não. Eli e eu partiremos pela manhã. — Tereza ergueu a mão e fechou os dedos em volta da mão de Eli quando ele a segurou. — Isso cabe a mim. Deixo que vocês cuidem pra que a operação da Califórnia esteja segura. Que não haja brecha alguma. Você e Tyler precisam assegurar isso.

— Paulie e eu podemos começar com os lagares — sugeriu Tyler. — David pode examinar o engarrafamento.

David assentiu com a cabeça.

— Vamos examinar os arquivos pessoais, um por um. Você conhece as equipes melhor que eu. É mais provável que o problema esteja na Itália, mas nos certificaremos que a Califórnia é segura.

Sophia já pusera o bloco de memorando no colo.

— Vou ter comunicados à imprensa, em inglês e italiano, prontos em uma hora. Vou precisar de todos os detalhes do recolhimento da safra. Queremos uma matéria sobre como é exigente o processo de fabricação de vinho da Giambelli-MacMillan. Como é cuidadoso, como é seguro. Certamente vamos levar alguns golpes na Itália, mas talvez consigamos manter isso abaixo do ponto de crise aqui. Vamos ter de permitir o acesso de equipes de televisão aos vinhedos e lagares tanto aqui como no exterior. *Nonna*, com você e Eli indo para lá, teremos condições de mostrar que a Giambelli é dirigida pela família, e que *La Signora* continua a se interessar em pessoa.

— É dirigida pela família — afirmou Tereza, categórica. — E eu assumo um interesse muito pessoal.

— Eu sei. — Sophia baixou o bloco. — É importante assegurar que a imprensa e o consumidor saibam. Acreditem. Fiquem impressionados. Vamos precisar da Mama nisso... Mama, Ty e eu. Mostraremos as raízes, o envolvimento e a preocupação da família. Cem anos de tradição, excelência *e* responsabilidade. Sei como fazer isso.

— Ela tem razão. — Ninguém se surpreendeu mais que Sophia quando Tyler tomou a palavra. — Na maioria das vezes, não dou a mínima pra publicidade nem percepção, e por esse motivo — acrescentou — vocês dois me empurraram nisso. Eu preferia, antes, uma praga de gafanhotos em meu vinhedo a repórteres. Continuo não dando a mínima, mas sei um pouco mais a respeito. O suficiente pra saber que Sophia encontrará um meio de reverter a situação para amortecer o pior dos estragos, e na certa encontrar um meio de virar tudo pelo avesso para o bem da empresa. Vai encontrar o caminho, porque se importa mais que qualquer um.

— Concordo. Então, que cada um de nós dê o melhor de si. — Tereza olhou para Eli e alguma coisa passou entre os dois nessa fração de segundo em silêncio. — Mas não fazemos nada mais até nos reunirmos com James Moore. Não é apenas a reputação da empresa que precisa ser protegida, mas a própria empresa. Sophia, redija seu comunicado. David vai ajudar com os detalhes. Depois deixaremos os advogados darem uma olhada. E em tudo o mais.

*F*OI UM GOLPE NO ORGULHO. ISSO, PENSAVA TEREZA, PARADA diante da janela de seu escritório, era o mais difícil de aceitar. O que era seu fora violado, ameaçado. O trabalho de toda a vida denegrido por uma garrafa de vinho adulterada.

Agora, em tantos aspectos, ela tinha de confiar em outros para salvar seu legado.

— Vamos cuidar disso, Tereza.

— Sim. — Ela ergueu a mão para cobrir a que Eli lhe pusera no ombro. — Eu me lembro de quando era menina e meu pai caminhava comigo entre as fileiras de vinhas na volta pra casa. Ele me dizia que não bastava plantar. O que era plantado precisava ser zelado, protegido, amado e disciplinado. As vinhas eram os filhos dele. Tornaram-se os meus.

— Você os criou bem.

— E paguei o preço. Fui menos mulher do homem com quem casei há tanto tempo do que poderia ter sido, menos mãe para a filha que dei à luz. Não só a responsabilidade me foi legada, mas também a ambição, Eli. Tanta ambição. — Ainda vivia nela, e ela não a lamentava. — Teria havido mais filhos se eu não desejasse com tanto desespero que minhas vinhas fossem férteis? Teria feito minha filha as escolhas que fez, se eu tivesse sido mais mãe dela?

— Tudo acontece como tem de acontecer.

— Fala o escocês prático. Nós, italianos, tendemos a acreditar mais no acaso. E na vingança.

— O que aconteceu não é vingança, Tereza. Foi um terrível acidente ou um ato criminoso. Você não é responsável por nenhum dos dois.

— Assumi a responsabilidade no dia em que recebi a Giambelli. — Ela correu os olhos pelas vinhas, a adormecida promessa. — Não sou responsável por ter forçado a união de Sophia e Tyler? Pensando na empresa, jamais imaginei o que poderia acontecer entre eles em outro nível.

— Tereza. — Ele virou-a para olhá-lo. — Uma nova ordem pra que trabalhassem juntos não os influenciou nem faz de você o gatilho que derrubou essas duas pessoas jovens e saudáveis no chão do escritório.

Ela suspirou.

— Não, mas prova que não levei em conta a saúde deles. Estamos passando nossa herança para as mãos deles. Eu esperava que brigassem. Nós dois esperávamos. Mas o sexo pode tornar as pessoas inimigas. E isso eu não previ. Deus do céu, isso me faz sentir velha.

— Tereza. — Ele colou os lábios na testa dela. — Nós *somos* velhos.

Disse isso para fazê-la rir, e ela o satisfez.

— Ora, não nos tornamos inimigos. Podemos esperar que os dois tenham puxado alguma coisa de nós.

— Eu amo você, Tereza.

— Eu sei. Mas não me casei com você por amor, Eli.

— Eu sei, minha querida.

— Pelos negócios — ela disse, recuando. — Uma fusão. Uma sábia jogada empresarial. Eu respeitava, gostava muito de você e apreciava a sua companhia. Em vez de ser punida por essa maquinação, fui recompensada. Eu amo muito você. Espero que saiba disso, também.

— Eu sei. Vamos superar essa adversidade, Tereza.

— Eu não preciso de você ao meu lado. Mas quero você aqui. Quero muito. Acho que isso fala mais alto. Significa mais.

Ele tomou a mão que ela lhe estendeu.

— Vamos descer. James deve chegar logo.

* * *

JAMES EXAMINOU POR ALTO O COMUNICADO À IMPRENSA DE Sophia e assentiu com a cabeça.

— Bom. — Retirou os óculos de leitura. — Claro, calmo, com um toque pessoal. Eu não mudaria nada, do ponto de vista legal.

— Então eu vou subir, finalizar o texto, alertar as tropas e mandar publicar.

— Leve Linc com você. Ele é um bom serviçal em geral.

Ele esperou os dois saírem da sala.

— Tereza, Eli, vou trocar idéias com seus advogados na Itália. A essa altura, vocês estão lidando com o problema rápida e decisivamente. Isso deve reduzir quaisquer ações legais em potencial contra a empresa. É possível que surjam processos judiciais aqui. Vocês precisam estar preparados. Vou arrancar o que puder da polícia. A não ser que se comprove que a substância química estava no vinho antes de ser aberto, vocês não têm nada com que se preocupar além da publicidade prejudicial. Se a Giambelli for considerada responsável por negligência, vamos cuidar disso.

— Negligência não é minha preocupação, James. Se o vinho foi adulterado antes de ser aberto, não foi negligência, mas assassinato.

— No momento, isso é especulação. Pelas perguntas que a polícia fez a vocês, e a você, Tyler, também está especulando. Não sabem quando acrescentaram a digitalina. Do ponto de vista legal, isso deixa a Giambelli um passo muito vital atrás do problema.

— O problema — disse Tyler — é a morte de uma mulher.

— Esse é um problema pra polícia. E, embora você talvez não goste, meu conselho é que não responda a mais perguntas deles sem a presença de um advogado. Estabelecer uma acusação é trabalho deles. Ajudá-los não é o seu.

— Eu a conhecia.

— É, certo. E ela tinha preparado um jantar aconchegante e romântico pra dois na noite em que morreu. Um jantar ao qual você não compareceu. Neste momento, a polícia se pergunta simplesmente até onde você a conhecia bem. Deixe que se perguntem. E, enquanto se perguntam, vamos investigar Margaret Bowers. Quem era ela, a quem conhecia e o que queria.

— Uma bagunça dos diabos, hem?

Sophia ergueu os olhos para Linc.

— Tenho a sensação de que vamos ficar varrendo-a por um longo tempo.

— Haja vassoura. Vocês têm papai, logo têm o melhor. E de jeito nenhum mamãe vai ficar de fora. E ainda têm a mim.

Conseguiu dar um sorriso.

— Uma tripla ameaça.

— Certíssimo. Moore, Moore e Moore. Quem poderia querer alguma coisa...

— Pare. Vou ter de bater em você. — Ela terminou corrigindo os erros de digitação do comunicado no monitor e enviou-o por fax a P. J. — É melhor que saia do escritório de São Francisco do que daqui. Quero que seja pessoal, mas não que pareça uma ocultação familiar da verdade.

— Eu comecei a fazer estes artigos com informações extras e ganchos jornalísticos. Por que não dá uma olhada, examina o raciocínio legal e vê se cobri minha retaguarda?

— Claro. Eu sempre gostei do seu traseiro.

— Ahá! — Ela levantou-se para deixá-lo ocupar seu lugar à mesa. — Como vai a médica?

— Viajando, no momento. Você precisa arranjar um namorado e se encontrar com a gente uma noite dessas. Podíamos ir a alguns lugares quentes, dar umas risadas. Parece que está precisando dar algumas boas risadas.

— Mais que algumas. Minha vida social não existe hoje em dia, e esse parece ser o padrão no futuro próximo.

— Isso vindo da rainha da festa?

— A rainha da festa perdeu a coroa.

Como ele usava o computador, ela pegou o telefone para checar as coisas com P. J.

— Se quer minha opinião, você precisa de uma pequena folga, Sophie. Está tensa. Já estava — ele acrescentou quando ela lhe lançou um olhar — antes desse último tumulto de merda.

— Eu não tenho tempo pra brincar — ela rebateu. — Não tenho tempo nem pra pensar na próxima ação, nem de respirar, sem temer o que vai saltar na minha cara em seguida. Tenho trabalhado doze horas por dia, no mínimo, há quase três meses. Estou cheia de calos nas mãos, maldição, tive de despedir um dos principais membros da equipe, e não faço sexo há seis malditos meses.

— Pare. Ai. E eu não me refiro aos calos. Eu me ofereceria pra ajudar no último problema, mas é provável que a médica se oponha.

Ela bufou.

— Acho que vou fazer ioga. — Abriu uma gaveta da mesa e retirou um frasco de aspirinas quando P. J. atendeu. — O fax chegou? — Ouviu-o, assentiu com a cabeça e lutou para abrir a tampa do frasco. — Envie então por telegrama o mais rápido possível... Como? Minha nossa, quando? Está bem, está bem. Divulgue logo o comunicado. Faça com que todos os chefes de departamento, todo o pessoal-chave tenha uma cópia. Trata-se da linha da empresa até nova notícia. E me mantenha atualizada. — Desligou e olhou para Linc. — Está na rua. Já vazou.

Capítulo
Dezessete

GIAMBELLI-MACMILLAN, O GIGANTE DA INDÚSTRIA VINI-
CULTORA, SOFREU OUTRA CRISE. CONFIRMOU-SE QUE UMA
GARRAFA DE VINHO ENVENENADA FOI RESPONSÁVEL PELA
MORTE DE MARGARET BOWERS, EXECUTIVA DA EMPRESA.
A POLÍCIA INVESTIGA. EXAMINA-SE A POSSIBILIDADE DE ADUL-
TERAÇÃO DO PRODUTO E A GIAMBELLI-MACMILLAN ESTÁ
RECOLHENDO GARRAFAS DE CASTELLO DI GIAMBELLI
MERLOT, 1992. DESDE A FUSÃO DAS VINÍCOLAS GIAMBELLI-
MACMILLAN EM DEZEMBRO ÚLTIMO...

Perfeito, pensou Jerry ao ver o noticiário da noite. Absolutamente perfeito. Iam sair correndo, claro. Já tinham saído.
Mas o que ouviria o público?

Giambelli. Morte. Vinho.

Garrafas seriam despejadas na pia. Outras ficariam encalhadas
nas prateleiras. A notícia iria atormentar bastante e por muito
tempo. Reduziria os lucros, a curto e longo prazo. Lucros que La
Coeur colheria.

Só isso já era uma grande satisfação. Em termos profissionais e pessoais. Ele nada tinha a ver com o caso — de forma direta. E, quando a polícia capturasse o responsável, o dano à Giambelli simplesmente aumentaria.

Esperaria um pouco. Aguardaria o momento propício. Assistiria ao show. Então, se parecesse vantajoso, poderia haver outro telefonema anônimo.

— A DIGITALINA VEM DA DEDALEIRA.

Maddy sabia. Pesquisara.

— Como?

Distraído, David olhou-a de relance. Tinha uma montanha de trabalho administrativo na sua mesa. Em italiano. Era muito melhor falando a língua que lendo.

— Será que lá eles cultivariam dedaleira perto das vinhas? — perguntou Maddy. — Como cultivam mostarda entre as fileiras aqui? Pelo nitrogênio? Acho que não fariam isso, porque saberiam que a dedaleira contém digitalina. Mas talvez tenham cometido um erro. Poderia infectar as uvas se as plantas fossem cultivadas lá, e se transformaram no solo?

— Eu não sei. Maddy, não é pra você se preocupar.

— Por quê? Você está preocupado.

— É meu trabalho me preocupar.

— Eu podia ajudar.

— Querida, se quer ajudar, poderia me dar um pouco de espaço aqui. Fazer seu dever de casa.

Os lábios dela começaram a despontar em biquinhos. Claro sinal de insulto pessoal, mas David estava distraído demais para notar.

— Eu já fiz.

— Bem, ajude Theo com o dele. Ou qualquer coisa assim.

— Mas se a digitalina...

— Maddy. — Sem saber mais o que fazer, ele falou-lhe de maneira brusca: — Não se trata de uma matéria, nem de um projeto. Mas de um problema real, e tenho de cuidar disso. Vá procurar alguma coisa pra fazer.

— Falou.

Maddy fechou a porta do escritório e deixou o ressentimento arder ao afastar-se pisando forte. Ele nunca queria que ela ajudasse quando era alguma coisa importante.

Faça o dever de casa, converse com Theo, arrume o quarto. Ele sempre recorria a essas atividades nojentas quando ela queria fazer alguma coisa importante.

Apostava que o pai não teria mandado Pilar Giambelli procurar alguma coisa para fazer. E ela não sabia nada de ciência. Música, arte e ser bonita eram só o que ela sabia. Coisas de meninas. Coisas sem importância.

Entrou com arrogância no quarto de Theo. Ele estava refestelado na cama, a música estrondeava, com a guitarra apoiada na barriga e o telefone na orelha. Pelo olhar imbecilizado no rosto do irmão, era uma menina na outra ponta.

Os homens eram tão fracos.

— Papai quer que você faça o dever de casa.

— Fora daqui. — Ele cruzou os tornozelos. — Não. Não é nada. Só minha irmã idiota.

O telefone bateu com força em sua mandíbula quando Maddy se lançou para cima dele. Em segundos, Theo enfrentava o choque da dor, os gritos estridentes no ouvido, e os socos e pontapés da irmã furiosa.

— Ai! Espere! Porra, Maddy. Eu ligo de volta. — Ele conseguiu desligar o telefone e, na hora H, proteger a genitália de uma joelhada. — Que diabo deu em você? — Após um longo e suado minuto, conseguiu virá-la, ela não lutava como menina, mas mesmo assim ele a superava em peso e imobilizou-a. — Corta essa, cadelinha. Qual é o seu problema?

— Eu não sou *nada*!

Ela cuspiu-lhe e fez uma corajosa tentativa com o joelho de novo.

— Não, é apenas uma pirada esquizóide. — Ele lambeu o canto da boca, xingou, ao sentir o gosto inconfundível. — Estou sangrando. Quando contar ao papai...

— Não pode contar nada. Ele não escuta ninguém além dela.

— Ela quem?

— Você sabe quem. Saia de cima de mim, seu babaca grande e balofo. Você é tão ruim quanto ele, fazendo ruídos pegajosos pra alguma garota e não escutando ninguém.

— Eu só estava conversando — ele retrucou com grande dignidade, para rebater a crítica de pegajoso. — E se você me atingir de novo, eu vou revidar. Mesmo que papai me arrase. Agora, qual o seu problema?

— Eu não tenho problema. O problema são os homens desta casa se fazendo de bundões por causa das mulheres da villa. É nojento. Constrangedor.

Vendo-a, Theo limpou o sangue da boca. Tinha uma vida de fantasia muito criativa no que se referia a Sophia. E a irmãzinha não ia estragá-la. Sacudiu a juba de cabelos encaracolados.

— Você só está com ciúmes.

— Não estou.

— Claro que está. Porque é magricela e tem o peito chato.

— Prefiro ter cérebro a seios.

— Que bom! Não sei se o motivo desse ataque de raiva é o fato de papai estar se relacionando com Pilar. Ele já se relacionou com outras mulheres antes.

— Você é tão imbecil! — Todo resíduo de aversão acumulou-se na voz dela. — Ele não está se relacionando com ela, cara de pinto. Está apaixonado por ela.

— Sem essa. Que é que você sabe? — Mas Theo sentiu um estranho pulinho no estômago ao pegar um saco de batata frita na cômoda. — Cara.

— Vai mudar tudo. É assim que funciona. — Embora sentisse uma terrível pressão no peito, ela levantou-se. — Nada nunca mais vai ser o mesmo, e isso vai ser uma droga.

— Nada era o mesmo. Pelo menos desde que mamãe se mandou.

— Ficou *melhor*.

As lágrimas queriam escapar, mas, em vez de deixá-las cair na frente dele, ela precipitou-se quarto afora.

— É — resmungou Theo. — Mas não ficou a mesma coisa.

Sophia esperava que o vento frio e límpido soprasse algumas das nuvens de sua mente. Tinha de pensar, e pensar com clareza. Vinha-se virando o mais rápido possível, mas o noticiário causara algum estrago. Com demasiada freqüência, a primeira impressão era tudo que as pessoas lembravam.

Agora sua tarefa era mudar essa impressão. Mostrar ao público que, embora a Giambelli houvesse sido sabotada, a empresa nada fizera para prejudicar os consumidores. Isso exigia mais que palavras, sabia, mais até que merchandising e expedição. Exigia ação tangível.

Se os avós já não tivessem arrumado as malas para ir à Itália, ela os teria exortado a fazê-lo. Ficar visíveis na origem do problema. Não recair na segurança do "sem comentários", mas comentar muitas vezes e em termos específicos. Usar repetidas vezes o nome da empresa, pensou, fazendo anotações mentais. Torná-la pessoal, fazer a empresa respirar.

Mas... tinham de contornar cuidadosamente Margaret Bowers. Simpatia, claro, mas não tanta que sugerisse responsabilidade.

Para fazer isso, para ajudá-los a fazê-lo, Sophia tinha de parar de pensar em Margaret como pessoa.

Se era frieza, ela seria fria. E cuidar da consciência depois.

Parou na borda do vinhedo. Era protegido, pensou, contra pragas, doença, caprichos do tempo. Lutava-se contra qualquer ameaça de invasão e dano. Essa não era diferente. Ela travaria a guerra e em seus próprios termos. Não se arrependeria de ato algum que a vencesse.

Captou um movimento nas sombras.

— Quem está aí?

Pensou logo em um invasor, sabotador. Assassino. Atacou sem hesitação e viu os braços cheios de uma menina a debater-se.

— Larga! Eu posso vir aqui. Tenho permissão.

— Desculpe, me desculpe. — Sophia recuou. — Você me assustou.

Não parecera assustada, pensou Maddy. Mas assustadora.

— Não estou fazendo nada de errado.

— Eu não disse que estava. Disse que me assustou. Acho que estamos todos um pouco nervosos no momento. Escute... — Ela captou o brilho das lágrimas nas faces da menina. Como não gostava de ter seus próprios ataques de choro em evidência, deu a Maddy a mesma consideração. — Eu só saí pra clarear a mente. Coisas demais agora.

Deu uma olhada na casa atrás.

— Meu pai está trabalhando.

Na declaração desprendeu suficiente defesa para fazer Sophia especular:

— Há muita pressão sobre ele no momento. Sobre todo mundo. Meus avós partem para a Itália bem cedo de manhã. Eu me preocupo com eles. Não são mais jovens.

Após a rejeição do pai, a tranqüila confiança de Sophia acalmava. Ainda cautelosa, Maddy emparelhou o passo com o dela.

— Eles não agem como velhos. Não do tipo decrépito ou coisa assim.

— É, não agem, não é? Apesar disso, eu gostaria de ir no lugar deles, mas precisam de mim aqui no momento.

Os lábios de Maddy tremeram quando ela olhou para a casa de hóspedes. Ninguém, parecia, precisava dela. Em lugar nenhum.

— Pelo menos você tem alguma coisa pra fazer.

— É. Se eu pudesse simplesmente entender o que fazer em seguida. Tanta coisa acontecendo.

Lançou um olhar de esguelha a Maddy. A menina estava magoada e emburrada com alguma coisa. Sophia lembrava muito bem o que era ter catorze anos, ficar magoada e emburrada.

A vida nessa idade era cheia de urgência e momentos intensos, pensou, que faziam as crises profissionais parecerem recortes de jornal.

— Acho que, em algum nível, estamos no mesmo barco. Minha mãe — disse, quando Maddy continuou calada. — Seu pai. É meio esquisito.

Maddy deu de ombros e curvou-os.

— Eu preciso ir.

— Tudo bem, mas eu gostaria de dizer uma coisa a você. De mulher pra mulher, de filha pra filha, como quiser. Minha mãe passou muito tempo sem ninguém, sem um homem bom, que gostasse dela. Não sei o que isso tem sido pra você, nem pra seu irmão ou seu pai. Mas pra mim, depois da estranheza, é legal ver que minha mãe tem um bom homem que a faz feliz. Espero que você dê uma chance a ela.

— Não importa o que faço. Ou penso. Ou digo.

Infelicidade rebelde, pensou Sophia. Sim, também se lembrava disso.

— Importa sim. Quando alguém nos ama, o que pensamos e fazemos importa. — Ouviu adiante o barulho de passos apressados. — Ao que parece, alguém ama você.

— Maddy! — Ofegante, David levantou a filha do chão. Conseguiu abraçá-la e sacudi-la ao mesmo tempo. — Que está fazendo? Não pode sair vagando por aí assim depois que escurece.

— Só dei uma caminhada.

— E me custou um ano de vida. Quer brigar com seu irmão, fique à vontade, mas não pode sair novamente de casa sem permissão. Está claro?

— Sim, senhor. — Embora satisfeita em segredo, ela fez uma careta. — Pensei que você nem ia notar.

— Pense melhor.

Ele enganchou o braço no pescoço da filha, um hábito descontraído de afeição que Sophia já notara. E invejava. Seu pai nunca a tocara assim.

— Em parte é minha culpa — disse Sophia. — Eu mantive Maddy aqui por mais tempo do que devia. Ela é uma ouvinte fantástica. Minha mente divagava pra todos os lados.

— Devia dar um descanso a ela. Vai precisar de todos os circuitos ligados e funcionando amanhã. Sua mãe está livre?

Ele não notou como Maddy se enrijeceu, mas Sophia, sim.

— Imagino que sim. Por quê?

— Estou tateando em relatórios e memorandos, em italiano. A coisa iria mais rápida com alguém que lesse melhor que eu.

— Eu digo a ela. — Sophia olhava então para Maddy. — Ela vai querer ajudar.

— Agradeço. Agora vou arrastar pra casa e espancar esta mala durante algum tempo. Até a reunião. Oito horas.

— Estarei pronta. Boa-noite, Maddy.

Viu-os atravessar os campos em direção à casa de hóspedes, as sombras dos dois próximas o bastante para se fundirem numa única ao luar.

Difícil culpar a menina por querer manter isso assim. Difícil abrir espaço para mudanças. Para pessoas, quando sua vida parecia simplesmente ótima como era.

Mas as mudanças aconteciam. Era mais inteligente fazer parte delas. Melhor ainda, decidiu, iniciá-las.

*T*YLER DEIXOU O RÁDIO E A TV DESLIGADOS. IGNOROU O telefone. A única coisa que podia controlar era a própria reação à imprensa, e a melhor maneira de controlá-la era ignorá-la totalmente. Pelo menos por algumas horas.

Avançava mergulhado em seus arquivos, nos diários das atividades ocorridas, cada registro que tinha disponível. Podia e iria garantir que a área MacMillan da empresa se mantivesse segura.

O que não parecia controlar eram suas próprias perguntas sobre Margaret. Acidente, suicídio ou assassinato? Nenhuma das opções o atraía. Ela não fazia o tipo, e com uma certeza infernal Tyler não tinha o ego grandioso o suficiente para sugerir que ela se matara porque ele faltara a um encontro para jantar.

Talvez estivesse interessada nele, e talvez ele tivesse ignorado os sinais porque não se sentia da mesma forma. E não quisera as complicações. A vida já era muito complicada sem o enredamento de negócios com relacionamentos pessoais.

Além disso, ela simplesmente não era seu tipo.

Ele não buscava a profissional em rápida ascensão, com atitude e objetivos a atingir. Esse tipo de mulher simplesmente consumia energia demais.

Veja Sophia.

Nossa, começava a achar que iria explodir se não visse Sophia. E não era essa a questão?, lembrou a si mesmo ao lançar-se mais uma vez, agitado, escada abaixo para o térreo. Pensar nela assim confundia a mente, retesava o corpo e complicava uma já complexa associação comercial.

Agora mais do que nunca era essencial manter a mente no trabalho. A crise atual ia esgotar o seu tempo e a energia dos vinhedos onde ele menos podia permitir-se. Vários barris de vinho estavam no ponto de ficar prontos para o engarrafamento. A gradagem da terra já começara.

Não tinha tempo para preocupar-se com investigações policiais nem processos judiciais em potencial. Nem com mulher. E de todos eles, vinha achando a mulher o mais difícil de afastar da mente.

Porque ela invadira seu organismo, pensou. E fincara-se ali, irritando-o, até ele tirá-la mais uma vez de lá. Então por que simplesmente não marchava até a villa, irrompia nos degraus do terraço dela acima e resolvia o problema? E terminava com isso.

Sabia exatamente até onde isso era patético e egoísta como racionalização. E decidiu que não dava a mínima.

Pegou um paletó, dirigiu-se à porta da frente e abriu-a.

E lá estava ela, subindo os degraus da casa dele.

— Eu não gosto de machões irritáveis — disse ao bater a porta atrás de si.

— Eu não gosto de mulheres mandonas agressivas.

Os dois mergulharam um no outro. Quando começaram o ataque mútuo com a boca, ela se ergueu e enroscou as pernas em volta dos quadris dele.

— Eu quero uma cama desta vez. — Com a respiração já despedaçada, ela arrancou a camisa dele. — Tentaremos o chão depois.

— Eu quero você nua. — Ele mordiscou a garganta dela e começou a subir cambaleando as escadas. — Não me importa onde.

— Nossa, que gosto incrível você tem! — Ela percorria o rosto e o pescoço dele com os lábios. — É tão básico. — Parou com um arquejo quando sentiu as costas baterem na parede, no topo da escada, e fechou os dedos nos cabelos dele. — É só sexo, certo?

— É, certo, seja o que for. — Ele esmagou a boca na dela. Usando a parede para apoiá-la, começou a puxar seu suéter pela cabeça. — Deus do céu! Você é tão bem-feita. — Jogou o suéter para o lado e levou a boca à macia protuberância do seio que despontava acima do sutiã. — Não vamos conseguir chegar à cama.

O coração dela martelava quando ele usou os dentes.

— Tudo bem. Na próxima vez.

Ela tocou os pés no chão. Pelo menos achou que sim. Era difícil saber onde e com quem estava, quando a fonte quente de avidez irrompeu por dentro. Mãos puxavam roupas; alguma coisa se rasgou. Bocas corriam quentes pela carne. Tudo se turvava. Acima da furiosa batida do sangue, ela ouvia os próprios gemidos, súplicas, exigências, uma espécie de cântico louco que se fundia com o dele.

Já estava molhada e dolorida quando ele a encontrou com os dedos. A violenta glória do orgasmo varou-a de cima a baixo, dourada libertação fundida, tão forte, tão bem-vinda, que ela poderia ter se derretido desconjuntada até o chão.

— Ãhã. Não, não escorregue. — Ele apertou-lhe as costas mais uma vez na parede e, cavalgando a emoção, continuou a penetrá-la. — Quero você gritando. Se levante de novo.

Ela não pôde deter-se. Acolhendo o ardor, desejando-o, deixou-o possuí-la, esvaziá-la, até deixá-la com a mente inundada de escuridão e animalidade.

E, inundada, ela rasgou-o, açoitou-o além da razão. Viu os olhos dele ficarem opacos e soube que o cegava. Ouviu sua respiração suspender-se e rasgar-se, e emocionou-a poder enfraquecê-lo.

— Agora. — Mais uma vez, apoiou as mãos nos cabelos dele e estremeceu ao pousar no tênue limite seguinte. — Agora, agora, agora.

Quando ele mergulhou nela, ela gozou de novo. Brutalmente. Enterrou as unhas na descida suada de seus ombros e golpeou os quadris. Rápidos como raios. Com a boca fundida na dela, ele engoliu os pequenos e cobiçosos ruídos que ela emitia. Alimentou-se deles ao erguê-la para dar mais. Tomar mais.

O prazer o fez adernar de cima a baixo, deixando-o exausto, estupefato.

Conseguiu apoiar-se nela quando os dois deslizaram para o chão.

Esparramada em cima dele, o coração ainda disparado, Sophia desatou a rir.

— *Dio. Grazie a Dio.* Decantada, afinal. Nenhum refinamento de fato, mas um excelente corpo e um surpreendente poder de permanência.

— Vamos trabalhar no refinamento quando eu não estiver pronto pra uivar pra lua.

— Não estava me queixando. — Para provar-lhe isso, ela roçou os lábios de leve pelo seu tórax. — Eu me sinto fabulosa. Pelo menos acho que sim.

— Eu posso confirmar. Você é incrível. — Ele soprou com força. — Estou exaurido.

— Então somos dois. — Ela ergueu a cabeça e examinou o rosto dele. — Liquidado?

— Dificilmente.

— Oh, que bom, porque eu também não. — Ela deslocou-se e montou nele. — Ty?

— Humm.

Ele já lhe acariciava o torso com as mãos. Era tão macia, pensou. Macia, sombria e exótica.

— A gente na certa precisa estabelecer diretrizes.

— É.

Ela tinha uma bela pintinha na curva do lábio esquerdo. Um tipo de pontuação sexual.

— Quer entrar nisso agora?

— Não.

— Que bom! Eu também não. — Ela apoiou as mãos em cada lado da cabeça dele e curvou-se. Correu os lábios pelos cantos de sua boca, fingindo pequenos goles. — Cama? — sussurrou.

Ele virou-se e abraçou-a.

— Na próxima vez.

EM ALGUM MOMENTO POR VOLTA DA MEIA-NOITE, ELA SE VIU deitada de bruços na cama dele. Os lençóis estavam amarfanhados, quentes, e seu corpo, prostrado.

Mesmo após uma secura sexual tão longa, achava difícil acreditar que o corpo humano pudesse recarregar-se tantas vezes e com tão intensa força.

— Água — disse com a voz rouca, agora temendo que, se não satisfizesse um desejo, a sede a mataria. — Preciso de água. Darei qualquer coisa a você, favores sexuais enlouquecidos, se me der apenas uma garrafa d'água.

— Você já pagou os favores sexuais enlouquecidos.

— Ah, certo. — Ela tateou e bateu às cegas no ombro dele. — Seja amigo, MacMillan.

— Tudo bem, mas onde estamos?

— Na cama. — Ela suspirou em arquejos. — Acabamos conseguindo.

— Certo. Volto já.

Ele levantou-se cambaleando e, como estava deitado atravessado na cama, calculou mal a direção e bateu em cheio numa cadeira.

Ouvindo os xingamentos resmungados, Sophia riu sob o lençol. Nossa, ele era muito fofo. Divertido. Mais esperto do que lhe dera crédito. E incrível na cama. No chão. Encostado na parede. Não se lembrava de homem algum que a atraísse em tantos níveis. Sobretudo quando se levava em consideração que era um tipo que tinha de ser mantido sob a mira de uma arma, se a gente quisesse que usasse terno e gravata.

Era por isso, imaginou, que ele sempre ficava tão sexy neles. O homem das cavernas temporariamente civilizado.

Perdida no momento nesse pensamento, ela ganiu quando ele encostou a água gelada em seu ombro nu.

— Rá, rá! — resmungou, mas se sentiu grata o bastante para rolar de costas, sentar-se e emborcar metade do copo.

— Ei. Achei que ia dividir.

— Eu não falei nada sobre dividir.

— Então eu quero mais favores sexuais.

— Você não poderia. — Ela riu.

— Sabe como eu gosto de provar que está errada.

Ela suspirou quando ele subiu a mão pela sua coxa.

— É verdade. — Mesmo assim, entregou-lhe o resto da água. — Talvez ainda me restem alguns favores sexuais. Mas também preciso ir pra casa. Tenho uma reunião cedo amanhã.

Ele esvaziou o copo e largou-o de lado.

— Não vamos pensar nisso agora. — Passou o braço em volta da cintura dela e rolou-a na cama até colocá-la por baixo. — Me deixe dizer exatamente o que tenho em mente.

* * *

*F*AZIA UM LONGUÍSSIMO TEMPO, PENSOU SOPHIA, DESDE que ela entrara de mansinho em casa às duas da manhã. Mas era uma daquelas habilidades, como andar de bicicleta ou, bem, sexo, que retornava sempre à pessoa. Diminuiu os faróis altos antes de baterem nas janelas da villa e reduziu a marcha devagar e delicadamente ao contornar a curva e entrar na garagem.

Esgueirou-se para a fria noite e ficou ali apenas um momento sob o brilhante círculo de estrelas. Sentia-se tremendamente cansada, deliciosamente usada, e viva.

Tyler MacMillan, decidiu, era um homem cheio de surpresas, de compartimentos secretos e energia maravilhosa, maravilhosa. Aprendera muito sobre ele nos últimos meses. Aspectos e ângulos que não se dera ao trabalho de explorar. E aguardava, ansiosa, continuar essa exploração.

Mas por enquanto era melhor entrar e dormir um pouco, ou estaria inútil no dia seguinte.

Estranho, pensou, contornando em silêncio os fundos, ela quisera ficar com ele. Dormir com ele. Toda enroscada junto àquele corpo comprido e quente. Protegida, aconchegada e segura.

Treinara-se ao longo dos anos para desligar-se emocionalmente após o sexo. À maneira masculina, gostava de pensar. Dormir e acordar na mesma cama depois de finda a diversão e os jogos poderia ser complicado. Íntimo. Evitá-lo, certificar-se de que ela não precisava disso e não deixar que as coisas ficassem enroladas.

Mas tivera de ordenar-se para sair da cama de Ty. Como estava cansada, tranqüilizou-se. Porque fora um dia difícil. Ele na verdade não era nada diferente de qualquer outro com quem ela já estivera.

Talvez gostasse mais dele, pensou manobrando-se entre os arbustos. E sentia-se mais atraída por ele do que esperara. Isso não o tornava diferente. Apenas... novo. Após algum tempo, o verniz embaciaria a brilhante excitação, e assim seria.

Assim, ela pensou, sempre assim.

Se a gente procurasse o amor de toda a vida estava fadada a decepcionar o outro, ou a si mesma. Era melhor, muito melhor, aproveitar o momento, espremê-lo até secar de depois seguir em frente.

Como pensar arrefecia-lhe o estado de espírito, ela bloqueou as perguntas. E ao contornar a última curva nos jardins deu de cara com a mãe.

As duas se encararam, a respiração de surpresa soprada por cada uma congelando-se em nuvenzinhas.

— Humm. Bela noite — comentou Sophia.

— É. Muito. Eu acabei de, ah... David... — Sem graça, Pilar fez um vago gesto em direção à casa de hóspede. — Ele precisou de ajuda com umas traduções.

— Eu entendo. — Uma risadinha louca tentava escapulir da garganta de Sophia. — É assim que a sua geração chama? — Escapou um engasgozinho. — Se vamos continuar seguindo às escondidas pelo resto do caminho, sejamos rápidas. Poderíamos nos congelar aqui tentando inventar desculpas razoáveis.

— Eu *estava* traduzindo. — Pilar apressou-se rumo à porta e atrapalhou-se com a maçaneta. — Tinha um monte de...

— Oh, Mama. — A risada venceu. Sophia colocou a mão na barriga e tropeçou ao entrar. — Pare de se explicar.

— Eu só estava... — Atrapalhada, Pilar ajeitou os cabelos. Tinha uma ótima idéia de sua aparência... desordenada e acalorada. Como uma mulher que acabara de deslizar para fora da cama. Ou, neste caso, do sofá da sala de estar. Tomar a ofensiva parecia o curso mais seguro. — Você ficou fora até tarde.

— É. Eu estava traduzindo. Com Ty.

— Com... Oh. Oh.

— Estou morrendo de fome, e você? — Divertindo-se, Sophia abriu a geladeira. — Não cheguei a jantar. — Falou descontraída, com a cabeça enfiada na geladeira. — Você tem algum problema comigo e Ty?

— Não... sim. Não. — Pilar gaguejava. — Eu não sei. Decididamente não sei como devo lidar com isso.

— Vamos comer uma torta.

— Torta.

Sophia retirou o que sobrara de uma torta de maçã numa forma funda.

— Você está maravilhosa, Mama.

Pilar ajeitou de novo os cabelos.

— Eu não poderia.

— Maravilhosa. — Sophia largou a forma na bancada e pegou pratos. — Eu tive alguns impactos emocionais sobre você e David. Não estava habituada a ver você como... a ver você, imagino. Mas quando topei com você entrando escondida em casa no meio da noite, com uma aparência maravilhosa, só posso ver você.

— Eu não tenho de entrar escondida em minha própria casa.

— Oh. — Brandindo uma espátula, Sophia perguntou: — Então por que entrou?

— Eu só... Vamos comer a torta.

— Boa pedida. — Sophia cortou duas fatias grandes e sorriu quando a mãe lhe afagou os cabelos. Curvou-se e, por um momento, as duas ficaram em silêncio na luz clara da cozinha. — Foi um dia longo e abominável. É bom que termine bem.

— É. Embora você tenha me dado um susto dos diabos lá fora.

— Eu? Imagine minha surpresa, revivendo meus anos de adolescente, e depois topando com minha mãe.

— Revivendo? Verdade?

Sophia levou os pratos para a mesa da cozinha, enquanto Pilar pegava os garfos.

— Oh, bem, por que dar importância ao passado? — Com um sorriso malicioso, Sophia lambeu o polegar sujo de torta. — David é muito atraente.

— Sophie.

— Muito atraente. Ombros magníficos, aquele rosto com encanto de menino, inteligente. Um senhor pacote que você embolsou, Mama.

— Ele não é um troféu. E com certeza espero que você não pense em Ty como um

— Ele tem um traseiro fantástico.

— Eu sei.

— Quis dizer Ty.

— Eu sei — repetiu Pilar. — Que é que há? Sou cega? — Bufando de modo nada feminino, ela se sentou numa cadeira. — Isso é ridículo, grosseiro e...

— Divertido — concluiu Sophia, e sentou-se para pegar um pedaço de torta. — A gente partilha um interesse por moda, e mais recentemente pela empresa. Por que não poderíamos partilhar um interesse por... *Nonna.*

— Bem, claro que partilhamos um interesse por... — Pilar largou o garfo com um estrondo quando seguiu a direção do olhar pasmo de Sophia. — Mama. Que faz acordada?

— Acha que não sei quando pessoas entram e saem da minha casa? — De algum modo elegante num roupão de algodão felpudo, grosso, e chinelos, Tereza entrou na cozinha. — Como, sem vinho?

— A gente só estava... com fome — conseguiu dizer Sophia.

— Ah! Não surpreende. Sexo é uma atividade laboriosa quando feito direito. Também estou faminta.

Sophia levou a mão à boca, mas era tarde demais. A gargalhada irrompeu.

— Vá, Eli.

Tereza apenas pegou o último pedaço de torta enquanto a filha fitava o prato, os ombros tremendo.

— Vamos tomar vinho. Creio que a ocasião pede. Acho que esta é com certeza a primeira vez em que todas as três gerações de mulheres Giambelli se sentaram juntas na cozinha após fazer amor. Você não precisa ficar tão aturdida, Pilar. Sexo é uma função natural, afinal. E, como você escolheu um parceiro digno desta vez, vamos tomar vinho. — Ela escolheu uma garrafa de Sauvignon Blanc da adega da cozinha e desarrolhou-a. — São tempos difíceis. Houve outros, e outros haverá. — Serviu três taças. — É essencial que vivamos enquanto os atravessamos. Eu aprovo David Cutter, se minha aprovação conta.

— Obrigada. Claro que conta.

Sophia mordia o lábio para ocultar um sorriso quando Tereza se virou para ela.

— Se magoar Tyler, vou ficar zangada e decepcionada com você. Eu o amo muito.

— Ora, gosto disso. — Satisfeita, Sophia largou o garfo. — Por que eu faria?

— Lembre-se do que eu disse. Amanhã, vamos lutar pelo que somos, pelo que temos. — Ela ergueu a taça. — Esta noite comemoraremos isso. *Salute.*

Capítulo
Dezoito

E ra uma guerra, feita em várias frentes. Sophia travava as batalhas nas ondas aéreas, na imprensa e no telefone. Passava horas atualizando comunicados à imprensa, dando entrevistas e tranqüilizando contas.

E todo dia recomeçava tudo de novo, repelindo rumores, insinuações e especulações. Até a crise passar, seu tempo nos vinhedos terminara. Esse era o campo de batalha de Tyler.

Preocupava-se com os avós, que tomavam a dianteira na linha italiana. Todo dia, chegavam relatórios. O recolhimento vinha sendo implementado. E logo, garrafa por garrafa, o vinho seria analisado.

Ela não podia pensar no custo, a curto ou longo prazo. Deixou isso nas mãos de David.

Quando precisava recuar do alarde exagerado e da deturpação dos fatos, ficava na janela do escritório e via os homens com rastelos aplainando a terra. Seria um ano de safra excepcional, prometeu a si mesma.

Saltou à campainha seguinte do telefone e enterrou a necessidade muito real de ignorá-la.

— Sophia Giambelli.

Dez minutos depois, desligou e liberou a raiva reprimida com uma odiosa torrente de palavrões em italiano.

— Isso ajuda? — perguntou Pilar, parada junto à entrada.

— Não muito. — Sophia apertou os dedos nas têmporas e perguntou-se que maneira era melhor para lidar com esse novo estágio de combate. — Que bom que está aqui! Pode entrar e sentar por um minuto?

— Quinze, na verdade. Acabei de terminar outra visita guiada. — Pilar instalou-se numa poltrona. — Eles têm vindo em bandos. A maioria agora motivada pela curiosidade. Alguns repórteres, embora se reduzam a um filete desde sua coletiva de imprensa.

— É provável que mais uma vez aumentem. Acabei de falar ao telefone com um produtor do *Larry Mann Show*.

— Larry Mann. — Pilar enrugou o nariz. — Lixo televisivo, na pior das hipóteses. Você não vai dar nada a eles.

— Eles já conseguiram alguma coisa. Rene. — Sem condições de sentar-se imóvel, Sophia afastou-se da mesa. — Ela vai gravar um programa amanhã revelando segredos de família, supostamente contando a verdadeira história da morte de papai. Fomos convidadas a participar. Querem você ou a mim, ou as duas, no programa, para darmos a nossa versão.

— Não vai funcionar, Sophie. Por mais satisfatório que poderia ser desmascará-la em público, esse não é o caminho. Nem o fórum.

— Por que acha que eu estava xingando? — Ela pegou o peso de papel em forma de sapo e passou-o nervosamente de uma mão para a outra. — Vamos nos concentrar no principal e ignorá-la. Mas, Deus, como eu gostaria de me engalfinhar na lama com aquela cadela. Ela tem dado entrevistas a torto e a direito, e é muito boa nelas pra causar considerável estrago. Já falei com tia Helen e tio James para processá-la.

— Não faça isso.

— Não se pode deixar que ela use a família pra difamar. — Sophia olhou com expressão de raiva para o sapo. A cara tolamente alegre do animal em geral animava seu humor. — Não posso me rebaixar e me sujar com ela, o que é uma lamentável pena. Mas posso bater nela legalmente.

— Me escute primeiro — disse Pilar, curvando-se. — Não estou sendo mole. Nem manipulada. Tomar uma medida legal, pelo menos agora, quando temos tantas outras batalhas para travar, apenas dá alguma credibilidade a ela e ao que anda dizendo. Sei que seus instintos são de briga, e os meus, em geral, de recuo, mas talvez agora não façamos nenhuma das duas coisas. Ficaremos simplesmente no lugar que nos compete.

— Pensei nisso. Pensei nisso dos dois ângulos. Mas, quando se chega a isso, a gente combate fogo com fogo.

— Nem sempre, querida. Às vezes a gente só abafa. Vamos simplesmente abafar com bom vinho Giambelli.

Sophia inalava e exalava devagar quando tornou a sentar-se. Largou mais uma vez o peso de papel e girou-o de um lado para o outro enquanto pensava. Atrás, o fax emitia sinais e gemia, mas ela o ignorou, analisando os ângulos.

— É uma boa. — Assentindo com a cabeça, tornou a olhar para a mãe. — Muito boa. Extinguir as chamas com uma boa inundação. Vamos dar uma festa. Baile de primavera, black-tie. Quanto tempo você precisa pra organizar tudo?

Para seu crédito, Pilar apenas piscou os olhos.

— Três semanas.

— Ótimo. Elabore a lista de convidados. Assim que enviarmos os convites, vou plantar algumas notas com repórteres. Rene opta por lixo, nós optaremos pela elegância.

—*U*MA FESTA? — TYLER ELEVOU A VOZ ACIMA DO RUÍDO DO rastelo. — Já ouviu falar de Nero e sua rabeca?

— Roma não está em chamas. É o que quero dizer. — Impaciente, Sophia arrastou-o para mais longe do trabalho. — A Giambelli leva as responsabilidades a sério e tem cooperado com as autoridades aqui e na Itália. *Merda!* — xingou quando o celular tocou. — Espere. — Puxou-o do bolso. — Sophia Giambelli. *Sì. Va bene.*

Com um sinal meio ausente a Ty, ela se afastou alguns passos.

Ele ficou ali, viu o movimento e a transmissão do que eram, sem a menor dúvida, ordens em italiano.

Em volta, avançava a gradação da terra lavrada com os rastelos de madeira dentados. O ruidoso e sistemático revolvimento da terra e a colheita superficial. O calor levava as vinhas a germinarem, embora a brisa que descia das montanhas, causando arrepios, prometesse uma noite de calafrios.

No meio de tudo, no centro do ciclo eterno, estava Sophia. O dínamo com o futuro nas pontas dos dedos.

O centro, ele tornou a pensar. Talvez sempre fosse estar ali.

Ela percorreu mais uma vez a fileira de um lado ao outro, elevando a voz, uma espécie de fascinante música estrangeira.

Ele não se deu ao trabalho de amaldiçoar, nem sequer de perguntar o quanto sentira aquela última pinicada aberta dentro de si.

Já esperava por isso.

Era louco por ela, admitiu. Perdido de amor. Cruzara a linha. E mais cedo ou mais tarde teria de decidir o que fazer a respeito.

Ela tornou a enfiar o telefone no bolso e soprou as franjas.

— A sucursal de publicidade italiana — disse. — Alguns empecilhos que precisavam ser liberados. Desculpe pela interrupção. Agora, onde... — Ela deixou a voz morrer ao encará-lo. — Do que você está rindo? — quis saber.

— Estou? Talvez porque não seja tão difícil olhar pra você, mesmo em velocidade acelerada.

— Acelerada é a única velocidade que funciona nesse momento. De qualquer modo, a festa. Precisamos fazer uma declaração e continuar com os planos para o centenário. O primeiro baile de gala em pleno verão. Vamos tornar esta congregação mais íntima, a fim de mostrar unidade, responsabilidade e confiança.

Ela começou a eliminar pontos com os dedos.

— O recolhimento foi iniciado voluntariamente, e com um gasto considerável, antes de tornar-se um problema legal. *La Signora* e MacMillan viajaram em pessoa à Itália pra oferecer qualquer assistência à investigação. Porém — continuou —, e precisamos chegar logo ao porém, a Giambelli está confiante em que o problema se acha sob controle. A família, e é isto que temos de enfatizar, permanece generosa, hospitaleira e envolvida com a comunidade. Mostramos nosso refinamento, enquanto Rene se espoja na lama.

— Refinamento. — Ele examinou as vinhas. Lembrou a si mesmo de inspecionar, mais uma vez, os irrigadores de aspersão acima, caso fossem necessários para proteção contra a geada durante a noite. — Se é pra sermos refinados, por que tenho de dar uma de idiota com uma equipe de TV e caminhar na lama por aí?

— Para ilustrar a dedicação e o trabalho duro que entram em cada garrafa de vinho produzida. Não fique mal-humorado, MacMillan. Os últimos dias têm sido terríveis.

— Eu ficaria menos mal-humorado se os forasteiros não atrapalhassem.

— Isso me inclui?

Ele desviou a atenção das vinhas e olhou o belo rosto dela.

— Não parece.

— Então por que não entrou de mansinho pelas portas do meu terraço à noite?

Ele torceu os lábios.

— Pensei nisso.

— Pense mais. — Quando se curvou, e ele recuou, ela perguntou: — Que foi? Arranjou uma dor de cabeça?

— Não, uma platéia. E logo anunciariam que durmo com minha cooperadora.

— Dormir comigo nada tem a ver com os negócios. — A voz dela congelou-se vários graus, simplesmente o tipo de golpe que acarretava danos. — Mas se você se envergonha disso...

Ela deu de ombros, voltou-se e se afastou.

Ele teve de cuidar primeiro da ferroada, e depois da inata relutância a cenas em público. Emparelhou-se com ela em cinco passadas largas e agarrou-lhe o braço.

— Eu não me envergonho de nada. Só porque gosto de manter minha vida pessoal... — O amuado safanão que ela deu para trás o irritou o suficiente para cerrar o aperto e enroscar os dedos no outro braço. — Já tem muito mexerico aqui em volta, sem a gente dar motivo. Se eu não me concentrar no trabalho, não posso esperar que meus homens se concentrem. Ah, que vá tudo pro inferno!

Ele ergueu-a nas pontas dos pés e colou a boca com força na dela.

Desprendeu-se uma emoção, ela pensou, daquele rápido açoite de força e irritação.

— Foi bom? — ele perguntou e colocou-a de chofre mais uma vez no chão.

— Quase. — Ela correu as mãos pelo peito dele acima e sentiu-o tremer. Uma emoção, pensou, saber que, embora superada fisicamente, ainda tinha força. Levou os lábios aos dele, provocando-o até ele agarrar pelas costas um punhado de seu suéter, até, com os próprios músculos frouxos, entrelaçar possessivamente as mãos no pescoço dele.

— Isto — murmurou Sophia — foi simplesmente ótimo.

— Deixe as portas do seu terraço abertas.

— Têm ficado sempre.

— Preciso voltar ao trabalho.

— Eu também. — Mas ficaram onde estavam, as bocas separadas por um hálito. Alguma coisa acontecia no íntimo dela. Um estremecimento, mas não aquele lascivo tremor na barriga. Esse era em volta do coração, e mais dor que prazer. Fascinada, ela começou a render-se. E o telefone no bolso mais uma vez se pôs a tocar. — Bem — ela disse, um pouco instável quando se soltou. — Segundo round. Até mais tarde.

Ela pegou o telefone ao se afastar apressada. Pensaria nele depois. Aliás, pensaria em muitas coisas depois.

— Sophia Giambelli. *Nonna*, que bom que me ligou! Tentei encontrar você antes, mas...

Interrompeu-se, alertada pelo tom da avó. Parou de andar e ficou na borda do vinhedo. Apesar do banho de luz solar, sentiu um calafrio percorrer sua pele.

Já voltava correndo quando desligou.

— Ty!

Alarmado, ele girou para trás e pegou-a na corrida.

— Que foi? Que aconteceu?

— Eles encontraram mais. Mais duas garrafas adulteradas.

— Maldição. Bem, a gente esperava. Sabia que tinha de ser adulteração.

— E tem mais. Podia ser pior. *Nonna*... ela e Eli... — Precisou parar e organizar as idéias. — Existia um velho que trabalhava pro avô da *Nonna*. Começou no vinhedo quando era apenas um menino. E se aposentou, oficialmente, há pouco mais de um ano. Morreu no fim deste ano. Tinha o coração ruim.

Ele já a acompanhava, já sentia a apreensão.

— Continue.

— A neta dele, a que o encontrou, disse que ele estava bebendo o nosso Merlot. Ela foi procurar minha avó depois que divulgaram a notícia do recolhimento. Mandaram exumar o corpo.

— O NOME DELE ERA BERNARDO BAPTISTA. SOPHIA TINHA todos os detalhes em notas digitadas com esmero, mas não precisava. Gravara na cabeça cada palavra. — Ele tinha setenta e três anos. Morreu em dezembro, aparentemente de um ataque cardíaco e várias taças de Castello di Giambelli Merlot 1992.

Como Margaret Bowers, pensou David, fechando a carranca.

— Você disse que Baptista teve um ataque cardíaco.

— Ele tinha tido alguns problemas cardíacos menores e sofria de uma prolongada congestão nasal na época da morte. O frio acrescenta outra camada. Baptista era famoso pelo nariz. Trabalhara com vinho durante mais de sessenta anos. Mas, como estava doente, era improvável que houvesse detectado algum problema. A neta jura que ele não tinha aberto a garrafa antes daquela noite. Viu a garrafa naquela tarde, quando foi visitar o avô. Ele a guardava, e alguns outros presentes da empresa, em exibição. Tinha muito orgulho de sua ligação com a Giambelli.

— O vinho foi um presente.

— Segundo a neta, sim.

— De quem?

— Ela não sabe. Deram uma festa pra ele, pela aposentadoria, e isso é costumeiro, a Giambelli presenteia um empregado com festas de despedida. Já conferi, e essa garrafa específica não constava da lista de presentes. Ele foi presenteado com um Cabernet, um branco e um champanhe. Rótulo de primeira. Mas não é incomum permitir que um empregado escolha outra seleção ou receba vinho de outros membros da empresa.

— Em quanto tempo saberão se o vinho causou a morte dele? — perguntou Pilar, que se transferiu para a mesa onde se sentava Sophia e acariciou o ombro da filha.

— É uma questão de dias.

— Fazemos o que podemos pra rastrear a origem do vinho. Vou sugerir a *La Signora* e a Eli que contratemos um detetive particular.

— Vou trabalhar numa declaração. É melhor que anunciemos as novas descobertas e a participação da Giambelli no recolhimento e na análise. Não quero ter de correr mais uma vez atrás do comunicado à imprensa.

— Me diga o que posso fazer pra ajudar — pediu-lhe Pilar.

— Terminar aquela lista de convidados.

— Querida, não é possível que você queira dar uma festa agora.

— Ao contrário. — A preocupação, a tristeza por um velho que ela lembrava com afeto endureceu-se em determinação. — Vamos simplesmente torcer a história. Já realizamos um baile de gala aqui para uma instituição beneficente. Fizemos antes, e muito mais por boas causas. Quero que todos se lembrem disso. Mil dólares por pessoa. Toda a comida, o vinho e o entretenimento doados pela Giambelli-MacMillan, com os lucros indo para os desabrigados.

Ela fazia anotações ao falar, já rascunhando convites, comunicados à imprensa e respostas na cabeça.

— Nossa família quer ajudar a sua para que fique protegida e segura. Um monte de pessoas deve a *La Signora* mais que mil dólares por uma refeição sofisticada. Se precisarem que as lembremos disso, eu cuidarei para que se lembrem.

Ela inclinou a cabeça, à espera da reação de David.

— Você é a especialista aqui — ele disse, após um momento. — É uma corda bamba a percorrer, mas, em minha opinião, tem um equilíbrio superior.

— Obrigada. Enquanto isso, temos de fingir um frio desinteresse pela mídia que Rene vem gerando. Vai ter efeito colateral adverso disso, e será pessoal. O que é pessoal para a Giambelli irá, claro, repercutir nos negócios.

Pilar DESLIZOU PARA UMA DISCRETA CADEIRA A UMA MESA tranqüila no bar do restaurante Four Seasons. Tinha certeza de que, se houvesse mencionado suas intenções a alguém, teriam lhe dito que cometia um erro.

Na certa cometia.

Mas se tratava de uma coisa que precisava fazer, e devia ter feito muito tempo atrás. Pediu uma água mineral e preparou-se para esperar. Não tinha a menor dúvida de que Rene se atrasaria. Como não tinha a menor dúvida de que ela compareceria ao encontro. Não conseguiria resistir a fazer uma abertura nem a ter um confronto com uma inimiga que encarava como mais fraca.

Pilar tomava sua água e permanecia sentada, paciente. Tinha muita experiência em esperas.

Rene não a decepcionou. Entrou com toda pose. Era, imaginou Pilar, dessas mulheres que gostavam de entrar desfilando num ambiente e arrastando peles, embora o tempo estivesse quente demais para isso.

Tinha uma ótima aparência — em boa forma, descansada, luminosa. Com demasiada freqüência no passado, admitiu Pilar, examinara essa mulher estonteante e *mais jovem*, e sentira-se inadequada em comparação.

Uma reação natural, imaginou. Mas não deixava de ser tola e inútil.

Era fácil ver por que Tony se sentira atraído. Mais fácil ainda entender por que fora fisgado. Rene não era nenhuma Barbie desmiolada, mas uma mulher fria e calculista, que teria sabido exatamente como obter o que queria e conservá-lo.

— Pilar.

— Rene. Obrigada por se encontrar comigo.

— Oh, como poderia resistir? — Ela largou a pele e sentou-se na cadeira. — Você parece um pouco tensa. Coquetel de champanhe — disse à garçonete, sem erguer os olhos.

O estômago de Pilar não se apertou como teria antes.

— Você, não. Passou algumas semanas na Europa no início do ano. Deve ter feito muito bem a você.

— Tony e eu tínhamos planejado uma viagem demorada. Ele não ia me querer sentada em casa, remoendo. — Sentou-se enviesada e cruzou as longas e sedosas pernas. — Essa sempre foi sua função.

— Rene, eu nunca fui a outra, nem você. Eu já estava fora do quadro muito antes de você e Tony se conhecerem.

— Você nunca esteve fora do quadro. Você e sua família alijaram Tony, e você cuidou para que ele jamais tivesse o que merecia na Giambelli. Agora que morreu, você vai me pagar o que devia ter pago a ele. — Ela pegou o drinque assim que foi servido. — Achou que eu ia deixar você arrastar o nome dele, e o meu por associação, na lama?

— Estranho, eu ia lhe perguntar a mesma coisa. — Pilar cruzou as mãos na mesa. Um pequeno e elegante gesto que lhe deu um momento para recompor-se. — Fosse o que ele fosse, Rene, ele era pai da minha filha. Jamais quis ver seu nome manchado. Quero, mais do que posso dizer, saber quem o matou e por quê.

— Foi você, de um ou outro modo. Desligando-o da empresa. Tony não ia se encontrar com outra mulher naquela noite. Não teria ousado. E eu bastava para ele, como você nunca bastou.

Pilar pensou em falar de Kris, mas sabia que não valia o esforço.

— Não, eu nunca bastei para ele. Não sei com quem ia se encontrar naquela noite, nem por quê, mas...

— Eu lhe digo o que acho — interrompeu Rene. — Ele tinha alguma coisa contra vocês, você, sua família. E vocês mandaram matar meu marido. Talvez até tenham usado aquela tolinha da Margaret para fazer isso, e é por isso que ela agora está morta.

O desgaste substituiu a pena.

— Que ridículo, mesmo para você. Se for esse o tipo de coisa que anda dizendo aos repórteres, que pretende dizer na televisão, você está se expondo a uma séria ação legal.

— Por favor. — Rene tomou mais um gole. — Acha que não consultei um advogado para saber o que posso dizer ou não? Vocês cuidaram para que Tony fosse demitido, e que eu saísse com quase nada. Pretendo pegar o que eu mereço.

— É mesmo? E, já que somos tão insensíveis e cruéis, não tem medo de retaliação?

Rene olhou em direção a uma mesa próxima, onde se sentavam dois homens bebendo água.

— Guarda-costas. Vinte e quatro horas por dia. Nem se dê ao trabalho de me ameaçar.

— Você criou um verdadeiro mundo de fantasia, e parece estar gostando. Sinto muito por você e Tony, sinceramente, pois eram perfeitos um para o outro. Vim aqui para lhe pedir que fosse razoável, mostrasse alguma decência à minha família e pensasse na filha de Tony antes de falar com a imprensa. Mas é uma perda de tempo para nós duas. Achei que talvez você amasse Tony, mas foi tolice de minha parte. Então, tentemos o seguinte: — Ela curvou-se, surpreendendo Rene com um repentino e gélido brilho nos olhos. —

Faça o que quiser, diga o que quiser. No fim, só vai parecer ridícula. E, embora seja mesquinho de minha parte, eu vou adorar. Mais, acho, do que você quando disser ou fizer. Continuar sendo a estridente esposa-troféu, Rene, combina com você — acrescentou Pilar, enfiando a mão na bolsa para pegar dinheiro. — Assim como esses brincos espalhafatosos combinam com você, muito mais que comigo, quando Tony me deu em nosso quinto aniversário de casamento.

Ela jogou uma nota de vinte dólares na mesa na frente dela.

— Eu consideraria isto um pagamento completo, e qualquer outra coisa minha que ele pegou sem permissão ao longo dos anos. Você nunca mais vai ter nada de mim, nem da Giambelli.

Ela não se levantou com arrogância. Deixaria o drama para Rene. Em vez disso, caminhou sem pressa e sentiu-se bem. Assim como se sentiu bem largando outra nota na mesa onde montavam vigília os guarda-costas de Rene.

— Esta rodada é por minha conta — disse a eles e saiu rindo.

— ENCENEI UM SHOW MUITO BOM. — FUMEGANDO ENTÃO, Pilar andava de um lado para outro no tapete Aubusson da sala de estar de Helen Moore. — E, por Deus, acho que saí por cima. Mas fiquei tão furiosa. Essa mulher está atirando agressivamente contra minha família e usando meus malditos brincos enquanto aponta a arma.

— Você tem a documentação da jóia, a apólice do seguro e tudo o mais. Podíamos abrir um processo.

— Eu odiava aqueles brincos patéticos. — Pilar deu de ombros, mal-humorada. — Tony me deu como uma oferta de paz após uma de suas aventuras. Também tenho a nota, claro. Dane-se, é difícil engolir o número de vezes que banquei a idiota.

— Então cuspa tudo. Tem certeza de que não quer uma bebida?

— Não, vou dirigir, e já devia ter voltado. — Pilar expeliu uma rajada de ar com força e aspirou outra. — Preciso desabafar primeiro, senão talvez dê vazão à raiva na estrada e acabe na cadeia.

— Que bom que você tem uma amiga na magistratura! Escute. Acho que fez exatamente o certo ao enfrentar e repreender aquela mulher. Muitas pessoas discordariam, mas não conhecem você como eu. — Helen serviu-se de dois dedos de vodca com gelo. — Você tinha coisas a dizer, e esperou tempo demais.

— Isso não vai mudar nada.

— Com ela? Talvez, talvez não. — Helen se sentou e se espreguiçou. — Mas a questão é que mudou alguma coisa para você. Você assumiu o comando. Pessoalmente, eu pagaria um bom dinheiro para ver minha amiga passar um sermão nela. Ela vai continuar a usar aquela linguagem bombástica no desprezível programa de entrevistas, e é muito provável que acabe espancada por vários membros da platéia, que vão se sentir injuriados com aquele duas-peças de grife e dez quilos de jóias. Esposas — continuou — que têm sido enganadas e deixaram a bolsa para mulheres como ela. Nossa, Pilar, vão rasgar a mulher em trapos antes de terminarem, e pode apostar que Larry Mann e seus produtores contam exatamente com isso.

Pilar parou de andar de um lado para outro.

— Isso nunca me passou pela cabeça.

— Querida, Rene Foxx é apenas uma das várias comédias-pastelão de Deus. Ela lhe deu na cara, mas e daí? É hora de acabar com ela.

— Tem razão. Eu me preocupo com a família, com Sophie. Embora se trate de imprensa sensacionalista, é a imprensa, e vai mortificar minha filha. Quisera eu saber como fechar a matraca dessa mulher.

— Você pode conseguir um mandado de interdição temporária. Sou juíza, conheço essas coisas — disse Helen, secamente. — Mover um processo judicial... calúnia, difamação. E poderia ganhar. Na certa ganharia. Mas, como sua advogada e amiga, meu conselho é que a deixe cavar a própria sepultura. Vai cavar, mais cedo ou mais tarde.

— Quanto mais cedo, melhor. Estamos numa terrível encrenca, Helen.

— Eu sei. Sinto muito.

— Se ela fizer insinuações de que podemos ter providenciado a morte de Tony, que Margaret estava envolvida... A polícia já nos interrogou sobre um relacionamento entre Margaret e Tony. Isso me preocupa.

— Margaret foi uma vítima malfadada da loucura de algum maníaco. Adulteração de produto não tem sequer um alvo, por isso é loucura. O caso de Tony foi deliberado. Um nada tem a ver com o outro, e você não devia começar a ligar os dois na sua cabeça.

— A imprensa está ligando os dois.

— A imprensa ligaria um macaco a um elefante se isso aumentasse os índices de audiência e vendesse jornais.

— Tem razão nisso também. Sabe, Helen, acima da raiva e abaixo do receio que senti quando falei com Rene, tive uma clara compreensão da situação. Eu a enfrentei naquele momento porque era necessário, porque era importante, porque eu precisava tomar uma posição.

Tomando o drinque, Helen assentiu com a cabeça.

— E?

— E isso me fez compreender que eu nunca, nem sequer uma vez, a enfrentei, nem a nenhuma das outras, as incontáveis outras mulheres que entravam e saíam da vida de Tony. Porque ele deixou de ser importante. Eu não tinha posição nenhuma a tomar. É uma constatação muito triste — disse, em voz baixa. — E nem tudo foi culpa dele. Não, não foi — continuou, antes que Helen pudesse ir além de rogar uma praga. — São necessárias duas pessoas para formar um casamento, e eu nunca o estimulei a ser uma das duas no nosso.

— Ele começou a lascar a sua auto-estima desde o início.

— É verdade. — Pilar estendeu a mão e pegou o copo de Helen para tomar um pequeno e ausente gole. — Mas muito do que aconteceu, e não aconteceu entre nós, se deve tanto a mim quanto a ele.

Não estou revendo o passado com arrependimento, mas revendo, Helen, porque nunca, nunca mais vou cometer esses erros de novo.

— Muito bem, ótimo. — Helen pegou de volta a vodca e brindou. — À nova Pilar Giambelli. Como você está trilhando um novo caminho, sente-se aqui e me conte tudo sobre sua nova vida sexual, agora que tem uma.

Com um gemido baixo de prazer, Pilar estendeu os braços para o teto.

— Já que pergunta... Estou tendo um incrível, excitante e ilícito caso com um homem mais jovem.

— Eu detesto você.

— Vai me abominar quando eu disser que ele tem um corpo maravilhoso, rijo e incansável.

— Cadela.

Rindo, ela desabou no braço do sofá.

— Eu não tinha a menor idéia, verdade, de como uma mulher pode passar toda a vida sem saber como é ser amassada sob um corpo assim. Tony era magro e meio delicado.

— Não é lá uma boa medida de comparação.

— E eu não sei? — Ela se retraiu. — Oh, isso é terrível. Doentio.

— Não, é maravilhoso. James tem... um corpo confortável. Gostoso urso velho — disse Helen, com afeto. — Mas você não se incomoda se eu curtir algumas emoções através de sua aventura sexual?

— Claro que não. Pra que servem as amigas?

Sophia estava pronta para uma pequena aventura sexual própria. Sabia Deus como precisava. Matara-se de trabalho, quase até à exaustão, e depois se preocupara além do limite.

Uma nadada após encerrar o expediente do dia ajudara, e depois uma volta no remoinho de água para relaxar os músculos tensos desse trabalho e preocupação. Acrescentara mais uma fase à terapia aquática com um longo e suntuoso banho cheio de óleo e sais perfumados.

Acendera velas em todo o aposento, perfumadas, de capim-limão, baunilha e jasmim. À mutável luz delas, optou por uma camisola de seda preta com corpete rendado e alças finas. Para que ser sutil?

Escolhera o vinho da adega particular. Um Chardonnay jovem e espumante. Pôs num balde de gelo para mantê-lo frio, enroscou-se numa poltrona para esperar Ty. E apagou num sono profundo.

*T*Y SENTIU-SE ESTRANHO ENTRANDO ÀS ESCONDIDAS NUMA casa onde sempre fora bem-vindo. Estranho e excitante.

Durante sua vida tivera momentos intermitentes, em que se imaginara esgueirando-se pelo quarto de Sophia no escuro. Diabo, que homem não teria?

Mas fazê-lo de fato, saber que ela o estaria esperando, era muito melhor que qualquer fantasia à meia-noite.

Sabia que, quando abrisse aquelas portas, cairiam um nos braços do outro como animais.

Já sentia o gosto dela.

Via a luz da vela refletida no vidro. Exótica, sensual. Embora a volta na maçaneta com a mão mal desse um estalo, soou-lhe na cabeça como uma trombeta.

Preparou-se para ela, fechando a porta atrás. Então a viu, enroscada numa bola de fadiga na poltrona.

— Ah, que chato, Sophie! Veja só você.

Ele atravessou o quarto em silêncio, agachou-se e fez o que raras vezes tinha oportunidade de fazer. Examinou-a sem ela o saber.

Pele suave com toques de rosa e dourado. Pestanas espessas, pretas, e os lábios cheios, sensuais, moldados à perfeição para receber a boca de um homem.

— Você é uma obra de arte. E está exausta, não é?

Ele olhou o quarto em volta, notando o vinho, as velas, a cama já desfeita e cheia de travesseiros.

— A idéia simplesmente vai ter de valer esta noite. Vamos, meu bem — sussurrou, deslizando os braços por baixo dela. — Vou pôr você na cama.

Ela se mexeu, mudou de posição e aconchegou-se. Ele decidiu que devia haver uma medalha para o homem que deitasse uma mulher bonita, cheirosa e gostosa como aquela e não se enfiasse na cama ardendo de desejos em seguida.

— Humm. Ty.

— Boa idéia. Pronto — ele disse, deitando-a. — Volte a dormir.

Ela piscou e abriu os olhos quando ele puxou o edredom.

— Que foi? Aonde você vai?

— A uma longa e solitária caminhada na noite fria e escura. — Rindo agora da situação dos dois, ele curvou-se e roçou um casto beijo na testa dela. — Seguida por um banho de chuveiro frio porém indispensável.

— Por quê? — Ela tomou-lhe a mão e encostou-a na face. — Está gostoso e quente aqui.

— Querida, você está derrotada. Aceito o convite pra outro dia.

— Não vá. Por favor, não quero que você vá.

— Eu voltarei. — Ele curvou-se mais uma vez, com a intenção de dar-lhe um beijo de boa-noite. Mas sentiu os lábios dela macios e com gosto de indolente convite. Afundou neles e nela quando ela lhe estendeu os braços.

— Não vá — ela repetiu. — Faça amor comigo. Será como um sonho.

Foi como um sonho. Perfumes, sombras e suspiros. Lento e suave do jeito que nenhum dos dois esperara, que nenhum dos dois teria pedido. Ele deslizou na cama com ela, flutuou com ela na leve carícia de suas mãos, na delicada elevação de seu corpo.

E a doçura desse amor ondulou por ele como luz de estrelas.

Ao tornar a encontrar a boca macia, ele encontrou tudo que sempre quisera.

A respiração dela se intensificou quando as sensações começaram a sobrepor-se. As mãos dele, grossas do trabalho, amaciavam-se como veludo sobre a pele dela. O corpo rijo cobriu como seda o dela. E com a boca firme ele a sorvia com infindável e devastadora paciência.

Sem selvageria nem cobiça então. Sem lampejos de urgência. Esta noite era para saborear e acalmar. Oferecer e acolher.

A primeira onda foi como se ver suspensa nas nuvens.

Ela gemeu embaixo dele, um longo e baixo gemido ao curvar o corpo fluidamente para o dele. Satisfação e rendição. Deslizou os dedos pelos seus cabelos, viu os matizes variarem na luz e na sombra. Ele fazia isso, ela pensou, perdendo-se nele. Virava-se e revirava-se. Tinha tantas facetas.

E ali, delicadamente, mostrava-lhe ainda outra. Ela curvou os dedos, puxando-o para baixo até suas bocas se encontrarem e ela poder responder.

No escuro, ele via o brilho da luz das velas nos olhos dela, poeira dourada respingada em lagos profundos. O ar emanava um doce perfume. Ela o olhava, e ele a ela, quando a penetrou.

— Isto é diferente — ele disse, tocando a boca na dela ao vê-la balançar a cabeça. — Ontem eu queria você. Esta noite eu preciso de você.

A visão dela turvou-se com lágrimas. Os lábios tremeram com palavras que não sabia dizer. E então ela ficou tão plena dele que conseguiu apenas soluçar seu nome e entregar-se.

Capítulo
Dezenove

Que tinha em comum um vinicultor de setenta e três anos da Itália com uma executiva de vendas de trinta e seis anos da Califórnia? A Giambelli, pensou David. Era o único elo que encontrava entre os dois.

A não ser pela maneira como haviam morrido.

Os exames no corpo exumado de Bernardo Baptista confirmaram que ele ingerira uma perigosa dose de digitalina, junto com o vinho Merlot. Não se podia interpretar isso como uma coincidência. A polícia nos dois lados do Atlântico chamava-o de homicídio e o vinho Giambelli, de arma assassina.

Mas por quê? Que motivo ligava Margaret Bowers a Baptista?

Deixou os filhos enfiados nas camas e, após inspecionar os vinhedos da Giambelli, dirigiu o carro para os da MacMillan. Como a temperatura caíra, ele e Paulie haviam ligado os irrigadores de aspersão, haviam percorrido as fileiras, enquanto a água cobria as vinhas e a fina película de gelo formava um escudo protetor contra a ameaçadora e intensa geada. Sabia que Paulie manteria vigília durante a noite toda, certificando-se de que houvesse um constante

e firme fluxo d'água. As previsões das temperaturas de antes do amanhecer eram de que iriam pairar próximas à crítica marca de quase
menos dois graus centígrados.

Num instante, as vinhas poderiam ser destruídas com tanta eficiência e brutalidade quanto as pessoas.

Isso, pelo menos, ele sabia controlar. Entendia a brutalidade da
natureza e a combatia. Como podia uma pessoa racional entender
um assassinato a sangue-frio e aparentemente aleatório?

Via a fina e suave névoa de água rodopiando sobre as vinhas
MacMillan, as gotículas brilhando ao caírem à fria luz do luar.
Enfiou as luvas, pegou a garrafa térmica com café e saiu do carro
para andar na glacial umidade.

Encontrou Tyler sentado num engradado emborcado, tomando
goles de sua própria garrafa térmica.

— Achei que talvez você estivesse perto. — Num convite, Ty
bateu o bico da bota em outro engradado. — Puxe uma cadeira.

— Cadê seu capataz?

— Eu mandei Paulie pra casa há pouco. Não faz sentido nós
dois perdermos uma noite de sono.

A verdade era que Ty gostava de sentar-se sozinho no vinhedo,
pensando, enquanto os pulverizadores de água sibilavam.

— Estamos fazendo tudo que é possível. — Ty deu de ombros,
correndo os olhos pelas fileiras que se transformavam num mundo
feérico de cintilação sob as luzes. — O sistema está funcionando
suavemente.

David instalou-se e tirou a tampa da garrafa térmica. Como Ty,
usava um gorro de esqui bem enterrado na cabeça e um casaco grosso, que repelia o frio e a umidade. Comentou.

— Paulie assumiu a vigilância na Giambelli. Os alarmes de
geada dispararam pouco depois da meia-noite. Já estávamos preparados para isso.

— Essa é rara para fins de março. É uma das que chegam sorra-
teiras em fins de abril, maio adentro. Tenho tudo sob controle aqui,
se quiser dormir um pouco.

— Ninguém consegue dormir muito ultimamente. Você conheceu Baptista?

— Na verdade, não. Meu avô, sim. É muito duro pra *La Signora*. Não que ela deixe transparecer — disse. — Pelo menos fora da família, e não muito dentro, aliás. Mas foi um grande choque pra ela. Pra todas... as Giambelli.

— Adulteração de produto...

— Não é só isso. É o fim da empresa. É pessoal. Elas foram ao enterro dele. Acho que Sophia o considerava uma espécie de mascote. Disse que ele roubava as balas dela. Coitado do velho.

David curvou-se para a frente, segurando a tampa da garrafa térmica com café entre os joelhos.

— Tenho pensado nisso, tentando encontrar a verdadeira ligação. Na certa é perda de tempo, pois sou um executivo empresarial, não um detetive.

Tyler examinou-o por cima do café.

— Pelo que vi até agora, você não perde muito tempo. E não é tão ruim, pra um executivo.

Com uma semi-risada, David ergueu o próprio café. O vapor elevou-se e fundiu-se com a névoa.

— Vindo de você, é uma porra de um elogio.

— Certíssimo.

— Bem. Pelo que sei, Margaret nem conheceu Baptista. Ele já tinha morrido antes de ela assumir as contas de Avano e começar a viajar pra Itália.

— Não importa se eram vítimas aleatórias.

— Importa se não são.

— É, também tenho pensado nisso.

Tyler levantou-se para esticar as pernas e os dois começaram a percorrer as fileiras juntos.

Em algum lugar ao longo do caminho, percebeu, perdera o ressentimento por David. Melhor assim, pensou. Consumia muita energia guardar rancor. E era um desperdício de energia e tempo valioso, quando os dois estavam no mesmo barco, de qualquer modo.

— Os dois trabalhavam para a Giambelli, os dois conheciam a família. — Tyler fez uma pausa. — Os dois conheciam Avano.

— Ele morreu antes de Margaret abrir a garrafa. Apesar disso, não sabemos há quanto tempo ela a guardava. Avano tinha muitos motivos para querê-la fora do caminho.

— Era um idiota — disse Tyler, categórico. — E um canalha ainda por cima. Mas não consigo ver o cara como assassino. Idéias demais, esforços demais, sem coragem suficiente.

— Alguém gostava dele?

— Sophie. — Tyler deu de ombros e desejou poder mantê-la fora da mente mais de dez minutos seguidos. — Pelo menos, tentava. E, sim, na verdade muitos gostavam, e não apenas mulheres.

Era a primeira vez que ofereciam a David uma imagem franca e sem censura de Anthony Avano.

— Por quê?

— Ele tinha uma boa conversa, dava um bom espetáculo. Eficiente. Eu diria que era escorregadio, simulava eficiência, mas se safava. — Como fazia o próprio pai, Ty conjeturou. — Algumas pessoas simplesmente resvalam pela vida, derrubando consigo os espectadores, você sabe, impunidade. Ele era uma delas.

— *La Signora* manteve Avano na empresa.

— Por Pilar, por Sophia. Pra isso é que serve a família. Na frente profissional, bem, ele sabia como manter as contas satisfeitas.

— É, a conta de despesas dele mostra o quanto investia nesse esforço. Então, com Margaret avançando acima dele, vinha perdendo as oportunidades de beber e comer por conta da Giambelli. Tinha de deixar o cara puto. Com a empresa, a família e ela.

— O estilo dele seria tentar foder e não matar Margaret.

Tyler parou, a respiração fluindo no ar enquanto ele examinava as fileiras, uma após a outra. Esfriara mais agora. Sua medição interna de fazendeiro lhe disse que beirava quase menos dois graus centígrados.

— Eu não sou executivo empresarial, mas imagino que toda essa confusão esteja custando muito à empresa, em lucro e imagem, o que se pode traduzir na mesma coisa. Se alguém queria pôr a família em apuros, encontrou um meio criativo e sórdido de fazer isso.

— Entre o recolhimento, o pânico público imediato e a desconfiança a longo prazo quanto ao rótulo, vão custar milhões. Vai atingir o lucro de cabo a rabo, e isso inclui o que é seu.

— É. — Ele já enfrentara a dura realidade da situação. — Imagino que Sophia é esperta demais e vai abrandar essa desconfiança a longo prazo.

— Ela vai ter de ser mais que esperta. Terá de ser brilhante.

— E é. O que a torna um pé no saco.

— Apaixonado por ela, não está? — David descartou o comentário com a mão. — Desculpe. É pessoal demais.

— Eu gostaria de saber se você perguntou isso como executivo empresarial, associado ou o cara que namora a mãe dela.

— Mais próximo do amigo.

Tyler pensou por um instante e assentiu com a cabeça.

— Tudo bem, funciona pra mim. Acho que se poderia dizer que estou apaixonado por ela a intervalos desde que eu tinha vinte anos. E Sophie, dezesseis — ele lembrou. — Nossa. Ela parecia um raio. E sabia disso, o que me irritava pra burro.

Por um momento, enquanto a água enevoada chiava e se congelava, David ficou calado.

— Tinha uma menina quando eu estava na faculdade. — Sentiu uma agradável surpresa quando Tyler tirou um cantil do bolso e o ofereceu. — Marcella Roux. Francesa. Pernas até as orelhas, e um bocado sensual.

— Um bocado. — Tyler fixou-se na imagem. — Essa é boa.

— Ah, é. — David bebeu e deixou o conhaque golpear-lhe o organismo. — Deus do céu, Marcella Roux. Ela me dava um medo terrível.

— Uma mulher com essa aparência, que *é* assim, só desgasta a gente. — Tyler pegou o cantil e bebeu. — Eu imaginava que, se tivesse de me apaixonar, o que já é uma amolação em si, era melhor me apaixonar por uma mulher perto de quem eu me sentisse à vontade e que não me deixasse nervoso metade do tempo. Trabalhei muito nessa teoria nos últimos dez anos. Não me fez nada bem.

— Eu entendo disso — disse David após um momento. — É, entendo sim. Tive uma mulher e nós tivemos dois filhos, bons meninos, e imaginei que a gente buscava o sonho americano. Bem, isso foi pela descarga abaixo. Mas tive os meninos. Talvez eu tenha cometido alguns erros, mas é parte da tarefa. Meu foco era na meta. Dar a eles uma vida decente, ser um bom pai. As mulheres, bem, ser um bom pai não significa ser um monge. Mas a gente mantém essa área bem embaixo na lista de prioridades. Nada de relacionamentos sérios, nunca mais. Não, senhor, quem é que precisa? Então Pilar abre a porta, e com flores no braço. Há todo tipo de raios.

— Talvez. E fritam o nosso cérebro.

Os dois continuaram percorrendo as fileiras na hora mais fria antes do amanhecer, enquanto os irrigadores de aspersão sibilavam e as vinhas brilhavam prateadas e protegidas.

DUZENTOS E CINQÜENTA CONVIDADOS, UM JANTAR DE SETE pratos, cada um com vinhos apropriados, seguido por um concerto no salão de baile e terminando com dança.

Fora uma proeza a realização bem-sucedida e Sophia deu nota máxima à mãe pela ajuda no aperfeiçoamento de cada detalhe. E uma palavra de louvor a si mesma por cuidadosamente apimentar os convidados com nomes e rostos reconhecíveis de todo o globo.

A ONU, pensou, sentada com toda a aparência de serenidade durante a ária interpretada pela soprano italiana, nada tinha contra as Giambelli.

O quarto de milhão levantado para instituições beneficentes faria não apenas um bom trabalho, era uma excelente relações-públicas. Especificamente boa, pois todos os membros da família haviam comparecido, incluindo seu tio-avô padre, que aceitara fazer a viagem após um telefonema pessoal e insistente da irmã.

Unidade, solidariedade, responsabilidade e tradição. As palavras-chave que ela vinha martelando na mídia. E com as palavras iam as imagens. A graciosa villa abrindo as portas em nome da caridade. A família, quatro gerações, unidas por sangue e vinho, e a visão de um único homem.

Oh, sim, ela também vinha usando Cezare Giambelli, o simples camponês que construíra um império sobre suor e sonhos. Era irresistível. E embora ela não esperasse que isso virasse a maré de adversidade, estancara-a.

A única irritação da noite era Kris Drake.

Dera um cochilo aí, decidiu Sophia. Enviara muito intencionalmente um convite a Jeremy DeMorney. O convite a um punhado de importantes concorrentes ilustrava a abertura da Giambelli, e mais uma vez um senso de comunidade. Não lhe ocorrera que Jerry ia trazer uma ex-funcionária da Giambelli como namorada.

Devia ter ocorrido, lembrou a si mesma. Foi astuto, sorrateiro e maliciosamente divertido da parte dele. E bem dele. Além disso, tinha de dar crédito a Kris pela total cara-de-pau. De metal.

Admitiu que fora vencida nesse round. Mas sentiu que empatara sendo impecavelmente delicada com os dois.

— Você não está prestando atenção. — Tyler deu-lhe uma rápida cotovelada. — Se eu tenho de prestar, você também tem.

Ela inclinou-se um pouco para ele.

— Escuto cada nota. E posso fazer uma anotação mental ao mesmo tempo. Duas partes diferentes do cérebro.

— Seu cérebro tem partes demais. Quanto tempo dura isso?

As puras e sonoras notas palpitavam no ar.

— Ela é magnífica. E quase terminou. Está cantando sobre tragédia, desilusão amorosa.

— Achei que devia ser sobre amor.

— A mesma coisa.

Ele olhou a soprano, viu o brilho da lágrima, da única gota que se derramou daqueles olhos escuros, profundos, e grudou-se nos cílios.

— São sinceras ou para a platéia?

— Você é tão campônio. Calado.

Ela entrelaçou os dedos nos dele, impediu-se de pensar em qualquer coisa para sentir apenas a música nos momentos finais.

Quando a última nota tremulou no silêncio, ela levantou-se, junto com os demais, para os estrondosos aplausos.

— Podemos sair daqui por uns cinco minutos? — sussurrou-lhe Ty no ouvido.

— Pior que camponês, um bárbaro. *Brava!* — ela gritou. — Vá na frente — acrescentou, baixinho. — Preciso fazer o papel de anfitriã. Devia agarrar tio James, que parece tão infeliz quanto você. Vão lá pra fora, tomem uma bebida, acendam um charuto e sejam homens.

— Se você acha que não é preciso ser homem pra ficar sentado aqui, acordado, durante quase uma hora de ópera, meu bem, é melhor pensar duas vezes.

Ela viu-o escapar e avançou, as mãos estendidas para a diva.

— *Signora, bellissima!*

*P*ILAR TAMBÉM CUMPRIU SEU DEVER, EMBORA NÃO TIVESSE A mente cheia de música, matérias e publicidade. Mas atordoada com detalhes e tempo. As cadeiras tinham de ser retiradas, rápida e discretamente, a fim de esvaziar o salão de baile para a dança. As portas do terraço seriam escancaradas no minuto exato e a orquestra ali instalada começaria a tocar. Mas não antes de conceder-se à diva seu momento de adulação. Ela esperou Tereza e Eli presentearem rosas à cantora, e fez sinal a David, Helen e alguns amigos escolhidos a dedo para acrescentarem suas congratulações e louvores.

Quando outros fizeram o mesmo, ela assentiu com a cabeça para os empregados à espera. Depois franziu a testa ao ver a tia Francesca ainda sentada e, obviamente, em sono profundo. Sedada mais uma vez, pensou Pilar, serpeando o caminho por entre os convidados.

— Don. — Ela apertou o braço do primo, com um sorriso de desculpa para o casal com quem ele conversava. — Sua mãe não está bem — disse, em voz baixa. — Poderia me ajudar a levá-la para o quarto?

— Claro. Sinto muito, Pilar — ele continuou, quando os dois se afastaram. — Devia ter ficado mais atento a ela. — Passou os olhos pela multidão, à procura da mulher. — Achei que Gina estivesse com ela.

— Está tudo bem. *Zia* Francesca?

Pilar curvou-se, falou em voz baixa e calma, em italiano, ajudando com Don a tia levantar-se.

— *Ma che vuoi?* — Francesca parecia embriagada ao dar um tapa na mão de Pilar. — *Lasciame in pace.*

— Vamos só levar você pra cama, Mama. — Don deu um aperto mais firme. — Você está cansada.

— *Sì, sì.* — Ela parou de lutar. — *Vorrei del vino.*

— Já tomou muito vinho — disse-lhe Don, mas Pilar abanou a cabeça para ele.

— Eu levo um pouco pra você, assim que estiver no quarto.

— Você é uma boa menina, Pilar. — Dócil como um cordeiro, Francesca saiu arrastando os pés do salão de baile. — De natureza muito mais meiga que Gina. Don devia ter se casado com você.

— Somos primos, *Zia* Francesca — lembrou-lhe Pilar.

— São? Oh, claro. Minha mente está confusa. Viajar é muito estressante.

— Eu sei. Vai se sentir melhor quando puser a camisola e deitar.

Atenta ao tempo, Pilar tocou a campainha e chamou uma empregada tão logo rebocaram Francesca até o quarto. Embora lamentasse, largou o abacaxi com Don e correu de volta para assumir seu lugar no salão de baile.

— Problema? — perguntou Sophia.

— Tia Francesca.

— Ah, isso é sempre divertido. Bem, ter um padre na família deve ajudar a compensar a ocasional embriagada. Estamos prontas?

— Estamos.

Pilar diminuiu as luzes. Ao sinal, abriram-se as portas do terraço e a música entrou ondulando. Quando Tereza e Eli deram início à primeira dança, Sophia passou o braço pela cintura da mãe.

— Perfeito. Trabalho maravilhoso.

— Deus nos abençoe, a cada uma. — Pilar bufou. — Acho que eu preciso de uma bebida.

— Quando acabar, matamos uma garrafa de champanhe por cabeça. No momento — Sophia deu uma cutucada na mãe —, dance.

Parecia confraternização, mas era trabalho. Simular a fachada confiante, responder a perguntas, algumas sutis, outras não, sobre a situação de convidados interessados, inclusive da imprensa. Expressar pesar e indignação, sinceros, transmitindo ao mesmo tempo a mensagem pretendida.

A Giambelli-MacMillan estava viva, bem e fabricando vinho.

— Sophia! Adorável, adorável evento.

— Obrigada, Sra. Elliot. Fiquei muito feliz por vocês terem conseguido vir.

— Não perderíamos. Você sabe que Blake e eu somos muito ativos em favor dos desabrigados. Nosso restaurante contribui generosamente para os abrigos.

E seu restaurante, pensou Sophia, emitindo os ruídos adequados, cancelou o pedido permanente de todos os rótulos Giambelli e MacMillan ao primeiro sinal de problema.

— Talvez em algum momento nossas empresas possam trabalhar juntas num levantamento de fundos. Comida e vinho, afinal, o casamento perfeito.

— Humm. Bem.

— Vocês conhecem minha família desde que eu nasci.

Para criar intimidade, Sophia tomou o braço da mulher e conduziu-a para longe da música.

— Blake e eu temos simplesmente o maior respeito por sua avó e por Eli. Não poderíamos lamentar mais seus recentes transtornos.

— Quando pessoas têm problemas, buscam apoio nos amigos.

— No nível pessoal, vocês têm. Mas negócios são negócios, Sophia. Temos de proteger nossa clientela.

— Como nós. A Giambelli defende o seu produto. Qualquer um de nós, a qualquer momento, pode ser vítima de adulteração e sabotagem. Se nós, e aqueles com quem fazemos negócios, permitir-mos que os criminosos vençam, isso só tornará os outros acessíveis ao mesmo risco.

— Seja como for, Sophia, até nos certificarmos de que o rótulo Giambelli está limpo, não podemos e não vamos servir. Lamento por isso, e me impressiona a maneira como vocês estão lidando com as suas dificuldades. Blake e eu não estaríamos aqui esta noite se não apoiássemos você e a sua família num nível pessoal. Nossos clientes esperam excelente comida, e bem servida, quando vêm a nós, não arriscar-se numa taça de vinho que pode estar envenenada.

— Quatro garrafas em quantos milhares? — perguntou Sophia.

— Uma já é demais. Sinto muito, querida, mas esta é a realida-de. Com licença.

Sophia marchou direto para um garçom, pegou uma taça de tinto e, após girá-la rapidamente para o caso de alguém estar olhan-do, bebeu-o à vontade.

— Você parece meio estressada. — Kris aproximou-se em silên-cio e escolheu uma taça de champanhe. — Deve ser porque tem de trabalhar de verdade pra ganhar a vida.

— Está enganada. — A voz poderia ter congelado o ar entre as duas. — Eu não trabalho pra ganhar a vida, mas por amor.

— Falou como uma princesa. — Satisfeita consigo mesma, Kris tomou o vinho. No que lhe dizia respeito, tinha apenas uma função a cumprir naquela noite: irritar Sophia. — Não é assim que Tony chamava você? A princesa dele.

— É. — Sophia preparou-se para a onda de tristeza, que não veio. Isso, em si, já era um sofrimento. — Ele nunca me entendeu. Parece que nem você.

— Oh, eu entendo você. E sua família. Você está em apuros. Com Tony morto, e você e seu jovem camponês no comando, a empresa perdeu a força. Agora você fica se pavoneando nesses vestidos de baile e pérolas das relíquias de família pra tentar angariar negócios e encobrir os erros. Na verdade, você não é nada diferente do cara da esquina que pede esmola. Pelo menos ele é honesto no que faz.

Com cuidado e deliberação, Sophia largou o vinho e avançou aos poucos. Antes que pudesse falar, Jerry aproximou-se e pôs a mão no braço de Kris.

— Kris. — Desprendia-se advertência do seu tom. — Isso é incorreto. Sophia, eu sinto muito.

— Não preciso que ninguém peça desculpas por mim. — Kris jogou os cabelos para trás. — Não estou no horário da empresa, mas no meu.

— Não me interessam desculpas. De nenhum dos dois. Você é convidada em minha casa e, desde que se comporte como tal, será tratada como convidada. Se me insultar aqui, ou a qualquer um da minha família, mandarei que seja retirada. Assim como retirei você dos meus escritórios. Não se iluda achando que hesitarei em causar uma cena.

Kris franziu os lábios numa espécie de beijo.

— Isso não sairia belamente na imprensa?

— Me desafie — cuspiu de volta Sophia. — Então veremos qual de nós estará melhor amanhã. De qualquer modo, Kris, você já foi demitida da Giambelli, e seu novo patrão talvez não goste, certo, Jerry?

— Sophia! Como você está linda! — Helen passou o braço pelos ombros dela e apertou-os com força. — Vão nos dar licença, não? — Disse isso num tom animado, afastando Sophia. — Dá pra apagar o brilho assassino nos olhos, querida? Você está assustando os convidados.

— Eu gostaria de fritar Kris com eles, e Jerry junto.

— Não valem isso, doçura.

— Eu sei, eu sei. Ela não teria me irritado se eu já não estivesse fumegando por causa de Anne Elliot.

— Vamos só dar um passeiozinho até o banheiro enquanto você se acalma. Lembre-se de que apresentou um espetáculo deslumbrante. Causou uma grande impressão.

— Pequena demais, pra coisas demais.

— Sophie, você está tremendo.

— Estou apenas furiosa. Só furiosa. — Ela se conteve enquanto desciam para o andar da família. — E assustada — admitiu, ao entrar num banheiro com Helen. — Tia Helen, eu despejei dinheiro neste evento. Dinheiro, em vista da situação, com o qual devia ter sido mais cuidadosa. Os Elliot não cederam. Depois Kris mergulha como um corvo sentindo carne fresca.

— Ela é apenas mais um dos refugos de Tony, e indigna de sua energia ou tempo.

— Ela sabe meu jeito de pensar. — Como não havia espaço para gastar a fúria andando de um lado para outro, Sophia apenas parou e ferveu em fogo brando. — De trabalhar. Eu devia ter encontrado uma forma de manter essa mulher na empresa, uma forma de controlá-la.

— Pare com isso. Você não pode assumir a culpa por ela. Qualquer um vê que ela tem um ciúme cruel de você. Sei como tudo está abalado agora, mas esta noite conversei com muitas pessoas que estão firmes do lado de vocês e horrorizadas com o que aconteceu.

— É, e algumas delas talvez até sejam convencidas a investir dinheiro em seus sentimentos. Mas há mais, muito mais, que não. Os garçons me contaram que muitos dos convidados estão evitando o vinho ou vendo outros beberem, e viverem, primeiro. É horrível. E tanta tensão na *Nonna*. Começo a notar isso e me preocupo.

— Sophie, quando uma empresa está no mercado há cem anos, tem crises. Esta é apenas uma delas.

— Nunca tivemos nada igual a esta. Estamos perdendo contas, tia Helen. Você sabe. Contam piadas, você ouviu. Problemas com a mulher? Não procure um advogado, dê a ela uma garrafa de Giambelli.

— Querida, sou advogada, somos piadas há séculos. — Mas ela afagou os cabelos de Sophia. Não percebera o quanto a menina se preocupava, não percebera que se aprofundara tanto. — Você está assumindo uma parte demasiada disso nos ombros.

— É minha função manter a imagem, não apenas como a próxima geração, mas como executiva. Se não conseguir virar a situação... Sei que investi muito na festa desta noite, e detesto a idéia de perder os clientes.

— Alguns — lembrou-lhe Helen. — Não todos.

— Mas não estou conseguindo transmitir a mensagem. Somos as vítimas, por que as pessoas não vêem isso? Fomos atacados. *Continuamos* sendo atacados, financeira, emocional e legalmente. A polícia... Em nome de Deus, circulam rumores de que Margaret e meu pai se juntaram em algum tipo de conspiração, e Mama sabia.

— Isso não passa das besteiras ditas por Rene.

— É, mas se a polícia começar a levar a sério, começar a interrogar Mama como suspeita, não sei o que vamos fazer.

— Não vai acontecer isso.

— Oh, tia Helen, poderia. Com Rene andando sem parar em programas de entrevistas, os jornais sensacionalistas atiçando as chamas, e sem nenhum sinal de prisão dos responsáveis, Mama é a primeira da lista. Bem junto de mim.

Pensara nisso, não pudera evitar. Mas ouvir em voz alta tão sem rodeios provocou um arrepio em Helen.

— Agora, preste atenção. Ninguém vai acusar você nem sua mãe de nada. A polícia talvez investigue, mas só para eliminar as hipóteses. Se chegar mais perto, vai ter de ser por meio de James, de mim, até de Linc. — Ela deu um abraço em Sophia. — Não se preocupe com isso.

Deu um tapinha nas costas da menina e fitou o próprio rosto no espelho. O sorriso encorajador se desfizera, e a preocupação o substituíra. Sentiu-se grata pelo fato de o privilégio de advogada-cliente com Tereza impedi-la de contribuir para os medos de Sophia.

Apenas naquela manhã, a empresa fora intimada a apresentar todos os registros ao tribunal.

SOPHIA RENOVOU O BATOM, EMPOOU O NARIZ E ENFRENTOU de ombros retos o destino. Ninguém veria medo ou desespero agora. Ela cintilou e brilhou com sua risada calorosa e despreocupada, quando se juntou aos convidados.

Flertou, dançou e continuou a fazer campanha. Ficou de ânimo consideravelmente elevado por encantar e induzir uma importante conta a cancelar a proibição do rótulo Giambelli.

Satisfeita consigo mesma, deu-se uma breve folga para atormentar Linc.

— Você continua saindo com esse perdedor? — perguntou a Andrea.

— Ora, Linc chora toda vez que eu tento dar o fora nele.

— Não choro, não. Só me sinto realmente abandonado. Eu ia procurar você, Sophia. A gente já vai se mandar.

— Tão cedo?

— Quarteto de cordas não é minha praia mesmo. Só estou aqui porque mamãe me subornou com bolo inglês. Mas eu queria ver você antes da gente ir embora, para perguntar como está segurando a barra.

— Oh, muito bem.

Ele bateu de leve no nariz dela.

— Relaxe. Andrea está por dentro.

— É duro — ela admitiu. — *Nonna* está passando maus bocados pra aceitar o que aconteceu ao *Signore* Baptista. Ele significava muito para ela. Acho que estamos todos nos sentindo espremidos entre as várias investigações. De fato, eu despejei os meus lamentos em sua mãe agora há pouco.

— Ela está habituada. Você sabe que pode me ligar e lamentar a qualquer hora.

— Eu sei. — Ela deu um beijo na face dele. — Você não é tão mau assim. E tem bom gosto pra médicas. Vá. Fuja. — Saiu da frente. — Volte sempre — acrescentou a Andrea, e começou outro circuito no salão.

— Aí está você. — Tyler alcançou-a, puxando-a para um canto. — Não agüento mais isso. Estou desertando.

— Ora, coragem. — Ela calculou os convidados. Começando a diminuir, julgou, mas não muito. Era um bom sinal. — Agüente mais uma hora que eu faço valer o esforço.

— Meu esforço vale uma fortuna.

— Não esquecerei. Vá jogar charme em cima de Betina Renaldi. É velha, influente e muito suscetível a rapazes vigorosos de traseiro sarado.

— Cara, vai ficar me devendo essa.

— Apenas tire ela para dançar e diga o quanto valorizamos o seu patrocínio.

— Se ela beliscar meu traseiro sarado, eu vou descontar em você.

— Humm. Vou esperar ansiosa.

Ela circulou a tempo de localizar uma briga fermentando entre Don e Gina. Rápido, atravessou o salão de baile.

— Não vamos fazer isso aqui. — No que se poderia interpretar como um gesto afetuoso, ela interpôs-se entre os dois e cruzou os braços. — Não precisamos aumentar a fábrica de fofocas.

— Acha que pode me dizer como me comportar? — Gina teria puxado o braço com violência, se Sophia não o tivesse apertado. — Você, cujo pai era um gigolô, cuja família não tem honra alguma.

— Cuidado, Gina, cuidado. A família sustenta seus filhos. Vamos lá pra fora.

— Vá pro inferno. — Ela empurrou Sophia contra Don. — Você e todos vocês.

Alteou a voz, fazendo várias cabeças se virarem.

Sophia conseguiu arrastá-la para a entrada do salão antes de ela se libertar.

— Se vocês causarem uma cena aqui, vai lhes custar tanto quanto ao resto de nós. Seus filhos são Giambelli. Lembrem-se disso.

Os lábios de Gina tremiam, mas ela baixou a voz:

— Você lembra. Os dois lembram, e o que eu faço é por eles.

— Don. Dane-se. Vá atrás dela e a acalme.

— Não posso. Ela não vai me ouvir. — Ele passou para trás das portas e retirou um lenço para enxugar a testa suada. — Está grávida de novo.

— Oh. — Dividida entre alívio e chateação, Sophia deu um tapinha no braço dele. — Parabéns.

— Eu não queria outro filho. Ela sabia. Brigamos por causa disso. Então ela me conta esta noite, quando no vestíamos, as crianças berrando e minha cabeça explodindo. Espera que eu fique emocionado, e quando não fico, me trucida.

Ele enfiou o lenço de volta no bolso.

— Sinto muito — disse Sophia. — Mesmo. Sinto muito, mas as impressões esta noite são vitais. Se você está ou não feliz com isso, vai ter de consertar. Ela está grávida, vulnerável e com os hormônios em fúria. Além disso, não entrou sozinha nesse estado. Você precisa ir procurar Gina.

— Não posso — ele repetiu. — Ela não vai falar comigo agora. — Eu estava transtornado. Durante a noite toda ela ficou amuada ou me lembrando que era a vontade de Deus, uma bênção. Eu precisava me livrar dela. Cinco preciosos minutos longe daquela tortura. Então saí pra dar um telefonema. Liguei... Existe outra mulher.

— Ah, perfeito. — Ela não se deu ao trabalho de praguejar. — Mas não é simplesmente perfeito?

— Eu não sabia que Gina tinha me seguido. Nem que ouviu em segredo. Esperou até eu voltar pra me enfrentar, acusar e arranhar. Não, ela não vai falar comigo agora.

— Bem, vocês dois escolheram seu momento.

— Por favor, eu sei o que tenho de fazer, e farei. Prometa que não vai falar a *Zia* Tereza sobre isso.

— Você acha que eu iria correndo pra *Nonna* como uma fofoqueira?

— Sophia. Eu não quis dizer desse jeito. — Aliviado com a afirmação irada de não ser fofoqueira, ele tomou-lhe as mãos. — Vou consertar tudo. Vou mesmo. Se você ao menos fosse atrás de Gina agora, e a convencesse a se comportar, a ser paciente. Não fazer nada precipitado. Já com a investigação estou sob tanta pressão.

— Não se trata de você, Donato. — Ela puxou as mãos dele. — Você é apenas mais um homem que não conseguiu manter a pica dentro da calça. Mas se trata de uma Giambelli. Por isso eu vou fazer o que puder com Gina. Pra variar, ela na verdade tem minha solidariedade. E você vai consertar essa confusão. Vai romper com a outra mulher e cuidar do casamento e dos filhos.

— Eu amo a outra. Sophie, você entende o que é estar apaixonado.

— Eu entendo que você tem três filhos e mais um a caminho. Será responsável por sua família, Donato. Será um homem, ou eu mesma vou providenciar pra que pague por isso. *Capisce?*

— Você disse que não ia procurar *La Signora*. Eu confiei em você.

— *La Signora* não é a única Giambelli que sabe lidar com traidores sexuais e mentirosos. Ou covardes. *Cacasotto.*

Ele ficou branco.

— Você é dura demais.

— Atreva-se, e verá até que ponto eu sou dura. Agora seja esperto. Volte e sorria. Anuncie à sua tia que estão prestes a trazer outro Giambelli ao mundo. E fique longe de mim até eu poder suportar ver você de novo.

Deixou-o ali, tremendo de raiva. Dura, pensou. Talvez. E talvez parte da raiva fosse dirigida ao pai, outro trapaceiro, outro mentiroso, outro pai que ignorou suas responsabilidades.

O casamento, pensou, não significava nada para alguns. Nada mais que um jogo, cujas regras eram violadas pela simples emoção. Atravessou correndo a ala da família, mas não encontrou sinal algum de Gina.

Idiota, decidiu, e não soube de quem desgostava mais no momento, de Gina ou Donato.

Chamou-a em voz baixa e espiou no quarto de brinquedos, onde dormiam as crianças e a moça contratada para cuidar delas à noite.

Achando que Gina talvez tivesse posto a raiva para fora, saiu para o terraço. A música do quarteto ondulava à deriva pelo ar da noite.

Sentiu vontade de ela própria vagar à deriva, simplesmente deixar tudo se resolver por si. Esposas enfurecidas, maridos desgarrados. Policiais, advogados e inimigos anônimos. Estava farta de tudo, de tudo isso.

Queria Ty. Queria dançar com ele, apoiar a cabeça em seu ombro e deixar que outra pessoa se preocupasse por algumas horas.

Em vez disso, ordenou-se a voltar e fazer o que precisava ser feito.

Ouviu um ruído baixo na sala atrás e começou a voltar-se.

— Gina?

Um cruel empurrão mandou-a voando de costas. Os saltos escorregaram e perderam o ponto de apoio no piso do terraço. Ela captou um movimento borrado ao cair. E, quando sua cabeça bateu contra o parapeito de pedra, viu apenas uma explosão de luz.

Capítulo
Vinte

Tyler decidiu rematar a noite dançando com Tereza. Ela parecia pequena, mas também transmitia uma reconfortante resistência no vestido longo bordado de contas. A mão seca e fria na dele.

— Não está exausta? — ele perguntou.

— Estarei, quando os últimos convidados saírem.

Por cima da cabeça de Tereza, ele varreu o salão com os olhos. Ainda restavam pessoas demais, pensou, e já passava da meia-noite.

— A gente podia começar a chutá-los pra fora.

— Impecavelmente gracioso. Gosto disso em você. — Quando ele baixou o rosto e riu, ela examinou-o com atenção. — Nada disso tem importância pra você.

— Claro que tem. Os vinhedos...

— Os vinhedos não, Tyler. — Ela indicou com um gesto as portas do terraço, as luzes e a música. — As roupas elegantes, a conversa frívola, o banho de brilho superficial.

— Nenhuma importância mesmo.

— Mas você veio, pelo seu avô.

— Pelo meu avô e por você, *La Signora*. Pela... família. Se não importasse, eu teria ido embora no ano passado, quando você reorganizou minha vida.

— Ainda não me perdoou mesmo por isso. — Ela riu.

— Não muito.

Mas levantou a mão dela e, num gesto galante, raro, beijou-as.

— Se tivesse ido embora, eu encontraria um jeito de trazer você de volta. É necessário aqui. Vou lhe contar uma coisa, porque seu avô não vai.

— Ele está doente?

Tyler errou um passo ao virar a cabeça para procurar Eli na multidão.

— Olhe para mim. Para mim — ela repetiu com tranqüila intensidade. — Eu preferia que ele não soubesse do que estamos falando.

— Ele foi ver um médico? Que é que há com ele?

— Está doente... mas no coração. Seu pai ligou para ele.

— Que é que ele quer? Dinheiro?

— Não, sabe que não vai conseguir mais dinheiro. — Ela teria guardado para si mesma. Detestava transferir responsabilidades aos outros. Mas o menino, decidiu após pensar muito, tinha o direito de saber. O direito de defender os seus, mesmo contra os seus. — Ele está indignado. Os problemas recentes, os escândalos, estão interferindo com seu calendário social e causando, segundo ele, considerável constrangimento. Parece que a polícia fez perguntas a ele no curso da investigação. Ele culpa Eli.

— Não vai ligar de novo. Vou resolver isso.

— Sei que vai. Você é um bom menino, Tyler.

Ele tornou a baixar os olhos para ela e forçou um sorriso.

— Sou?

— É, sim, muito bom. Eu não ia transferir esse fardo para você, mas Eli tem o coração frágil. Isso magoou seu avô.

— Eu não... tenho o coração frágil.

— Muito frágil. — Ela passou a mão do ombro para a face dele. — Eu dependo de você. — Quando viu a surpresa registrada em seu rosto, perguntou: — Ouvir isso surpreende ou assusta você?

— Talvez as duas coisas.

— Acostume-se. — Era uma ordem, dada com sutileza, quando ela se afastou dele. — Agora, está dispensado. Vá procurar Sophia e a seduza a ir embora.

— Ela não se deixa seduzir facilmente.

— Imagino que você saiba lidar com ela. Não são muitos os que sabem. Já não a vejo faz algum tempo. Vá procurar Sophia, desligue a mente dela do trabalho por algumas horas.

Isso, pensou Tyler, parecia uma bênção. Não sabia se a queria. Não sabia o que planejava fazer com ela. Por enquanto, ia guardá-la e seguir o espírito da ordem de Tereza. Encontrar Sophia e irem embora.

Ela não estava no salão de baile nem no terraço. Ele evitou perguntar às pessoas se a tinham visto, pois isso daria a clara impressão de um idiota ansioso tentando encontrar a namorada. O que imaginava ser exatamente o caso.

De qualquer modo, rondou a ala e entrou numa sala de recepção onde alguns convidados se haviam reunido para sentar-se e conversar. Encontrou os Moore, com James soltando baforadas num charuto e Helen tomando chá, enquanto ele discursava sobre algum processo judicial antigo e memorável. Linc e a namorada, que Tyler achou que haviam partido uma hora antes, foram mantidos como reféns ou subjugados no sofá.

— Ty, venha pra cá. Tome um charuto.

— Não, obrigado. Só estou... *La Signora* me pediu que procurasse Sophia.

— Não a vejo há algum tempo. Uau, olha a hora. — Linc levantou-se e arrastou Andrea para fazer o mesmo. — A gente tem de ir mesmo.

— Talvez ela tenha ido lá pra baixo, Ty — sugeriu Helen. — Para se refrescar ou recuperar o fôlego.

— É, certo. Vou conferir. — Ele desceu e topou com Pilar na escada. — Sua mãe quer saber onde está Sophia.

— Não está lá em cima? — Aflita, Pilar sacudiu os cabelos para trás. Queria mais que tudo dez minutos de ar fresco e um grande copo d'água. — Não a vejo há, oh, no mínimo, meia hora. Desci pra tentar falar com Gina pela porta do quarto. Ela se trancou. Brigando com Don, parece. Está jogando coisas pra todos os lados, chorando histericamente, e é claro que acordou as crianças. Estão aos berros.

— Obrigado pela dica. Não vou me esquecer de evitar essa parte da casa.

— Por que não procura no quarto dela? Soube por Gina que Sophia tentou mediar. Talvez esteja esfriando a cabeça. David está no salão?

— Eu não vi — disse Ty, ao passar. — Na certa está em algum lugar.

Dirigiu-se ao quarto de Sophia. Se a encontrasse, achava que talvez fosse uma boa idéia trancar as portas e afastar a mente dela do trabalho, como lhe haviam ordenado. Vinha se perguntando a noite toda o que ela tinha sob aquele vestido vermelho.

Bateu de leve e abriu a porta. Escuro e frio. Com um abano da cabeça, atravessou até o outro lado para fechar as portas do terraço.

— Vai congelar seu lindo traseiro aqui, Sophie — murmurou e ouviu um gemido baixo.

Estarrecido, ele avançou no terraço e viu-a no borrifo de luz que respingava do salão de baile. Estatelada no chão, apoiava-se num dos cotovelos, tentando deslocar-se. Ele correu e caiu de joelhos a seu lado.

— Calma, querida. Que foi que houve? Levou um tombo?

— Eu não sei.... Eu... Ty?

— Sou eu. Meu Deus, você está congelada. Venha, vou levar você pra dentro.

— Estou bem. Só um pouco atordoada; me deixe clarear a mente.

— Lá dentro. Você levou um tombo, Soph. Está sangrando.

— Eu... — Ela tocou com o dedo um latejar de dor na testa, e então fitou vagamente a mancha vermelha que retirou. — Sangrando — conseguiu dizer, já fechando as pálpebras mais uma vez.

— Oh, não, não, não vai. — Ele transferiu o apoio dela. — Não vai apagar. — Com o coração aos trancos no peito, ergueu-a. Viu que tinha o rosto branco, os olhos vidrados e o sangue gotejava do arranhão na testa. — É isso que dá usar esses saltos tão finos. Não sei como as mulheres andam neles sem quebrar o tornozelo.

E continuou falando para acalmar os dois, deitou-a na cama e voltou para fechar as portas do terraço.

— Vamos aquecer você um pouco e dar uma olhada no estrago.

— Ty. — Ela agarrou-lhe a mão quando ele a cobriu com uma manta. Apesar da dor, a mente clareava agora. — Eu não caí. Alguém me empurrou.

— Empurrou? Vou acender essa luz pra ver onde você está machucada.

Ela virou a cabeça para evitar a claridade.

— Acho que estou com o corpo todo machucado.

— Calada agora. Apenas fique deitada sem se mexer. — Ele a tocava com mãos gentis, embora a raiva se avolumasse no íntimo. O ferimento na cabeça era horrível, um feio arranhão já inchando e cheio de areia. Ela também tinha o braço esfolado logo abaixo do ombro. — Vou ter de tirar você desse vestido.

— Lamento, bonitão. Estou com dor de cabeça.

Apreciando a tentativa de humor, ele puxou-a devagar para a frente, à procura de um zíper, botões, ganchos. Alguma coisa.

— Querida, como diabos funciona isto?

— Embaixo do braço esquerdo. — Cada centímetro dela começava a doer. — Um pequeno zíper e você meio que descola o vestido até embaixo.

— Andei imaginando o que você tinha aí por baixo — ele balbuciou ao despi-la.

Imaginava que houvesse um nome para a coisa sem alças que lhe cingia a cintura e curvava-se na altura dos quadris. Ele chamaria apenas de estupenda. Meias de seda subiam pelas coxas e eram presas por pequenas ligas em forma de rosas. Apreciando o modelo da roupa de baixo, ele ficou mais aliviado por não ver danos extensos.

O joelho direito exibia alguns arranhões e as meias de seda transparente estavam arruinadas.

Alguém, prometeu a si mesmo, iria pagar, e pagar caro por deixar marcas nela.

— Não parece tão ruim, sabe? — Falou com a voz tranqüila, ajudando-a a sentar-se para ver. — Parece que você caiu do lado direito, um pequeno hematoma surgindo na coxa aqui, um joelho e o ombro arranhados. A cabeça sofreu o pior, logo isso foi uma sorte, pensando bem.

— É uma forma realmente divertida de me dizer que tenho a cabeça dura. Ty, eu não caí. Fui empurrada.

— Eu sei. Vamos passar pra isso, assim que eu limpar esses ferimentos.

Quando ele se levantou, ela tornou a deitar-se.

— Me arranje um frasco de aspirina enquanto está aí em pé.

— Acho que você não devia tomar nada antes de ir ao hospital.

— Eu não vou pro hospital por causa de arranhões e pancadas. — Ela ouviu a água escorrendo na pia do banheiro anexo. — Se tentar me levar, vou chorar, ficar bem mulherzinha e fazer você se sentir péssimo. Acredite, estou disposta a fazer alguém se sentir péssimo, e você está na linha de fogo. Não use minhas toalhas boas. Tem algumas do dia-a-dia no armário de roupa de cama e banho, além de anti-séptico e aspirina.

— Silêncio, Sophie.

Ela puxou a manta mais para cima.

— Está frio aqui.

Ele voltou com uma bacia de Murano, uma das melhores toalhas de visita, já encharcada, e um copo d'água.

— Que é que você fez com o pot-pourri de pétalas perfumadas que estava neste prato?

— Não se preocupe com isso. Venha, vamos brincar de médico.

— Uma aspirina. Eu imploro.

Ele retirou um frasco do bolso, abriu e despejou duas.

— Por favor, não seja sovina. Eu quero quatro.

Ele deixou-a pegar e começou a limpar o ferimento da cabeça. Foi-lhe necessário esforço para manter as mãos firmes e respirar sem ofegar.

— Quem empurrou você?

— Não sei. Desci à procura de Gina. Ela e Don tiveram uma briga.

— É, eu já soube.

— Não a encontrei e vim pra cá. Queria um minuto a sós, e um pouco de ar, então saí para o terraço. Ouvi alguma coisa atrás e comecei a me virar. Quando menos esperava, estava escorregando... Não consegui recuperar o equilíbrio. Aí as luzes se apagaram. Meu rosto está muito ruim?

— Nada ruim no seu rosto. É parte do problema. Vai ficar com um galo aqui, bem ao longo da linha do cabelo. O corte não é profundo, apenas um arranhão superficial de bom tamanho. Tem alguma idéia de quem empurrou você? Homem? Mulher?

— Não. Foi rápido e estava escuro. Imagino que talvez tenha sido Gina, ou Don, aliás. Os dois estavam furiosos comigo. Isso é o que acontece quando a gente se mete no meio.

— Se foi um deles, vai ficar bem pior do que você quando eu terminar.

O rápido salto do coração a fez sentir-se tola. E contribuiu muito para esfriar seu próprio mau gênio efervescente.

— Meu herói. Mas não sei se foi um dos dois. Poderia com a mesma facilidade ter sido alguém que tenha vindo bisbilhotar meu quarto, e aí me deu um empurrão pra eu não o pegar em flagrante.

— Vamos dar uma olhada em volta, ver se falta alguma coisa ou se mexeram em algo. Prenda a respiração.

— Como?

— Prenda a respiração — ele repetiu e viu-a contorcer o rosto de dor quando usou no ferimento a água oxigenada que tinha no outro bolso.

— *Festa di cazzo! Coglioni! Mostro!*

— Um minuto atrás eu era herói. — Solidário, ele soprou o local. — Melhora num instante. Vamos tratar do resto.

— *Va via.*

— Você se importa de me xingar em inglês?

— Eu mandei você ir embora. Não me toque.

— Vamos lá, seja uma menina crescida e corajosa. Eu lhe dou um pirulito depois. — Ele afastou a manta para o lado, tratou rápido e sem muita delicadeza os outros arranhões. — Vou pôr essa substância viscosa nos machucados. — Pegou um tubo de pomada anti-séptica. — E cobrir com atadura. Como está sua visão?

Ela respirava em baforadas do esforço de tentar repeli-lo, e ele nem se mexeu. Isso a matava.

— Vejo muito bem você, seu sádico. Está adorando.

— De fato tem certas vantagens colaterais. Dê o nome dos primeiros cinco presidentes dos Estados Unidos.

— Atchim, Soneca, Dunga, Dengoso e Zangado.

Nossa, surpreendia o fato de ele ter se apaixonado por ela?

— Errou por pouco. Na certa não sofreu nenhuma concussão. Pronto, querida. — Ele beijou-lhe de leve os lábios emburrados. — Acabou.

— Eu quero meu pirulito.

— Com certeza. — Mas ele apenas se inclinou e deitou-se. — Você me assustou — murmurou junto à face dela. — Quase me matou de susto, Sophie.

Ouvir e saber disso fez o coração dela dar o mesmo salto.

— Tá tudo bem agora. Você não é um canalha de verdade.

— Ainda doendo?

— Não.

— Como se diz "mentirosa" em italiano?

— Deixe pra lá. Melhora quando você me abraça. Obrigada.

— De nada. Onde guarda suas preciosidades?

— Jóias? As de fantasia no armário de bijuterias, as verdadeiras no meu cofre. Você acha que surpreendi um ladrão?

— É muito fácil descobrir.

Ele sentou-se e depois se levantou para acender o resto das luzes.

Os dois viram ao mesmo tempo. Apesar da dor persistente, Sophia precipitou-se como um raio da cama. Sentiu tanta raiva quanto terror instalar-se na barriga ao ler a mensagem, rabiscada em vermelho, no espelho:

PIRANHA Nº 3

— Kris. Maldita, esse é o estilo dela. Se ela acha que vou deixar passar impune... — Interrompeu-se quando o terror dominou todas as outras sensações. — Número três. Mama. *Nonna.*

— Ponha uma roupa — ordenou Tyler. — E tranque as portas. Vou inspecionar lá fora.

— Não, não vai. — Ela já pulara, dirigindo-se ao armário. — Vamos inspecionar lá fora. Ninguém me pressiona — declarou, vestindo um suéter e calça. — Ninguém.

Encontraram mensagens iguais nos espelhos das cômodas nos quartos de Pilar e Tereza. Mas não encontraram Kris Drake.

— Deve ter mais alguma coisa que a gente possa fazer.

Sophia limpava furiosamente as letras manchadas no seu espelho. A polícia local respondera, colhera depoimentos e examinara o vandalismo. E dissera-lhe o que ela já concluíra sozinha. Alguém entrara em cada quarto e deixara uma pequena e medonha mensagem escrita com batom vermelho no espelho. E a empurrara, derrubando-a.

— Nada mais resta a fazer esta noite. — Tyler tomou-lhe o pulso e puxou-lhe a mão do espelho. — Eu vou resolver isso.

— Foi endereçada a mim.

Mas ela jogou o trapo no chão, enojada.

— Os policiais vão interrogá-la, Sophie.

— E tenho certeza de que ela vai dizer a eles que entrou aqui valsando, rabiscou este bilhete de amor e me bateu. — Ela bufou de frustração e cerrou os dentes. — Não faz mal. A polícia talvez não consiga provar que foi ela, mas eu sei que foi. E mais cedo ou mais tarde vou fazer aquela desgraçada pagar por isso.

— E eu segurarei seu casaco. Enquanto isso, vá pra cama.

— Não consigo dormir agora.

Ele tomou-lhe a mão e levou-a para a cama. Ela continuava vestida e ele com a camisa e a calça do smoking. Acomodou-se no seu lado da cama e puxou a manta.

— Tente.

Ela ficou imóvel por um momento, pasma quando ele não fez nenhum movimento para tocá-la, seduzi-la ou tomá-la. Ty estendeu a mão e apagou a luz.

— Ty?

— Humm.

— Não dói tanto quando você me abraça.

— Que bom. Durma.

Apoiando a cabeça no ombro dele, ela conseguiu fazer o que pediu.

CLAREMONT ALONGOU AS COSTAS NA CADEIRA, ENQUANTO Maureen Maguire lia o relatório do incidente.

— Então, que acha?

— A jovem Giambelli é derrubada e leva um golpe leve. Todas as três recebem uma mensagem desagradável que mancha seus espelhos. Na superfície? — ela questiona, lançando a papelada de volta na mesa dele. — Parece uma brincadeira de mau gosto. Feminina.

— E sob a superfície?

— Sophia G. não foi gravemente ferida, mas, se a avó entrasse na hora errada, poderia ter sido muito mais sério. Ossos velhos quebram com mais facilidade. E, segundo a cronologia que os presentes conseguiram reunir, ela ficou caída lá fora, no frio da noite, por pelo menos quinze, vinte minutos. Muito desagradável. Poderia ter sido mais tempo se nosso jovem bonitão não tivesse ido atrás dela. Então temos uma brincadeira vil, e alguém está fazendo o necessário para alfinetar as três.

— E pela declaração da jovem Giambelli, Kristin Drake se encaixa no papel.

— Ela negou isso com veemência — contestou Maureen, mas os dois sabiam que representava o advogado do diabo. — Ninguém a vê naquela parte da casa durante a noite. Não há impressões digitais convenientes para comprometê-la.

— Sophia G. está mentindo? Enganada?

— Acho que não. — Maureen franziu os lábios. — Não faz sentido mentir sobre isso e ela não me parece uma mulher que faça alguma coisa sem um objetivo. E é cuidadosa também. Não acusaria, a não ser que tivesse certeza. A tal da Kristin foi demitida e deu um tapa nela. Talvez seja muito simples. Ou muito mais.

— Isso me chateia. Se a gente tem alguém que perdeu tempo, se deu ao trabalho, correu o risco de adulterar o vinho, alguém que se dispunha a matar, por que essa pessoa se preocuparia com uma coisa tão mesquinha quanto uma mensagem no espelho?

— Não sabemos se é a mesma pessoa.

Elos fechando-se em elos. Assim é que ele via a coisa.

— Hipoteticamente, usando uma vingança contra as Giambelli para estabelecer uma ligação.

— Chute nelas, então. Vão dar uma grande festa, não vão? Querem fazer de conta que tudo está voltando ao normal? Engulam isso.

— Talvez. Kristin é uma ligação. Trabalhou para a empresa, teve um caso com Avano. Se está puta o bastante pra ter causado o transtorno na festa, talvez tenha ficado puta o bastante pra meter duas balas num amante.

— Ex-amante, segundo o depoimento dela. — Maureen fechou a cara. — Com toda franqueza, parceiro, ela era um beco sem saída antes, e eu não vejo esse ataque desprezível ligando a mulher ao homicídio de Avano. Estilos diferentes.

— Mas é interessante, não é? As Giambelli passam anos, décadas, sem qualquer problema concreto. E nos últimos meses é só o que têm. Interessante.

*T*YLER SAIU PARA O PÁTIO, TELEFONE NA MÃO, E PÔS-SE A andar de um lado para o outro. A casa parecia pequena demais quando falava com o pai. E a Califórnia também.

Não que falasse alguma coisa no momento, apenas ouvia as queixas e reclamações habituais.

Deixava-as passar rápido pela cabeça. O clube campestre transbordava de fofoca e humor negro envolvendo o pai. A mulher atual — Ty na verdade perdera a conta de quantas sras. MacMillan houvera a essa altura — fora humilhada no spa. Convites esperados para várias funções sociais não mais se apresentavam.

Era preciso fazer alguma coisa, e já. Era responsabilidade de Eli manter o nome da família acima de qualquer repreensão, o que ele obviamente ignorara casando-se com a italiana, para começar. Mas, seja como for, era essencial, imperativo, que se desligassem o nome, o rótulo e a empresa MacMillan da Giambelli. Ele esperava que Tyler usasse toda a sua influência antes que fosse tarde demais. Eli estava velho e era óbvio que já ultrapassara em muito o tempo de aposentar-se.

— Terminou? — Tyler não quis esperar o assentimento nem a negativa do pai. — Porque é assim que vai ser. Se tiver queixas ou comentários, dirija-se a mim. Se tornar a ligar e importunar vovô mais uma vez, farei tudo que estiver ao meu alcance, legalmente, para revogar esse fundo fiduciário do qual você tem vivido nos últimos trinta anos.

— Você não tem o direito de...

— Não, é *você* quem não tem o direito. Nunca trabalhou um dia pra esta empresa, não mais do que um dia trabalhou com minha mãe pra serem pais. Até se julgar preparado pra se afastar, Eli MacMillan comanda este espetáculo. E, quando ele se julgar preparado, eu comandarei. Acredite em mim, não serei tão paciente quanto ele tem sido. Cause a ele mais um sofrimento momentâneo e nós dois teremos mais que uma simples conversa telefônica.

— Está me ameaçando? Pensa mandar alguém atrás de mim, como Tony Avano?

— Não, eu sei atingir você onde realmente dói. Providenciarei pra que todos seus cartões de crédito sejam cancelados. Lembre-se, você não está lidando com um velho agora. Não venha me foder a paciência.

Socou o botão de desligar, pensou em arremessar o telefone e então viu Sophia parada na borda do pátio.

— Desculpe. Eu não pretendia ouvir escondida. — Se Ty estivesse furioso, ela poderia ter descartado a coisa, mas ele parecia muito infeliz. Ela sabia, e como sabia, o que era isso. Então se aproximou dele e envolveu seu rosto nas mãos. — Desculpe — repetiu.

— Nada de muito importante. Apenas uma conversa com meu querido e velho pai. — Puto da vida, ele jogou o telefone na mesa do pátio. — Que é que você precisa?

— Ouvi a previsão do tempo e, por isso, sei que tem um alerta de geada esta noite. Gostaria de saber se queria companhia lá fora.

— Não, obrigado. Eu cuido disso. — Ele ergueu a atadura dela e examinou o machucado sarando. — Muito atraente.

— Essas coisas sempre parecem piores alguns dias depois. Mas não me sinto mais rija quando acordo de manhã. Ty... me diga qual foi o problema.

— Nada. Já resolvi.

— É, é, você pode resolver tudo. Eu também. Nós somos tão chatos. — Ela apertou os ombros dele. — Eu contei a você onde doía. Agora você me conta.

Ele ia afastá-la, mas percebeu que não queria.

— Meu pai. Está criticando e atacando meu avô por toda a imprensa ruim, todo esse negócio policial. Interferindo em suas aulas de tênis ou coisa que o valha. Mandei que ele deixasse meu avô em paz.

— E ele vai?

— Se não for, vou falar com Helen sobre uns vazamentos no seu fundo fiduciário. Isso vai calar logo o velho. O filho-da-puta. O filho-da-puta nunca teve um dia de trabalho na vida, pior, nunca se mexeu pra mostrar um grama de gratidão pelo que recebeu. Só toma e toma, depois choraminga quando encontra um obstáculo. Não admira que seu pai e ele se dessem lá muito bem. — Ele percebeu e xingou. — Porra, sinto muito, Sophie.

— Não, não sinta. Tem razão.

Havia um elo, ela pensou, que nenhum dos dois reconhecera antes. Talvez houvesse chegado a hora.

— Ty, já pensou como somos felizardos, você e eu, porque alguns genes pularam uma geração? Não se feche — ela pediu, antes que ele se afastasse. — Você é tão parecido com Eli. — Ela penteou com os dedos os cabelos dele. Passara a amar o jeito como o fazia corar. — Poderoso — disse e tocou os lábios na face dele. — Sólido como uma rocha. Não deixe que o vazio entre você e Eli te magoe.

Como a raiva abrandara, ele encostou a testa de leve na dela.

— Eu nunca precisei dele... do meu pai. — Não, pensou, do jeito como você precisava do seu. — Nunca o quis.

— E eu precisei, quis demais do meu por muito tempo. É parte do que nos fez ser como somos. E gosto de quem somos.

— Acho que você não é nem metade tão má, pensando melhor. — Ele fez um afago ligeiro nos braços dela. — Obrigado. — Curvou-se e beijou-lhe o cocuruto da cabeça. — Eu bem que gostaria de um pouco de companhia na vigília da geada esta noite.

— Eu levo o café.

Capítulo Vinte e Um

Pequenos botões floridos, abrindo-se enquanto os prolongados dias os banhavam na luz do sol, cobriam as vinhas. A terra fora revolvida e aberta para abrigar a promessa das novas plantas. As árvores sustentavam as folhas primaveris em punhos cerrados de verde parcimonioso, mas aqui e ali rebentos, bravos e jovens, brotavam e espalhavam-se pelo terreno. Nos bosques, os ninhos cediam sob o peso dos ovos, e as patas guardavam os filhotes recém-chocados, enquanto nadavam no córrego.

Abril, pensou Tereza, significava renascimento. E trabalho. E a esperança de que o inverno chegaria, afinal, ao fim.

— Os gansos do Canadá estão prestes a chocar — disse-lhe Eli, ao fazerem sua caminhada matinal na fria e tranqüila névoa.

Ela fez que sim com a cabeça. Seu pai usara esse mesmo barômetro natural para julgar o momento certo da colheita anual. Tereza aprendera tanto a observar o céu, os pássaros, o terreno quanto a vigiar as vinhas.

— Vai ser um bom ano. Tivemos chuva copiosa de inverno.

— Restam ainda duas semanas pra se preocupar com geadas. Mas acho que calculamos o tempo certo dos novos plantios.

Ela olhou acima da elevação de terra onde o terreno fora bem arado. Recebera mais de vinte hectares para os novos plantios, vinhas de origem européia enxertadas com rizoma nativo dos Estados Unidos. Haviam escolhido a nata das variedades — Cabernet Sauvignon, Merlot, Chenin Blanc. E, após trocar idéias com Tyler, fizeram quase o mesmo no solo MacMillan.

— Daqui a cinco, talvez quatro anos, veremos as vinhas darem frutos.

Ela também aprendera a ver do momento ao futuro num único e abrangente olhar. O ciclo sempre geraria ciclos.

— Estaremos juntos há um quarto do século, Eli, quando o que plantamos agora for pra casa conosco.

— Tereza. — Eli tomou-a pelos ombros, virou-a de frente e ela sentiu um calafrio de alarme. — Esta é minha última colheita.

— Eli...

— Não vou morrer. — Para tranqüilizá-la, ele deslizou as mãos pelos braços dela. — Eu quero me aposentar. Venho pensando nisso, pensando seriamente nisso desde que fomos à Itália. Deixamos nos enraizar demais aqui e lá — disse, gesticulando em direção à terra MacMillan —, e no *castello*. Vamos fazer desse o último plantio, você e eu, e deixar nossos filhos colherem. Já é hora.

— Já falamos disso. Mais uns cinco anos, combinamos, antes de nos afastar. Um processo gradual.

— Eu sei. Mas estes últimos meses têm me lembrado a rapidez com que uma vida, mesmo um estilo de vida, pode terminar. Quero ver outros lugares antes de acabar meu tempo. Quero ver com você. Estou cansado, Tereza, de viver minha vida em função das exigências de cada estação.

— Minha vida, toda ela, foi a Giambelli. — Tereza afastou-se dele e tocou uma delicada flor branca. — Como posso me separar dela agora, quando está ferida? Eli, como podemos passar uma coisa devastada aos nossos filhos?

— Porque confiamos neles. Porque acreditamos neles. Porque, Tereza, eles mereceram a oportunidade.

— Eu não sei o que dizer.

— Pense. Há muito tempo antes da colheita. Eu já pensei. Não quero dar a Ty o que ele mereceu, aliás, merece, no meu testamento. Quero dar em vida. Já houve muita morte este ano. — Ele olhou acima dos brotos os novos plantios além. — É hora de deixar tudo crescer.

Assim, ela se virou das vinhas para o marido. Um homem alto, curtido pelo tempo, pelo sol, pelo vento, com um velho e fiel cachorro ao lado.

— Não sei se posso lhe dar o que está me pedindo. Mas prometo pensar.

— *A* EFERVESCÊNCIA É O INGREDIENTE ESSENCIAL NUM vinho espumante. — Pilar acompanhava uma visita ao lagar em sua fase preferida. A criação do champanhe. — Mas o primeiro estágio é fazer o vinho não-efervescente. Estes — ela apontou as garrafas encaixadas nas prateleiras especiais — são envelhecidos na superfície por vários meses, depois misturados. Chamamos essa mistura de *cuvée*, fermentação, na França, onde se acredita que o processo teve origem. Somos gratos ao muito afortunado monge Dom Pérignon por fazer a descoberta e ser o primeiro, como descreveu, a beber estrelas.

— Se é só vinho, que é que faz o líquido borbulhar?

— A segunda fermentação, que Dom Pérignon descobriu no século XVII.

A resposta saiu fluida e treinada. As perguntas lançadas por grupos não mais a assustavam nem a faziam lutar para encontrar respostas.

Vestindo um terninho primoroso e com saltos baixos, ela saiu da frente ao falar para que o grupo desse uma olhada mais de perto no vinho das prateleiras.

— A princípio, considerava-se isso um problema — continuou.
— Vinho engarrafado no outono, pipocando as rolhas, ou o que era
naqueles dias buchas de algodão, na primavera. Muito problemático, sobretudo no distrito de Champagne, na França. O monge
beneditino, mestre de adega na Abadia de Hautvillers, dedicou-se ao
problema. Encomendou rolhas mais grossas, mas isso fez com que as
próprias garrafas se quebrassem. Determinado, encomendou então
garrafas mais fortes. As rolhas e as garrafas resistiram e o monge conseguiu provar o vinho refermentado. Foi o primeiro brinde com
champanhe.

Ela parou para dar ao grupo a oportunidade de circular pelas
prateleiras. Vozes ecoavam das adegas, e por isso ela esperou até se
calarem.

— Hoje... — Ela sentiu uma pequena palpitação de ansiedade
quando David se juntou ao grupo. — Hoje criamos champanhe
com muita objetividade, embora pelo melhor sigamos os métodos
tradicionais criados séculos atrás naquela abadia francesa. Usando o
méthode champenoise, o vinicultor engarrafa os vinhos novos e os fer-
mentados. Acrescenta-se uma pequena quantidade de fermento e
açúcar a cada garrafa, depois ela é tampada como vocês vêem aqui.

Ela pegou a garrafa de amostra para passar entre o grupo.

— O aditivo desencadeia a segunda fermentação, que chamamos, mais uma vez em francês, *prise de mousse*. As bolhas resultam
da transformação do açúcar em álcool. Tampadas, as bolhas não
podem escapar no ar. Essas garrafas são então envelhecidas de dois a
quatro anos.

— Tem uma substância viscosa aqui — comentou alguém.

— A garrafa de amostra demonstra a sedimentação e a separação
das partículas. Trata-se de um processo natural durante esse segundo envelhecimento e fermentação. As garrafas são armazenadas de
gargalo pra baixo nestas prateleiras inclinadas, e retiradas e revolvi-
das todo dia, durante meses.

— Manualmente?

Pilar sorriu para a mulher e franziu as sobrancelhas em direção à parede de garrafas.

— É. Como viram ao longo da visita, a Giambelli-MacMillan acredita que cada garrafa de vinho oferecida ao consumidor exige a arte, a ciência e o trabalho necessários para merecer o rótulo. Esse processo giratório é chamado de revolvimento, ou em francês, *remuage*, e acelera a separação de partículas pra que em meses o vinho fique limpo. Quando fica, as garrafas são colocadas de cabeça para baixo, para manterem as partículas no gargalo.

— Se bebem esse troço, não admira que morram.

Isso foi dito num sussurro, mas chegou a ela. Pilar retesou-se, sentiu o ritmo quebrar-se, mas continuou em frente:

— A tarefa do vinicultor é determinar quando o vinho alcançou o pico. Nesse ponto, o gargalo da garrafa é congelado, numa solução de salmoura. Assim, a tampa pode ser retirada, não se perde vinho e o sedimento congelado é expelido. *Dégorgement*, expulsão, ou limpeza do vinho. A garrafa é reenchida até a borda com mais vinho ou um pouco de *la dosage*, conhaque ou açúcar para adoçar...

— Ou um pouco de digitalina.

O ritmo dela falhou mais uma vez e várias pessoas mudaram de posição, sem graça. Apesar disso, ela fez que não com a cabeça quando David avançou um passo.

— Durante todo o processo, como com qualquer vinho que exibe o nosso rótulo, há inspeções seguras e medidas de segurança. Quando se julga o vinho espumante pronto, ele é arrolhado e embarcado para o mercado, para que vocês o levem à mesa e comemorem.

"Há maneiras mais baratas e menos trabalhosas de fazer champanhe, mas a Giambelli-MacMillan acredita que tradição, qualidade e atenção ao detalhe são essenciais para nossos vinhos."

Ela sorriu ao pegar de volta a garrafa de amostra.

— No final da visita, vocês poderão julgar por si mesmos, em nossa sala de degustação.

* * *

𝒫ILAR DEIXOU OS CONVIDADOS SE MISTURAREM NA SALA DE degustação, desfrutarem as amostras de cortesia e respondeu a perguntas individuais. Era, descobrira, muito parecido com um entretenimento. Para isso, tinha jeito. Melhor ainda, fazia-a sentir-se não apenas parte da família, mas parte da equipe.

— Belo trabalho.

David parou a seu lado.

— Obrigada.

— Apesar do amigo-urso.

— Não é o primeiro. Acho que compreendi o quê da coisa. Pelo menos minhas palmas não suam mais. Eu continuo estudando. Algumas vezes, me sinto como de volta à escola, me preparando pras provas, mas é agradável. Ainda preciso...

Interrompeu-se quando um homem na ponta do bar começou a sufocar. Ele agarrou a garganta e cambaleou para trás. Assim que Pilar se precipitou à frente, ele desatou a rir alto.

O mesmo palhaço, percebeu David, que fizera os comentários maldosos na adega. Antes que pudesse lidar com a situação, Pilar assumiu.

— Com licença. — A voz dela foi um arrulho de polida preocupação. — O vinho não é do seu agrado?

Ele deu outra gargalhada, embora a mulher lhe apunhalasse o cotovelo, furiosa, ao lado.

— Pare com isso, Barry.

— Ai, sem essa. É divertido.

— O humor muitas vezes é subjetivo, não é? — disse Pilar, agradável. — Claro que nós da Giambelli-MacMillan temos dificuldade em achar graça da morte trágica de dois dos nossos, mas lhe agradeço por tentar animar o clima. Talvez devesse tentar de novo, com nosso Merlot. — Fez um sinal para o barman. — É mais apropriado.

— Não, obrigado. — Ele afagou a barriga. — Sou mais de cerveja.

— É mesmo? Eu jamais teria adivinhado.

— Você é tão grosso, Barry.

A mulher pegou a bolsa no bar e saiu fumegando pela porta.

— Foi uma *brincadeira*! Nossa. — Suspendendo o cinto, ele saiu correndo atrás dela. — Ninguém aceita uma brincadeira?

— Bem, agora. — Pilar voltou-se para o grupo. As pessoas arregalavam os olhos ou fingiam olhar para outro lugar. — Agora que já tivemos nosso momento cômico, espero que tenham gostado do passeio. Estou aqui para responder a quaisquer perguntas. Por favor, sintam-se livres para visitar nossa loja de varejo, onde nossos vinhos, incluindo os que vocês provaram, estão à venda. Nós, da Villa Giambelli, esperamos que tornem a nos visitar e dêem uma parada no lagar MacMillan, a apenas alguns minutos daqui, em Napa Valley. Desejamos a todos *buon viaggio*, aonde os levarem suas viagens.

David esperou as pessoas começarem a se dispersar, tomou o braço de Pilar e levou-a para fora.

— Fui prematuro sobre o belo trabalho. Devia ter dito fabuloso. Trabalho fabuloso. Embora me sentisse mais inclinado a dar uma garrafada com o Merlot na cabeça daquele idiota do que oferecer uma a ele.

— Ah, eu dei. Mentalmente. — Ela inspirou fundo e afastou-se da pedra coberta de vinha do velho lagar. — Recebemos alguém como Barry uma ou duas vezes por semana. Responder de maneira ofensivamente agradável parece funcionar melhor. Ajuda o fato de eu ser da família.

— Não apareci antes durante seus passeios. Não queria que me julgasse controlando você. — Ele ergueu as pérolas dela e correu-as pelos dedos. — A senhora, Sra. Giambelli, tem um talento natural.

— Sabe de uma coisa? Você tem razão. — Ela concordou, maravilhada consigo mesma. — Assim como tinha razão ao me empurrar pra isso, pois me dá uma coisa tangível para fazer.

— Eu não a empurrei. O fato de ninguém fazer isso é um dos seus segredos. Você decidiu há muito tempo viver sua vida de uma forma que fazia sentido na época. Os tempos mudaram. Eu abri uma porta, mas foi você quem entrou.

— Muito interessante. — Divertida com os dois, ela inclinou a cabeça. — Não sei se minha família concordaria com você. Nem sei se eu concordo.

— É preciso ser resistente para se manter num casamento que não é casamento, porque você levou seus votos a sério. Teria sido mais fácil se separar. Sei tudo sobre isso.

— Está me dando crédito demais.

— Acho que não, mas, se quer ser grata por eu ter lhe dado uma cutucada nesse trabalho, eu aceito. Sobretudo — ele acrescentou, subindo as mãos pelos braços dela — se você pensar numa forma de me pagar.

— Posso pensar em alguma coisa. — Ela entrelaçou os dedos nos dele. Flertar, pensou, ficava mais fácil com a prática. Sem dúvida, vinha gostando das aulas. — Que tal começar com um jantar?

— Eu pensei numa pequena pousada.

— Muito simpático.

Mas jantar numa pousada era namoro, e formal, por mais que gostassem da companhia um do outro. Pilar procurava, compreendeu, uma coisa menor. E uma coisa maior.

— Mas eu pretendia preparar um jantar. Pra você e seus filhos.

— Cozinhar? Pra todos nós?

— Sou uma cozinheira muito boa — ela informou. — E é raro ter uma cozinha só pra mim. Vocês têm uma ótima. Mas se acha que seria inoportuno, ou se seus filhos vão se sentir constrangidos com a idéia, a pousada seria ótima.

— Cozinhar — ele repetiu. — Como no fogão. Com panelas. — Ergueu-a do chão para um beijo. — Quando comemos?

Vamos ter uma refeição feita em casa esta noite. Pilar vai cozinhar. Não sei o que tem no menu, mas vocês vão gostar. Estejam em casa às seis. Até lá, tentem fingir que são seres humanos e não os mutantes de quem eu ganhei no jogo de pôquer.

Amor, papai.

Maddy leu o bilhete preso na geladeira e fez uma careta. Por que precisavam de companhia? Por que ela não tinha o direito de opinar sobre quem vinha? Será que ele achava mesmo que ela e Theo eram tão débeis mentais que iam acreditar que uma mulher aparecia e remexia na cozinha de um cara só para cozinhar?

Por favor.

Tudo bem, corrigiu-se. Talvez Theo fosse muito débil mental, mas ela ia consertar isso.

Pegando o bilhete, subiu correndo. Theo já estava no quarto, já no telefone, já arruinando os tímpanos com a música aos gritos. Ele não precisava ir à cozinha abastecer-se depois da escola, ela pensou com uma fungada. Em direta violação das regras da casa, mantinha comida ruim suficiente estocada no quarto para alimentar um país pequeno.

Enfiou essa informação no seu arquivo mental: vingar-se de Theo.

— A Sra. Giambelli vai preparar o jantar.

— Como? Vá embora. Estou no telefone.

— Não devia estar antes de fazer o dever de casa. A Sra. Giambelli vem nos visitar; logo, é melhor você descer. Ela pode contar ao papai que você tá fodendo tudo de novo.

— Sophia?

— Não, palerma.

— Escute, ligo depois pra você. Minha irmã está sendo uma peste, por isso preciso matá-la. É. Depois. — Ele desligou e enfiou lascas de taco na boca. — Quem vem nos visitar, e pra quê?

— A mulher com quem papai está dormindo vai aparecer pra preparar o jantar.

— Beleza. — A voz de Theo se animou. — Tipo no fogão?

— Não tá sacando? — Repugnada, ela brandiu o bilhete. — É uma tática. Ela está tentando forçar a entrada.

— Escute, qualquer uma que queira forçar a entrada na cozinha, e que saiba cozinhar de verdade, é legal pra mim. Que é que ela vai fazer?

— Não *importa* o que ela vai fazer. Como você pode ser tão lento? Ela está forçando a situação pro próximo nível. Cozinhar pra ele, pra nós. Mostrar ao papai que grande e feliz família a gente pode ser.

— Pra mim tanto faz o que ela está fazendo. Corta essa, Maddy. Falo sério, corta... essa. Papai tem direito a uma namorada.

— Imbecil. Não me importa que ele tenha dez namoradas. Que vamos fazer se ele decidir que quer uma esposa?

Theo pensou e mastigou mais batatas.

— Não sei.

— "Não sei" — ela o imitou com escárnio. — Ela vai começar a mudar as regras, a assumir o controle. É o que acontece. Não vai dar a mínima pra gente. Somos apenas acessórios.

— A Sra. Giambelli é legal.

— Claro, agora. É carinhosa e boazinha. Mas, quando conseguir o que quer, não vai ter de ser carinhosa, boazinha nem legal. Pode começar a dizer a nós todos o que fazer e o que não fazer. Tudo vai ter de ser do jeito dela. — Ela virou a cabeça quando ouviu a porta da cozinha abrir-se. — Tá vendo? Ela simplesmente entrou direto. Esta é a nossa casa.

Maddy saiu pisando forte para o seu quarto e bateu a porta. Pretendia ficar ali até o pai chegar.

*D*ECIDIU DEIXAR A MÁ-CRIAÇÃO POR UMA HORA. OUVIA A música lá embaixo, os risos. Enfurecia-se com a risada exagerada do irmão. Traidor. E a enfurecia ainda mais o fato de ninguém ter subido para chamá-la, nem tentado conversar com ela para tirá-la de seu mau humor.

Assim, mostraria a eles que não dava a mínima, de qualquer jeito.

Desceu de nariz empinado. Alguma coisa exalava um cheiro muito gostoso, e isso era apenas mais um golpe contra Pilar na mente de Maddy. Ela estava apenas se exibindo, só isso. Fazendo um jantar grandioso e especial.

Quando entrou na cozinha, teve de cerrar os dentes. À mesa, Theo socava o teclado elétrico, enquanto Pilar mexia uma coisa no fogão.

— Precisa acrescentar a letra — disse Pilar.

Ele gostava de tocar sua música para ela, que ouvia. Quando tocava alguma coisa que a desagradava, ela dizia. Bem, de uma maneira legal, pensou Theo. Esse tipo de coisa lhe dizia que prestava atenção, prestava atenção mesmo.

A mãe deles nunca prestara atenção. Aliás, a quase nada que faziam.

— Não sou muito bom na parte da letra. Só gosto de compor a melodia.

— Então precisa de um parceiro. — Ela virou-se e largou a colher. — Oi, Maddy? Como está indo o ensaio?

— Que ensaio? — Maddy captou o assobio de advertência de Theo, sem saber se ficava furiosa ou agradecida com a desculpa que dera por ela. — Oh, bem. — Abriu a geladeira e demorou-se a escolher um refrigerante. — Que é esta substância viscosa e repelente aqui?

— Depende. Tem substância viscosa de queijo pro *manicotti*, igual ao canelone, só que enrolado diagonalmente. A outra é uma marinada pro antipasto. Seu pai me disse que vocês gostam de comida italiana, assim imaginei que eu estava segura.

— Eu não vou comer comida com altos níveis de carboidratos hoje.

Ela sabia que era maldade, e não precisava do olhar furioso de Theo para dizer-lhe isso. Mas quando fez uma careta para ele pelas costas de Pilar, ele não reagiu na mesma moeda como em geral fazia. Em vez disso, apenas olhou para o outro lado, como se estivesse sem graça ou coisa parecida.

E doeu.

— De qualquer modo, fiz planos pra jantar na casa de uma amiga.

— Oh, mas é uma grande pena! — Descontraída, Pilar pegou uma tigela e misturou o recheio do tiramisu, sobremesa típica italiana que consiste em camadas de pão-de-ló embebidas em café e vinho Marsala. — Seu pai não me falou nada.

— Ele não tem de falar tudo a você.

Era o primeiro comentário diretamente rude que a menina lhe fazia. Pilar calculou que se haviam baixado as barreiras.

— Com certeza não, e como você tem quase quinze anos e idade suficiente pra saber o que gosta de comer, e onde... Theo, poderia dar um minuto de licença a mim e a Maddy?

— Claro. — Ele pegou o teclado e disparou um olhar enojado à irmã. — Quem é imbecil? — resmungou em voz baixa ao passar por ela.

— Que tal a gente se sentar?

Maddy sentiu o estômago embrulhado e a garganta quente.

— Eu não desci pra me sentar e conversar. Só vim pegar uma bebida. Tenho de terminar meu ensaio.

— Não tem ensaio nenhum, Maddy.

Ela sentou-se, esparramada, com uma expressão de desinteresse e chateação no rosto. Pilar não tinha direito de passar-lhe sermão, e ela pretendia deixar isso bem claro depois que a mulher tivesse desabafado.

Pilar serviu-se de uma meia xícara do café expresso que fizera para o tiramisu. Sentou-se à mesa defronte a Maddy e tomou um gole.

— Preciso avisar que tenho uma vantagem, pois não só já fui uma menina de catorze anos, mas também fui mãe de uma.

— Você não é minha mãe.

— Não, não sou. E é duro, não é, uma mulher entrar na sua casa assim? Estou tentando pensar em como me sentiria em relação a isso. Na certa, quase da mesma maneira que você. Aborrecida, nervosa, ressentida. É mais fácil pra Theo. Ele é menino e não sabe as coisas que nós sabemos.

Maddy abriu a boca e tornou a fechá-la, quando percebeu que não sabia o que responder.

— Você tem tomado conta desta casa. Seus homens não iam concordar e na certa se sentiriam insultados por esta declaração — acrescentou Pilar, e gostou de ver a leve curva de sorriso forçado nos lábios de Maddy. — Mas a força feminina, uma força feminina inteligente, em geral controla tudo. Você tem feito um bom trabalho mantendo esses caras na linha, e não estou aqui pra tirar seu controle.

— Você já está mudando tudo. As ações têm reações. É científico. Não sou idiota.

— Não, é inteligente. — Que menininha assustada, pensou Pilar, com a mente de adulta. — Eu sempre quis ser inteligente e nunca me senti o bastante. Compensei isso, acho, sendo boa, ficando calada e mantendo a paz. Essas ações também tiveram reações.

— Se a gente fica calada, ninguém ouve.

— Tem absoluta razão. Seu pai... ele me faz sentir inteligente e forte o bastante pra dizer o que penso, o que sinto. É uma coisa poderosa. Você já sabe disso.

Maddy olhou de cara feia para a mesa embaixo.

— Acho que sim.

— Eu admiro David, Maddy... o homem que ele é, o pai que ele é. Isso também é poderoso. Não espero que você me estenda o tapete de boas-vindas, mas tenho a esperança de que não tranque a porta na minha cara.

— Por que se importa com o que eu faço?

— Dois motivos. Primeiro, eu gosto de você. Lamento, mas é verdade. Gosto de sua independência, sua mente e seu senso de lealdade familiar. Imagino que, se eu não estivesse envolvida com seu pai, a gente se daria muito bem. Mas estou envolvida com ele e tenho tirado de você parte do tempo e da atenção dele. Eu diria que lamento isso, mas nós duas saberíamos que não era verdade. Também quero parte do tempo e da atenção dele. Porque, Maddy, outro motivo de eu me importar com o que você faz é que estou apaixonada pelo seu pai. — Pilar afastou a xícara e, apertando o estômago com a mão, levantou-se. — Eu não disse isso em voz alta antes. O hábito de ficar calada, imagino. Cara. É estranho.

Maddy deslocou-se na cadeira. Sentava-se empertigada agora, reta como uma vara. E seu próprio estômago embrulhava-se.

— Minha mãe também amava meu pai. O bastante pra se casar com ele.

— Tenho certeza de que sim. Ela...

— Não! Você vai dar todas as desculpas, todos os motivos. E é tudo papo furado. Tudo. Quando deixou de ser exatamente como ela queria, ela nos abandonou. Esta é a verdade. Nós não fomos importantes.

Seu primeiro instinto, sempre, era de confortar. Consolar. Poderia dizer dezenas de coisas para aliviá-la, mas essa menina de olhos úmidos e desafiantes não as ouviria.

Por que deveria?, decidiu Pilar.

— Não, você tem razão. Vocês não foram importantes o bastante. — Pilar sentou-se de novo. Queria estender a mão, puxar a mocinha mais para perto. Mas não era o caminho nem a hora. — Sei o que é não ser importante o bastante. Eu sei sim, Maddy — enfatizou firmemente, pondo a mão na da menina antes que ela pudesse afastar-se com um safanão. — Como isso nos faz sentirmos tristes e furiosas, como as perguntas, as dúvidas e os desejos nos passam pela cabeça no meio da noite.

— Os adultos podem ir embora sempre que querem. As crianças, não.

— É verdade. Seu pai não foi embora. Você era importante pra ele. Você e Theo são o que há de mais importante pra ele. Você sabe que nada que eu dissesse ou fizesse mudaria isso.

— Outras coisas poderiam mudar. E quando uma coisa muda, outras também mudam. É causa e efeito.

— Bem, não posso prometer a você que as coisas não vão mudar. Porque mudam. Mas no momento seu pai me faz feliz. E eu o faço feliz. Não quero magoar você por causa disso, Maddy. Posso prometer tentar com muito afinco não magoar você nem Theo. Respeitar o que vocês pensam e o que sentem. Isso eu posso prometer.

— Ele era meu pai primeiro — disse Maddy, num furioso sussurro.

— E vai ser seu pai no final. Sempre. Mesmo que eu quisesse mudar isso, mesmo que por algum motivo eu quisesse arruinar isso, não poderia. Não sabe o quanto ele ama você? Olhe pra mim, Maddy. Olhe pra mim — ela disse, tranqüilamente, e esperou a menina erguer o olhar. — Se é o que você quer tanto, poderia fazer seu pai escolher entre mim e você. Eu não teria a menor chance. Estou pedindo que me dê uma. Se não puder, então não pode, eu invento uma desculpa, limpo todas essas coisas e saio daqui antes dele chegar.

Maddy enxugou uma lágrima da face ao olhar para o outro lado da mesa.

— Por quê?

— Porque eu também não quero magoar ninguém.

Maddy fungou e baixou os olhos com a testa franzida para a mesa.

— Posso provar isso?

Pilar ergueu a sobrancelha para a xícara de café expresso e deslizou-a em silêncio para Maddy. A menina cheirou-o primeiro e franziu o nariz, mas ergueu a xícara e provou.

— É horrível. Como alguém pode tomar isto?

— Um gosto adquirido, eu acho. Você ia gostar mais no tiramisu.

— Talvez. — Maddy empurrou a xícara de volta pela mesa. — Acho que vou dar uma chance a isso.

Só de uma coisa Pilar tinha certeza: ninguém nunca tivera problema com sua culinária. Fazia muito tempo desde que ela mesma preparara um jantar de família. Tempo suficiente para deixá-la escandalosamente feliz com os pedidos de segundas porções e os alegres elogios entre as garfadas.

Usara a sala de jantar para a refeição, esperando que essa fina camada de formalidade fosse menos ameaçadora para Maddy. Mas a formalidade se quebrara assim que Theo dera a primeira mordida no manicotti e anunciara-o como "gororoba excelente".

Theo fora quem mais falara, com a irmã olhando, digerindo e de vez em quando alfinetando com uma pergunta aguçada. Levara-a a rir e depois a enternecera quando David usara uma metáfora engraçada para ilustrar uma opinião, e ela e Maddy trocaram uma brincadeira sobre a mente masculina.

— Papai jogava beisebol na faculdade — disse Maddy.

— É mesmo? Outro talento escondido. Você era bom?

— Fantástico. Primeira base.

— É, e se preocupava tanto com a média de rebate que nunca passou da primeira base com as meninas — gozou Theo e se desviou facilmente do tapa de David.

— Vocês não sabem de nada. Eu era um sucesso... — David interrompeu. — Seja como for meu jogo, estou na berlinda. Por isso, vou apenas dizer que foi uma refeição impressionante. Em meu nome e dos meus dois glutões, agradeço a você.

— Disponha sempre, mas, em nome dos seus dois glutões, eu gostaria de salientar que foi você quem mais comeu.

— Eu tenho um metabolismo rápido — ele afirmou, quando Pilar se levantou.

— É o que todos dizem.

— Ah, não. — Ele pôs a mão na dela antes que ela pudesse retirar os pratos. — Regra da casa. Quem cozinha não tira a mesa.

— Entendo. Bem, é uma regra que eu apóio. — Ela ergueu o prato e entregou-lhe. — Divirta-se.

— Outra regra da casa — ele disse, acima da gritaria da risada de Theo. — O pai tem de delegar. Theo e Maddy terão o maior prazer de lavar os pratos.

— Até parece. — Maddy exalou um suspiro alto. — Que é que você tem de fazer?

— Tenho de queimar parte dessa excelente refeição levando a cozinheira-chefe para uma caminhada. — Tentando testar os filhos, ele curvou-se e beijou Pilar apaixonadamente. — Isto serve pra você?

— É difícil me queixar. — Ela o acompanhou, satisfeita por sair na noite primaveril. — É muita bagunça pra deixar dois adolescentes limparem.

— Forma o caráter. Além disso, dará tempo a eles pra conversarem sobre como eu seduzi você pra uma sessão de namoro.

— Oh. Eu fui seduzida?

— Claro, espero que sim. — Ele virou-a em seus braços, puxando-a mais para junto de si, quando ela ergueu a boca para a dele. Uma longa e vagarosa emoção o percorreu pelo jeito como ela suspirou encostada nele. O jeito como se encaixava. — Não tivemos muito tempo pra ficar juntos nos últimos dias.

— Está difícil. Tanta coisa acontecendo. — Contente por enquanto, ela apoiou a cabeça no ombro dele. — Sei que tenho pairado em volta de Sophie. Não posso evitar. Pensar nela sendo atacada, em nossa própria casa. Saber que alguém entrou e saiu do quarto dela, do meu e da minha mãe... Eu me peguei na cama à noite ouvindo barulhos como nunca me ocorreu antes.

— Eu olho pela janela algumas noites, do outro lado dos campos, e vejo sua luz. Quero lhe dizer que não se preocupe, mas até se resolver isso, você vai continuar preocupada. Todos nós.

— Se serve de ajuda, eu me sinto melhor quando olho pela minha janela e vejo luz na sua. É um alívio saber que está tão perto.

— Pilar.

Ele afastou-a e baixou a testa até a dela.

— Que foi?

— Há alguns problemas nos escritórios italianos. Algumas discrepâncias nos números vieram à tona durante a auditoria. Talvez eu tenha de ir pra lá por alguns dias. Não me agrada partir agora.

Ele desviou o olhar por cima dela à casa com as luzes brilhantes na janela da cozinha.

— As crianças podem ficar na villa enquanto estiver fora. Cuidaremos delas, David. Não precisa se preocupar.

— Não. — Tereza já tinha decretado que meus filhos seriam hóspedes da villa durante a viagem. Mas, mesmo assim, me preocuparia com eles. Com todos. — Também não me agrada deixar você. Venha comigo.

— Oh, David. — Ela sentiu uma onda de excitação com a idéia. A primavera italiana, as noites aprazíveis, um amante. Que maravilha sua vida tomar esse rumo, saber que tais coisas fossem possíveis! — Eu adoraria, mas não vai dar. Não me sentiria bem deixando minha mãe logo nesse momento. E você ia fazer o que tem de fazer mais rápido e mais fácil se soubesse que eu estava aqui com seus filhos.

— Você tem de ser prática?

— Não quero ser — ela disse, em voz baixa. — Adoraria dizer sim, simplesmente fugir. — Sentindo-se jovem, tola e intensamente feliz, rodopiou num círculo. — Fazer amor com você numa daquelas imensas camas do *castello*, escapulir por uma noite pra Veneza e dançar na *piazza*, roubar beijos nas sombras das pontes. Quero que me convide de novo. — Ela girou de volta para ele. — Quando tudo isso acabar, me convide de novo. Eu irei.

Alguma coisa estava diferente. Alguma coisa... mais livre nela, ele percebeu. Isso só a tornava mais atraente.

— Que tal convidar agora? Venha comigo a Veneza quando isso acabar.

— Vou. — Ela estendeu as mãos e agarrou as dele. — Eu amo você, David.

Ele ficou completamente imóvel.

— Que foi que você disse?

— Estou apaixonada por você. Lamento, é grande demais, rápido demais, mas não posso impedir. Não quero impedir.

— Não pedi explicações, apenas que você repetisse o que disse. Isso vem bem a calhar. É muito conveniente. — Ele puxou-a para a frente e, quando ela começou a derramar-se em seus braços, ergueu-a e girou-a num círculo. — Calculei mal. Pelos meus cálculos astutos, iam passar, no mínimo, mais dois meses até eu conseguir fazer você se apaixonar por mim — Ele correu os lábios pela face dela. — Foi duro pra mim, porque eu já estava apaixonado por você. Devia ter sabido que você não ia me deixar sofrendo por tanto tempo.

Ela colou a face na dele. Podia amar. O coração animava-se com a alegria disso. E ser amada.

— Que foi que disse?

— Vou parafrasear. — Afastou-a mais uma vez. — Eu amo você, Pilar. Uma olhada em você. Uma única olhada e comecei a acreditar em uma segunda chance. — Tornou a puxá-la para junto de si e, dessa vez, tinha os lábios suaves. — Você é minha.

Capítulo
Vinte e Dois

Veneza era como uma mulher, *la bella donna*, elegante na idade, sensual nas curvas aquáticas e misteriosa nas sombras. A primeira visão da cidade, erguendo-se acima do Grande Canal com as cores esmaecidas e desbotadas dos velhos vestidos de baile, falava ao sangue. A luz, um sol branco e transbordante, estendia-se sobre ela e perdia-se como um errante em suas veias e voltas secretas.

Ali estava uma cidade de coração feminino, cujo pulso batia nos rios profundos, escuros.

Veneza não era uma cidade para se desperdiçar em reuniões com advogados e contadores. Não era uma cidade onde o homem se satisfazia fechado num escritório, hora após hora, enquanto a doce sedução da primavera cantava do lado de fora de sua prisão de pedra e vidro.

A lembrança de que Veneza fora construída em torno do comércio não animava o estado de espírito de David. Saber que as ruas e pontes curvas se abarrotavam agora de turistas que torravam os cartões Visa nas infindáveis lojas, onde o cafona era muitas vezes confundido com arte, não o impedia de querer estar entre eles.

Não o impedia de desejar passear por aquelas antigas ruas com Pilar e comprar para ela alguma bugiganga ridícula da qual ririam durante anos. Teria adorado isso. Adorado ver Theo sorver um gelato como água, ouvir Maddy interrogar um infeliz gondoleiro sobre a história e arquitetura dos canais.

Sentia falta da família. Sentia falta da amante. E ainda não se haviam passado nem sessenta e oito horas.

O contador arengava num italiano e numa voz sussurrada muito difícil de entender mesmo quando se prestava toda a atenção. David lembrou que não o haviam mandado a Veneza para sonhar acordado, mas para fazer um trabalho.

— *Scusi.* — Ele ergueu a mão e passou outra página de um relatório com mais de dois centímetros de grossura. — Gostaria de repassar mais uma vez esta área. — Falou devagar, deliberadamente, tropeçando um pouco no italiano. — Quero ter certeza de que entendi claramente.

Como esperava, a tática acertou em cheio as maneiras italianas. A nova seção de números foi explicada com paciência.

— Os números — disse o italiano, mudando para o inglês, por compaixão — não batem.

— É, eu entendo. Não batem em muitas despesas de departamento. De ponta a ponta. O que me estarrece, *signore*, mas o que mais me estarrece são as atividades atribuídas à conta Cardianili. Pedidos, carregamentos, quebras, salários, despesas. Tudo registrado com muita clareza.

— *Sì.* Nessa área não há... como se diz? Discrepância. Os números estão corretos.

— Parece que sim. Mas não há nenhuma conta Cardianili. Nenhum cliente ou consumidor com este nome. Nem depósito Cardianili em Roma, no endereço registrado nos arquivos. Se não há consumidor, cliente, depósito, pra onde o senhor imagina que se enviaram, nos últimos três anos, esses pedidos?

O contador piscou os olhos por trás das lentes dos óculos com aros de metal.

— Eu não saberia dizer. Há um erro.

— Claro. Há um erro. — E David acreditava saber quem o cometera. Girou na cadeira e dirigiu-se ao advogado. — *Signore*, teve a oportunidade de examinar os documentos que entreguei ontem?

— Tive.

— E o nome do executivo responsável por essa conta?

— Está relacionado como Anthony Avano.

— E as faturas, os vales de despesas e a correspondência referentes à conta eram assinados por Anthony Avano?

— Eram. Até dezembro do ano passado, a assinatura dele aparece em grande parte da documentação. Depois dessa época, a assinatura no arquivo é de Margaret Bowers.

— Vamos precisar conferir a autenticidade dessas assinaturas.

— Entendo.

— E qual delas aprovava e encomendava os carregamentos, as despesas, e autorizava os pagamentos da conta. Donato Giambelli?

— *Signore* Cutter, eu vou mandar verificar as assinaturas, examinar esta questão do ponto de vista legal e orientar o senhor sobre sua posição e recurso. Farei isso — acrescentou — quando tiver a permissão da própria *Signora* Giambelli. Trata-se de uma questão delicada.

— Entendo, e foi por isso que Donato Giambelli não foi informado sobre esta reunião. Confio na discrição de vocês, *signori*. As Giambelli não desejam mais escândalos públicos, nem como empresa nem como família. Poderiam me dar um momento, por favor, para entrar em contato com *La Signora* na Califórnia e relatar a ela o que acabamos de conversar?

ERA SEMPRE TRAIÇOEIRO PARA UM ESTRANHO QUESTIONAR A integridade e a honestidade de alguém do núcleo. David não era italiano, nem Giambelli. Dois golpes. O fato de que fora trazido para a organização apenas quatro meses antes era o terceiro.

Ele iria enfrentar Donato Giambelli como alguém já fora de sua lista de candidatos. Havia dois meios, em sua opinião, de lidar com a situação. Ser agressivo e dar a tacada. Ou esperar, com o bastão no ombro, o lançamento perfeito.

De volta às metáforas esportivas, pensou, parado diante da janela do escritório, mãos nos bolsos, vendo o tráfego aquático fluir. Muito apropriado. Que eram os negócios senão outro jogo? Exigiam-se habilidade, estratégia e sorte.

Donato imaginaria que tinha a vantagem do próprio campo. Mas, assim que entrasse no escritório, estaria na praia de David, que pretendia deixar isso bem claro.

O telefone interno do escritório zumbiu.

— O *Signore* Giambelli está aqui para vê-lo, *Signore* Cutter.

— Obrigado. Diga que já vou ter com ele.

Deixe-o esperar apenas um pouco, decidiu David. Se a comunicação boca a boca ali se espalhava tão rápido quanto na maioria das empresas, Don já sabia que se realizara uma reunião. Contadores, advogados, perguntas, arquivos. E ele se perguntaria, se preocuparia.

Teria, se fosse inteligente, alguma explicação razoável à mão. Respostas em linha, o cara em seu lugar. A jogada mais esperta seria fúria, indignação. E dependeria muito da lealdade de família, do fluxo de sangue, para ajudá-lo a atravessar a crise.

David encaminhou-se para a porta, abriu-a e viu Donato andando de um lado para outro na ante-sala.

— Don, obrigado por vir. Desculpe deixar você esperando.

— Você fez parecer importante, por isso vim logo. — Don entrou no escritório e varreu-o com os olhos. Relaxou um pouco quando o encontrou vazio. — Se eu tivesse sido informado antes de tomar as providências para sua viagem, teria liberado minha agenda para poder lhe mostrar Veneza.

— As providências foram tomadas muito rapidamente, mas já visitei Veneza antes. Estou louco é para conhecer o *castello* e os vinhedos. Sente-se.

— Se me disser quando planeja ir, darei um jeito de acompanhá-lo. Vou sempre lá, para me certificar de que está tudo nos conformes. — Sentou-se e cruzou as mãos. — Agora, que posso fazer por você?

Dar a tacada, decidiu David, e ocupou seu lugar atrás da sua mesa.

— Poderia explicar a conta Cardianili.

Don ficou com o rosto branco. Disparando os olhos de um lado para outro, conseguiu dar um sorriso perplexo.

— Não entendo.

— Nem eu — disse David, rindo. — Por isso é que estou pedindo que explique.

— Ah, bem, David. Você dá à minha memória crédito demais. Não me lembro de cada conta, nem dos detalhes. Se me der tempo para abrir os arquivos e a informação...

— Oh, já tenho tudo. — David tocou com o dedo a pasta sobre a mesa. Não muito inteligente, decidiu, surpreso. Nem preparado. — Sua assinatura aparece em muitos vales de despesas, correspondências e outras papeladas pertencentes a essa conta.

— Minha assinatura aparece em muitos documentos desse tipo de contas. — Don começava a suar, clara e visivelmente. — Não posso me lembrar de todas.

— Esta devia ressaltar. Pois não existe. Não existe nenhuma conta Cardianili, Donato. Há uma considerável papelada gerada para ela, muito dinheiro envolvido. Faturas e despesas, mas nenhuma conta. Ninguém com esse nome... — Fez uma pausa, abriu a pasta e retirou uma folha de papel timbrado da Giambelli. — Giorgio Cardianili, com quem você parece ter se correspondido várias vezes nos últimos anos. Ele não existe, nem o depósito com um endereço em Roma ao qual se relacionou o embarque de vários carregamentos de vinho. Esse depósito, para onde você, à custa da empresa, viajou a negócios duas vezes nos últimos oito meses, não está lá. Como explicaria isso?

— Eu não entendo. — Donato levantou-se de um salto. Mas não parecia indignado. Parecia apavorado. — De que está me acusando?

— No momento, de nada. Estou pedindo que me explique esse arquivo.

— Não tenho explicação. Desconheço esse arquivo, essa conta.

— Então como a sua assinatura aparece neles? Como é que cobrou em sua conta de despesas mais de dez milhões de liras em relação a essa conta?

— Um engano. — Donato umedeceu os lábios. Pegou o papel timbrado do arquivo. — Uma falsificação. Alguém me usou para roubar dinheiro de *La Signora*, da minha família. *Mia famiglia* — repetiu, em italiano, batendo com a mão trêmula no coração. — Vou examinar isso imediatamente.

Não, nada inteligente mesmo, decidiu David. Nem perto.

— Tem quarenta e oito horas.

— Você ousaria? Ousaria me dar um ultimato desses, quando alguém está roubando a família?

— O ultimato, como você chama, vem de *La Signora*. Ela exige sua explicação em dois dias. Enquanto isso, toda a atividade nessa conta fica bloqueada. Daqui a dois dias, toda a documentação gerada por essa questão deve ser apresentada à polícia.

— A polícia? — Don ficou branco. Com a compostura em frangalhos, as mãos começaram a tremer e a voz a tropeçar. — Isso é ridículo. Trata-se obviamente de algum tipo de problema interno. Não queremos uma investigação de fora, a publicidade...

— *La Signora* quer resultados. Custe o que custar.

Don fez então uma pausa, esforçando-se para pensar, encontrar uma corda balançando sobre o buraco em que tão de repente se viu caindo.

— Com Tony Avano como executivo da conta, é fácil ver a origem do problema.

— De fato. Mas não identifiquei Avano como o executivo da conta.

— É natural que eu tenha assumido... — Don esfregou as costas da mão na boca. — Uma conta importante.

— Eu não qualifiquei Cardianili como importante. Aceite os dois dias — disse David, tranqüilo. — E aceite meu conselho. Pense em sua mulher e filhos. É mais provável que *La Signora* mostre compaixão se você enfrentar a responsabilidade pelo que tem sido feito, e pela sua família.

— Não me diga o que fazer com a minha família, nem com a minha posição. Trabalhei com a Giambelli toda a vida. *Sou* Giambelli. E serei por muito tempo depois que você se for. Eu quero esse arquivo.

— Você terá de bom grado o arquivo. — David ignorou a mão imperiosa e estendida e fechou a pasta. — Em quarenta e oito horas.

INTRIGAVA DAVID O FATO DE DONATO GIAMBELLI ESTAR TÃO despreparado, tão *perdido*. Inocente, não, pensou, enquanto atravessava a Praça São Marcos. Donato enfiara a mão na sujeira até o cotovelo. Mas não arquitetara o golpe. Não dirigira o espetáculo. Avano talvez. Muito possivelmente, embora o volume escumado sob seu nome fosse um insignificante dinheiro de bolso perto do que Donato amealhara.

E Avano morrera quatro meses antes.

Os detetives encarregados do homicídio na certa se interessariam pela nova informação. E quanto dessa sombria luz se refletiria em Pilar?

Praguejando baixinho, ele dirigiu-se a uma das mesas que invadiam a calçada. Sentou-se e, durante algum tempo, ficou apenas olhando os turistas afluírem do outro lado do calçamento de pedras, entrando e saindo da catedral. Entrando e saindo das lojas que se enfileiravam na praça.

Avano vinha espoliando a empresa, pensou. Era um dado concreto e já conhecido. Mas o que David agora trazia na pasta levava tudo a outro nível. Donato elevara tudo a uma fraude.

E Margaret? Nada indicava que ela tivera conhecimento, ou participação, em qualquer espoliação antes de ser promovida. Trocara de lado tão rápido? Ou soubera da conta falsa e esse conhecimento a conduzira à morte?

Qualquer que fosse a explicação, não respondia à mais espinhosa das perguntas: quem assumira o comando agora? A quem Donato, a essa altura tomado de pânico, ligava, com certeza, em busca de instruções, de ajuda?

Alguém acreditaria, com a mesma facilidade com que acreditara Donato, que *La Signora* pretendia levar a questão à polícia? Ou alguém de sangue-frio pagaria para ver?

De qualquer modo, dali a dois dias Donato Giambelli seria posto para fora. O que acrescentava uma nova camada à dor de cabeça de David. Don teria de ser substituído, e rápido. A investigação interna teria de continuar até se taparem todos os vazamentos.

Seu próprio tempo na Itália seria provavelmente estendido, e logo nesse momento da vida em que desejava e precisava estar em casa.

Pediu uma taça de vinho, conferiu as horas no relógio de pulso e pegou o celular.

— Maria? Aqui é David Cutter. Pilar pode atender?

— Um momento, Sr. Cutter.

Ele tentou imaginar onde ela se achava na casa e o que fazia.

Na última noite que haviam passado juntos, fizeram amor no furgão, à beira do vinhedo. Como um casal de adolescentes eufóricos, ele lembrou. Tão desejosos um pelo outro, tão desesperados para se tocarem.

E a lembrança provocou uma dolorosa saudade.

Era mais fácil, descobriu, imaginá-la sentada à sua frente, e a luz, enfraquecendo para os lados do crepúsculo, atingindo a cúpula da catedral como uma flecha, o ar enchia-se do alvoroço dos pombos em pleno vôo.

Quando tudo isso terminasse, prometeu a si mesmo, teria esse momento com ela.

— David?

O fato de ela estar um pouco ofegante levou-o a sorrir. Devia ter corrido para atender ao telefone.

— Estou apenas sentado aqui, na Praça São Marcos. — Pegou a taça de vinho que o garçom trouxera e tomou um gole. — Bebendo um interessante chiantizinho e pensando em você.

— Tem música?

— Uma pequena orquestra do outro lado da praça, tocando melodias de espetáculos americanos. Meio que estraga o momento.

— De jeito nenhum. Pra mim, não.

— Como estão os garotos?

— Ótimos. Na verdade, acho que Maddy e eu estamos cautelosamente beirando a amizade. Ela foi à estufa ontem após a escola. Eu tive uma aula de fotossíntese, grande parte da qual ultrapassou a minha compreensão. Theo rompeu com a menina com quem vinha saindo.

— Julie?

— Julie foi no último inverno, David. Precisa se manter atualizado. Carrie. Ele e Carrie romperam, e Theo ficou deprimido durante uns dez minutos. Jurou que não quer saber mais de meninas e pretende dedicar a vida à música.

— Já ouvi essa. Deve durar talvez um dia.

— Eu te conto depois. Como está tudo aí?

— Melhor agora, por conversar com você. Pode dizer aos dois que vou ligar à noite pra eles? Por volta das seis, no horário de vocês.

— Tudo bem. Acho que você ainda não sabe quando poderá voltar, sabe?

— Ainda não. Surgiram algumas complicações. Saudade de você, Pilar.

— Também sinto saudade de você. Pode me fazer um favor?

— Já fiz.

— Só fique sentado aí algum tempo. Tome seu vinho, ouça a música, veja a luz mudar. Vou pensar em você aí.

— Também vou pensar em você aí. Tchau.

Quando ele desligou, perdeu tempo com o vinho. Fora uma experiência e tanto falar assim com uma mulher — com ela — sobre os filhos. Com alguém que os entendia, que os apreciava. Isso os ligava de tal maneira que quase os tornava uma família. E era, percebeu, o que queria. Queria mais uma vez uma família. Todos os elos que formavam o círculo.

Com a respiração instável, largou o vinho. Queria uma mulher. Queria que Pilar fosse sua mulher.

Rápido demais?, perguntou-se. Excessivo?

Não. Não, não era. De qualquer modo que via, parecia exatamente o certo. Eram adultos com metade da vida atrás. Por que deveriam desperdiçar o resto avançando devagar e aos poucos, por estágios?

Levantou-se e jogou algumas liras na mesa.

Por que desperdiçar mais um minuto? Que melhor lugar para comprar um anel para a mulher a quem amava senão Veneza? Quando se voltou, a primeira vitrina que lhe atraiu o olhar foi a de uma joalheria, e considerou-a um sinal.

Não era tão fácil quanto imaginava que seria. Não queria diamante. Ocorreu-lhe que Avano na certa lhe dera um, e descobriu em si mesmo uma profunda e arraigada aversão por dar a Pilar qualquer coisa que Avano dera.

Queria uma coisa que falasse aos dois, uma coisa que mostrasse a ela como a entendia de um modo que ninguém mais entendera. Nem poderia.

Competitivo, imaginou ao entrar em outra loja. E daí?

Subiu as escadas da Ponte de Rialto, apinhada, onde as lojas se enfiavam lado a lado naquela elevação acima da água. Compradores ávidos acotovelavam-se e abriam caminho empurrando uns aos outros, como se o último suvenir fosse apanhado antes que pudessem comprá-lo.

Passou aos trancos pelos estandes que ofereciam artigos de couro, camisetas, bugigangas e tentou concentrar-se nas vitrinas das lojas. Cada uma transbordava como rios de ouro e pedras preciosas. Uma ofuscação que confundia os olhos. Desanimado, chateado e cansado da longa caminhada, quase deu por encerrada a noite. Podia esperar e pedir à sua secretária em Veneza uma recomendação.

Então se virou e examinou mais uma vitrina. E viu-o.

O anel era incrustado com cinco pedras, todas em delicada forma de coração, formando um suave arranjo de cores. Como as flores dela, pensou. Cinco pedras, ele pensou, ao chegar mais perto. Uma para cada um dos dois, e uma para cada um dos seus filhos. Imaginou que a azul era safira, a vermelha, rubi, e a verde, esmeralda. Não sabia o que eram as pedras roxa e dourada. Que importância tinha? Era perfeito.

Trinta minutos depois, saiu da loja. Tinha a descrição do anel — ametista e citrino-topázio para as duas últimas pedras, lembrou a si mesmo. Também tinha o anel enfiado no bolso. Mandara gravá-lo com a data que comprara.

Queria que ela soubesse, sempre, que o encontrara ao cair da tarde em que se sentara na Praça de São Marcos, enquanto a luz se suavizava, conversando com ela.

Caminhava com passos mais leves do que quando deixara a ponte. Perambulava agora sem pressa pelas ruas, proporcionando-se a delícia de um passeio a esmo. A multidão diminuía com o cair da noite e tornava os canais de um preto brilhante. De vez em quando ele ouvia o eco de suas próprias passadas na lambida de água esparramada contra uma ponte.

Decidiu não voltar para o apartamento, mas mergulhar sob o toldo de uma trattoria. Se voltasse, iria trabalhar e estragar o prazer, a antecipação da noite. Pediu linguado e meia garrafa do vinho branco da casa.

Demorou-se saboreando a refeição, sorrindo, sentimental, para um casal em óbvia lua-de-mel, divertindo-se com um menino pequeno que escapara dos pais para encantar os garçons. Era, imaginou, a típica reação de um homem apaixonado o fato de achar todos e tudo um simples deleite.

Demorou-se em torno do café e pensou no que diria, e como diria, quando oferecesse o anel a Pilar.

A maioria das praças já se esvaziara quando voltou ao outro lado da cidade. As lojas haviam fechado as portas e os camelôs das calçadas embalado seus produtos muito tempo atrás.

De vez em quando, via o pequeno facho de luz de uma gôndola levando turistas por um canal lateral, ou ouvia uma voz elevar-se e ondular acima da água, mas na maior parte estava — afinal — sozinho na cidade.

Satisfeito consigo mesmo, seguiu sem pressa, fazendo a digestão na caminhada e deixou drenar-se o estresse do dia, absorvendo Veneza após o cair da noite.

Atravessou outra ponte, caminhou pelas sombras de outra rua tortuosa. Ergueu os olhos quando uma luz se derramou de uma janela acima e sorriu ao ver uma jovem estendendo a roupa lavada que ondulava levemente na brisa. A moça tinha os cabelos castanhos e soltos na altura dos ombros. Braços longos e finos, com um clarão dourado no pulso. Cantava, e a alegre sonoridade de sua voz ressoava na rua vazia.

O momento gravou-se na mente dele.

A mulher de cabelos escuros que estendia tarde a roupa lavada do dia, e apesar disso cantava, o cheiro do jantar dela que flutuava até embaixo. Ela captou o olhar dele e riu, um som cheio de diversão e flerte.

David parou e virou-se, pretendendo lançar-lhe uma saudação. E, ao fazer isso, salvou sua própria vida.

Sentiu a dor, um repentino e horrendo fogo no ombro. Ouviu, fracamente, uma espécie de explosão amortecida no momento em que o rosto da mulher se embaçava.

Então já caía, caía devagar e continuamente aos ruídos de gritos e pés que corriam, até jazer, sangrando e inconsciente, nas frias pedras da rua veneziana.

* * *

*N*ÃO FICOU INCONSCIENTE POR MUITO TEMPO. POR UM momento, o mundo pareceu inundado de vermelho e, no meio daquela névoa fosca, vozes diversas elevavam-se e baixavam. O italiano deslizava incompreensivelmente por sua mente entorpecida.

Sentia mais calor que dor, como se alguém o segurasse acima das chamas de uma fogueira. E pensou, com muita clareza: fui baleado.

Alguém o cutucou, sacudiu-lhe o corpo de modo que despertou a dor e varou o fogo como uma espada de prata. Ele tentou falar, protestar, defender-se, mas conseguiu apenas pouco mais que um gemido quando sua visão escureceu.

Ao tornar a clarear, ele se viu fitando de baixo o rosto da jovem que vira estendendo a roupa lavada.

— Você deve ter trabalhado até tarde da noite.

As palavras vieram-lhe claras à mente e ininteligíveis aos lábios.

— *Signore, per piacere. Sta zitto. Riposta. L'aiuto sta venendo.*

Ele escutou solenemente, traduzindo o italiano tão devagar e compenetrado como um aluno do primeiro ano. Ela queria que ele se calasse, repousasse. Simpático da parte dela, pensou fracamente. A ajuda estava chegando. Ajuda para quê?

Oh, certo. Fora baleado.

David disse-lhe, primeiro em inglês e depois em italiano:

— Preciso ligar para os meus filhos. Preciso dizer a eles que estou bem. Você tem um telefone?

E com a cabeça embalada no colo dela, mais uma vez desfaleceu.

É— UM CARA DE MUITA SORTE, SR. CUTTER.

David tentava concentrar-se no rosto do homem. Quaisquer que fossem as drogas que os médicos haviam injetado nele eram pesadas. Não sentia dor alguma, mas porque fora pressionado a não sentir nada.

— É difícil concordar com você no momento. Sinto muito, esqueci seu nome.

— DeMarco. Sou o tenente DeMarco. Seu médico disse que precisa de repouso, claro. Mas tenho algumas perguntas. Pode me dizer o que lembra?

Ele se lembrava de uma bonita jovem estendendo a roupa lavada, e que as luzes cintilavam na água, nas pedras.

— Eu vinha andando — começou e esforçou-se para sentar-se. — O anel de Pilar. Tinha acabado de comprar um anel.

— Está comigo. Acalme-se. O anel, a carteira e o relógio. Estarão seguros.

A polícia, lembrou David. Pessoas chamavam a polícia quando alguém era baleado na rua. Esse parecia um policial, não tão elegante quanto o detetive em São Francisco. Era meio atarracado, meio careca. Compensava as duas coisas com um exuberante bigode preto que escorria pelo lábio superior. Falava um inglês preciso e correto.

— Eu voltava a pé para o meu apartamento, passeando um pouco. Tinha feito uma compra, o anel, depois do trabalho. E jantei. Era uma noite agradável e eu tinha ficado trancado o dia todo no escritório. Vi uma jovem numa janela. Ela torcia a roupa lavada. Formava uma imagem e tanto. Cantava. Parei e olhei para cima. Então desabei na rua. Caí... — Com cuidado, ergueu o braço até o ombro. — Eu soube que tinha sido baleado.

— Já foi baleado antes?

— Não. — David fez uma careta. — Foi exatamente como se imagina que seria. Devo ter desmaiado. A mulher estava comigo quando voltei a mim. Acho que ela desceu correndo, quando viu o que aconteceu.

— E o senhor viu quem atirou?

— Só vi as pedras da calçada se aproximando a toda de mim.

— Por que acha, Sr. Cutter, que alguém atiraria no senhor?

— Eu não sei. Assalto, imagino.

— Mas seus objetos de valor não foram roubados. Qual é seu ramo de negócios em Veneza?

— Sou o COO da Giambelli-MacMillan. Tive reuniões.

— Ah. O senhor trabalha pra *La Signora.*

— Trabalho.

— *La Signora* teve alguns problemas, não, nos Estados Unidos?

— Teve, mas não vejo o que isso tem a ver com a agressão a mim em Veneza. Preciso ligar para os meus filhos.

— Sim, sim, isso será providenciado. Conhece alguém em Veneza que poderia desejar o senhor ferido, Sr. Cutter?

— Não. — Assim que negou, David pensou em Donato. — Não — repetiu. — Não conheço ninguém que me balearia na rua. Disse que tinha meus objetos de valor, tenente. O anel que comprei, minha carteira e meu relógio. Minha pasta.

— Não encontramos nenhuma pasta. — DeMarco recostou-se. A mulher que testemunhou o disparo afirmara que a vítima levava uma pasta. Descrevera-a muito bem. — Qual o conteúdo dessa pasta?

— Papelada de escritório — respondeu David. — Apenas documentos.

Era difícil, pensou Tereza, resistir a tantos golpes. Sob ataques assim tão constantes, seu ânimo começava a esmorecer. Ela mantinha a postura ereta ao entrar com Eli no salão da família. Sabia que as crianças estavam lá, à espera do telefonema do pai.

Inocência, pensou, vendo Maddy refestelada no sofá com o nariz enfiado num livro, Theo socando o piano. Por que se tinha de roubar a inocência dessa forma e tão rapidamente?

Deu um aperto no braço de Eli. Para tranqüilizá-lo e preparar-se, e depois avançou sala adentro.

Pilar ergueu os olhos do trabalho de agulha. Um olhar para a mãe e o coração dela congelou-se. O bordado deslizou-lhe das mãos quando se levantou devagar.

— Mama?

— Por favor, sente-se. Theo. — Fez um gesto para silenciá-lo. — Maddy. Primeiro preciso dizer a vocês que seu pai está bem.

— Que aconteceu? — Maddy rolou para fora do sofá. — Aconteceu alguma coisa com ele. Por isso é que não ligou. Ele nunca liga tarde.

— Foi ferido, mas passa bem. Está no hospital.

— Acidente? — interveio Pilar, pondo a mão no ombro de Maddy. A menina, que antes teria se desvencilhado da mão, a segurou com mais força.

— Não, acidente, não. Foi baleado.

— Baleado? — Theo precipitou-se do piano. O terror revestiu sua garganta como bílis. — É um erro, um engano. Papai não anda por aí sendo baleado.

— Ele foi levado direto ao hospital — continuou Tereza. — Falei com o médico que tratou dele. Seu pai está se recuperando muito bem. Já foi considerado em bom estado.

— Me escutem. — Eli avançou, tomou a mão de Maddy e depois a de Theo. — Não íamos dizer a vocês que ele está bem se não estivesse. Sei que estão assustados, preocupados, e nós também. Mas o médico foi muito claro. Seu pai é saudável e forte. Vai ter uma recuperação total.

— Quero que ele venha pra casa — disse Maddy, os lábios trêmulos. — Quero que ele venha pra casa já.

— Ele virá assim que receber alta do hospital — disse Tereza. — Vou tomar as providências. Seu pai ama você, Madeline?

— Claro que ama.

— Sabe o quanto ele está preocupado com você no momento? Com você e seu irmão, e como essa preocupação torna mais difícil ele descansar, se curar? Ele precisa que vocês sejam fortes.

Quando o telefone tocou, Maddy afastou-se num rodopio e saltou em cima.

— Alô? Alô? Papai! — As lágrimas brotavam-lhe dos olhos e sacudiam o corpo de cima a baixo. Apesar disso, deu um tapa em Theo, quando o irmão tentou agarrar o telefone. — Está tudo bem. — A voz baixou, e ela virou-se para Tereza. — Está tudo bem —

repetiu, passando a mão embaixo do nariz e respirando fundo. — E aí. Conseguiu guardar a bala?

Ela ouvia a voz do pai, e observava *La Signora* assentir-lhe com a cabeça.

— É, Theo está bem aqui, me empurrando. Posso dar nele? Tarde demais — respondeu. — Já dei. É, ele está aqui.

Passou o telefone para o irmão.

— Você é uma mulher forte — disse-lhe Tereza. — Seu pai deve estar muito orgulhoso.

— Faça com que ele venha pra casa, sim? Só faça com que venha pra casa.

Dirigiu-se aos braços de Pilar e sentiu-se melhor chorando ali.

Capítulo Vinte e Três

A cabeça latejava como uma ferida aberta, mas não era nada comparado com a dor no coração. Ela ignorou as duas e ocupou seu lugar atrás da sua mesa.

Contra as objeções de Eli e Pilar, Tereza deixou as crianças participarem da reunião de emergência. Era ainda a líder da família Giambelli, e eles tinham direito de saber por que ela julgava que o pai fora ferido.

Tinham o direito de saber o que se relacionava ao sangue dela.

— Falei com David — começou, e sorriu para os filhos dele. — Antes de o médico chegar e obrigar seu pai a descansar.

— É um bom sinal. — Sophia acomodou-se ao lado de Theo. Ele parecia tão jovem, tão indefeso. — Os homens são tão infantis quando se machucam. Simplesmente não conseguem parar de falar disso.

— Corta essa. A gente é, tipo, estóico.

Theo tentava ser, mas a emoção não parava de desafiá-lo.

— Seja como for — continuou Tereza. — Com a aprovação do médico, ele tomará o avião para casa em poucos dias. Enquanto isso, a polícia está investigando o incidente. Também falei com o homem encarregado da investigação. — E tinha, em curta e implacável ordem, pesquisado o relatório dele. DeMarco servia. Tereza dobrou as mãos sobre o arquivo do tenente. — Houve várias testemunhas. Eles têm uma descrição, embora não muito boa, do agressor. Não sei como vão encontrar o cara, nem se ele tem alguma importância.

— Como pode dizer isso? — Maddy se sacudiu na cadeira. — Ele atirou no meu pai.

Aprovando a reação, Tereza falou-lhe como faria com uma igual:

— Porque acredito que ele foi contratado para fazer isso, como se compra e usa qualquer ferramenta. Para roubar os documentos em posse de seu pai. Um ato desorientado e desprezível de proteção pessoal. Tem havido... discrepâncias em muitas contas. Os detalhes podem esperar. Ficou claro hoje mais cedo, pelo trabalho de David, que meu sobrinho tem desviado dinheiro da empresa para uma conta de fachada.

— Donato. — Sophia sentiu uma forte pontada no peito. — Roubando de você?

— De nós. — Isso Tereza já aceitara e absorvera. — Ele se encontrou com David em Veneza esta tarde e teria percebido que suas ações logo seriam descobertas. A resposta dele foi o que aconteceu com seu pai — disse a Theo e Maddy. — Minha família causou essa dor em vocês. Sou a chefe da família e responsável por essa dor.

— Papai trabalha pra senhora. Ele cumpria a obrigação dele. — Com a emoção ainda o desafiando, Theo cerrou os dentes. — A culpa é desse canalha, não sua. Ele está na prisão?

— Não. Ainda não encontraram Donato. Parece que ele fugiu. — Desprendia-se da voz dela um fio de desdém. — Abandonou a mulher, os filhos, e fugiu. Prometo que será encontrado, e punido. Vou cuidar disso.

— Ele vai precisar de dinheiro. Recursos — interveio Ty.

— Você vai precisar de alguém em Veneza pra esclarecer tudo. — Sophia levantou-se. — Eu partirei hoje à noite.

— Não vou pôr um dos meus em perigo.

— *Nonna*, se Donato usava uma conta para espoliar fundos, tinha ajuda. Meu pai. É tão meu sangue — ela continuou em italiano — quanto seu. Minha honra como sua. Não pode me negar o direito de consertar os erros. — Ela inspirou fundo e mudou para o inglês: — Partirei hoje à noite.

— Que inferno — bronqueou Ty. — Nós partiremos hoje à noite.

— Eu não preciso de babá.

— É, falou. — Ele ergueu os olhos e recebeu os dela com aço gelado. — Temos uma aposta igual nisso, Sophia Giambelli. Você vai, eu vou. Inspecionarei os vinhedos, o lagar — disse a Tereza. — Se tiver alguma coisa fora do normal lá, vou identificar. Deixarei a papelada comprometedora com o burocrata.

Então, pensou Tereza, olhando para Eli no outro lado da sala. O passo seguinte no ciclo. Passamos os fardos para os jovens.

— Fechado. — Tereza ignorou a exalação sibilante de Sophia. — Sua mãe vai se preocupar menos se você não estiver sozinha.

— Não, vou simplesmente estender a preocupação por duas pessoas — disse Pilar. — Mama, e Gina e os filhos?

— Eles serão mantidos. Não acredito nos pecados do pai. — Tereza desviou o olhar para Sophia e travou-o. — Acredito no filho.

A PRIMEIRA COISA QUE DAVID FEZ AO SER LIBERADO DO HOS-pital, ou, mais exatamente, ao liberar a si mesmo, foi comprar flores.

Como o primeiro buquê pareceu inadequado, comprou outro, e mais um terceiro.

Não era fácil carregar uma imensa braçada de flores com um dos braços na tipóia, pelas ruas abarrotadas de Veneza, mas ele conseguiu. Assim como conseguiu encontrar o local onde fora baleado.

Preparara-se para o choque, mas não percebera que viria junto com a fúria. Alguém o julgara dispensável, furara-lhe a carne com aço e derramara o seu sangue. E chegara bem perto de deixar seus filhos órfãos.

Alguém, prometeu David a si mesmo, parado sobre as manchas do próprio sangue, com o braço bom cheio de flores, ia pagar por pensar nisso. Não importava o que exigisse e por mais demorado que fosse.

Ergueu os olhos. Embora não visse as roupas secando então, a janela continuava aberta. Mudou as flores de posição, afastou-se da rua e entrou no prédio. Surpreendeu-o a exaustão que sentiu após a subida. Os membros fracos, a pele escorregadia de suor. Ficou fulo de raiva ao ver-se ofegante e encostado, trôpego, na parede diante do apartamento.

Como, diabo, ia voltar ao apartamento dos Giambelli, arrumar a mala, fazer a reserva de um vôo, quando mal conseguira subir essa escada? O fato de o médico ter dito isso, em essência, antes de ele assinar a própria saída do hospital apenas o aborrecia.

Tanto assim que, ainda arquejando, empertigou-se e bateu.

Não esperava encontrá-la em casa, pretendia deixar as flores na entrada ou procurar uma vizinha amistosa que as recebesse por ela. Mas a porta abriu-se e lá estava a jovem.

— *Signorina.*

— *Sì?* — Ela olhou-o sem expressão, e então o belo rosto iluminou-se. — *Signore! Come sta? Oh, oh, che bellezza!* — Arrebanhou as flores e indicou-lhe que entrasse. — Liguei para o hospital esta manhã — continuou, rápido, em italiano. — Disseram que estava repousando. Fiquei tão assustada. Não podia acreditar que uma coisa dessas fosse acontecer bem ali fora... Oh. — Bateu de leve na cabeça com a mão. — O senhor é americano — disse, em cuidadoso inglês. — *Scusami.* Desculpe. Meu inglês não é bom.

— Eu falo italiano. Queria agradecer a você.

— A mim? Eu não fiz nada. Por favor, entre, se sente. Está tão pálido.

— Você estava ali. — Ele olhou o apartamento em volta. Pequeno, simples, com bonitos toquezinhos. — Se não estivesse, e eu não erguesse os olhos porque àquela hora você pendurava a roupa lavada e formava um lindo quadro fazendo isso, talvez não estivesse em pé aqui agora. *Signorina.* — Tomou-lhe a mão e levou-a aos lábios. — *Mille grazie.*

— *Prego.* — Ela inclinou a cabeça. — Uma história romântica. Venha, vou fazer café para você.

— Não precisa se incomodar.

— Por favor, se salvei sua vida, preciso cuidar dela.

Levou as flores para a cozinha.

— Ah... um dos motivos de eu estar passando por aqui tão tarde foi que fiz uma compra antes do jantar. Tinha acabado de comprar um anel, um anel de noivado para a mulher que eu amo.

— Oh. — Ela suspirou e estendeu as flores na bancada. Deu uma nova olhada nele. — Pouca sorte para mim. Muita para ela. Mesmo assim, vou fazer seu café.

— Eu gostaria. *Signorina*, não sei seu nome.

— Elana.

— Elana, espero que tome isso como eu pretendo. Acho que é a segunda mulher mais bonita do mundo.

Ela riu e começou a encher um jarro com as flores.

— É, que sorte a dela!

DAVID ESTAVA FARTO DE DOR, FADIGA, MÉDICOS E DA CON-fusão de pedestres que era Veneza quando retornou, afinal, aos seus aposentos. Chegara à conclusão de que não iria voltar para casa nessa noite. Já seria um felizardo se conseguisse despir-se sozinho e enfiar-se na cama, quanto mais ficar em pé o tempo suficiente para fazer a mala.

O ombro protestava, as pernas vacilavam e ele praguejou ao lutar com a chave da fechadura na mão esquerda. Apesar disso, ergueu-a, o punho fechado para atacar, quando a porta se abriu de repente.

— Aí está você! — Sophia pôs as mãos nos quadris. — Enlouqueceu? Dando alta a si mesmo no hospital, vagando aí sozinho por Veneza. Olhe pra você, pálido como um lençol. Os homens são tão idiotas.

— Obrigado, muitíssimo obrigado. Posso entrar? Acho que este ainda é meu quarto.

— Ty saiu atrás de você agora mesmo. — Ela segurou o braço bom dele enquanto falava e ajudou-o a entrar. — Ficamos mortos de preocupação desde que fomos ao hospital e descobrimos que você tinha saído, passado por cima das ordens do médico.

— Mesmo na Itália, parecem não fazer a comida de hospital apetitosa. — Entregando os pontos, ele afundou numa poltrona. — A gente pode morrer de fome lá. Além disso, eu não esperava ninguém tão cedo assim. Que fizeram vocês? Vieram num feixe luminoso?

— Saímos ontem à noite. Já viajei um longo tempo, com muito pouco sono, e passei outro tempo longuíssimo andando de um lado pro outro nestes aposentos, preocupada com você. Por isso, não crie problemas comigo.

Ela desenroscou a tampa de um frasco e entregou-lhe uma pílula.

— Que é isto?

— Analgésico. Você deixou o hospital sem a receita.

— Drogas. Você comprou drogas pra mim. Quer se casar comigo?

— Idiota — ela repetiu e saiu pisando forte até o frigobar para pegar uma garrafa d'água. — David, aonde você *foi*?

— Fui levar flores a uma bela mulher. — Ele reclinou-se, estendeu a mão para pegar a garrafa e suspirou quando Sophia a empurrou para fora de seu alcance. — Por favor, não provoque um homem com o remédio dele.

— Você esteve com uma mulher?

— Tomando café — ele disse — com a mulher que salvou minha vida. Levei umas flores pra agradecer a ela.

Refletindo, Sophia inclinou a cabeça. Ele parecia exausto, meio suado e muito romântico, com o braço numa tipóia e olheiras sob aqueles olhos azul-escuros.

— Acho que está tudo bem. Ela é bonita?

— Eu disse a ela que era a segunda mais bela mulher do mundo, mas com todo prazer a rebaixo para o terceiro lugar, se você me der essa maldita água. Não me faça mastigar a pílula, estou implorando.

Ela entregou a garrafa e agachou-se diante dele.

— David, eu sinto muito sobre isso.

— É, eu também. Os meninos estão bem, certo?

— Estão ótimos. Preocupados, mas tranqüilos o suficiente pra Theo começar a achar que é muito legal você ter sido baleado. Não é o pai de todo mundo que...

— Meu bem, não faça isso consigo mesma.

— Não. Não vou fazer. — Ela inspirou fundo. — De qualquer modo, Maddy brincou sobre a bala ontem. Disse alguma coisa sobre você guardar a bala? Mas encafifou com isso agora, segundo minha mãe. Quer estudar o assunto.

— Essa, sim, é a minha menina.

— São ótimos meninos, David. Na certa puxaram a um pai que pensaria em comprar flores para uma mulher quando se sentia um lixo recolhido da calçada. Venha, vamos pôr você na cama.

— É isso o que todas dizem. — O lento e zonzo sorriso que lhe deu disse a Sophia que a medicação fazia efeito. — Você não consegue tirar as mãos de cima de mim.

— Remédio bom, hem?

— Bom mesmo. Talvez se eu pudesse me deitar um minuto.

— Claro. Por que não experimenta numa superfície grande e lisa?

Ela ajudou-o a levantar-se.

— Sophie? Pilar não está toda enrolada por causa disso, está?

— Claro que está. Mas vai se desenrolar quando você chegar em casa, onde ela vai poder pôr a mão na massa.

— Estou bem, só com a cabeça um pouco confusa agora. — Ele deu uma risada e apoiou-se pesadamente ao ser levado para o quarto. E teria jurado que flutuava. — É melhor sobreviver com química.

— Com certeza. Quase chegamos.

— Quero ir pra casa. Como vou fazer a mala só com uma mão?

— Não se preocupe. Eu faço pra você.

— Faz? Mesmo? — Ele virou-se para dar-lhe um beijo no rosto e errou por mais de cinco centímetros. — Obrigado.

— Não tem problema. Aqui vamos nós. Direto para baixo. Calma. Não quero machucar você... Oh! Desculpe — ela disse quando ele ganiu.

— Não, não é o braço. Está... no meu bolso. A caixa. Rolei por cima dela.

Tateou para pegá-la, praguejou e sentiu-se apenas levemente sem graça quando Sophia enfiou a mão no bolso dele e a retirou.

— Comprando bugigangas, é? — Ela abriu a caixa e piscou os olhos. — Oh, minha nossa.

— Acho que devo contar a você. Comprei pra sua mãe. Vou pedir a ela que se case comigo. — Ele se ergueu um pouco no travesseiro e tornou a escorregar direto para baixo. — Tem algum problema com isso?

— Talvez, em vista de você ter me pedido cinco minutos atrás, seu safado volúvel. — Com os olhos meio marejados, ela sentou-se na lateral da cama. — É lindo, David. Ela vai adorar. Ama você.

— Ela é tudo que eu já quis. Linda, linda Pilar. Por dentro e por fora. Segunda chance em toda a volta. Vou ter cuidado com ela.

— Sei que vai ter. Eu sei. O ano não chegou nem à metade — ela disse, em voz baixa. — Tudo está se movendo tão rápido. Mas algumas coisas — acrescentou —, algumas coisas seguem na direção certa. — Curvou-se e beijou o rosto dele. — Feche os olhos por algum tempo. Papai.

Quando Tyler voltou, ela fazia minestrone. Sempre o fazia recuar um passo vê-la trabalhando na cozinha.

— Ele está aqui — ela disse sem erguer os olhos. — Dormindo.

— Eu disse que ele sabia cuidar de si mesmo.

— É, fez um ótimo trabalho nisso sendo baleado, não? Fique longe dessa sopa — acrescentou, quando ele se curvou sobre a panela. — É pra David.

— Tem bastante pra todo mundo.

— Ainda não está pronta. Você devia pegar o carro e ir ao vinhedo. Pode dormir no *castello* esta noite. Vou ter de mandar arquivos pelo Messenger. Posso trabalhar no computador aqui.

— Bem, você planejou tudo isso, não?

— Não estamos aqui pra visitar lugares turísticos.

Ela saiu da cozinha.

Ele levou um momento para ter certeza de que tinha o mau humor sob controle e seguiu-a até o pequeno escritório.

— Que tal a gente simplesmente pôr tudo pra fora?

— Não tenho nada para pôr pra fora, Ty. Estou com a mente cheia.

— Eu sei por que não queria que eu viesse.

— É mesmo? — Ela carregou o sistema operacional no computador. — Seria porque eu tenho um monte de trabalho a fazer num curto espaço de tempo?

— Seria porque está puta da vida, traída e magoada. Essas coisas cortam você. E quando está magoada, fica vulnerável. As defesas caem. Tem medo que eu chegue perto demais. Não me quer perto demais, quer, Sophia? — Ele tomou-lhe o queixo para que a única opção dela fosse olhá-lo. — Jamais quis.

— Eu diria que temos estado o mais perto possível um do outro. E era essa a minha idéia.

— Sexo é fácil. Levante-se.

— Estou ocupada, Ty, e nada a fim de uma trepada rapidinha no escritório.

Ele içou-a rápida e violentamente demais e derrubou a cadeira.

— Não tente reduzir tudo a isso.

Movendo-se rápido demais, ela refletiu melhor. Coisas demais com demasiada velocidade. Se não estivesse ao volante, como poderia manter a direção certa?

— Não quero nada mais além disso. Qualquer coisa a mais é problema demais. Eu disse que estou com a cabeça cheia. E você está me machucando.

— Eu nunca machuquei você. — Ele relaxou o aperto. — Talvez isso seja parte do problema. Você nunca se perguntou por que acaba com o tipo de cara com quem em geral acaba?

— Não.

Ela empinou o queixo.

— Caras mais velhos. Caras escorregadios. O tipo que desliza porta afora quando você dá o chute nele. Eu não sou escorregadio, Sophie, e não vou deslizar.

— Então vai simplesmente acabar com o tapete queimado no seu traseiro.

— O diabo que vou. — Ele disparou-lhe um sorriso letal quando a ergueu nas pontas dos pés. — Não escorrego, Sophie. Eu me grudo. É melhor você levar algum tempo pra pensar nisso. — Soltou-a e dirigiu-se à porta. — Eu voltarei.

Fechando a cara atrás dele, ela esfregou os braços. O grande filho-da-puta na certa deixou manchas roxas, pensou.

Ia voltar a sentar-se na cadeira, mudou de idéia e chutou a mesa. O gesto mesquinho deixou-a sentindo-se um pouco melhor.

Por que o cara nunca fazia o que ela esperava? Imaginou que ele daria um espetáculo no acordo de relações públicas e depois fugiria, morto de tédio. Mas ficara, e a idéia levou-a a chutar mais uma vez a mesa.

Haviam agido motivados por algum puro e saudável desejo animal, ela pensou, e levantou a cadeira. Haviam feito um sexo estupendo. Ela esperava que ele esfriasse nessa área também. Mas não.

E se fosse verdade que ela estava um pouco preocupada porque também não mostrava quaisquer sinais de esfriar? Habituara-se a certos padrões na vida. Quem não se habituava? Jamais tivera qualquer intenção de passar a sentir emoções sérias por Tyler MacMillan.

Deus do céu, era enfurecedor saber que tinha.

Pior ainda, ele fora exato e perfeito no resumo que fizera dela. Estava puta da vida, sentia-se de fato traída, magoada e, em conseqüência, vulnerável. E o queria a quase dez mil quilômetros de distância da Califórnia? Porque queria, desesperadamente, que ele estivesse bem ali. A uma distância fácil para apoiar-se.

Não iria apoiar-se. Sua família era uma confusão só. A empresa para a qual fora criada achava-se mergulhada em problemas. E o homem que com toda probabilidade se tornaria seu padrasto estava deitado no quarto anexo com um buraco de bala no ombro.

Não era o bastante para preocupar-se, sem ter de pensar no medo de compromisso?

Não que tivesse medo de compromisso. Exatamente. E se tivesse, decidiu, tornando a sentar-se, teria simplesmente de pensar nisso mais tarde.

DAVID DORMIU POR DUAS HORAS E ACORDOU SENTINDO-SE como um homem baleado, ele imaginou. Mas sobrevivera. Agora, sentado na cama e alimentando-se com minestrone, decidiu que poderia recomeçar a pensar.

— Você recuperou a cor — disse Sophia.

— E a maior parte do cérebro também. — O suficiente para perceber que ela brincava com sua sopa, em vez de tomá-la. — Está a fim de me pôr a par?

— Posso dizer o que se fez, ou o que eu sei. Não imagino que cubra todas as lacunas. Estão procurando Donato, não apenas a polícia, mas um detetive particular contratado por meus avós. Interrogaram Gina. Eu soube que ela está histérica e afirma não saber de nada. Eu acredito. Se soubesse de alguma coisa, e Don a abandonasse e aos filhos no meio da confusão, ela correria pra meter o marido em encrenca. Não conseguiram identificar a mulher com quem ele anda tendo um caso. Se está apaixonado por ela, como me disse, imagino que levou a amante junto, pra companhia, por assim dizer.

— Duro pra Gina.

— É. — Ela afastou-se da mesa, cansada de fingir que comia. — É. Eu tinha um sentimento meio moderado por Don. Mal podia tolerar Gina e me sentia ainda menos afetuosa em relação à prole deles. Agora ela é abandonada pelo marido trapaceiro, ladrão e possivelmente assassino. E... que se dane, não sinto por ela. Simplesmente não posso.

— Não é impossível que ela tenha pressionado Don em termos financeiros e por isso ele começou a meter a mão.

— Mesmo que tenha feito isso, ele é responsável pelas próprias opções, pelas próprias ações. De qualquer modo, não é isso. Eu simplesmente não suporto Gina. Simplesmente não consigo. Sou uma pessoa horrível. Mas chega de falar de mim. — Descartou o assunto com um aceno, pegou um pedaço de pão para mastigar enquanto andava de um lado para outro. — Acredita-se que Don tenha uma conta secreta, com dinheiro que ele sangrou da empresa. O suficiente pra continuar fugindo por algum tempo, imagino, mas, pra ser franca com você, ele não é muito inteligente pra permanecer clandestino.

— Concordo com você. Ele teve ajuda em tudo isso.

— Meu pai.

— Até um determinado ponto — disse David, observando-a. — E depois que ele morreu, talvez Margaret. A retirada deles nisso, se tinham alguma, era mínima. Não o bastante pra me convencer de que algum dos dois tivesse um papel principal.

Ela parou.

— Acha que eram usados, e não usuários?

— Acho que seu pai talvez tenha simplesmente feito vista grossa. Quanto a Margaret, estava apenas encontrando o ritmo dela.

— E aí foi morta — disse Sophia, baixinho. — Meu pai foi morto. Tudo poderia fechar o círculo de volta ao ponto onde estamos. De algum modo.

— É possível. Mesmo assim, Don não é sangue-frio o bastante, nem pensador profundo, pra ter armado o tipo de maracutaia que passou despercebido pelos contadores da Giambelli durante anos.

Ele era o homem de dentro, bem informado, com as conexões. Mas alguém bolou o grande plano. Talvez a amante — ele acrescentou com um estremecimento.

— Talvez. Vão encontrá-lo. Ou se banhando ao sol perto da rebentação em alguma praia tropical, ou boiando de bruços na água. Enquanto procuram, a gente põe de novo as peças juntas. — Ela voltou e sentou-se. — Donato pode ter adulterado ou contratado alguém para sabotar o vinho.

— Eu sei.

— Ando tendo dificuldade com o motivo. Vingança? Por que prejudicar a reputação, e com isso a segurança fiscal, da empresa que alimenta a própria pessoa? E matar por isso? — Ela fez uma pausa e examinou a atadura dele. — Ele poderia ter feito tudo isso. — Comprimiu os dedos nas têmporas. — Matou meu pai. Rene é uma mulher que custa caro, e papai precisava de muito dinheiro. Sabia que estava sendo afastado aos poucos da Giambelli. Tinha queimado as pontes com Mama, e eu avisei, furiosa, a ele que sabia que tinha aprontado entre nós.

— Foi responsável por suas próprias opções, Sophia. — David usou as palavras dela. — Suas próprias ações.

— Já me resignei em relação a isso. Ou quase. E imagino que ações poderiam ter sido. Ele talvez tivesse pressionado Don por mais, um rombo maior, seja o que for. Não destoaria do caráter dele tê-lo ameaçado com chantagem, de forma civilizada, claro. Talvez tivesse sabido da adulteração, do coitado do *Signore* Baptista. Depois Margaret, porque ela queria mais, ou porque ele temia que ela descobrisse a defraudação. E você porque percebeu que não tinha saída.

— Por que roubar a documentação?

— Não sei, David. Talvez ele não tenha pensado racionalmente. Imagino que achasse que, com você morto, ele pegaria os arquivos e ficaria por isso mesmo. Mas você não morreu, e deve ter passado pela cabeça dele que os arquivos não iriam enforcá-lo. Ele já tinha se enforcado. Enquanto isso, temos mais um pesadelo de relações públicas pra resolver. Já passou por sua cabeça querer se livrar da gente e correr de volta pra La Coeur?

— Não, Sophia. Por que não tenta comer, em vez de destroçar esse pão?

— Sim, papai. — Ela estremeceu com o tom petulante na voz. — Desculpe. Fadiga decorrente de viagem aérea e da sordidez geral. Que tal eu cumprir o acordo e fazer aquela mala pra você? Já que insiste mais em partir do que ficar em minha cintilante companhia, vai embarcar num vôo muito cedo amanhã.

*E*LE SUAVA COMO UM PORCO. EMBORA AS PORTAS DO TERRAço estivessem escancaradas e o ar frio que subia do Lago Como entrasse impetuosamente no quarto, não parava o suor, apenas o transformava em gelo.

Esperara a amante dormir antes de sair de mansinho da cama e ir para a sala anexa. Não conseguira um bom desempenho sexual, mas ela fingira que não tinha importância. Como poderia o homem manter uma ereção num momento como esse?

Talvez de fato não tivesse importância. Ela ficara excitada com a viagem, com a decisão apressada dele de levá-la para o elegante local de férias à margem do lago, coisa que prometera dezenas de vezes antes e jamais cumprira. Fizera disso um jogo, dera-lhe uma absurda soma em espécie para que ela pudesse pagar o quarto com seu cartão. Ele não era conhecido ali, disse a ela. Queria continuar assim. Que faria se alguém comentasse que o vira ali com outra mulher e não com a esposa?

Achou que fora inteligente. Muito inteligente. Quase também chegara a acreditar que era um jogo mesmo. Até ver o noticiário. Ver o próprio rosto. Pôde ficar apenas grato pelo fato de a amante encontrar-se no bar. Seria fácil mantê-la longe dos jornais, da televisão.

Mas não poderiam continuar. Alguém o veria e o reconheceria.

Precisava de ajuda e só conhecia uma fonte.

Foi com as mãos horrivelmente trêmulas que ligou para Nova York.

— É Donato.

— Eu esperava que fosse. — Jerry deu uma olhada no relógio de pulso e calculou. Giambelli com os suores das três da manhã, pensou. — Tem sido um rapaz muito ocupado, Don.

— Acham que eu atirei em David Cutter.

— É, eu sei. Em que pensava?

— Eu não estava... Não fui eu. — O inglês faltava-lhe. — *Dio.* Você me mandou sair imediatamente de Veneza quando eu lhe contei o que Cutter disse. Fiz isso. Nem sequer voltei para casa, para minha família. Posso provar — ele sussurrou, desesperado. — Posso provar que não estava em Veneza quando ele foi baleado.

— Pode? Não sei que bem isso faria a você, Don. A história é que contratou um pistoleiro.

— Contratei um... que é isso? Dizem que contratei alguém pra balear o cara? Por que motivo? O estrago já tinha sido feito. Você mesmo disse.

— Eis como eu vejo a situação. — Oh, estava ficando melhor, pensou Jerry. Melhor, mais agradável do que imaginara. — Você matou duas pessoas, provavelmente três com Avano. David Cutter — continuou, divertido com o desabafo em pânico e confuso de Donato. — Que diferença faz mais um? Você está regiamente fodido, companheiro.

— Eu preciso de ajuda. Tenho de sair do país. Tenho algum dinheiro, mas não o suficiente. Preciso de um... um... um passaporte. Um novo nome, uma mudança de rosto.

— Tudo isso parece muito razoável, Don, mas por que está dizendo isso a mim?

— Você consegue arranjar essas coisas.

— Está superestimando meu alcance e interesse por você. Vamos considerar esta conversa um rompimento de nossa associação comercial.

— Não pode fazer isso. Se me pegarem, pegam você.

— Oh, acho que não. Não existe maneira alguma de me ligarem a você. Eu me certifiquei disso. De fato, quando eu desligar o telefone, pretendo chamar a polícia e dizer que entrou em contato comigo, e eu tentei convencer você a se entregar. Não deve levar muito tempo pra reconstituir retroativamente esta ligação a você. É um aviso justo, em vista de nosso relacionamento anterior. Se eu fosse você, pegaria a estrada, e rápido.

— Nada disso teria acontecido... A idéia foi sua.

— Sou simplesmente cheio de idéias. — Com serenidade, Jerry examinou as unhas manicuradas. — Mas você vai notar que nunca matei ninguém. Seja esperto, Don, se é que consegue. Continue correndo.

Desligou, serviu-se de uma taça de vinho e acendeu um charuto para fechar a conta. Depois pegou o telefone e ligou para a polícia.

Capítulo
Vinte e Quatro

Com uma mistura de pesar e alívio, David via Veneza recuar ao longe.

— Não há motivo algum pra você se levantar da cama e me seguir de perto até o aeroporto desta forma — disse a Tyler, quando o táxi aquático avançara a custo pelo tráfego do início da manhã. — Não preciso de babá.

— É, eu tenho ouvido muito isso ultimamente. — Tyler bebericou o café e curvou os ombros contra o ar frio e úmido. — Tá começando a me deixar de saco cheio.

— Sei como tomar um avião.

— O trato é o seguinte: eu ponho você nessa ponta, eles pegam na outra. Viva com isso.

David deu uma olhada mais atenta. Tyler tinha a barba por fazer e a expressão horrorosa. Por algum motivo, isso o animou.

— Noite dura?

— Já tive melhores.

— Vai conseguir voltar numa boa? Seu italiano é muito limitado.

— Vá se...

David riu e mudou delicadamente o ombro de posição.

— Pronto, me sinto melhor agora. Sophia tem feito você passar por maus bocados?

— Ela tem me feito passar por maus bocados há vinte anos. Já não estraga mais o meu dia.

— Se eu oferecer um conselho, vai me atirar pela amurada? Lembre-se de que estou ferido.

— Não preciso de nenhum conselho no que se refere a Sophia. — Vencendo a própria resistência, Tyler fechou a cara para David.

— Qual?

— Continue insistindo. Acho que ninguém jamais continuou insistindo com ela. Não o macho da espécie, de qualquer modo. Se ela não matar você, será sua.

— Obrigado, mas talvez eu não a queira.

David recostou-se para curtir o passeio.

— Ah, sim. — Deu uma risadinha espremida. — Você quer.

É, ADMITIU TYLER. QUERIA. POR ISSO CORRIA O RISCO DA considerável ira dela. Sophia não gostava que ninguém tocasse em suas coisas. Não gostava que lhe dissessem o que fazer, nem... não, ele corrigiu ao embalar o pequeno escritório portátil dela, *sobretudo*... quando era o melhor a fazer.

— Que diabos está fazendo?

Ele ergueu os olhos e lá estava ela. Ainda molhada do chuveiro e soltando faíscas de mau gênio.

— Fazendo as mochilas, parceira. Vamos viajar.

— Tire as mãos das minhas coisas. — Ela precipitou-se, puxou de volta o laptop e apertou-o contra o peito como um filho adorado. — Não vou a lugar algum. Acabei de chegar.

— Vou voltar ao *castello*. E aonde eu vou, você vai. Algum motivo pra não trabalhar lá?

— Sim. Vários.

— Quais?

Ela apertou mais o computador.

— Vou pensar.

— Enquanto pensa, arrume o resto do seu equipamento.

— Acabei de desempacotar.

— Então deve lembrar onde pôr tudo no mesmo lugar de novo.

Com essa indiscutível lógica, ele saiu.

*I*SSO A IRRITOU. ELE A PEGARA DESPREVENIDA E COM A MENTE ainda nebulosa de uma noite insone. Aborrecia-a porque vinha planejando fazer a viagem para o norte e passar pelo menos um ou dois dias trabalhando no *castello*.

Atormentava-a reconhecer como era mesquinho ficar emburrada e calada na viagem.

E acrescentava uma nova camada de mau humor o fato de vê-lo tão sublimemente despreocupado.

— Vamos ficar em quartos separados — anunciou. — É hora de pormos freios nessa área de nosso relacionamento.

— Tudo bem.

Ela já abrira a boca para alfinetá-lo, e a resposta desinteressada de assentimento dele a deixou pendurada e exposta.

— Tudo bem, ótimo — conseguiu dizer.

— Tudo bem, ótimo. Você sabe, estamos semanas adiante na estação de cultivo lá na Califórnia. Parece que estão apenas terminando os novos plantios. Falei com o operador ontem, ele me disse que o tempo está bom, sem geadas há semanas, e já vê o início de uma nova florada. Isso nos mantém animados até o fim da florada, pois vamos ter um cenário normal. Oh, isto é, a transformação de flor em uva.

— Eu sei como é um cenário normal — ela disse, entre dentes.

— Só estou puxando conversa. — Ele saiu da via expressa e começou o percurso pelas suaves colinas. — Que belo campo! Acho que faz alguns anos desde que fiz a última viagem pra cá. Nunca vi no início da primavera.

Ela vira, mas quase esquecera. O tranqüilo verde das colinas, o bonito contraste das casas coloridas, as longas e uniformes fileiras cavalgando as encostas. Campos de girassóis à espera do verão e a sombra das montanhas longínquas como uma fraca mancha contra o céu azul.

As multidões de Veneza e a urbanidade de Milão ficavam a mais de quilômetros de estrada. Ali era um coraçãozinho da Itália que bombeava constantemente, alimentado pela terra e a chuva.

Os vinhedos eram a raiz de seu destino, e o haviam determinado quando Cezare Giambelli plantara a primeira fileira. Um sonho simples, ela pensou, a um grande plano. De um humilde empreendimento a um império internacional.

Agora que o ameaçavam, era surpresa o fato de ela usar tudo ao seu alcance para defendê-lo?

Viu o lagar, a construção original de pedra e seus vários acréscimos. O tataravô pusera as primeiras pedras. Depois o filho acrescentara outras, e mais tarde a filha do filho. Um dia, pensou, talvez pusesse a sua.

Na elevação, com os campos se abrindo como saias, o *castello* imperava. Gracioso e majestoso com a fachada em colunata, a imensidão de sacadas, as altas janelas arqueadas, erguia-se como a materialização do sonho de um único homem.

Ele teria lutado, ela pensou. Não apenas pela contabilidade, nem apenas pelo lucro. Mas pela terra. Pelo nome. Impressionava-a ali mais profundamente que nos campos americanos, mais que entre as paredes dos seus escritórios e salas de reunião. Ali, onde um único homem mudara sua vida e, ao fazer isso, moldara a dela.

Tyler parou o carro defronte à casa, os jardins da entrada em novos botões.

— Que lugar maravilhoso! — ele disse apenas, e saltou do carro.

Ela desceu mais devagar, respirando tanto a visão dele quanto respirava o ar levemente perfumado. As vinhas espalhavam-se sobre paredes de mosaico decorativo. Uma velha pereira florescia em violenta profusão, já derramando algumas das pétalas como neve.

Sophia lembrou de repente o gosto da fruta, doce e simples, e que quando era menina o suco escorria pela garganta enquanto ela percorria as fileiras com a mãe.

— Você queria que eu sentisse isso — ela declarou e, com o capô do carro entre os dois, virou-se para ele. — Achou que eu não sentia antes?

— Sophie. — Ele se apoiou no capô, uma postura amistosa, companheira. — Acho que você sente todo tipo de coisas. Mas sei que algumas delas às vezes se perdem na preocupação e, bem, no aqui e agora. Concentre-se com muita força no agora, que você perde a visão do quadro maior.

— Então você me atazanou pra eu sair da cobertura de Veneza a fim de que visse o quadro maior.

— Em parte. É época de florada, Sophie. Não importa tudo o mais que esteja acontecendo, é época de florada. Você não ia querer perder.

Ele voltou para a mala do carro e abriu-a.

— Isso é uma metáfora? — ela perguntou, juntando-se a ele e aproximando-se para pegar o laptop.

— Sou apenas um fazendeiro. Que sei eu de metáforas?

— Apenas um fazendeiro, uma ova.

Ela enganchou a alça do laptop no ombro e retirou a pasta.

— Me desculpe, mas não agüento mais esses seus altos e baixos. — Ele pegou a sua maleta, e depois examinou a dela, repugnado. — Por que sua mala é duas vezes maior que a minha, e três vezes mais pesada? Sou maior que você.

— Porque — ela adejou as pestanas — eu sou menina. Imagino que eu deva pedir desculpas por ter sido tão arrogante com você.

— Por quê? — Ele rebocou a mala dela. — Você não tinha intenção de ser.

— Meio que tive, sim. Aqui, me deixe dar uma mão.

Ela estendeu o braço e pegou a bolsinha onde levava os cosméticos e saiu andando devagar.

* * *

$\mathcal{P}$ILAR ABRIU A PORTA PARA A POLÍCIA. DESSA VEZ, PELO menos, esperava os policiais, pensou.

— Detetive Claremont, detetive Maguire, obrigada por virem. — Recuou em boas-vindas e fez um gesto indicando o salão. — O dia está lindo para um passeio — continuou. — Mas sei que os dois são muito ocupados, por isso agradeço o tempo e o incômodo.

Já providenciara café e biscoitos, e afastou-se para servir, assim que os policiais se sentaram. Claremont e Maureen trocaram olhares pelas costas dela, e a policial encolheu os ombros.

— Que podemos fazer pela senhora, Sra. Giambelli?

— Tranqüilizar-me, eu espero. O que eu sei que não é tarefa de vocês.

Distribuiu os cafés e impressionou Maureen por lembrar-se de como cada um o tomava.

— Que tipo de tranqüilização espera? — perguntou Claremont.

— Entendo que vocês, seu departamento, estejam em contato com as autoridades italianas. — Pilar sentou-se, mas não tocou no café. Já estava nervosa demais. — Como talvez já saibam, minha mãe tem certa influência lá. O tenente DeMarco tem sido tão acessível quanto possível com as informações. Sei que meu sobrinho contatou Jeremy DeMorney ontem, e que Jerry informou a polícia de Nova York do telefonema. Jerry ficou preocupado o bastante pra telefonar ao meu padrasto e contar diretamente a ele.

— Se está tão bem informada, não sei o que podemos lhe dizer.

— Detetive Claremont, é a minha família. — Pilar deixou a declaração perdurar. — Sei que as autoridades acabaram identificando a origem do telefonema de Don à área do Lago Como. Também sei que ele tinha ido embora quando elas chegaram para prendê-lo. Quero saber se, na opinião de vocês, meu primo matou meu... matou Anthony Avano.

— Sra. Giambelli. — Maureen largou o café ao lado. — Não é nossa função especular. Nós reunimos provas.

— Estamos em ligação, vocês e eu, há meses. Vocês examinaram minha vida, os detalhes pessoais dela. Embora eu entenda que a natureza de seu ofício exige uma certa distância profissional. Estou pedindo um pouco de compaixão. É possível que Donato ainda esteja na Itália. Minha filha está na Itália, detetive Maureen. Um homem de quem gosto, muito, foi quase assassinado. Um homem com quem fiquei casada durante metade de minha vida está morto. Minha filha única está a quase dez mil quilômetros de distância. Por favor, não me deixe indefesa.

— Sra. Giambelli...

— Alex — começou Maureen antes que ele pudesse terminar. — Sinto muito, Pilar, não posso dizer a você o que quer ouvir. Simplesmente não tenho a resposta. Conhece seu sobrinho melhor que eu, me fale dele.

— Tenho pensado nisso, em quase nada além disso, há dias — começou Pilar. — Gostaria de poder dizer que éramos íntimos, que eu entendia o coração e a mente dele. Mas não conheço. Uma semana atrás, eu teria dito, oh, Donato. Ele pode ser insensato, mas tem uma boa natureza. Agora não há a menor dúvida de que era um ladrão, que ele e o homem com quem fui casada estavam em conluio, roubando a mulher que lhes permitiu ganharem o sustento. — Ela pegou o café para ocupar as mãos. — Roubando de mim. De minha filha. Mas mesmo então, mesmo sabendo disso, quando tento imaginar Don sentado na sala da minha filha, diante de um homem que conhecia todos aqueles anos e o matando, não consigo. Não consigo pôr a arma na mão dele. Não sei se é porque ele não se encaixa na situação ou porque não suporto acreditar nisso.

— Você tem medo de que ele vá atrás de sua filha. Não há motivo algum pra ele fazer isso.

— Se ele fez todas essas coisas, não é a simples existência dela motivo suficiente?

EM SEU ESCRITÓRIO, ATRÁS DE PORTAS FECHADAS, KRIS Drake enfurecia-se. As Giambelli, lideradas por Sophia, aquela cadelinha, continuavam tentando arruiná-la. Incitaram os policiais a atacá-la, pensou, fechando a mão em punho. Isso não ia lhes fazer bem algum. Achavam que podiam sair pela tangente com essa invenção, comprometê-la com o assassinato de Tony. Até associá-la com a adulteração do produto, com o pequeno acidente do chefão Cutter em Veneza.

Tremendo de fúria, abriu com o polegar um frasco de pílulas e engoliu a seco um tranqüilizante.

Não podiam provar que fora ela quem dera aquele proveitoso empurrão no terraço. Não podiam provar nada. E daí que dormira com Tony? Isso não era crime. Ele era bom para ela, a apreciava, entendia, a ela e o que queria realizar.

Fizera-lhe promessas. Promessas que as cadelas Giambelli cuidaram para que não pudesse cumprir. Que abominável vigarista, pensou com afeto. Se não tivesse deixado aquela piranha convencê-lo com lábia a casar-se com ela.

Mas tudo recaía nas Giambelli, lembrou a si mesma. Fizeram questão de que Rene Foxx, aquela puta, também soubesse dela. Agora seu nome vinha sendo atirado em todo lugar na imprensa, e ela recebia olhares maliciosos dos colegas de trabalho.

Assim como recebera na Giambelli.

Chegara longe demais, dera duro demais para deixar aquelas divas italianas arruinarem sua carreira. Sem o apoio de Jerry, talvez já houvessem arruinado de uma forma ignóbil. Graças a Deus que ele a defendia, entendia que era uma vítima, um alvo.

Devia a ele a informação confidencial que passava adiante. Que a Giambelli tentasse processá-la. La Coeur brigaria por ela. Jerry deixara isso claro desde o início. Ela era valorizada ali.

La Coeur lhe daria tudo que sempre quisera. Prestígio, poder, status e dinheiro. Quando chegasse aos quarenta anos, entraria na lista das cem empresárias mais destacadas. Seria a executiva do ano.

E não porque alguém lhe legara isso no berço. Mas porque merecera.

Mas não bastava. Não bastava como retaliação pelos interrogatórios da polícia, as manchas na imprensa, as desfeitas que sofrera quando ainda estava na Giambelli.

A Giambelli ia desmoronar, pensou. Mas havia meios de fazer a família tremer enquanto a empresa desabava.

*F*OI UM LONGO VÔO AO OUTRO LADO DO OCEANO, AO OUtro lado de um continente. Ele dormiu quase o tempo todo e, quando se reanimou com café, ligou para a villa em busca de notícias atualizadas. Embora encontrasse Eli e ficasse a par do que acontecera na Itália desde que partira, decepcionou-se por não encontrar os filhos e Pilar.

Queria a família. E quando aterrissou no campo de aviação da cidade de Napa, ressentia-se até do curto trajeto que os separava.

Então atravessou a pista de decolagem até o lugar onde lhe haviam dito que seu motorista estaria à espera, e descobriu.

— Papai!

Theo e Maddy pularam de portas opostas da limusine. A onda de emoção fez com que deixasse a pasta cair no chão quando se precipitou para os filhos. Agarrou Maddy com o braço bom e logo uma linha de dor varou-lhe o ombro ao tentar abraçar Theo.

— Sinto muito, asa ruim. — Quando Theo o beijou, surpresa e prazer o atordoaram. Não lembrava a última vez que o menino, o rapaz, fizera isso. — Nossa, que alegria ver você! — Colou os lábios nos cabelos da filha e apoiou-se no filho. — Que alegria ver você!

— Nunca mais faça isso de novo. — Maddy continuava com o rosto colado no peito do pai. Cheirava-o, sentia seu coração bater. — Nunca, jamais, de novo.

— Feito. Não chore, querida. Tudo está bem agora.

Temendo também debulhar-se em lágrimas, Theo recuou e pigarreou.

— Então, trouxe alguma coisa pra nós?

— Já ouviu falar em Ferraris?

— Caraca, pai! Sério?... Uau.

Theo olhou para o avião como se esperasse ver um reluzente carro esportivo italiano sendo descarregado.

— Eu só queria saber se tinha ouvido falar. Mas consegui, sim, escolher duas coisas que coubessem de fato nas minhas malas, que estão bem ali.

— Cara.

— E se você carregá-las pra mim, vamos procurar um carro pra comprar neste fim de semana.

O queixo de Theo caiu.

— Sério?

— Não uma Ferrari, mas é sério.

— Legal! Por que você levou tanto tempo pra ser baleado?

— Engraçadinho. Que maravilha voltar pra casa! Vamos sair daqui e...

Interrompeu-se ao tornar a olhar para o carro. Pilar estava de pé ao lado, os cabelos esvoaçando ao vento. Quando os olhos dos dois se encontraram, ela começou a encaminhar-se para ele. E depois já corria.

Maddy viu-a e deu o primeiro e trêmulo passo para a maturidade saindo da frente.

— Por que ela está chorando agora? — quis saber Theo quando Pilar se grudou no pai dele e soluçou.

— As mulheres esperam acabar antes de chorar, principalmente quando é importante. — Maddy percebeu a forma como o pai virou o rosto para os cabelos de Pilar. — Isto é importante.

*U*MA HORA DEPOIS, ELE SE ACHAVA NO SOFÁ DA SALA, SENDO servido de café. Sentada a seus pés, a cabeça apoiada no joelho, Maddy brincava com o colar que ele lhe trouxera de Veneza. Não era uma bijuteria de menina — ela tinha um bom olho para essas coisas —, mas uma verdadeira peça de joalheria.

Theo continuava usando os óculos escuros de grife, e de vez em quando se examinava no espelho para admirar sua pose européia.

— Bem, agora que estão instalados, preciso ir. — Pilar curvou-se sobre o encosto do sofá e roçou os lábios nos cabelos de David. — Bem-vindo ao lar.

Embora fisicamente limitado, ele foi rápido o bastante com o braço bom. Estendeu-o para trás e agarrou a mão dela.

— Por que a pressa?

— Você teve um longo dia. Vamos sentir falta de vocês, caras, na casa principal — ela disse a Theo e Maddy. — Espero que continuem aparecendo.

Maddy esfregou a face no joelho de David, mas tinha os olhos no rosto dela.

— Pai, você não trouxe um presente de Veneza pra Sra. Giambelli?

— Mas é claro que sim.

— Bem, que alívio! — Ela apertou o ombro bom dele. — Pode me dar amanhã. Precisa descansar agora.

— Eu descansei durante quase dez mil quilômetros. Não agüento mais chá. Poderia levar isso pra cozinha e me dar um minuto aqui com as crianças?

— Claro. Ligo amanhã pra saber como está se sentindo.

— Não fuja — ele disse, quando ela começou a tirar a bandeja. — Escute... Theo, poderia se sentar um minuto?

Obediente, visões de carros esporte dançando na cabeça, Theo jogou-se no sofá.

— Podemos olhar conversíveis? Seria tão legal rodar por aí com a capota arriada. As gatinhas realmente se amarram nisso.

— Nossa, Theo — Maddy virou-se até ficar ajoelhada, as mãos apoiadas nos joelhos de David. — Você não vai conseguir um conversível dizendo a ele que vai usar o carro pra pegar meninas. De qualquer modo, feche a matraca pra papai poder dizer à gente que quer pedir a Sra. Giambelli em casamento.

O sorriso de David com a primeira parte da declaração dela se desfez.

— Como diabos você consegue isso? — ele perguntou. — É sobrenatural.

— É só seguir a lógica. Era isso que você queria dizer a nós, certo?

— Eu queria conversar sobre isso. Tem algum sentido fazer agora?

— Pai. — Theo deu-lhe um tapinha viril. — É maneiro.

— Obrigado, Theo. Maddy?

— Quando a gente tem uma família, deve ficar com ela. Às vezes as pessoas não...

— Maddy...

— Ãhã. — Ela balançou a cabeça. — Ela vai ficar porque quer. Talvez às vezes seja melhor assim.

ALGUNS MINUTOS DEPOIS, ELE ACOMPANHAVA PILAR A CASA, pela borda do vinhedo. A lua começava a lenta ascensão.

— Realmente, David, eu conheço o caminho de casa, e você não deve ficar andando no sereno.

— Preciso do ar, do exercício e de um pouco de tempo com você.

— Maddy e Theo vão precisar de muita restauração da confiança.

— E quanto a você?

Ela entrelaçou os dedos nos dele.

— Estou me sentindo muito mais estável. Não pretendia desmoronar no aeroporto. Juro que não pretendia.

— Quer a verdade? Eu gostei. É bom pro ego do homem ver uma mulher chorar por ele. — Ele levou as mãos juntas dos dois aos lábios e beijou a dela, quando avançavam pelo atalho do jardim. — Lembra aquela primeira noite? Dei de cara com você aqui fora. Puxa, você estava linda. E furiosa. Falando sozinha.

— Fumando um cigarro escondido pra extravasar — ela lembrou. — E muito encabulada por ter sido flagrada pelo novo COO.

— O novo e fatalmente atraente COO.

— Oh, é, isso também.

Ele parou, puxou-a com delicadeza para um abraço.

— Eu queria tocar em você naquela noite. Agora posso. — Ele deslizou os dedos pelo rosto dela. — E amo você, Pilar.

— David. Eu também amo você.

— Liguei de São Marcos e falei com você enquanto a música tocava e a luz se extinguia. Lembra?

— Claro que sim. Foi à noite em que você levou...

— Shiu. — Ele levou o dedo aos lábios dela. — Continuei ali sentado pensando em você. E soube.

Retirou a caixa do bolso.

Ela recuou. A pressão instalou-se em seu peito, pesos cheios de pânico.

— Oh, David. Espere.

— Não me afaste. Não seja racional, não seja inacessível. Apenas se case comigo. — Ele se esforçou um momento e depois soltou uma risada frustrada. — Não pode abrir esta maldita caixa? Fazer o favor de me dar uma ajudinha?

A luz das estrelas cintilou nos cabelos dele, prata brilhante sobre dourado-escuro. Tinha os olhos escuros, diretos e cheios de amor e diversão. Quando ela recuperou a respiração, sentiu um aroma de jasmim-da-noite e rosas temporãs. Tudo tão perfeito, pensou. Tão perfeito que a apavorava.

— David, nós dois já passamos por isso antes, e sabemos que nem sempre dá certo. Você tem filhos jovens que já foram magoados.

— Não passamos por isso juntos, e sabemos que são necessárias duas pessoas querendo que dê certo. Você não vai magoar meus filhos, porque, como acabou de dizer minha estranha e maravilhosa filha, você não vai ficar porque se espera que fique, mas porque quer. E assim é melhor.

Parte do peso desaparecera.

— Ela disse isso?

— Disse. Theo, como um cara de poucas palavras, apenas me disse que era maneiro.

Ela sentiu os olhos turvarem-se, mas expulsou as lágrimas piscando. Era um momento que exigia visão clara.

— Você vai comprar um carro pra ele. Diria qualquer coisa que você quisesse ouvir.

— Vê por que eu amo você? Já fisgou meu filho.

— David, eu tenho quase cinqüenta anos.

Ele apenas sorriu.

— E?

— E eu... — De repente pareceu tolice. — Imagino que tinha de dizer isso mais uma vez.

— Tudo bem. Você é velha. Saquei.

— Não tão mais velha que... — Ela interrompeu-se dessa vez, bufando forte quando ele riu. — Não consigo pensar direito.

— Ótimo. Pilar, me deixe pôr nestes termos. Qualquer que seja a data na sua certidão de nascimento, seja o que for que você fez ou não fez até o momento, eu amo você. Quero passar o resto da vida com você, dividir minha família com você e compartilhar da sua. Por isso, me ajude a abrir esta maldita caixa.

— Vou ajudar. — Ela esperava que os dedos tremessem, mas isso não aconteceu. — É lindo. — Contou as pedras e entendeu o símbolo. — É perfeito.

Ele tirou-o da caixa e deslizou-o no dedo dela.

— Foi isso que pensei.

QUANDO PILAR ENTROU EM CASA, ELI PREPARAVA CHÁ NA cozinha.

— Como David está se arranjando?

— Bem, eu acho. Melhor do que eu imaginava. — Ela correu o polegar pelo anel que parecia tão novo, e tão certo, no dedo. — Só precisa descansar.

— E não é o que todos precisamos? — Ele suspirou. — Sua mãe subiu para o escritório. Ela anda me preocupando, Pilar. Mal comeu hoje.

— Vou subir e levar um pouco de chá pra ela. — Pilar esfregou a mão nas costas do padrasto. — Vamos todos superar isso, Eli.

— Eu sei. Acredito que sim, mas estou começando a perguntar a que custo. Ela é uma mulher orgulhosa. Isso a está prejudicando em parte.

A preocupação de Eli insinuou-se no íntimo de Pilar quando levou a bandeja ao escritório da mãe. Ocorreu-lhe que pela segunda vez numa noite levava chá para alguém que na certa não o queria.

Mesmo assim, era um gesto destinado a acalmar e ela faria o melhor possível.

A porta estava aberta e Tereza sentada à escrivaninha, uma agenda aberta à frente.

— Mama. — Pilar entrou. — Gostaria que não trabalhasse tanto. Deixa o resto de nós envergonhado.

— Não estou com disposição de ânimo pra chá, Pilar, nem pra companhia.

— Bem, eu estou. — Ela pôs a bandeja na mesa e começou a servir. — David está com uma aparência admiravelmente boa. Você vai ver amanhã.

— Envergonha-me que um dos meus tenha feito uma coisa dessas.

— E, claro, você é responsável. Como sempre.

— Quem mais?

— O cara que atirou nele. Eu achava, me habituei a me deixar achar, que era responsável pelas coisas vergonhosas que Tony fez.

— Vocês não eram do mesmo sangue.

— Não, fui eu quem o escolheu, e isso é pior. Mas eu não era responsável pelo que ele fazia. Ele, sim. Se existia responsabilidade de minha parte, era por permitir que ele fizesse o que fez *comigo*, e com Sophia. — Ela levou o chá até a escrivaninha e largou a xícara. — A Giambelli é mais que vinho.

— Ah. Você acha que preciso que me digam?

— Acho que você precisa que digam agora. Acho que precisa ser lembrada de tudo que se fez, de todo o bem. Os milhões de dólares pra instituições de caridade que a família dispersou ao longo dos anos. As inúmeras famílias que têm ganhado o sustento na empresa. Trabalhadores do campo, vinicultores, fabricantes de vinho, engarrafadores, distribuidores, operários de fábrica, escriturários. Cada um deles depende de nós, e do que fazemos, Mama. — Ela sentou-se ao lado da escrivaninha e viu com satisfação que tinha a total atenção da mãe. — Trabalhamos, nos preocupamos e apostamos com risco no tempo toda estação. Fazemos o melhor possível e temos fé. Isso não mudou. Jamais mudará.

— Fui injusta com ele, Pilar? Com Donato?

— Você duvida de si mesma? Agora vejo por que Eli está preocupado. Se eu disser a verdade, vai acreditar em mim?

Cansada, Tereza levantou-se da escrivaninha e foi até a janela. Não via os vinhedos no escuro. Mas via-os na mente.

— Você não mente. Por que eu não acreditaria em você?

— Você às vezes é dura. Isso às vezes é assustador. Quando eu era pequena, via você percorrendo as fileiras a passos largos e achava que parecia um general saído de um dos meus livros de história. Ereta e severa. Então você às vezes parava, examinava a vinha e conversava com um dos trabalhadores. Sempre soube o nome deles.

— Um bom general sabe o nome de seus soldados.

— Não, Mama, a maioria não sabe. São fantoches anônimos, impessoais. Têm de ser, para o general mandá-los rudemente pra batalha. Você sempre soube o nome deles, porque importava pra você quem eram. Sophia também sabe. Esse foi o dom que você passou pra ela.

— Meu Deus, você me reconforta.

— Espero que sim. Você nunca foi injusta. Nem com Donato nem com ninguém. E não é responsável pelos atos de ganância, crueldade ou egoísmo daqueles que só vêem peões anônimos.

— Pilar. — Tereza apoiou a testa na janela, um gesto tão raro de fadiga que Pilar logo se levantou para ir ter com ela. — O *Signore* Baptista. Ele não me sai da cabeça.

— Mama. Ele nunca culparia você. Nunca culparia *La Signora*. E acho que ficaria decepcionado com você se culpasse a si mesma.

— Espero que esteja certa. Talvez eu tome um pouco do chá. — Ela virou-se e tocou a face de Pilar. — Você tem um coração bom e forte. Eu sempre soube. Mas tem uma visão mais clara do que antes eu lhe creditava.

— Mais ampla, acho. Levei muito tempo pra juntar coragem e tirar os antolhos. Isso mudou minha vida.

— Para o bem. Vou pensar no que me disse.

Ela ia sentar-se e viu o lampejo das pedras no dedo de Pilar. Estendeu a mão como um açoite, com a rapidez de uma cobra, e tomou-lhe a mão.

— Então, que é isto?

— É um anel.

— Eu sei que é um anel — disse Tereza secamente. — Mas não, imagino, outro que você comprou pra substituir o anterior.

— Não, não comprei. E não é substituição. Seu chá está esfriando.

— Você não estava usando este anel quando saiu pra pegar David e deixá-lo em casa.

— Nada errado com a sua visão, mesmo quando remoendo problemas. Tudo bem. Eu só queria chamar Sophia primeiro, para... Mama, David me pediu em casamento. Eu aceitei.

— Entendo.

— Só isso? É tudo que tem a me dizer?

— Não terminei. — Tereza puxou a mão de Pilar e pôs sob a luz da escrivaninha, examinou o anel e as pedras. Ela, também, reconhecia os símbolos. E valorizava essas coisas. — Ele deu a você uma família pra usar na mão.

— É. A dele e a minha. A nossa.

— Difícil pra uma mulher com seu coração recusar um gesto desses. — Enroscou com força os dedos nos de Pilar. — Você me disse o que achava sobre alguma coisa no meu coração. Agora eu vou dizer a você. Uma vez um homem pediu que casasse com ele. Você aceitou. Ah! — Ela ergueu o dedo antes que Pilar pudesse falar. — Era uma menina então. É uma mulher agora, e escolheu um homem melhor. *Cara.* — Tereza emoldurou o rosto da filha com as mãos e beijou-lhe as duas faces. — Estou feliz por você. Agora tenho uma pergunta.

— Tudo bem.

— Por que mandou David pra casa, e depois me trouxe chá? Por que não o trouxe aqui pra pedir minha bênção e de Eli, e tomar champanhe, como é o certo?

— Mama. Ele está cansado, não muito bem.

— Não tão cansado e bem o bastante pra despentear seus cabelos e tirar com beijos o batom de sua boca. Telefone — ela ordenou, num tom que eliminava qualquer argumento. — Isso precisa ser feito corretamente, com a família. Vamos descer, abrir um vinho de nossa melhor safra e ligar pra Sophia no *castello.* Eu aprovo os filhos dele — acrescentou, voltando-se para fechar o diário na escrivaninha e guardá-lo no lugar. — A menina vai ganhar o colar de pérolas minúsculas de minha mãe, e o menino, as abotoaduras de prata de meu pai.

— Obrigada, Mama.

— Você me deu... a todos nós... alguma coisa pra comemorar. Diga a eles pra se apressarem — ela ordenou e saiu, ereta e esguia, chamando Maria para trazer o vinho.

PARTE QUATRO

A fruta

Quem compra a alegria de um minuto para uma semana prantear?
Ou vende a eternidade para um brinquedo ganhar?
Por uma doce uva que o vinho destruirá?

WILLIAM SHAKESPEARE

Capítulo
Vinte e Cinco

T yler estava imundo, com uma torturante e mortal pontada de dor nas costas, e arranjara um detestável ferimento, mal enfaixado, nos nós dos dedos da mão esquerda.

Mas sentia-se no paraíso.

As montanhas ali não eram muito diferentes dos recortados afloramentos de sua própria Vaca Ville, em São Francisco. Onde o solo lá era de cascalho, este era rochoso, mas apesar disso com alto nível de acidez que produzia um vinho bem suave.

Ele entendia por que Cezare Giambelli fincara as raízes de seu sonho ali e batalhara com o arado por aquele solo rochoso. A tosca beleza à sombra daquelas colinas atraía alguns homens, desafiava-os. Não se tratava de uma questão de domá-las, refletiu Ty, mas de aceitá-las pelo que eram, e tudo que poderiam ser.

Já que tinha de passar algum tempo longe dos próprios vinhedos, ali parecia o lugar certo para fazer isso. O tempo era perfeito, os dias longos e aprazíveis e o operador do *castello* mais que disposto a aproveitar o tempo e a competência de outro vinicultor.

E os músculos, pensou, refazendo o caminho de volta pelas fileiras rumo ao solar. Passara boa parte dos últimos dias ajudando a equipe a instalar novos encanamentos desde o reservatório aos novos plantios. Era um bom sistema, bem planejado, e as horas que passara com o pessoal deram-lhe uma oportunidade de conhecer esse braço da empresa.

E de perguntar casualmente aos homens sobre Donato.

A barreira lingüística não fora um problema tão grande quanto previra. Mesmo os que não falavam inglês se dispunham a conversar. Com sinais manuais, expressões faciais e a generosa ajuda de vários intérpretes, Tyler obteve um quadro muito claro.

Nenhum dos homens no campo considerava Donato Giambelli mais que uma piada.

Agora, com as sombras alongando-se rumo à noite, Tyler ponderava essa opinião. Transferiu-se do campo para o jardim, onde floresciam hortênsias grandes como bolas de basquete e impacientes rios rosa-claro serpeavam abrindo uma trilha por uma inclinação acima em direção a uma gruta. A água ali esguichava de uma fonte guardada por Netuno.

Os italianos, pensou, eram grandiosos em seus deuses, fontes e flores. Cezare Giambelli certamente usara todos eles ali nesse belo palácio enfiado nas colinas.

Um palácio pequeno e muito rico, imaginou Tyler, e apoiou as mãos nos quadris, contornando um lento círculo.

Pessoalmente, achava-o um bonito lugar para visitar, mas como podia alguém morar ali, com todos aqueles aposentos e criados? Só os terrenos, com os jardins, os gramados, as árvores, as piscinas e a estatuária exigiriam um pequeno exército para manter.

Mas também alguns homens gostavam de ter pequenos exércitos ao seu dispor.

Passou entre as paredes de mosaico com figuras em baixo-relevo de ninfas bem-feitas de corpo, desceu os degraus que circundavam mais uma piscina com canteiros de lírios. Dali via os campos, o coração do reino. Com mais acuidade, decidiu, os que trabalhavam nos campos não viam quem se refestelava ali. Imaginou que Cezare quisera alguma intimidade em certos cantos de seu império.

O que se via, além das flores, a expansão de terraços, era a piscina. E projetando-se ao sair dela, como Vênus, Sophia.

Ela usava um simples maiô preto, que deslizava pelo corpo como a água que dele fluía. Tinha os cabelos escorridos para trás, e ele viu o brilho, na certa de diamantes, lampejar nas orelhas. Quem, além de Sophia, nadaria com diamantes?

Vendo-a, teve uma incômoda sensação de luxúria e desejo.

Era perfeita — elegante, sensual e inteligente. Ele se perguntava, ao sentir o abdome contrair-se diante daquela visão, se existia alguma coisa mais desestabilizadora para o homem que a perfeição da mulher.

Uma coisa, decidiu, ao encaminhar-se para ela. Amar essa mulher até a idiotice.

— A água deve estar fria — comentou.

Ela ficou imóvel, a toalha que pegara escondendo-lhe o rosto por mais um instante.

— Estava. Eu queria fria.

Descontraída, largou a toalha de lado e não se apressou ao vestir o roupão de tecido atoalhado. Sabia que ele a olhava, examinava-a naquela sua maneira completa e paciente. Queria que o fizesse. Toda vez que passara por uma janela nesse dia, olhara em direção aos campos e localizara-o entre os homens.

Examinou-o.

— Você está imundo.

— É.

— E satisfeito por estar — ela decidiu. Imundo, pensou, suado. E deslumbrante de uma forma primitiva que não deveria ser tão danada de atraente assim. — Que fez com a mão?

— Lasquei várias camadas de pele, só isso. — Ergueu a mão e olhou-a. — Uma bebida cairia bem.

— Querido, um banho de chuveiro cairia bem.

— As duas coisas. Que tal eu me limpar? Encontro você no pátio central daqui a uma hora.

— Pra quê?

— Vamos abrir uma garrafa de vinho e falar um ao outro do nosso dia. Duas coisas que quero repassar com você.

— Tudo bem, pra mim está bem. Também tenho umas coisas a repassar. Algumas pessoas podem cavar sem terminar cobertas de terra.

— Ponha alguma coisa bonita — ele gritou atrás dela e riu quando ela se virou. — Só porque não toquei, não quer dizer que não olhei.

Ele pegou a toalha molhada quando ela entrou em casa, respirou o perfume que a impregnara. A beleza, pensou, era dura para o homem. Não, não queria domá-la, não mais do que domar a terra. Mas, por Deus, era hora de aceitação, dos dois lados.

ELA LHE DARIA MUITA COISA PARA OLHAR. MUITA COISA PARA desejar. Afinal, era uma especialista em embalagem. Vestiu azul, a cor de um relâmpago. O corpete mergulhava bem embaixo, emoldurando a ascendente intumescência dos seios; a saia subia até o alto e exibia as coxas longas e esguias. Acrescentou uma fina corrente de diamantes, com uma única gota de safira que caía grudada na fenda entre os seios.

Enfiou as sandálias de saltos agulha, aspergiu perfume em todos os lugares certos e considerou-se pronta.

Olhou-se no espelho.

Por que se sentia tão infeliz? O tumulto em sua volta a atormentava, a desafiava, mas não era a causa dessa profunda infelicidade. Ela ficava muito bem quando trabalhava, quando se concentrava no que tinha de ser feito e em como fazê-lo melhor. Mas, assim que parava, tão logo deixava a mente divagar da tarefa imediata à mão, lá se instalava de novo a tristeza. Essa tristeza prolongada, o achatamento do ânimo.

E com isso, admitiu, uma raiva que não sabia identificar. Nem sequer sabia mais com quem estava furiosa. Don, o pai, consigo mesma, Ty.

Que importância tinha? Faria o que precisava fazer e se preocuparia com o resto depois.

Por enquanto, tomaria vinho e conversaria, poria Tyler a par do que soubera nesse dia. E com a vantagem a mais de deixá-lo numa vertigem sexual. No todo, era uma ótima forma de passar a noite.

— Meu Deus! Eu me detesto — disse em voz alta. — E não sei por quê.

Deixou-o aguardando, mas ele já esperava por isso. A verdade foi que lhe deu tempo para pôr tudo no lugar. A noite sombreava o pátio ladrilhado. Luz de velas projetadas da mesa, de candelabros sobre o jardim circular, de luminárias enfiadas entre os vasos de flores.

Escolhera o vinho, um suave e jovem branco, e pedira alguns canapés ao pessoal da cozinha. Os empregados da casa, notara, eram dedicados a Sophia e apreciavam o sabor de romance.

Uma boa coisa, decidiu, pois se haviam precipitado a correr instalando as velas, acrescentando garrafinhas com ramos de flores, nas quais ele jamais teria pensado, e até pondo música no volume mínimo nos alto-falantes ao ar livre.

Só esperava que estivesse à altura das expectativas deles.

Ouviu o ruído dos saltos dela nos ladrilhos, mas não se levantou. Sophia, pensou, habituara-se demais a homens saltando em posição de sentido em sua presença. Ou caindo a seus pés.

— Que significa tudo isso? — ela perguntou.

— O pessoal se esmerou. — Ele indicou a cadeira a seu lado. — Peça um vinhozinho e queijo aqui e receberá tratamento régio. — Olhou-a enquanto tirava o vinho do balde. — Veja o que acontece quando eu lhe peço pra usar uma coisa bonita. É isso que surge quando se está num castelo.

— Não é seu estilo, mas você parece estar se superando.

— Cavar algumas valas hoje me deixou de bom humor. — Ele entregou-lhe uma taça e bateu de leve a sua na dela. — *Salute.*

— Como eu disse, andei cavando também. Os empregados foram muito informativos. Soube que Don fazia visitas regulares aqui, visitas não-comunicadas. Embora nunca ficasse sozinho, raras vezes vinha com Gina.

— Ah, o ninho de amor.

— Parece. O nome da amante é *Signorina* Chezzo. Jovem, loura, tola e gosta do café-da-manhã na cama. Uma hóspede freqüente nos últimos anos. Don insultou os empregados, subornando-os para que mantivessem as visitas dela em segredo, mas, como ninguém aqui gosta de Gina, aceitaram o dinheiro e aquiesceram. Teriam sido discretos sem o dinheiro, claro.

— Claro. Falaram dos outros visitantes?

— Sim. Meu pai, mas já tínhamos deduzido isso, e a mulher com quem ele veio uma vez, que não era Rene. Kris.

Tyler armou uma carranca olhando o vinho.

— Não consegui tanta coisa assim do vinhedo.

— Pra mim, é mais fácil arrancar com jeitinho informações do pessoal da casa. De qualquer modo, mal chegam a ser novidades. É uma obviedade absoluta que ele usava meu apartamento pra encontros amorosos quando lhe convinha. Por que não o *castello*?

— Você não quer que eu diga que sinto muito, mas sinto.

— Não, não me importa que diga. E sinto muito também. Torna muito mais adorável o fato de Mama ter encontrado alguém que vai fazê-la feliz. Alguém em quem todos nós podemos confiar. Digo isso sabendo que ele trabalhou antes para Jerry DeMorney na La Coeur, e que Jerry também tem sido hóspede aqui.

Dessa vez Tyler assentiu com a cabeça.

— Eu já imaginava. A equipe do campo só soube me dar uma descrição, e não foi clara. Tende a prestar mais atenção às mulheres que aos homens de terno.

— É mesmo? — Nervosa, ela levantou-se e tomou o vinho enquanto andava de um lado para outro. — Jerry odiava meu pai. Uma espécie de ódio civilizado, do qual eu sempre desconfiei.

— Por quê?

— Você sempre continua realmente por fora, não é? — ela respondeu. — Alguns anos atrás, meu pai teve um caso tórrido com a mulher de Jerry. Mantiveram a coisa em segredo, mas era de absoluto conhecimento no círculo interno. Ela deixou Jerry, ou ele deu um chute nela. Esse pedaço da torta é servido de diferentes formas, dependendo que quem corta. Jerry e meu pai eram razoavelmente amigos antes disso, e depois as coisas esfriaram. Mas persistia algum calor sob a frieza, o que descobri dois anos atrás, quando Jerry deu em cima de mim.

— Ele deu em cima de você?

— Claro e forte. Eu não estava interessada. Ele ficou chateado e tinha muitas coisas deselegantes a dizer sobre meu pai, sobre mim e minha família.

— Maldito seja, Sophie. Por que não me contou antes?

— Porque ele fez questão de ir me ver no dia seguinte mesmo, com muitas desculpas. Disse que tinha ficado mais desesperado com o divórcio do que se deu conta, se sentiu péssimo e envergonhado por ter descontado em mim e chegou à conclusão de que seu casamento tinha acabado muito antes de tudo aquilo acontecer. E assim por diante, nessa linha. A explicação era razoável, compreensível. Ele disse as coisas certas e não tornei mais a pensar no assunto.

— Que pensa disso hoje?

— Vejo um ardiloso triângulo íntimo. Meu pai, Kris e Jerry. Quem vinha usando quem eu não sei, mas acho que Jerry está envolvido, ou pelo menos sabe do desvio de dinheiro, talvez até da adulteração. Seria lucrativo para La Coeur, foi lucrativo a Giambelli lutar com a inquietação do consumidor, o escândalo público e a discórdia interna. Acrescente Kris à história e tem meus planos, minha campanha e meu trabalho jogados no colo deles antes de eu ter uma chance de realizá-los. Sabotagem empresarial, espiões, isso é muito comum nos negócios.

— Assassinato, não.

— Não, isso é que torna a coisa pessoal. Ele poderia ter matado meu pai. Consigo ver mais Jerry do que Donato com uma arma na mão. Não sei se é uma idéia mais baseada no desejo do que na realidade. Há uma distância muito grande entre espionagem empresarial e assassinato a sangue-frio. Mas...

— Mas?

— Visão retrospectiva — ela respondeu com um encolher de ombros. — Repensando agora as coisas que ele me disse quando perdeu o controle, e mais, em como disse. Ele se mostrou primeiro um homem à beira do abismo e pronto pra saltar. Doze horas depois, arrependido, envergonhado, controlado, me trouxe dúzias de rosas. Mesmo assim, de um modo levemente civilizado, dando em cima de mim. Eu devia ter visto que o primeiro incidente era verdadeiro e o resto, fachada. Mas não vi. Porque estou habituada aos homens darem em cima de mim. — A infelicidade e a insatisfação tentaram mais uma vez chegar à superfície e ela as reprimiu. — E uso isso pra conseguir o que quero.

— Por que não? Você é bastante esperta pra usar as ferramentas à mão. Se o cara deixa, é problema dele. Não seu.

— Ora. — Ela deu uma leve risada e tomou um gole de vinho. — É inesperado, vindo de um homem com quem eu usei essas ferramentas.

— Não me machucou nada. — Ele esticou as pernas, cruzou os tornozelos e viu que ela tentava decifrá-lo. Nada mal, pensou. Que tenha a curiosidade de saber, pra variar. — De qualquer modo, o cara que corresponde à descrição de DeMorney passou algum tempo no lagar — continuou. — Teve acesso ao setor de engarrafamento. Com Donato.

— Ah. — Que tristeza, ela pensou. — O triângulo se refaz numa caixa de quatro lados. Jerry se liga a Don, Don a meu pai. Jerry e papai se ligam a Kris. Certinho.

— O que você quer fazer em relação a isso?

— Contar à polícia, aqui e em São Francisco. E quero falar com David. Ele saberá mais sobre Jerry na La Coeur. — Ela fisgou um morango do prato e mordeu-o devagar. — Amanhã vou a Veneza. Concordei em dar algumas entrevistas, durante as quais vou enforcar Don pelos colhões. Desgraça para a família, uma traição aos leais empregados e clientes da Giambelli. Nosso choque, pesar e tristeza, e nossa resoluta cooperação com as autoridades, na esperança de que ele seja logo levado à justiça, e poupar mais sofrimentos à esposa, inocente e grávida, aos filhos pequenos e à mãe, inconsolável. — Ela pegou a garrafa para servir-se mais uma vez. — Você acha que é frio, duro e apenas meio sórdido.

— Não, acho que é duro pra você. Duro dizer essas coisas, mantendo a cabeça erguida ao dizer. Você herdou a fibra de sua avó, Sophie.

— De novo inesperado, mas *grazie*. Vou ter de lidar com Gina e com minha tia também. Se quiserem apoio da família, emocional e o importantíssimo financeiro, elas terão de cooperar com a linha de ação que tomamos em público.

— A que horas a gente parte?

— Eu não preciso de você pra isso.

— Não seja idiota. Não combina com você. A MacMillan está igualmente envolvida, igualmente vulnerável. Funciona melhor na imprensa se fizermos isso como uma equipe. Família, companhia, parceria. Solidariedade.

— Partimos às sete em ponto. — Ela tornou a sentar-se. — Vou ditar uma declaração, algumas respostas pra você. Pode repassar no caminho, pra ficarem frescas na mente, caso seja interrogado.

— Ótimo. Mas vamos tentar deixar claro que essa é a única área em que você põe palavras na minha boca.

— É difícil resistir com tipos taciturnos como você, mas tentarei.

Ele passou patê num biscoito e entregou a ela.

— Então, vamos mudar de canal por algum tempo. Que acha de sua mãe e David?

— Acho o máximo.

— Acha mesmo?

— Acho, você não?

— Com certeza. Mas me pareceu que você ficou meio desligada desde que eles telefonaram com o grande anúncio.

— Acho que, nessas circunstâncias, tenho direito a ficar um pouco desligada. Mas se trata de uma virada dos acontecimentos que me satisfaz. Parece certo. Estou feliz por ela. Por eles. Ele vai ser bom com ela, pra ela. E os meninos... Mama sempre quis mais filhos, agora vai ter. Embora já sejam meio crescidos.

— Eu era meio crescido e ela conseguiu ser mais uma mãe pra mim que a minha.

Os ombros dela, tensos quando ele fez a pergunta, mais uma vez relaxaram.

— Mama é jovem demais pra ser sua mãe.

— É o que eu dizia a ela. E ela dizia que isso não tinha a ver com idade, mas com maturidade e experiência.

— Ela adora você. Muito.

— O sentimento é mútuo. De que está rindo?

— Não sei. Acho que andei um pouco deprimida hoje, com uma coisa ou outra. E não esperava terminar o dia aqui sentada com você, na verdade relaxando. Ter dito todo aquele negócio medonho em voz alta me faz bem. Limpa o palato — ela acrescentou com outro gole de vinho. — Depois passar pra uma coisa agradável com que a gente concorda.

— Temos mais algo em comum agora do que qualquer um de nós teria imaginado um ano atrás.

— Acho que temos. E me impressiona o fato de que, em vez de ter essa conversa dentro de casa, com as suas botas apoiadas numa mesa de centro, estarmos sentados aqui. Vinho, luz de velas, até música. — Ela recostou-se e olhou para o céu. — Estrelas. — É legal saber que você sabe apreciar um lugar atraente, mesmo pra uma conversa que é, em essência, de negócios e estressante.

— É isso aí. Mas a verdade é que eu quis montar tudo aqui para a gente ter um belo cenário quando eu seduzir você.

Ela se engasgou com o vinho e conseguiu rir.

— Me seduzir? Onde isso está no seu programa?

— Subindo bem aqui. — Ele roçou a ponta do dedo pela coxa dela, logo abaixo da bainha da saia. — Gosto do seu vestido.

— Obrigada. Eu pus pra atormentar você.

— Eu imaginei. — Ele travou o olhar no dela. — Tiro certeiro o seu.

Ela curvou-se, tornou a pegar a garrafa e serviu-se. Quando se tratava de combates sexuais, considerava-se uma veterana.

— Concordamos que parte de nosso relacionamento terminou.

— Não, você só estava tendo um faniquito por alguma coisa, e eu deixei.

— Um ataque de raiva. — Ela mergulhou a ponta do dedo no vinho e bateu-a de leve na língua. — Não tenho faniquitos.

— Tem, sim. O tempo todo. Sempre foi uma criança malcriada. Uma criança malcriada e sexy. E, nos últimos tempos, passou por momentos muito duros.

A fibra que ele acabara de elogiar enrijeceu-se.

— Não estou em busca de sua solidariedade, MacMillan, nem de sua tolerância.

— Está vendo? — O sorriso dele, um insulto calculado, lampejou. — Já começou a se dirigir pra um faniquito.

O mau gênio enfiou-se furtivamente pela espinha dorsal dela e acrescentou calor à rigidez.

— Ouça bem o que tenho a dizer a você: se essa é a sua idéia de sedução, surpreende que já tenha marcado pontos em alguma conquista amorosa.

— Aí está uma das diferenças entre mim e a maioria dos homens que você conhece. — Com as pernas estendidas, a voz dele saiu indolente: — Eu não marco pontos. Não penso em você como uma ranhura numa perna da cama ou um troféu.

— Oh, é Tyler MacMillan mesmo. Altos princípios, moralista, *racional.*

Mais uma vez ele riu para ela, mas agora muito divertido.

— Acha que me insulta? Está usando o mau gênio como defesa. É seu mecanismo. Na maioria das vezes, não me incomodo de revidar, mas não estou com disposição de ânimo pra uma briga. Quero fazer amor com você, começar aqui, devagar, e continuar com nós dois subindo juntos as escadas para aquela cama fantástica e grande no seu quarto.

— Quando quiser você na minha cama, eu aviso.

— Exatamente. — Sem se apressar, ele levantou-se e a levantou. — Você está gamada por mim, não está?

— Gamada? — Ela teria ficado boquiaberta se não estivesse tão ocupada em ridicularizá-lo: — Por favor. Você vai causar vexame a si mesmo.

— Louca por mim. — Ele a abraçou, dando risadinhas, mas ela o empurrou pelo peito e se afastou. — Vi você hoje, mais de uma vez, parada na janela olhando pra mim.

— Não sei do que está falando. Talvez eu tenha olhado pela janela.

— Olhando pra mim — ele continuou, puxando-a devagar para junto de si. — Do jeito que eu olhava pra você, me querendo. — Esfregou o rosto de leve no pescoço dela. — Do jeito que eu queria você. E mais. — Roçou os lábios pela face dela, assim que ela se virou. — Há mais coisas entre nós que apenas necessidade.

— Não há nada...

Ela arquejou quando ele lhe apertou a nuca com a mão, e gemeu quando ele esmagou a boca na sua.

— Se fosse só isso, só o calor, você não ficaria tão amedrontada.

— Eu não tenho medo de nada.

Ele recuou.

— Não precisa ter. Não vou magoar você.

Ela balançou a cabeça, mas ele colou de novo os lábios nos dela. Com delicadeza, agora, e insuportavelmente afetuoso. Não, ela pensou, amolecendo colada nele. Não iria magoá-la. Mas ela com certeza iria magoá-lo.

— Ty. — Começou a empurrá-lo de novo e acabou agarrando sua camisa. Sentira falta do calor com que ele a inundava. Aquelas sensações emaranhadas de risco e segurança. — Isso é um engano.

— Não me parece. Sabe o que acho? — Ele ergueu-a no colo. — Acho uma burrice discutir, principalmente quando nós dois sabemos que eu tenho razão.

— Pare com isso. Você não vai me levar no colo pra dentro de casa. O pessoal vai fofocar sobre isso durante semanas.

— Imagino que já fizeram apostas de que isso iria acabar acontecendo. E se você não quer que os empregados fofoquem, não devia ter empregados. Quando chegarmos aos Estados Unidos, acho que deve ir morar comigo. Aí ninguém terá nada a ver com o que fazemos.

— Morar... *morar* com você? Você pirou? Ty, me ponha no chão. Não vou ser carregada escadaria acima como uma heroína de romance de amor.

— Não gosta? Tudo bem, então a gente faz assim. — Ele mudou-a de posição, erguendo-a e apoiando-a no ombro. — Melhor?

— Não tem a menor graça.

— Querida. — Ele deu uma palmada no traseiro dela. — Da minha posição, é. De qualquer modo, há muito espaço em minha casa para as suas coisas. Tenho três quartos extras com armários vazios. Devem bastar para as suas roupas.

— Eu não vou me mudar pra sua casa.

— Vai, você vai sim.

Ele entrou no quarto dela e fechou a porta com um chute atrás. Tinha de dar crédito ao pessoal da casa. Não vira nenhum deles na ida para cima. Nem ouvira um pio. Também deu nota máxima a Sophia. Não o chutava nem gritava. Classe demais, imaginou, enquanto, com ela ainda no ombro, acendia as velas espalhadas pelo quarto.

— Tyler, posso recomendar um bom terapeuta. Não é vergonha alguma buscar ajuda pra instabilidade mental.

— Não vou esquecer isso. Sabe Deus que minha cabeça não anda muito boa desde que me enredei com você. A gente pode marcar uma consulta juntos, depois que você se mudar pra minha casa.

— Eu não vou me mudar pra sua casa.

— Vai, você vai sim. — Ele deixou-a deslizar até ficar de novo em pé e de frente para ele. — Porque é isso o que eu quero.

— Se acha que dou a mínima para o que você quer no momento...

— Porque — ele continuou, deslizando os dedos pelo rosto dela — sou tão doido por você quanto você por mim. Fechou a matraca, não fechou? Já é hora, Sophia, de começarmos a lidar com esse fato, em vez de dançar em volta dele.

— Sinto muito. — A voz dela saiu trêmula. — Eu não quero.

— Também sinto muito que não queira. Porque é a verdade. Olhe pra mim. — Ele emoldurou o rosto dela com as mãos. — Eu também não estava atrás disso. Mas já vem rolando há muito tempo. Vamos ver aonde nos leva. — Baixou a boca na dela. — Só nós dois.

Bem próprio dele, ela pensou. Queria acreditar e confiar em todos aqueles sentimentos suaves que fluíam nela. Amar alguém e fazer com que fosse forte e verdadeiro. Ser capaz de fazer. Ser digna disso.

Queria acreditar.

Ser amada por um homem honesto, que faria promessas e cumpriria. Que se importaria com ela, embora ela não merecesse.

Era um milagre.

Queria acreditar em milagres.

A boca dele na sua era quente e firme, despertando com paciência o desejo. A firme e irresistível elevação da paixão era um alívio. Isso, ela entendia; nisso, confiava. E isso, pensou quando o abraçou, sabia dar.

Foi com Ty de bom grado quando ele a baixou sobre a cama.

Ele mantinha o calor aceso. Dessa vez não haveria engano algum que o que aconteceu entre eles foi um ato de amor. Generoso, altruísta e amoroso. Ele entrelaçou os dedos nos dela ao aprofundar o beijo, saboreando o início de rendição nos lábios macios.

Destinava-se a ser ali, na velha cama no *castello*, onde tudo começara um século atrás. Ali, outro início, outra promessa. Outro sonho. Olhando-a, ele soube.

— Tempo de florada — ele disse, em voz baixa. — A nossa.

— Sempre o fazendeiro — ela comentou com um sorriso, desabotoando a camisa dele.

Mas a mão tremeu, sem firmeza, quando ele a tomou na dele e levou-a aos lábios.

— A nossa — ele repetiu.

Despiu-a devagar, viu a luz das velas tremeluzir em sua pele, a forma como prendeu a respiração, soltou-a e prendeu-a mais uma vez quando a tocou. Ela sabia que as barreiras entre os dois desmoronavam? Ele sabia; sentiu-as desmoronarem quando ela estremeceu. E soube o momento preciso em que o corpo dela se rendeu ao coração.

Os dois pareciam afundar na cama como amantes numa piscina. Sophia entregou-se às sensações daquelas palmas ásperas deslizando por ela, a boca persuasiva vagando por onde queria.

Abriu os braços e ergueu-se para ele. Correspondeu. A tranqüila beleza de saber que ele estava ali, que iria continuar da mesma forma que ela e derramar-se nela como vinho no sangue.

Quando ele encostou a cabeça no peito dela, ela sentiu vontade de chorar.

Ninguém mais, ele pensou, perdendo-se nela. Ninguém mais o desvendara assim. Sentiu a elevação dela sob si, um arco de acolhimento. Ouviu o entrecortado gemido fundir-se com o dele ao alcançar o pico. E soube quando a olhou que ela imergia no que davam um ao outro.

Uma fusão, rara e perfeita, partilhada afinal.

Mais uma vez entrelaçou as mãos nas delas, apertando-as agora.

— Me receba, Sophie. — O corpo trêmulo, o controle mal mantido, ele deslizou dentro dela. — Me receba. Eu amo você.

A respiração dela tornou a travar-se quando a sensação a encheu por dentro e varou-lhe o coração. Medo e alegria irrompendo.

— Ty. Não.

Ele levou os lábios aos dela, o beijo delicado. Devastador.

— Eu amo você, me receba. — Manteve os olhos abertos e nos dela, viu as lágrimas nadarem e tremeluzir. — Diga.

— Ty. — O coração dela estremeceu e pareceu transbordar. Ela enroscou os dedos com força nos dele. — Ty — repetiu. — *Ti amo.*

Ela tomou-lhe a boca com a sua, colando-a uma na outra, e deixou que ele a arrebatasse.

— Diga de novo. — Extasiado, ele correu a ponta do dedo acima e abaixo da espinha dela. — Assim, em italiano.

Ela fez que não com a cabeça, o único sinal de que ouviu o pedido, e manteve a face encostada no coração dele.

— Gosto do som. Quero ouvir de novo.

— Ty...

— Não tem sentido algum retirar o que disse. — Ele continuou a tranquila carícia e a voz era clara e calma. — Não vai escapar impune.

— As pessoas dizem todo tipo de coisas no calor da paixão.

Ela se desvencilhou dele e quase o derrubou da cama.

— Calor da paixão? Se você começar a usar clichês assim, vou perceber que está atrapalhada. — Num movimento ágil, ele puxou-a de volta para a cama. — Diga de novo. Não é tão difícil na segunda vez. Acredite.

— Quero que você me escute. — Ela levantou-se e enrolou-se na colcha. Pela primeira vez que se lembrava, sua própria nudez deixou-a constrangida e exposta. — Seja o que for que talvez eu sinta no momento, não quer dizer... Nossa! Detesto quando você me olha assim. Paciência divertida. É enfurecedor. Insultante.

— E você está tentando mudar de assunto. Não vou brigar com você, Sophia. Sobre isso, não. Apenas me diga de novo.

— Será que não entende? — Ela fechou as mãos em punhos. — Sei do que sou capaz. Conheço minhas forças e minhas fraquezas. Eu simplesmente vou ferrar tudo.

— Não, não vai. Não a deixarei ferrar.

Ela correu a mão pelos cabelos.

— Você me subestima, MacMillan.

— Não, é você quem se subestima.

Era isso, ela percebeu ao tornar a baixar devagar as mãos. Essa fé simples e tranquila nela, mais do que tinha em si mesma, é que a deixava desamparada.

— Ninguém mais jamais me diria isso. Você é a única pessoa que diria isso a mim. Talvez por isso é que eu...

Embora os nervos dele começassem a se retesar, Ty fez um carinho despreocupado no tornozelo dela.

— Continue em frente. Quase lá.

— E tem mais. Você insiste. Ninguém mais jamais insistiu.

— Nenhum dos outros amou você. Está amarelando, Sophie. Covarde.

Ela estreitou os olhos. Os dele eram um calmo lago azul, pensou. Apenas um pouco divertidos, apenas um pouco... Não, percebeu com um sobressalto. Não convencidos e divertidos. Tinha tensão atrás, e nervos. No entanto, ele esperava que ela lhe desse o que precisava.

— Você não é o primeiro homem com quem estive — irrompeu.

— Chega de rodeios. — Ele curvou-se para a frente e tomou o queixo dela na mão. A paciência no rosto começava a passar para mau humor. Isso a deliciou. — Mas tenho uma notícia pra você. Com toda certeza vou ser o último.

E isso, ela decidiu, era absolutamente certo.

— Tudo bem, Ty. Eu nunca disse a outro homem. Nunca tive o cuidado de não dizer, porque nunca foi um problema. Na certa não vou fazer favor algum em dizer a você, mas agora você vai ter de lidar com isso. Eu amo você.

— Pronto, não foi tão difícil. — Ele correu as mãos pelos ombros dela, fortalecido pelo alívio que o bombeava. — Mas você não disse em italiano. O som é realmente maravilhoso em italiano.

— Seu idiota. *Ti amo*.

Ela riu, lançando-se em cima dele.

Capítulo Vinte e Seis

O tenente DeMarco passou a ponta do dedo pelo bigode.

— Agradeço a sua vinda, *signorina*. A informação que me trouxe, junto com o *Signore* MacMillan, é interessante. Será examinada.

— Que quer dizer exatamente isso? Examinada? Estou dizendo que meu primo usou o *castello* para encontros amorosos com a amante, para encontros clandestinos com um concorrente e uma funcionária que eu demiti pessoalmente.

— Nada disso é ilegal. — DeMarco estendeu as mãos. — Interessante, até suspeito, por isso é que vou examinar. Mas os encontros dificilmente eram clandestinos, pois vários empregados no *castello* e nos vinhedos tinham conhecimento disso.

— Não tinham da identidade de Jeremy DeMorney, nem da ligação dele com a empresa La Coeur. — Tyler pôs a mão no ombro de Sophia enquanto falava. Se não estivesse enganado, ela iria disparar da cadeira e varar direto o teto. — O que se deduz disso, como conseqüência lógica, é que DeMorney estava envolvido na sabotagem que resultou em várias mortes. Possivelmente outros de La Coeur estão envolvidos, ou pelo menos cientes.

Como não podia empurrar a mão de Ty, Sophia fechou a sua em punho.

— Jerry é sobrinho-neto do atual presidente da La Coeur. É um homem ambicioso, inteligente, que tinha rancor contra meu pai. E muito provavelmente contra minha família. Toda fatia de mercado que a Giambelli perdeu durante essas crises tem sido lucro nos bolsos de La Coeur. Como membro da família, isso é lucro no bolso de Jerry, e satisfação pessoal também.

DeMarco deixou-a acabar de falar:

— E não tenho a menor dúvida de que, quando receberem essa informação, as autoridades competentes vão querer interrogar esse Jeremy DeMorney. Obviamente, como ele é um cidadão americano, residente em Nova York, eu não posso fazer isso. A esta altura, minha principal preocupação é a prisão de Donato Giambelli.

— Que vem escapando de vocês há quase uma semana — comentou Sophia.

— Soubemos da identidade da companheira de viagem dele, ou, devo dizer, a mulher que acreditamos viajar com ele, só ontem. O cartão de crédito da *Signorina* Chezzo tem vários débitos altos. Espero a qualquer momento mais informações.

— Claro que ele usou o cartão de crédito dela — disse Sophia, impaciente. — É idiota, mas não louco. Com certeza é esperto o bastante pra cobrir seu rastro e sair da Itália da maneira mais rápida e fácil. Cruzar a fronteira pra Suíça, eu imagino. Entrou em contato com Jerry do distrito de Como. A fronteira suíça fica a minutos de distância. Os guardas lá mal olham um passaporte.

— Sabemos disso e as autoridades suíças estão nos ajudando. É só uma questão de tempo.

— O tempo é um bem valioso. Minha família tem sofrido em termos pessoais, emocionais e financeiros há meses. Até Donato ser preso e interrogado, até termos as respostas e garantias de que não se planejou nenhuma outra sabotagem, não podemos acabar com isso.

Meu pai fez parte disso, a extensão dessa parte ainda não sei. Dá pra entender o que sinto?

— Sim, creio que entendo, *signorina*.

— Meu pai foi morto. Preciso saber quem o matou e por quê. Se eu tiver de caçar Don sozinha, se tiver de enfrentar Jerry DeMorney pessoalmente e interrogar toda a organização La Coeur pra obter essas respostas, acredite, é o que vou fazer.

— Você é impaciente.

— Ao contrário, tenho tido uma paciência admirável. — Ela levantou-se. — Preciso de resultados.

Ele ergueu um dedo quando o telefone tocou. Sua expressão mudou um pouco enquanto ouvia a série de informações. Ao desligar, cruzou as mãos.

— Já tem seus resultados. A polícia suíça acabou de prender seu primo.

*F*OI UM APRENDIZADO VÊ-LA EM AÇÃO. TYLER NÃO DISSE UMA palavra, não sabia se teria alguma a dizer se tentasse. Ela bombardeara DeMarco com perguntas, exigências, escrevendo as informações no bloco de anotações. Quando saiu do escritório do tenente, marchando, Tyler teve de aumentar consideravelmente o passo apenas para alcançá-la. Sophia movia-se como um foguete e com um celular grudado na orelha.

Ele não entendia metade do que ela dizia, de qualquer modo. Começou em italiano, passou para o francês em algum momento e retornou ao italiano com algumas breves ordens em inglês. Abria caminho entre os turistas que apinhavam as ruas estreitas, transpunha com agilidade as belas pontes e atravessava em linha reta as praças. Sem parar de falar, nem de andar, mesmo quando teve de enfiar o celular entre a orelha e os ombros para retirar a agenda e fazer mais anotações.

Passava por vitrines de lojas sem dar sequer uma olhada. Ele calculou que, se ela passara a toda pela Armani sem nenhuma pausa no andar, nada iria detê-la.

No cais principal, Sophia saltou num táxi aquático, e Tyler captou a palavra "aeroporto" na ágil torrente que ela proferia em italiano. Ele imaginou que fora uma boa coisa ter o passaporte no bolso, senão seria deixado para trás.

Ela nem se sentou, então, mas se apoiou na amurada atrás do motorista e deu mais telefonemas. Fascinado, ele se acomodou no outro lado e ficou a olhá-la. O vento assanhava o curto gorro de cabelos dela, o sol refletia-se nas lentes escuras de seus óculos. Veneza fluía atrás, um antigo e exótico pano de fundo para uma mulher contemporânea com lugares aonde ir e pessoas para ver.

Não admirava que ele fosse louco por ela.

Tyler cruzou os braços, inclinou a cabeça para trás e deixou-se aproveitar as últimas brisas da cidade construída sobre a água. Se conhecia sua mulher, e conhecia, os dois iriam passar algum tempo nos Alpes.

— Tyler! — Ele virou-se quando ela bateu os dedos nele. — Quanto dinheiro nós temos? Em espécie?

— Comigo? Não sei. Duzentas mil liras, talvez cem dólares.

— Ótimo. — Ela deu meia-volta para as escadas quando o barco atracou. — Pague ao motorista.

— Sim, senhora.

Sophia varou o aeroporto do mesmo modo que varara as ruas da cidade. Por suas ordens, o jato da empresa já esperava abastecido e liberado para o vôo. Menos de uma hora após ter recebido a notícia de que o primo fora preso, ela prendia o cinto de segurança para a decolagem. E pela primeira vez nesse período desligou o telefone, fechou os olhos e inspirou fundo.

— Sophia?

— *Che?* Que é?

— Você é demais.

Ela tornou a abrir os olhos e deu um sorriso lento e sarcástico.

— Certíssimo.

* * *

Ele fora levado de um pequeno refúgio de férias aninhado nas montanhas ao norte de Chur e perto da fronteira austríaca. O mais distante em que pensara de antemão fora, talvez, cruzar essa fronteira, ou então ir para Liechtenstein. A meta era apenas pôr tantos países entre a Itália e ele quanto possível.

Mas enquanto olhava para o norte, Donato deixara de olhar seu próprio terreno. A amante não era tão obtusa quanto imaginara, nem metade tão leal. Vira uma reportagem no noticiário da televisão enquanto se refestelava num banho de espuma, e encontrara o esconderijo do dinheiro dele em sua mala.

Pegara o dinheiro, fizera a reserva de um vôo e dera um único telefonema anônimo. Achava-se a caminho da Riviera francesa, consideravelmente mais rica, quando a eficiente polícia suíça irrompera no quarto de Donato e o arrancara de debaixo das cobertas.

Agora numa cela suíça, ele deplorava seu destino e xingava todas as mulheres como maldição da existência.

Não tinha nem dinheiro para contratar um advogado, e precisava desesperadamente de um para lutar contra a extradição pelo maior tempo possível. Pelo tempo necessário, em nome de Deus, para pensar no rumo com clareza.

Iria jogar-se aos joelhos e pedir misericórdia a *La Signora*. Escaparia e fugiria para a Bulgária. Convenceria as autoridades de que nada fizera, além de fugir com a amante.

Não iria apodrecer na prisão a vida toda.

Com os pensamentos dando voltas no mesmo círculo, voltas e voltas, ele ergueu os olhos e viu um guarda no outro lado das grades. Informado de que tinha uma visita, levantou-se trêmulo. Pelo menos os suíços haviam tido a decência de deixá-lo usar suas roupas, embora não lhe permitissem gravata, cinto, nem sequer os cadarços dos sapatos Gucci.

Ajeitou os cabelos com as mãos ao ser levado para a área de visita. Não lhe interessava quem viera vê-lo, desde que alguém o ouvisse.

Quando viu Sophia do outro lado do vidro, seu ânimo se elevou. Família, pensou. O sangue ouviria o sangue.

— Sophia! *Grazie a Dio.*

Desabou na cadeira e atrapalhou-se com o telefone.

Ela deixou-o falar, desconexo, em pânico, as súplicas, as negações e o desespero. E quanto mais ele fazia isso, mais espesso ficava o aperto em volta do coração dela.

— *Stai zitto.*

Ele de fato se calou com a tranqüila ordem da prima. Devia ter visto que ela agora representava a avó e que tinha a expressão fria e inclemente.

— Não estou interessada em desculpas, Donato. Não vim aqui pra ouvir suas lamentáveis alegações de que tudo foi um terrível engano. Não peça a minha ajuda. Eu faço as perguntas e você dá as respostas. Depois decidirei o que será feito. Está claro?

— Sophia, você tem de me ouvir...

— Não. Não tenho. Não tenho de fazer nada. Posso me levantar e ir embora. Você, por outro lado, não pode. Você matou meu pai?

— Não. *In nome di Dio!* Não pode acreditar nisso.

— Nessas circunstâncias, acho fácil acreditar. Você roubou da família.

Donato começou a negar e, lendo a resposta nos olhos dele, Sophia largou o telefone e fez menção de levantar-se. Em pânico, ele bateu com a palma da mão no vidro e gritou. Quando os guardas começaram a avançar, ela friamente os repeliu com um gesto e tornou a pegar o telefone.

— Você ia dizer?

— Sim. Sim, roubei. Eu errei, fui idiota. Gina, ela me deixa louco, me atormenta por mais. Mais filhos, mais dinheiro, mais coisas. Peguei dinheiro. Pensei: que importância tinha? Por favor, Sophia, *cara*, não vai deixar me manterem na prisão por causa de dinheiro.

— Pense melhor. Eu deixaria, sim. Minha avó talvez não. Mas não foi só dinheiro. Você adulterou o vinho. Matou um velho inocente. Por dinheiro, Don? Quanto ele rendeu a você?

— Foi um erro, um acidente. Juro. Era só pra deixar Baptista um pouco doente. Ele sabia... Viu... Cometi um erro.

A mão tremia quando ele a esfregou no rosto.

— Sabia o que, Donato? Viu o quê?

— No vinhedo. Minha amante. Ele desaprovava, e poderia ter contado a *Zia* Tereza.

— Se continuar a me tomar por idiota, eu vou embora e deixo você apodrecer. Acredite. A verdade, Don. Toda.

— Foi um erro, juro. Dei ouvidos a um mau conselho. Fui induzido a erro. — Desesperado, ele puxava o colarinho já aberto. Sentia a garganta fechar-se, sufocando-o. — Eu ia ser pago, entenda, e precisava de dinheiro. Se a empresa tivesse algum problema, se houvesse imprensa ruim, processos, eu ia ganhar mais. Baptista, ele viu... as pessoas com quem falei. Sophia, por favor. Eu estava furioso, muito furioso. Dei duro. A vida toda. *La Signora* nunca me deu valor. A gente tem orgulho. Eu queria que ela me desse valor.

— E matar um velho inocente, atacar a reputação dela, foi a resposta?

— O primeiro foi um acidente. E a reputação da empresa...

— É a mesma coisa. Como poderia não saber disso?

— Achei que, se houvesse apuros, depois eu ajudaria a consertar, e ela veria.

— E seria pago pelas duas pontas — concluiu Sophia. — Não deu certo com o *Signore* Baptista. Ele não adoeceu, ele morreu. E enterraram o coitado achando que o coração dele tinha apenas parado de funcionar, afinal. Que frustração para você! Que irritação! Então, quase imediatamente, *Nonna* reorganizou a empresa.

— É, é, e ela me recompensa pelos meus anos de serviço? Não. — Sinceramente indignado, ele deu um soco no balcão. — Traz um estranho, promove uma americana que depois pode me questionar.

— Então você matou Margaret e tentou matar David.

— Não, não. Margaret. Um acidente. Eu estava desesperado. Margaret andava examinando as contas, as faturas. Eu precisava...

queria... só atrasá-la, um breve tempo. Como podia saber que ia beber tanto vinho? Uma taça, até duas, só a teria feito adoecer.

— Que desconsideração dela estragar tudo! Você enviou garrafas de vinho envenenado ao mercado. Pôs vidas em perigo.

— Não tive opção. Nenhuma opção. Precisa acreditar em mim.

— Meu pai sabia? Do vinho? Da adulteração?

— Não. Não, era apenas um jogo pra Tony. A empresa era o jogo dele. Não soube da conta fantasma porque nunca se deu ao trabalho de olhar. Não soube de Baptista porque não conhecia ninguém que trabalhava nos campos. Não era a vida dele. Sophia, era a minha vida.

Ela recostou-se brevemente. O pai fora fraco, um triste exemplo de marido, até de homem. Mas não tomara parte alguma em assassinato ou sabotagem. Já era, pelo menos, um pequeno alívio.

— Você levou DeMorney ao *castello*, ao lagar. Recebeu dinheiro dele, não foi? Ele pagava você pra trair seu próprio sangue.

— Me escute. — A voz dele caiu para um suspiro. — Fique longe de DeMorney. É um homem perigoso. Você tem de acreditar em mim. O que quer que eu tenha feito, você tem de acreditar que eu nunca quis magoar você. Nada vai pará-lo.

— Assassinato? Meu pai?

— Não sei. Juro pela minha vida, Sophia. Ele quer arruinar a família, me usou pra isso. Me escute — ele repetiu, pondo mais uma vez a palma da mão no vidro. — Fui induzido a erro. Agora ele vai deixar que me enforquem por isso. Imploro a você que me ajude. Imploro a você que fique longe dele. Quando eu soube que Cutter ia me denunciar, fugi. Só fugi, Sophia, juro a você. Estão dizendo que contratei alguém, um bandido das ruas pra atirar nele e roubar os documentos. É mentira. Por que eu faria isso? Já tinha acabado tudo pra mim. Estava liquidado.

As reviravoltas de mentiras e verdades tinham de ser desenredadas. Fazer isso exigia uma mão fria e firme, ela pensou. Mesmo agora, depois de tudo que soubera dele, em parte ela queria estender a mão. Não podia permitir-se fazê-lo.

— Você quer minha ajuda, Don? Conte tudo que sabe sobre DeMorney. Tudo. Se eu ficar satisfeita, vou cuidar pra que a Giambelli providencie amparo legal pra você, e pra que seus filhos sejam cuidados e protegidos.

Quando Sophia voltou, Tyler achou-a exausta. Esmorecida. Antes que pudesse falar, ela tocou a mão na dele.

— Não me pergunte ainda. Vou fazer uma teleconferência no vôo pra contar logo tudo.

— Tudo bem. Tentemos isso, então.

Ele puxou-a e abraçou-a.

— Obrigada. Você pode se arranjar sem as coisas que levou ao *castello* por alguns dias? Mandarei embalar e despachar. Precisamos ir pra casa, Ty. Eu preciso estar em casa.

—A melhor notícia que recebi em dias. — Ele beijou o topo da cabeça dela. — Vamos.

— *V*OCÊ ACREDITA NELE?

Tyler esperou que ela terminasse o telefonema e informasse tudo que tinha a dizer. Em pé agora, andando de um lado para outro da cabine, Sophia tomava a terceira xícara de café desde a decolagem.

— Acredito que ele é um idiota, de caráter fraco e egoísta. Acredito que se convenceu de que o *Signore* Baptista e Margaret foram acidentes infelizes. Ele se deixou usar pelo dinheiro, e pelo ego, por alguém muito mais inteligente. Agora está arrependido, mais arrependido, porém, por ter sido agarrado. Mas acredito, com toda convicção, que ele tem medo de Jerry. Não acho que Don matou meu pai. Nem que tentou matar David.

— Imagina que seja DeMorney.

— Quem mais? Provar não vai ser fácil. Ligar Jerry a qualquer coisa relacionada a isso e confirmar não será uma tarefa fácil.

Tyler levantou-se e tirou o café da mão dela.

— Está indo acelerada demais. Desligue por algum tempo.

— Não consigo. Quem mais, Ty? Vi que você não concordou quando estávamos na teleconferência. Vejo agora.

— Ainda não sei o que pensar. Levo mais tempo que você pra processar as coisas. Mas não consigo imaginar por que seu pai iria se encontrar com Jerry no seu apartamento, nem por que, depois de todo esse tempo, esse planejamento, Jerry iria matar Tony. Iria correr esse risco, se dar ao trabalho. Não se encaixa para mim. Mas eu não sou policial, nem você.

— Vão ter de interrogá-lo. Mesmo segundo a palavra de alguém como Donato, vão ter de interrogar. Jerry vai resvalar e usar de subterfúgios, mas... — Ela parou e inspirou fundo. — Vamos parar em Nova York pra reabastecer.

— Três países num único dia.

— Bem-vindo ao meu mundo.

— Não vai conseguir arrancar nada dele, Sophie.

— Só uma oportunidade de cuspir na cara dele.

— É isso aí. — E ele a acusaria de ter feito isso. — Sabe como encontrá-lo? É uma cidade grande.

Ela tornou a sentar-se e pegou a agenda.

— Fazer ligações é uma das minhas melhores coisas. Obrigada.

— Escute, só vou junto pela carona.

— Me deixe dizer uma coisa a você que não escapou à minha observação hoje.

— Sophie, nada escapa.

— Exatamente. Eu estava abrindo caminho no meio dessa confusão, dando telefonemas, tomando providências, apertando todos os botões e você não me interrompeu, não me fez perguntas, não afagou minha cabeça nem me mandou recuar pra que cuidasse disso.

— Acontece que não falo três línguas.

— Não foi isso. Não ocorreu a você dar uma demonstração de força e assumir o controle, me mostrar que pode resolver as coisas por mim. Do mesmo modo que não feriu seu ego o fato de que eu sabia o que tinha de fazer e como. Não precisa mostrar força porque sabe que está aí. E eu também sei.

— Talvez eu simplesmente goste de ver você mostrar a sua.

Ela levantou-se para acomodar-se e enroscar-se no colo dele.

— Em toda a minha vida fiz questão de me ligar a homens fracos. Tudo ostentação, nenhuma substância. — Com a cabeça no ombro dele, ela pôde afinal descansar. — Agora veja o que fiz.

O PRÓPRIO JERRY DEU VÁRIOS TELEFONEMAS. DE TELEFONES públicos. Mais que um problema, considerava Donato uma inconveniência. E mesmo isso seria resolvido muito em breve. Ele realizara o que planejara e decidira realizar.

A Giambelli lutava para encontrar a saída de mais outra crise, a própria família se achava em tumulto, a confiança do consumidor mergulhava para o menor número de todos os tempos. E ele vinha colhendo as recompensas em termos pessoais, profissionais e financeiros.

Nada do que fizera — nada do que fizera e pudesse ser provado — fora ilegal. Apenas fizera seu trabalho, como faria um empresário agressivo, e aproveitara as oportunidades que se apresentaram.

Sentiu-se mais divertido que aborrecido quando o segurança do saguão anunciou que tinha visitas. Preparado para ser entretido, liberou a entrada delas e virou-se para a companheira.

— Temos companhia. Uma velha amiga sua.

— Jerry, temos duas horas completas de trabalho pra terminar noite adentro. — Kris descruzou as pernas do sofá. — Quem é?

— Sua ex-chefe. Que tal abrirmos uma garrafa do Pouilly-Fuissé? O de 96.

— Sophia. — Kris levantou-se de um salto. — Aqui? Por quê?

— Já vamos descobrir — ele respondeu quando a campainha tocou. — Seja uma boa menina, sim? Pegue o vinho.

Dirigiu-se sem pressa para a porta.

— Mas que adorável surpresa. Não tinha a menor idéia de que vocês estavam na cidade — disse.

Na verdade, curvara-se para beijar a face de Sophia. Ela foi rápida, porém Tyler foi ainda mais. Calcou com força a mão no peito dele.

— Não comecemos sendo idiotas — aconselhou.

— Desculpe. — Erguendo as mãos, Jerry recuou. — Não percebi que as coisas entre vocês tinham mudado. Entrem. Eu ia abrir agora mesmo uma garrafa de vinho. Os dois conhecem Kris.

— Sim. Que aconchegante — começou Sophia. — A gente vai pular o vinho, obrigada. Não vamos nos demorar. Você parece estar aproveitando todas as vantagens de seu novo patrão, Kris.

— Prefiro muito mais o estilo do meu novo patrão ao da minha antiga patroa.

— Tenho certeza que deve ser muito mais simpática com seus associados.

— Senhoras, por favor — pediu Jerry, fechando a porta. — Somos todos profissionais aqui. E sabemos que executivos trocam de empresas todo dia. Isso são negócios. Espero que não estejam aqui para me criticar por roubar um dos seus. Afinal, a Giambelli levou um dos nossos melhores há apenas um ano. Como vai David, aliás? Eu soube que ele escapou por pouco em Veneza, recentemente.

— Está muito bem. Felizmente pra Kris, a Giambelli tem uma firme orientação política contra tentar matar ex-empregados.

— Mas parece que não muito forte contra guerras internas. Fiquei chocado ao saber de Donato. — Jerry sentou-se no braço de um sofá. — Realmente chocado.

— Não estamos com microfones ligados, DeMorney. — Tyler correu o braço pelo de Sophia para acalmá-la. — Portanto, pode poupar esse número. Fizemos uma visita a Don pouco antes de partirmos da Europa. Ele tinha algumas coisas interessantes a dizer sobre você. Acho que a polícia não vai chegar muito tempo depois de nós.

— É mesmo? — Ele fora rápido, pensou Jerry, mas parece que não o bastante. — Tenho mais fé em nosso sistema e não acredito que a polícia, ou qualquer outro, aliás, dará muito crédito aos delírios de um homem que roubava a própria família. São tempos difíceis pra você, Sophia. — Ele tornou a levantar-se. — Se eu puder fazer alguma coisa...

— Poderia ir pro inferno, mas não sei se vão aceitar você. Devia ter sido mais cuidadoso — ela continuou. — Os dois — ela acrescentou com um aceno da cabeça para Kris. — Passar um tempo no *castello*, no lagar, no setor de engarrafamento.

— Isso não é ilegal. — Jerry deu de ombros. — De fato, não é uma prática incomum que concorrentes amistosos visitem uns aos outros assim. Fomos convidados, afinal. Você e qualquer membro de sua família são sempre bem-vindos a qualquer operação na La Coeur.

— Você usou Donato.

— É verdade. — Jerry abriu as mãos. — Mas, também, não há nada de ilegal nisso. Ele me procurou. Receio que seu primo se sentia infeliz na Giambelli havia um bom tempo. Conversamos sobre a possibilidade de ele ser bem recebido na La Coeur.

— Você disse a ele pra adulterar o vinho. Explicou como fazer.

— Isso é ridículo e ultrajante. Tome cuidado, Sophia. Entendo que esteja transtornada, mas tentar desviar os problemas de sua família tanto pra mim quanto pra minha família não é a resposta.

— Vou lhe contar como tudo aconteceu. — Tyler passara as horas no ar elaborando tudo na cabeça. Sentou-se então e ficou à vontade. — Você queria causar problemas, sérios problemas. Avano saltou sobre sua mulher. É difícil o homem aceitar isso, mesmo quando o outro cara vive dando em cima de toda mulher que encontra. Mas o problema apenas resvala direto em Avano. Ele mantém a mulher dele exatamente onde a quer, que é onde não atrapalha, mas perto o suficiente para garantir sua posição na organização da família. Isso é um pé no saco pra você.

— Minha ex-mulher não é da sua conta, MacMillan.

— Mas era da sua, e também de Avano. Os malditos Giambelli dão rédeas livres ao filho-da-puta. Ora, deve haver um jeito de pegar aquelas rédeas e enforcar todos eles. Talvez você saiba que Avano vinha desviando dinheiro, talvez não. Mas sabe o bastante para pensar em Don. Ele também engana a mulher e é muito amigo de Avano. Don é um cara acessível. Não seria difícil para você se aproximar dele, insinuar que LaCoeur adoraria tê-lo na equipe. Mais dinheiro, mais poder. Você joga com as queixas, o ego e as necessidades dele. Descobre a conta de fachada e, agora, tem alguma coisa contra ele.

— Está jogando verde, MacMillan, e jogar verde me chateia.

— Vai melhorar. Avano começa a transar com a segunda de Sophia no comando. Não é interessante? Prometeu ótimas recompensas e dela obter um punhado de informações confidenciais. Ele ofereceu dinheiro a você, Kris? Ou só um escritoriozinho, com uma bela e brilhante placa de metal?

— Não sei do que você está falando. — Mas ela se afastou de Jerry com um passo rápido e cuidadoso. — Meu relacionamento com Tony nada teve a ver com meu cargo na La Coeur.

— Continue pensando assim — disse Tyler, tranqüilo. — Enquanto isso, DeMorney, você continua jogando com Don, empurrando-o junto. Cada vez mais fundo. Ele tem alguns problemas de dinheiro. Quem não tem? Você empresta um pouco, apenas um empréstimo amigável. E traz Don na coleira com a mudança pra La Coeur. Que mais ele pode pôr na mesa? Informação confidencial? Não é bom o suficiente.

— Minha empresa não precisa de *inside information*.

— Não é sua empresa. — Tyler inclinou a cabeça ao ver a fúria jorrar dos olhos de Jerry. — Você apenas quer que seja. Fala com Don sobre a adulteração, só algumas garrafas. Mostra o que ele deveria fazer, poderia fazer, e depois como interferir e ser um herói quando a merda bater no ventilador. Assim como você será um herói na La Coeur por estar preparado e pronto para avançar quan-do a Giambelli receber o golpe. Ninguém vai sair realmente ferido, ou é o que você diz ao coitado do tolo Don. Mas isso abalou de fato o produto da empresa.

— Lamentável. — Sob a elegante camisa feita sob medida, uma linha de suor escorria pelas costas de Jerry. — Ninguém vai acredi-tar nesse conto de fadas.

— Oh, a polícia talvez fique muito entretida. Vamos concluir — sugeriu Tyler. — Sai errado pra Don, e um velho morre. Sem esfolar em nada o seu traseiro, claro. Você tem Don sob total con-trole agora. Ele fala, e é capaz de assassinato. Enquanto isso, a Giambelli segue em frente. Avano continua esgueirando-se. E um dos seus se muda para o campo inimigo.

— Conseguimos avançar com sucesso sem a ajuda de David Cutter. — Jerry quis servir vinho, despreocupado, mas descobriu que a mão tremia. — E você já me tomou tempo demais.

— Quase no fim. Você já abriu uma segunda frente de batalha, cortejando um dos cérebros na promoção, alimentando a insatisfa-ção e as invejas dela. Quando a crise irromper, e vai garantir que irrompa, vai desequilibrar a Giambelli.

— Eu não tive nada a ver com isso. — Kris pegou a sua pasta e começou a enfiar papéis. — Não sei de nada disso.

— Talvez não. Seu estilo é mais do tipo punhalada nas costas.

— Não me interessa o que você pensa nem nada que tenha a dizer. Vou embora.

Precipitou-se para a porta e bateu-a atrás.

— Eu não contaria com muita lealdade à empresa daquela ali — comentou Tyler. — Você subestimou Sophia, DeMorney. Assim como superestimou a si mesmo. Obteve sua crise, derramou sangue, mas não bastou pra você. Quer mais, e é isso que vai sufocar você. Ir atrás de Cutter foi idiotice. O jurídico tem cópias da documentação, e Don sabia disso.

Kris não o preocupava. Podia ser sacrificada, como qualquer títere.

— É óbvio que Don entrou em pânico. O homem que matou uma vez não tem escrúpulos para matar de novo.

— Correto. Não consta que o velho Don tenha matado alguém. Foi o vinho. E ele estava ocupado demais com a fuga para temer David. Eu me pergunto quem deu a você a pista da reunião em Veneza, e Don correu para retirar o dinheiro de sua conta particular. Os policiais também vão trabalhar nesse ângulo, e começar a associar você. Vai ter um monte de perguntas a responder, e muito em breve seu próprio pesadelo como relações-públicas. La Coeur vai podar você, amigo, assim com faria com um galho doente. — Tyler levantou-se. — Achou que tinha se protegido em cada centímetro. Ninguém nunca consegue isso. E, quando Don afundar, vai arrastar você com ele. Quanto a mim, vou adorar ver você afundar pela terceira vez. Eu não gostava muito de Avano. Era um idiota egoísta que não valorizava o que tinha. Don se inclui na mesma categoria, num nível pouquíssimo mais alto. Mas você, você é um covarde castrado, que paga pessoas pra fazerem o serviço sujo que não é homem pra fazer. Não surpreende que sua mulher tenha saído à caça de alguém com colhões em outro lugar.

Ficou onde estava, as mãos estendidas nos lados, quando Jerry deu o bote. E recebeu o direto na mandíbula sem fazer um movimento para bloqueá-lo. Deixou até Jerry empurrá-lo de costas contra a porta.

— Viu isso? — perguntou calmamente Tyler a Sophia. — Ele me socou e agora põe as mãos em mim. Vou pedir com educação que pare. Ouviu, DeMorney? Peço com educação que pare.

— Foda-se.

Jerry fechou a mão em punho e teria golpeado a barriga de Tyler se não fosse detida a dois centímetros do alvo. Se não fosse de repente esmagada e a dor que irradiava pelo braço dele acima não o derrubasse sem ar de joelhos.

— Vai precisar radiografar essa mão — disse Tyler, dando-lhe um empurrãozinho para finalizar a queda ao chão de Jerry, que se contorcia de agonia. — Acho que ouvi o estalo de um osso. Pronta, Sophie?

— Ah... sim. — Meio tonta, ela deixou Tyler puxá-la porta afora até o elevador. Já dentro, exalou uma respiração que não se dera conta de ter prendido. — Eu gostaria de fazer uma observação.

— Desembuche.

Ele apertou o botão do térreo e recostou-se.

— Eu não interrompi, nem fiz perguntas. Não me senti compelida a mostrar força — continuou, quando Tyler entortou a boca. — Nem a provar a você que posso resolver tudo. Queria apenas dizer tudo isso.

— Saquei. Você tem suas áreas de perícia e eu, as minhas. — Ele passou o braço pelos ombros dela. — Agora, vamos pra casa.

Capítulo Vinte e Sete

— E aí... — Sophia raspava o resto da lasanha, com a família reunida na cozinha da villa. — Ty agarrou a mão dele, não sei nem como aconteceu. Foi como um raio. Cobriu com sua manzorra a bonita e manicurada mão de Jerry, que na certa ainda doía do soco na mandíbula dele. Seja como for — tragou um bom gole de vinho —, de repente Jerry ficou branco, revirou os olhos e se encolheu como, não sei, um acordeão rumo ao chão. E não escorreu nem uma gota de suor do grandalhão aqui. Estou de olhos esbugalhados, eu sei, mas quem não ficaria? E Ty, com educação, sugere que Jerry talvez precise mandar radiografar a mão, porque acha que ouviu um osso estalar.

— Santo Deus. — Pilar serviu-se de um pouco de vinho. — Sério?

— Hum. — Sophia engoliu, morrendo de fome. Assim que cruzara a porta, viu que morria de fome. — Ouvi o estalido, como quando a gente pisa num graveto. Meio horrível, na verdade. Depois simplesmente saímos. E preciso dizer... Tome, Eli, sua taça está vazia. Mas preciso dizer que foi silenciosamente perverso e excitante. Tão excitante, e eu não me envergonho de dizer, que, quando voltamos ao avião, saltei em cima dele.

— Nossa, Sophie. — Tyler sentiu o calor subir pela nuca. — Feche a matraca e coma.

— Não deixou você encabulado na hora — ela comentou. — Aconteça o que acontecer, resulte o que resultar disso, vou sempre guardar a imagem de Jerry enroscado no chão como um camarão de coquetel. Ninguém pode tirar isso de mim. Tem sorvete?

— Vou pegar. — Pilar levantou-se da mesa, parou e deu um beijo no cocuruto de Ty. — Seja um bom menino.

Eli inspirou e expirou.

— Ele quase não chegou a deixar marca na mandíbula.

— O cara tem mãos de boiola — disse Ty, sem pensar, e estremeceu. — Peço perdão, *La Signora*.

— E deve pedir mesmo. Não aprovo essa linguagem à minha mesa. Mas, como estou em dívida com você, vou ignorar.

— Não me deve nada.

— Eu sei. — Ela tomou-lhe a mão e segurou-a apertado. — Por isso é que devo a você. Meu próprio sangue traiu a mim e aos meus. Durante dias, esse conhecimento abriu um buraco em mim, me fez duvidar de mim mesma. Esta noite olho e vejo a filha da minha filha e o menino que Eli uma vez me trouxe. E o buraco torna a se fechar. Não me arrependo de nada. Não me envergonho de nada. Como poderia? Aconteça o que acontecer, seguiremos em frente. Temos um casamento a planejar — disse, sorrindo, enquanto servia o sorvete. — Uma empresa a dirigir e vinhas a cuidar. — Ergueu a taça. — *Per famiglia.*

Sᴏᴘʜɪᴀ ᴅᴏʀᴍɪᴜ ᴄᴏᴍᴏ ᴜᴍᴀ ᴘᴇᴅʀᴀ ᴇ ᴀᴄᴏʀᴅᴏᴜ ᴄᴇᴅᴏ. Às seis da manhã, já trancada no escritório, revisava um comunicado à imprensa e fazia chamadas pessoais a contas-chave na Europa. Às sete, abrangera desde o outro lado do Atlântico até a Costa Leste. Tomou cuidado, muito cuidado, para não tocar no nome de Jerry e não acusar um concorrente de práticas suspeitas. Mas deixou a insinuação deitar raízes.

Às oito, julgou que era tarde o bastante para telefonar para a casa dos Moore.

— Tia Helen, desculpe ligar tão cedo.

— Não tão cedo. Vou sair daqui a quinze minutos. Ainda está em Veneza?

— Não, em casa, e precisando de uma opinião jurídica. Sobre vários assuntos incômodos, na verdade. Alguns envolvem direito internacional.

— Empresarial ou criminal?

— Ambos. Sabe que Donato foi preso? Vai ser extraditado hoje pra Itália. Não vai se defender. Ele revelou o comprometimento de alguém, em privado, pra mim, um concorrente americano. Essa pessoa tinha, no mínimo, conhecimento da adulteração e do desvio de dinheiro, e muito possivelmente estava mais envolvida. Isso não consiste em conspiração? Ele pode ser acusado? Margaret morreu aqui nos Estados Unidos, logo...

— Espere, espere. Você está avançando rápido demais, Sophie. A lei é uma roda lenta. Primeiro, está avançando a partir de uma coisa que Don contou a você. Ele não é muito digno de crédito no momento.

— Vai ser mais — ela prometeu. — Eu só quero um quadro.

— Não sou especialista em direito internacional, nem advogada criminal, por falar nisso. Você precisa falar com James, e vou passá-la pra ele num minuto. Mas, antes, quero dizer o seguinte, como sua amiga. Trata-se de uma questão para a polícia e o sistema. Não quero que faça nada, e tome muito cuidado com o que diz e com o que imprime. Não faça declarações sem passar tudo antes por mim, James ou Linc.

— Redigi comunicados à imprensa daqui e do exterior. Vou enviar todos por fax, se estiver tudo bem.

— Faça isso. Agora fale com James. Não faça nada.

Sophia mordeu o lábio. Perguntou-se o que diriam a tia adotiva e o juiz sobre a visita que ela e Ty haviam feito a Jerry na noite anterior.

* * *

No MEIO DA MANHÃ, DAVID PAROU ENTRE AS VINHAS E AS novas mostardas no vinhedo MacMillan. Sentia-se inútil, fora de sintonia e mais que um pouco em pânico, porque o filho, que acabara de fazer dezessete anos, fora para a escola nessa manhã atrás do volante de um conversível de segunda mão.

— Não tem alguma papelada pra pôr em dia? — Tyler perguntou.

— Da sua altura.

— Nesse caso, não vou sugerir que vá às adegas checar o sangramento mensal do vinho dos barris. Vamos testar o Merlot de 93 pra iniciantes.

— Eu começo a degustar vinho e você a brigar.

— Aí é que está. Além disso, não chegou a ser bem uma briga.

— Pilar disse que você derrubou o cara com uma mão só. Uma mão ainda é tudo que tenho, embora o sádico do fisioterapeuta dissesse que terei de novo as duas a qualquer momento. Quero dar uma porrada em Jerry. — David passeava entre as fileiras para extravasar. — Trabalhei pro filho-da-mãe. Durante anos. Participei de reuniões com ele, almoços, sessões estratégicas tarde da noite. Umas poucas sobre como cortejar algumas das contas da Giambelli, algumas das suas, para nós. Faz parte do negócio.

— É verdade.

— Quando La Coeur ganhou a exclusividade nos vôos de ida e volta da Europa, saí para comemorar com ele. Vencemos a Giambelli nessa concorrência, por pouco. Eu me parabenizei durante dias por isso. Agora revejo a época, refaço os passos e percebo que ganhamos porque ele teve *inside information* da proposta. Don passou pra ele o lance da Giambelli antes que fosse feito.

— É assim que algumas pessoas fazem negócios.

— Eu não.

Foi o tom que o fez parar. Imaginou que de algum modo, nos últimos meses, se haviam tornados amigos. Quase da família. Próximos o bastante para ele entender a culpa e a frustração.

— Ninguém está dizendo isso, David. Ninguém acha isso.

— Não. Mas eu lembro o quanto queria aquela conta. — Começou a enterrar as mãos nos bolsos, e o braço ruim latejou. — Maldito seja.

— Vai acabar de se espancar logo? Porque eu tenho um monte de trabalho pra pôr em dia, visto que tive de ir à Itália ajudar a limpar seu sangue da rua. A bala que levou teve um efeito adverso no meu cronograma.

David virou-se de volta para ele.

— Usou esse mesmo tom quando sugeriu a DeMorney fazer uma radiografia?

— Provavelmente. É o único que uso quando alguém fica um saco de idiotice.

A tensão de David se desfez e o primeiro brilho de humor cintilou em seus olhos.

— Eu daria um soco em você por isso, mas você é maior que eu.

— Mais moço também.

— Safado. Agora que pensei nisso, poderia derrubar você, mas vou dar uma folga porque Sophia está vindo pra cá. Eu detestaria que ela tivesse de ver o futuro padrasto chutar seu traseiro.

— Só nos sonhos.

— Vou gastar meu mau humor nas adegas. — Afastou-se e parou quando passou por Tyler. — Obrigado.

— Às ordens. — Tyler seguiu na direção contrária até se encontrar com Sophia. — Está atrasada. De novo.

— Prioridades. Aonde vai David? Queria perguntar como se sentia.

— Faça a si mesma um favor e esqueça. Ele está no estágio nervoso da recuperação. Que prioridades?

— Oh, solidificar algumas contas abaladas, manipular a imprensa e pedir orientação legal. Só mais um dia tranqüilo para a herdeira das vinhas. Como andam as coisas aqui fora?

— As noites têm sido frias e úmidas. Provocam orvalho. Vamos fazer a segunda aspersão de enxofre logo depois de as uvas se acomodarem. Não estou preocupado.

— Ótimo. Vou tirar algum tempo amanhã pro vinicultor, e você tira pra perita da promoção. De volta à equipe de trabalho. Agora, por que não me deu um beijo de boas-vindas?

— Porque estou trabalhando. Quero verificar os novos plantios, dar uma passada na velha destilaria e checar os tonéis de fermentação. E vamos fazer degustação hoje nas adegas. Depois temos de mudar suas coisas pra minha casa.

— Eu não disse que ia me...

— Mas como está aqui, de qualquer modo.

Ele curvou-se e beijou-a.

— Vamos ter de conversar sobre isso — ela começou e retirou o telefone que tocava no bolso. — Sem demora — acrescentou. — Sophia Giambelli. *Chi? Sì, va bene.* — Afastou o telefone. — É do escritório do tenente DeMarco. Don foi transferido para a prisão dele hoje. Ah. — Mudou o telefone mais uma vez de lugar. — *Sì, buon giorno. Ma che... scusi? No, no.* — Ainda grudada no telefone, ela afundou no chão. — *Come!* — conseguiu dizer. Agarrando a mão de Tyler antes que ele pudesse tirar-lhe o celular, Sophia abanou violentamente a cabeça. — *Donato.* — Ergueu o olhar estupefato para o de Tyler. — *E' morto.*

Ele não precisou que ela traduzisse o final. Tomou-lhe o telefone e, identificando-se, perguntou como Donato Giambelli morrera.

— *U*M ATAQUE CARDÍACO. ELE NÃO TINHA NEM QUARENTA anos. — Sophia andava de um lado para outro. — Isso foi obra minha. Pressionei meu primo, depois fui a Jerry e pressionei o cara. Era melhor ter desenhado um alvo nas costas de Don.

— Você não fez isso sozinha — lembrou Tyler. — Fui eu quem puxou a corrente de DeMorney.

— *Basta* — ordenou Tereza, mas sem ênfase. — Se descobrirem que Donato morreu por causa de drogas, se descobrirem que foi assassinado quando nas mãos da polícia, não temos culpa. As opções de Donato o puseram onde estava, e, além de proteger, a polícia tinha obrigação de contê-lo. Não aceito que lancem a culpa em minha casa. — E isso, decidiu, encerrava a questão. — Ele foi uma decepção pra mim. Mas lembro que também foi um menino doce, com um lindo sorriso. Vou sentir pelo menino.

Estendeu o braço, encontrou a mão de Eli e levou-a aos lábios, num gesto que Sophia nunca a vira fazer.

— *Nonna*. Eu vou pra Itália, ao enterro, representar a família.

— Não, a hora de você assumir meu lugar chegará muito em breve. Ainda não. Preciso que fique aqui. Eli e eu vamos, e é assim que deve ser. Vou trazer Francesca, Gina e as crianças, se quiserem. Deus nos ajude se quiserem — ela concluiu com vigor e levantou-se.

SOPHIA EXAMINAVA O ESCRITÓRIO DE LINC. NINGUÉM, decidiu, podia acusá-lo de tratamento paterno preferencial. A sala era pouco mais que um cubículo, entulhada, sem janela e empilhada de livros e documentos em pastas de arquivo. Imaginou que houvesse uma escrivaninha escondida atrás das pilhas de papéis.

— Bem-vinda ao meu calabouço. Não é grande coisa — disse Linc, esvaziando uma cadeira para ela. — Mas... não é grande coisa.

Jogou os arquivos e livros no chão.

— O bom de começar por baixo é que não se pode descer ainda mais baixo.

— Se eu for um bom menino, vou ter meu próprio grampeador.

Com uma habilidade que lhe disse que ele já fizera isso, Linc contornou a montanha com a cadeira de rodízios. De algum lugar sob os montes de papéis e livros, um telefone começou a tocar.

— Precisa atender? Onde quer que esteja.

— Se eu atender, alguém vai simplesmente querer falar comigo. Eu prefiro falar com você.

Como alguém podia trabalhar em tão grande confusão e desordem estava além da compreensão dela. Precisou sentar-se mentalmente nas mãos para impedir-se de pô-las em ação e organizar toda a bagunça.

— Agora me sinto culpada por aumentar sua carga de trabalho. Mas não o bastante pra me impedir de perguntar se os papéis que lhe enviei se encontram em algum lugar aqui, e se você teve uma chance de olhar.

— Eu tenho um sistema de organização.

Ele enfiou a mão debaixo de uma pilha no canto esquerdo da escrivaninha e retirou um arquivo.

— É como o truque da toalha de mesa do mágico — ela comentou. — Bom trabalho.

— Quer que eu puxe um coelho da cartola? — Rindo, ele sentou-se. — Você se cobriu muito bem — começou. — Dei uma pequena mexida nos comunicados à imprensa, tenho de ganhar meus honorários inflados, afinal. — Estendeu os papéis revisados. — Pelo que sei, você está atuando como porta-voz da Giambelli-MacMillan.

— Estou, também, pelo menos enquanto *Nonna* e Eli estão na Itália. Mama não tem formação pra esse tipo de coisa. Eu sim.

— David? Ty?

— Vou distribuir cópias pra eles também, por vias das dúvidas. Mas é melhor que o representante da mídia seja alguém da família Giambelli. Nós é que temos sido chutados.

— Sinto muito por Don.

— Eu também. — Ela baixou mais uma vez os olhos para os comunicados, mas não os via. — O enterro é hoje. Não paro de pensar na última vez em que falei com ele, em como estava apavorado. Sei o que fez, e não o perdôo por isso. Mas também não paro de pensar em como estava apavorado, e em como fui fria com ele.

— Não pode ficar se punindo por isso, Sophie. Mamãe e papai me puseram a par do que aconteceu, pelo menos o que temos certeza. Ele ficou ganancioso e idiota. Foi responsável por duas mortes.

— Acidentes, foi como chamou. Eu sei o que ele fez, Linc. Mas quem foi responsável pela dele?

— O que nos traz de volta a DeMorney. Vai ter de ser muito cuidadosa aí. Manter o nome dele fora de suas declarações. Mantenha La Coeur fora delas.

— Ãhã. — Alheia, ela examinou as unhas manicuradas. — Vazou que a polícia o está interrogando em relação à adulteração, à conta fraudulenta e até ao assassinato de meu pai. Não imagino como a imprensa obteve a informação.

— Você é muito sorrateira, Sophia.

— Falou como meu amigo ou meu advogado?

— Os dois. Apenas seja cuidadosa. Não precisa que a origem dos vazamentos seja rastreada até você. E se lhe perguntarem sobre DeMorney, e com certeza vão, não faça comentários.

— Tenho muitos comentários.

— E os que você tem na cabeça podem envolvê-lo num processo judicial. Deixe o sistema percorrer o tortuoso caminho em direção à meta final. Se DeMorney estava envolvido, você não tem provas — ele lembrou. — Deixe-me ser o advogado. Se ele estava envolvido, a coisa virá à tona. Mas a palavra de Don não basta.

— Ele controlava a situação nos bastidores. Tenho certeza e isso basta pra mim. Pessoas morreram, e por quê? Porque ele queria uma fatia maior do mercado? Pelo amor de Deus.

— Pessoas mataram por menos, mas tenho de dizer que esse é o ponto fraco. Ele é um empresário rico e respeitado. Vai ser um duro caminho envolvê-lo numa espionagem empresarial, desvio de dinheiro, adulteração de produto, quanto mais assassinato.

— Ele se expôs a isso e a imprensa vai saltar na parte suculenta sobre a mulher dele e meu pai. Humilhar DeMorney em público. Ele nos odeia, e vai odiar mais quando tudo vier a público. Senti isso quando o visitei em Nova York. Não se trata de negócios ou apenas negócios. É muito pessoal, Linc. Você viu nosso novo anúncio?

— O do casal na varanda? Pôr-do-sol no lago, vinho e romance. Brilhante e muito atraente. Desprende-se seu nome de toda a imagem. O seu, quer dizer, não apenas da empresa.

— Obrigada. Minha equipe investiu muito trabalho e idéias nisso. — Ela enfiou a mão na pasta e retirou a fotografia de um arquivo. — Alguém me mandou isto ontem.

Ele reconheceu o anúncio, embora a cópia tivesse sido feita por computador e alterada. Nesse, a jovem tinha a cabeça inclinada para trás e a boca aberta num grito silencioso. De uma taça caída na varanda, o vinho derramava-se e manchava de vermelho o branco. No alto dizia:

CHEGOU A SUA HORA
DE MORRER

— Meu Deus, Sophie. Isso é doentio, asqueroso. Cadê o envelope?

— Aqui. Sem endereço do remetente, claro. Carimbado no correio de São Francisco. A princípio pensei em Kris Drake. É o estilo dela. Mas acho que não. — Sophia examinava agora o anúncio sem um único estremecimento. — Acho que ela está se retirando pra se manter imune aos efeitos colaterais adversos. Não sei se Jerry estava na Costa Oeste, mas foi ele o autor.

— Precisa levar isso à polícia.

— Levei o original de manhã. Este é uma cópia. Tenho a impressão de que, enquanto examinam, vão encarar isso como mais uma medonha brincadeirinha de mau gosto. — Ela se levantou. — Quero que o detetive particular que você contratou dê uma olhada também. E não quero que fale disso a ninguém.

— Concordo com a primeira parte, mas acho a segunda uma tolice.

— Não é tolice. Minha mãe está planejando o casamento dela. *Nonna* e Eli têm muita coisa a resolver. David e Tyler também. Além disso, foi enviado a mim. Pessoalmente. Quero resolver pessoalmente.

— Nem sempre você pode ter o que quer. Isso é uma ameaça.

— Talvez. E, acredite em mim, pretendo ser muito cuidadosa. Mas não vou deixar que estraguem esse momento da minha mãe. Ela esperou tempo demais para ser feliz. Não vou despejar mais tensão sobre meus avós. E não vou contar a Ty, ainda não, pelo menos, porque ele vai reagir de forma exagerada. Portanto, é entre mim e você, Linc. — Ela estendeu a mão e tomou a dele. — Conto com você.

— Vou fazer o seguinte: — ele acabou dizendo após um momento — vou pôr o detetive a par e dar a ele quarenta e oito horas pra trabalhar antes de eu dizer alguma coisa. Se durante esse tempo você receber outro do tipo, tem de me procurar na mesma hora.

— Prometo. Mas quarenta e oito horas...

— É esse o trato. — Ele se levantou. — Só vou dar esse tempo porque gosto de você e sei o que está sentindo. Não vou dar nada mais porque gosto de você e sei o que eu estou sentindo. É pegar ou largar.

— Tudo bem. Tudo bem — ela repetiu, num longo suspiro. — Não estou sendo valente e idiota, Linc. Obstinada, talvez, mas não idiota. Ele quer me apavorar e atirar minha família em mais confusão. Não vai conseguir. Agora mesmo vou me encontrar com minha mãe e com a sua. Vamos sair pra comprar um vestido de casamento. — Ela beijou as duas faces de Linc. — Obrigada.

A IDÉIA QUE MADDY TINHA DE FAZER COMPRAS ERA PERAMbular pelo shopping, olhando os meninos que andavam de olho nas meninas e gastar a mesada em alguma comida cheia de carboidrato e novos brincos. Imaginava que seria uma chatice terminal passar o dia com três adultas em lojas de vestidos elegantes.

Mas levou em consideração que os pontos que ganhara com o pai ao concordar com a saída se traduziriam nas mechas coloridas que queria pôr nos cabelos. E se jogasse as cartas certas, poderia obter alguma coisa muito legal de Pilar.

As novas madrastas em potencial eram excelentes frutas a serem colhidas. Culpa e nervos, pelos cálculos de Maddy, igualavam-se a sacolas de compras.

Esperava-se que chamasse agora a Sra. Giambelli de Pilar. O que era estranho, porém, melhor do que chamá-la de mãe ou coisa que o valha.

Primeiro teria de agüentar até o fim do trato e almoçar com Pilar e a mulher do juiz. Um almoço de meninas, ela pensou com escárnio. Minúsculas porções de comida refinada, de baixas calorias e sem gosto, enquanto esperavam que conversasse sobre roupas e forma física. Não seria tão ruim se Sophia estivesse com elas. Mas os certeiros palpites de Maddy de que se grudaria em Sophia enquanto ela fizesse suas tarefas foram por água a baixo.

Resignou-se a uma ou duas horas infelizes; mais pontos, ela decidiu. Então se surpreendeu ao ver-se entrar num ruidoso restaurante italiano onde o ar recendia a temperos.

— Eu devia pedir uma salada. Eu devia pedir uma salada — repetiu Helen. — Mas não vou. Já ouço a berinjela recheada de parmesão chamando meu nome.

— Fettuccine à Alfredo.

— Claro, ótimo pra você — disse Helen a Pilar. — Nunca engorda um único grama. Não vai ter de se preocupar em como vai ficar nua na noite de núpcias.

— Ele já viu a noiva nua — disse Maddy, o que fez as duas mulheres se virarem para olhá-la.

Ela sentiu as costas se enrijecerem e as sobrancelhas baixarem, preparando-se para um sermão. Em vez disso, ouviu uma boa gargalhada, e Helen passou o braço pelo seu ombro.

— Vamos pra um reservado de canto, e aí você pode me contar todas as coisas obscenas sobre seu pai e Pilar que não consegui arrancar dela.

— Acho que fizeram do lado de fora de casa, ontem à noite. Papai chegou com a calça jeans cheia de grama.

— Você pode ser comprada? — perguntou Pilar.

Maddy entrou no reservado.

— Claro.

— Vamos negociar.

Pilar sentou-se a seu lado.

*N*ÃO ESTAVA CHATEADA. SURPREENDEU-SE AO VER QUE SE divertia, que não a mandavam calar-se por fazer observações jocosas, nem esperavam que se sentasse em silêncio e se comportasse. Algo como, pensou, a sair com Theo e seu pai — apenas diferente. Bem diferente. Tinha esperteza suficiente para perceber que era a primeira saída com mulheres que já tivera. Esperteza suficiente para entender que Pilar também sabia disso.

Nem se incomodou por ser arrastada à loja de vestidos, e tampouco ver a conversa dar uma virada absoluta e completa para roupas, tecidos, corte e cor.

E quando viu Sophia chegar esbaforida, afogueada e feliz, Maddy, que ainda não completara quinze anos, teve uma revelação. Não se importaria de ser como ela, como Sophia Giambelli. Ela provara, não? Que uma mulher podia ser inteligente, muito inteligente, fazer exatamente o que queria no mundo, e como queria fazê-lo, e ser ao mesmo tempo deslumbrante.

Não se vestia como se quisesse chamar atenção, mas chamava ainda assim.

— Não me diga que ainda não experimentou nada.

— Não, ainda não. Queria esperar você. Que acha dessa seda azul?

— Humm, talvez. Oi, Maddy. Tia Helen. — Ela curvou-se para dar um beijo em Helen, e então emitiu um rápido gritinho: — Oh, Mama! Veja este. A renda é fabulosa... romântica, elegante. E a cor ficaria perfeita em você.

— É lindo, mas não acha um pouco jovem? Mais pra você?

— Não, não. É pra uma noiva. Pra você. Tem de experimentar.

Enquanto examinava o vestido, Pilar apoiou a mão no ombro da filha. Meio distraída, pensou Maddy. Só para tocar. Sua mãe jamais a tocara distraída, que se lembrasse, não. Jamais haviam tido essa ligação. Se houvesse, ela não poderia tê-la abandonado com tanta facilidade.

— Experimente os dois — insistiu Sophia. — E este de linho cor-de-rosa que Helen escolheu.

— Se ela não estivesse com tanta pressa de agarrar esse rapaz, podia mandar fazer alguma coisa num estilista. E eu perderia dez quilos antes de usar o longo de madrinha do casamento. Dá tempo de eu fazer lipoaspiração?

— Oh, pare. Tudo bem. Vou começar com estes três.

Quando Pilar saiu com a vendedora para o vestiário, Sophia esfregou as mãos.

— Muito bem; sua vez.

Surpresa, Maddy piscou os olhos para ela.

— É uma loja para mulheres.

— Você é da mesma altura que eu, na certa do mesmo tamanho — acrescentou Sophia, examinando o alvo. — Mama prefere cores suaves, por isso fiquei nelas. Mas eu gostaria de pôr você em cores de pedras preciosas.

— Eu gosto de preto — disse Maddy, por prazer.

— É, e você usa bem preto.

— Uso?

— Ãhã, mas vamos expandir seus horizontes para esta ocasião particular.

— Não vou usar cor-de-rosa.

Maddy cruzou os braços.

— Que pena, eu imaginava um de organdi cor-de-rosa — disse Helen — com tufos e sapatinhos Mary Jane.

— Que são sapatinhos Mary Jane?

— Ai. Estou velha. Vou até a seção de roupas simples para durante o dia e amargar meu mau humor.

— Bem, que são? — perguntou Maddy, enquanto Sophia deslizava pelas escolhas.

— Pode ser sapato de couro pra menina, salto baixo, e com uma única tira presa ao lado, ou *marijuana*, maconha, fazendo trocadilho com María e Juana, ou as duas coisas. Não tenho certeza. Gosto deste.

Ela retirou um longo sem mangas azul-pastel.

— Ficaria bem em você.

— Não pra mim, pra você.

Sophia virou-se e ergueu o vestido diante de Maddy.

— Eu? Sério?

— É, sério. Quero ver você nele com os cabelos pra cima. Exibindo o pescoço e os ombros.

— E se eu cortar. Meus cabelos, quer dizer. Curtos.

— Hum. — Lábios franzidos, Sophia cortou e redesenhou a cabeleira escorrida de Maddy. — É, curto em volta do rosto, um pouco mais comprido atrás. Algumas luzes.

— Mechas? — perguntou Maddy, quase sem fala de alegria.

— Luzes, sutis. Peça a seu pai que eu levo você ao meu cara.

— Por que eu tenho de pedir pra cortar os cabelos? São meus.

— Bem pensado. Vá experimentar este. Eu ligo pro salão e pergunto se podem encaixar você antes de voltarmos pra casa. — Ia entregando o vestido a Maddy quando parou. — Oh, Mama.

— Que acha? — Ela começara com o pêssego, a renda marfim dando um toque romântico ao corpete, a saia ondulando-se atrás numa delicada cauda. — Seja brutal.

— Helen, venha ver — gritou Sophia. — Você está linda, Mama.

— Como uma noiva — concordou Helen, e fungou. — Droga, lá se vai o rímel.

— Aprovado. — Meio devaneando, Pilar girou num círculo. — Maddy? Qual a sua nota?

— Você está demais. Os olhos de papai vão saltar.

*N*ÃO FOI TÃO SIMPLES ASSIM. PASSARAM PARA OS CHAPÉUS, enfeites de cabeça, sapatos, jóias, bolsas e até roupas de baixo. Já escurecera quando rumavam para o norte, a parte de trás do SUV entulhada de sacolas de compras e caixas. Que não incluíam os próprios vestidos, pensou Maddy, maravilhada. Esses ainda teriam de ser modificados, ajustados e provados.

Mas ela terminara com uma pilha de roupas e sapatos novos, brincos realmente legais que usava agora. Sobressaíam fantásticos de seu maravilhoso corte de cabelo. E fizera luzes.

O acordo dessa nova menina de família tinha destaques definitivos.

— Os homens — dizia Sophia dirigindo-se ao norte — se consideram caçadores. Mas não são. Veja, decidem ir atrás de um urso-pardo e concentram todo o foco nisso. Assim, enquanto perseguem o grande urso, perdem todas as outras caças por causa da visão limitada. As mulheres, por outro lado, podem caçar o urso-pardo, mas antes, ou até enquanto caçam, também abatem todas as outras caças.

— E mais, os homens atiram no primeiro urso grande que vêem — contribuiu Maddy do banco de trás. — Não levam em conta o mundo todo de ursos-pardos.

— Exatamente. — Sophia bateu no volante. — Mama, essa menina tem verdadeiro potencial.

— Concordo, mas não quero ser censurada pelos sapatos com solas de meio metro que ela está usando. Essa é pra você.

— São incríveis. Excêntricos.

— É. — Satisfeita com eles, e consigo mesma, Maddy ergueu o pé. — E as solas só têm uns dez centímetros.

— Não sei por que você quer andar de forma pesada e ruidosa com eles.

Os olhos de Sophia encontraram os de Maddy no espelho retrovisor.

— Isso é coisa de mãe. Ela tem de dizer. Você tinha de ver a cara dela quando coloquei um piercing no umbigo.

— Você tem piercing no umbigo? — Fascinada, Maddy soltou a trava do cinto de segurança. — Posso ver?

— Deixei fechar de novo. Sinto muito — ela disse, com um risinho contido, ao ver Maddy tornar a recostar-se, indignada. — Incomodava.

— E ela tinha dezoito anos — observou Pilar, virando a cabeça para lançar a Maddy um olhar de advertência. — Logo, nem pense nisso antes de chegar lá.

— Isso também é coisa de mãe?

— Com certeza. Mas quero dizer que as duas acertaram em relação ao penteado. Ficou ótimo.

— Então, quando papai se esquentar, acalme ele logo, certo?

— Bem, eu... — Pilar virou-se quando o carro cantou pneus numa curva. — Sophia, corro o risco de dizer outra coisa de mãe, reduza a velocidade.

— Apertem os cintos. — Franzindo o cenho, Sophia apertou as mãos no volante. — Tem algum problema com os freios.

— Oh, meu Deus. — Instintivamente, Pilar virou-se para Maddy. — Prendeu o cinto?

— Ãhã. — Ela agarrou-se ao banco para firmar-se quando o carro fez toda a outra curva fechada. — Puxe o freio de mão.

— Mama, puxe. Preciso das duas mãos aqui.

As duas mãos queriam tremer, mas ela não as deixou. Não se deixou pensar em nada além de manter o controle. O carro cantou pneus mais uma vez e rabeou na curva seguinte.

— Está todo puxado, querida. E o carro não reduziu a marcha. E se desligasse o motor?

— A direção trava. — Maddy engoliu em seco, com o coração saltando na garganta. — Ela não ia conseguir controlar a direção.

Sophia tentava manter o carro na estrada, os pneus levantando cascalho.

— Use meu telefone, chame ajuda.

Olhou de relance para baixo. Meio tanque de gasolina, pensou. Não teria ajuda ali. E não iria conseguir controlar naquela velocidade o carro, ao contornar as curvas em S que se aproximavam.

— Diminua a marcha! — gritou Maddy de trás. — Tente diminuir a marcha.

— Mama, engrene a terceira quando eu mandar. Isso vai nos dar um solavanco infernal, portanto se segurem. Mas talvez funcione. Não posso soltar o volante.

— Já peguei. Vai dar tudo certo.

— Certo. Segure. — Ela desembreou e o carro pareceu ganhar mais velocidade. — Agora!

O carro sacudiu-se com força. Embora Maddy mordesse o lábio, não conseguiu reprimir o grito.

— Pra segunda — ordenou Sophia, girando com toda a força o volante no acostamento. Uma linha de suor escorria-lhe pelas costas. — Já!

O carro refugou, lançou-a para a frente e de novo para trás. Ela teve um momento de pânico, temendo que os airbags se abrissem e a deixassem impotente.

— Reduzimos um pouco a velocidade. Boa idéia, Maddy — disse Pilar.

— Vamos rumar morro abaixo, contornar mais curvas. — A voz de Sophia saiu fria como aço. — E ganhar de novo mais velocidade. Eu dou conta. Assim que passarmos por ela, tomamos uma subida e isso deve bastar. Pegue meu telefone, Mama, por via das dúvidas. E todo mundo se segure.

Não olhava o velocímetro. Tinha agora os olhos grudados na estrada, a mente prevendo cada curva. Percorrera aquela estrada inúmeras vezes. Os faróis altos varavam a escuridão e açoitavam o tráfego que vinha em sentido contrário. Ela ouvia o ruído irado das buzinas troando quando atravessava a faixa do meio.

— Quase lá, quase lá.

Jogava o volante para a esquerda e depois para a direita. Deslizava sob suas palmas úmidas agora.

Via e sentia o chão começar a nivelar-se. Só mais um pouco, pensou. Um pouco mais.

— A primeira, Mama. Passe a primeira.

Ouviu-se um terrível barulho, um tremendo solavanco. Sophia sentiu-o como se um enorme punho tivesse socado o capô do carro. Alguma coisa guinchou e depois trincou. E quando a velocidade baixou, ela pegou o acostamento.

Ninguém disse nada quando pararam. Um carro passou zunindo após outro.

— Todo mundo bem? — Pilar pegou a trava do cinto de segurança e descobriu que tinha os dedos dormentes. — Todo mundo bem?

— Tá. — Maddy limpou as lágrimas das faces. — Tudo bem. Acho que a gente devia saltar agora.

— É uma boa idéia. Sophie, querida?

— É. Vamos dar logo o fora.

Ela conseguiu descer e chegar ao outro lado do carro antes de as pernas cederem. Apoiando as mãos no capô, esforçou-se para recuperar o fôlego, e só conseguiu ofegar.

— Isso é que é dirigir bem — disse Maddy a Sophia.

— É. Obrigada.

— Venha, querida, venha. — Pilar virou-a e abraçou-a quando se instalou a tremedeira. E, abraçada à filha, estendeu a mão para Maddy. — Venha, querida — repetiu.

Maddy colou-se naquele círculo de reconforto e deixou as lágrimas correrem.

Capítulo
Vinte e Oito

Quase cego de terror e alívio, David disparou para fora de casa. Enquanto o carro da polícia freava, envolveu Maddy e segurou-a aninhada nos braços, como um bebê.

— Você está bem. — Colava os lábios nas faces e nos cabelos dela. Conseguia respirar aliviado ali, quando os tremores que contivera desde o telefonema o dominaram. — Você está bem.

Ele repetiu uma dezena de vezes com ela enroscada nos braços.

— Tá tudo bem. Não estou ferida nem nada. — Mas quando o pai enlaçou no próprio pescoço os braços dela, todo o mundo de Maddy logo tornou a ficar certo. — Sophie dirigiu como um daqueles caras que você e Theo gostam de ver na pista de corridas. Foi meio legal.

— Meio legal. É.

Balançando-se agora, acalmando-se, ele manteve o rosto enterrado na curva da garganta dela, quando Theo, desajeitado, dava um tapinha nas costas da irmã.

— Aposto que foi um passeio espetacular. — Com ar viril, Theo tentou engolir, apesar da garganta seca. Sentia um nervosismo no peito que vinha tanto de ver o pai desmantelar-se quanto da ansiedade por Maddy. — Eu levo Maddy pra dentro, pai. Você vai estraçalhar o braço dela.

Sem poder falar, David fez que não com a cabeça e continuou como estava. Sua filhinha, era só o que pensava. Sua filhinha podia ter desaparecido.

— Tá tudo bem, pai — disse Maddy. — Todo mundo tá bem agora. Eu posso andar. A gente ficou com aquela tremedeira depois, mas já superou. Mas Theo pode carregar todos os despojos. — Ela esfregou a face na do pai. — Compramos metade do shopping, certo, Pilar?

— Certo. Eu aceitaria uma ajudinha, Theo.

— Theo e eu vamos pegar — disse Maddy, contorcendo-se até o pai largá-la.

— O que você fez nos cabelos?

David passou a mão pelo atrevido corte curto e deixou a mão quente apoiada na nuca da filha.

— Me livrei da maior parte. Que acha?

— Acho que faz você parecer adulta. Está me superando. Droga, Maddy, eu gostaria que não. — Ele suspirou e colou os lábios no alto da cabeça dela. — Só mais um minuto, sim?

— Claro.

— Eu amo tanto você. Agradeceria se não me apavorasse assim de novo no futuro próximo.

— Não planejo fazer isso. Espere até ver o vestido que comprei. Combina com o penteado.

— Maravilha. Vá em frente, pegue sua pilhagem.

— Você vai ficar, não vai? — perguntou Maddy a Pilar.

— Vou, se você quiser.

— Acho que deve.

Como Theo já tinha tirado as sacolas, ela saiu atrás dele com passos pesados e ruidosos nos extravagantes sapatos.

— Oh, David, sinto muito.

— Não diga nada, só me deixe olhar você. — Ele envolveu o rosto dela e deslizou as mãos pelos seus cabelos. Pilar tinha a pele fria, os olhos imensos e cheios de preocupação. Mas estava ali, inteira. — Só me deixe olhar.

— Eu estou bem.

Ele puxou-a mais para perto, pareceu fundir-se a ela e balançar.

— Sophia?

— Está bem. — O fio retesado que a mantivera reta e firme rompeu-se quando se enterrou nele. — Meu Deus, David, meu Deus. Nossas filhinhas. Nunca me senti tão apavorada, e o tempo todo em que a coisa acontecia elas... elas foram incríveis. Não gostei de deixar Sophie lá atrás lidando com a polícia, mas não queria que Maddy viesse pra casa sozinha, por isso...

— Ty já está a caminho.

Ela inspirou com dificuldade e logo uma segunda vez, que foi mais fácil.

— Achei que ele ia. Então está tudo bem.

— Entre. — Ele a mudou de posição, mantendo-a ao seu lado. — E me conte tudo.

TYLER PAROU ATRÁS DA VIATURA POLICIAL COM UMA FREADA estridente. Nas luzes piscando, Sophia viu-o atravessar a rua a passos largos. Viu-o bem o suficiente para reconhecer a raiva. Com o máximo de calma possível, deu as costas ao policial que a interrogara e encaminhou-se para ele.

Ele agarrou-a tão rápido e forte que lhe tirou o ar. Nada jamais lhe dera uma sensação de tanta segurança.

— Eu esperava que você viesse. Esperava mesmo.

— Você levou alguma pancada?

— Não. Mas o jipe... Acho que quebrei a caixa de marchas. Tyler, eu não tinha freios. Simplesmente desapareceram. Sei que vão rebocar o carro e inspecionar, mas eu já sei. — As palavras despejaram-se dela, trêmulas a princípio e depois ganhando força e fúria.

— Não foi acidente, nem falha mecânica. Alguém quis me machucar e não se preocupou com que minha mãe e Maddy também se machucassem. Maldito seja, ela é apenas uma menina. Forte, forte. Forte e inteligente. Foi ela quem me mandou diminuir a marcha, e nem sabe dirigir.

A raiva teria de esperar. Ele teria de esperar para quebrar alguma coisa ao meio, enfiar o punho em alguma coisa, qualquer coisa. Sophia tremia e precisava de cuidados.

— Os adolescentes sabem um pouco de tudo. Entre no carro. Hora de outra pessoa pegar o volante.

Um pouco tonta agora, ela olhou para trás.

— Acho que eles ainda querem falar comigo.

— Podem falar amanhã. Vou levar você pra casa.

— Por mim, tudo bem. Tenho algumas sacolas de compras.

Ele sorriu e o aperto nela relaxou para uma carícia.

— Claro que tem.

$\mathcal{E}$LE FALOU SÉRIO SOBRE LEVÁ-LA PARA CASA. A CASA DELE. Como Sophia não discutiu a questão, ele imaginou que ela estava mais abalada do que admitira.

— Você quer, não sei, um banho quente, um drinque?

— Que tal um drinque num banho quente?

— Vou tratar disso. Devia ligar pra sua mãe, dizer a ela que já voltou. E que vai ficar aqui.

— Tudo bem, obrigada.

$\mathcal{T}$YLER DESPEJOU METADE DE UMA BISNAGA DE GEL PARA banho que tinha desde o Natal na banheira. Cheirava a pinho silvestre, mas borbulhava. Ele imaginava que ela quisesse banho de espuma. Grudou duas velas na bancada. As mulheres adoravam banhos à luz de velas, por motivos que ele não compreendia. Serviu uma taça de vinho, pôs na beira da banheira e já recuava, tentando imaginar o que mais fazer, quando Sophia entrou no banheiro.

O único e imenso suspiro dela disse-lhe que ele já acertara o alvo.

— MacMillan, eu amo você.

— Ééé, assim você disse.

— Não, não, neste momento... neste exato momento ninguém jamais amou nem amará você mais que eu. O bastante para deixar que entre comigo.

Numa banheira cheia de bolhas? Ele achava que não. E podia ignorar a mortificação disso pelas óbvias vantagens — ela estava arrasada.

— Eu passo essa, se dispa e entre.

— Seu safado romântico. Meia hora aqui e vou me sentir humana de novo.

Ele deixou-a e foi pegar as coisas dela. Segundo seu jeito de pensar, se jogasse a pilhagem das compras no quarto, ela levaria muito mais tempo para fugir de novo. Pelo que sabia, tratava-se do primeiro estágio para fazê-la mudar-se.

Pegou a bolsa, a pasta, quatro — santo Deus — sacolas cheias de compras e começou a subir as escadas. Desde que se mantivesse ocupado, disse a si mesmo, fizesse o que surgisse em seguida, não se entregaria à fúria que o sufocava.

— Que foi que comprou? Pequenos paralelepípedos?

Ele jogou tudo na cama e considerou terminada a tarefa, quando a pasta caiu. Tentou agarrá-la pela alça e, ao tentar puxá-la para cima, derrubou todo o conteúdo.

Por que alguém precisava de tanta tralha numa pasta? Resignado, agachou-se e começou a catar tudo de novo. Tudo bem, entendia a garrafa d'água, a agenda bojuda, e a eletrônica. Mas as canetas só Deus sabia por que ela precisava de meia dúzia. Batom.

Ociosamente, destampou-o e girou o cilindro. Uma cheirada e sentiu o gosto dela.

Tesouras de viagem. Humm. Adesivos Post-its, clipes de papel, aspirinas, um troço de pó-de-arroz, um de unhas, outro sortimento de coisas de menina que o fez perguntar-se por que ela se dava ao trabalho de levar também uma bolsa, e que diabo punha nela. Dropes de hortelã para o hálito, um saquinho de balas fechado, um minigravador, lenços umedecidos, fósforos, dois disquetes e alguns arquivos, dois marcadores de texto e um vidrinho de esmalte incolor.

Impressionante, decidiu. Surpreendia ela não andar torta assim que pendurava a alça no ombro. Apenas para passar o tempo, folheou os arquivos ao repô-los no lugar. Tinha uma folha arrancada do primeiro anúncio, uma impressão de computador do segundo, uma resma de anotações escritas à mão e uma pilha de digitadas.

Encontrou os comunicados à imprensa, com as anotações escritas em cima. Lábios franzidos, leu a versão em inglês e achou consistente, forte e inteligente.

Não esperava outra coisa.

Então encontrou o anúncio alterado.

Segurando-o, e a cópia de um envelope endereçado a ela, levantou-se. Ainda os segurava quando abriu de supetão a porta do banheiro.

Ela já estava quase adormecendo. Quando piscou os olhos, a primeira coisa que viu foi a cara furiosa dele. E a segunda, as folhas em suas mãos.

— Que estava fazendo com a minha pasta?

— Não importa. Onde arranjou isto?

— Na correspondência.

— Quando? — Uma hesitação, breve, mas longa o bastante para dizer-lhe que ela pensava num subterfúgio. — Não se faça de boba comigo, Sophie. Quando recebeu isto?

— Ontem.

— E planejava me mostrar... quando?

— Daqui a uns dois dias. Escute, se importaria de eu terminar aqui antes de discutirmos isso? Estou nua e coberta de espuma de banho masculino.

— Dois dias?

— É, eu queria pensar a respeito e levei isso à polícia. E a Linc ainda hoje, pra pedir uma opinião jurídica. Posso tratar disso, Ty.

— É. — Ele olhou-a, mergulhada até o queixo em espuma, o rosto tomado por sombras de fadiga. — Você é uma verdadeira controladora, Sophia. Acho que esqueci essa parte.

— Ty... — Ela deu um soco na água quando ele saiu e fechou a porta. — Espere só um minuto.

Saiu da banheira e, em vez de enxugar-se, apenas enrolou uma toalha no corpo. Foi atrás dele, deixando uma trilha de água e bolhas de sabão.

Chamou-o de novo, xingou-o e, ao descer correndo para o térreo, ouviu a porta dos fundos fechar-se.

Acendeu as luzes externas e viu os longos e furiosos passos dele levarem-no em direção aos vinhedos. Apertando a toalha com a mão, correu para fora.

Pisou forte com o pé descalço numa pedrinha, o que lhe inspirou uma nova série de xingamentos na continuação daquela corrida coxa.

— Ty! Espere um minuto, droga. — Lançava-lhe insultos nas costas até perceber que falava em italiano e que as palavras bem poderiam ser promessas de amor eterno aos ouvidos dele. — Escute, seu idiota, covarde. Pare onde está e lute como homem. — Como ele parou e rodopiou, ela quase se chocou direto nele. Parou de chofre, resfolegando como uma locomotiva e desejando tirar o peso do pé dolorido. — Aonde acha que vai? — exigiu saber.

— Você não vai querer ficar perto de mim agora.

— Engana-se. — Para provar, ela deu-lhe um soco no peito. — Quer dar um direto em mim, ótimo. — Virou o queixo. — Prefiro alguém que me dê um murro honesto a uma pessoa que amarela na hora H.

— Por mais tentador que isso pareça, e, acredite, estou com vontade de esmurrar alguém, não bato em mulheres. Volte pra casa. Está molhada e seminua.

— Só volto quando você voltar. Enquanto isso, podemos resolver a parada aqui fora mesmo. Está furioso porque não corri pra você por causa daquele negócio nojento. Bem, lamento, fiz o que julguei melhor.

— Em parte você está certa. Fez o que julgou melhor, mas não lamenta. O que me surpreende é que tenha se dado ao trabalho de me chamar hoje à noite só porque alguém tentou matar você.

— Ty, não é a mesma coisa. Isso não passa de uma imagem idiota. Eu não ia deixar que me preocupasse, nem a você, nem a ninguém.

— *Você* não ia deixar. Aí está. Trabalho de equipe, uma ova. — Gritava agora, ocorrência tão rara que ela só pôde arregalar os olhos para ele. Um homem enorme, furioso, que perdera, afinal, as estribeiras. — Você decide o que, o quanto e quando dá. Todo mundo tem de obedecer ao seu cronograma, ao seu plano. Bem, que se foda, Sophie. Que se foda tudo! Eu simplesmente saí da linha. Eu amo você, porra. — Ergueu-a nos polegares, mãos calosas contra pele delicada. Você é o que eu preciso. Se não for igual nos dois lados, não é nada. Sacou? Nada. — Furioso com os dois, ele tornou a largá-la. — Agora entre e se vista. Vou levar você pra casa.

— Por favor, não. Por favor — ela disse, tocando-lhe o braço quando ele começou a se afastar. — Por favor, meu Deus. Não vá embora. — A tremedeira voltara, mas nada tinha a ver com o medo de salvar a própria vida. Era muito mais. — Sinto muito. Sinto muito que, por não fazer uma coisa que achei que ia preocupar você, fiz algo que o magoou. Estou habituada a cuidar de mim mesma, habituada a tomar minhas próprias decisões.

— Não é assim que funciona mais. Se não puder lidar com isso, a gente está perdendo tempo.

— Tem razão. E está me assustando, porque entendo que isso é importante a ponto de fazer você se afastar de mim. Não quero que isso aconteça. Você está certo e eu errei. Queria resolver à minha maneira e errei. Berre comigo, me xingue, mas não me rechace.

O ataque de fúria dele chegara ao ponto máximo, refluíra e, como sempre, deixara-o aborrecido consigo mesmo.

— Você está com frio. Vamos entrar.

— Espere. — A voz dele foi tão decisiva e distante que deu nós na barriga dela. — Apenas escute.

Ela agarrou-lhe o braço e enterrou os dedos, desesperada, na sua camisa. Se a abandonasse agora, ela sabia que ficaria sozinha como nunca se sentira antes na vida.

— Estou escutando.

— Eu fiquei furiosa quando chegou. Só pensava que o canalha, sei que é Jerry, está usando meu próprio trabalho pra me provocar. Tentar me apavorar, e não vou deixar que faça isso. Não vou deixar que me preocupe, nem a minha mãe nem a ninguém de que eu goste. E percebo, parada aqui agora, que, se você tivesse feito a mesma coisa, eu ficaria igualmente magoada e furiosa como você está. — Modulou a voz e temeu soluçar. Táticas injustas, lembrou a si mesma, e reprimiu a dor. — Eu amo você. Talvez esta seja a única coisa com que não sei lidar. Ainda não. Achei que podia cuidar de mim e proteger você da preocupação. Me dê uma chance de aprender. Estou pedindo que não desista de mim. É a única coisa que não posso aceitar. Precisar de alguém, amar alguém e ver o cara ir embora.

— Eu não sou seu pai. — Ele colocou a mão embaixo do queixo dela. Viu as lágrimas transbordando e a valente tentativa dela de reprimi-las. — Nem você. O fato de eu estar ao seu lado para o que der e vier, tirar algum peso de suas costas, não torna você fraca. Nem menor, Sophie.

— Ele sempre deixou os outros lidarem com as partes mais difíceis. — Ela inspirou fundo e expirou, trêmula. — Sei o que estou fazendo, Ty, quando afasto as pessoas pra resolver meus problemas sozinha. Sei o que estou tentando provar. Sei até que é idiotice e egoísmo. Mas parece que nem sempre consigo parar.

— Prática. — Ele tomou-lhe a mão. — Eu disse antes que ia me colar. Não disse?

Um tremor traspassou-a de cima a baixo.

— É, disse. — Para acalmar-se, ela levou as mãos unidas dos dois à face. — Nunca fui isso pra ninguém antes. Ninguém nunca foi isso pra mim. Parece que você é.

— Pra mim está bem. Estamos quites agora?

— Acho que sim. — Ela sorriu. Ele tornava tudo tão simples, pensou. Ela só tinha de permitir-lhe. — Foi uma noite infernal até agora.

— Vamos voltar e liquidá-la.

Ele enlaçou-a e conduziu-a de volta para casa, automaticamente absorvendo o peso dela quando mancava.

Fez-lhe bem, pensou, ter se irritado com ele daquela maneira.

— Machucou o pé?

O tom divertido e satisfeito não escapou a Sophia.

— Pisei numa pedra enquanto corria atrás desse *culo* grande e idiota.

— Que seria eu. Entendo bastante italiano de esgoto pra saber quando a mulher a quem amo me chama de bundão.

— Mas com muito carinho. Como você está preparado pra língua, que tal terminar a noite... — Ela ergueu-se e suspirou no ouvido dele, concluindo o provocativo italiano com uma rápida mordiscada no lóbulo da orelha.

— Huuumm. — Embora não tivesse pista alguma do que ela dissera, com satisfação deixou por conta dela. — Acho que vou precisar de uma tradução disso.

— Com prazer — ela disse. — Assim que a gente entrar.

Surpreendeu Pilar ver Tyler do lado de fora da porta da cozinha no que ela imaginou que ele considerava o meio da manhã. Surpreendeu-a muito mais ver o buquê de flores na mão dele.

— Bom-dia.

— Oi. — Ele entrou na cozinha de Cutter e quase arrastou os pés. — Não esperava encontrar você aqui, senão teria... — Sem graça, sacudiu as flores na mão. — Você sabe, trazido mais.

— Entendo. Trouxe pra Maddy? Ty. — Maravilhada com ele, ela estendeu as mãos e apertou as faces dele. — Você é mesmo um amor.

— É, certo. Bem. Como se sente?

— Ótima. Felizarda. — Ela dirigiu-se para a porta interna e chamou Maddy. — Sophia foi impressionante. Firme como uma rocha.

— É, esta é Sophie. Dei uma folga a ela, deixei que dormisse esta manhã. — Olhou de relance quando Maddy entrou. — Oi, mocinha.

— Ei. Que é isso?

— Acho que são flores. Pra você.

Ela uniu as sobrancelhas, perplexa.

— Pra mim?

— Eu preciso ir. Vou só me despedir de David e Theo. — Pilar beijou Maddy de leve, distraída, na face, e a fez enrubescer. — Até mais tarde.

— É. Tudo bem. Como podem ser pra mim? — ela perguntou a Tyler.

— Porque eu soube que você se saiu muito bem. — Ele as entregou. — Quer ou não?

— Quero sim, valeu. — Pegou-as e notou um tremor na barriga ao cheirá-las. Um tipo de reflexo muscular, ela imaginou. — Ninguém nunca me deu flores antes.

— Vão dar. Imaginei que devia trazer alguma coisa para seu cérebro também, mas ainda não me ocorreu o quê. De qualquer modo, que fez nos cabelos?

— Cortei. Então?

— Então... só perguntando. — Ele esperou enquanto ela pegava um jarro. O novo penteado fazia-a parecer uma fadinha inteligente, pensou. Os meninos, percebeu com um pequeno puxão de pesar, iam começar a farejar na porta. — Quer passar o dia comigo hoje? Preciso inspecionar as videiras, à cata de míldio, a doença cau-

sada por fungos, e depois ver como anda o trabalho na velha destilaria. Começar a limpar as ervas daninhas.

— É, vai ser legal.

— Avise o seu pai.

QUANDO SE INSTALOU NO CARRO AO LADO DE TYLER,
Maddy cruzou as mãos no colo.

— Quero perguntar duas coisas a você.

— Claro. Desembuche.

— Se eu fosse tipo dez anos mais velha e tivesse seios de verdade, você me namoraria?

— Nossa, Maddy.

— Não tenho nenhuma paixonite por você, nem nada disso. Eu
meio que tive quando a gente se mudou pra cá, mas já superei. Você
é velho demais pra mim, e ainda não estou pronta pra um relacionamento sério, ou sexo.

— Com toda certeza, não.

— Mas, quando estiver pronta, quero saber se um cara daria em
cima de mim. Teoricamente.

Tyler correu a mão pelo rosto dele.

— Teoricamente, e deixando de fora os seios, porque não é isso
que um cara procura mesmo se você fosse dez anos mais velha, já me
sinto caído por você. Certo?

Ela sorriu e pôs os óculos escuros.

— Certo. Mas o absurdo dos seios é o seguinte: os caras dizem
que procuram personalidade e inteligência. Alguns dizem que são as
pernas, seja lá o que mais, que fazem a cabeça deles. Mas são os
seios.

— E como você sabe disso?

— Porque é uma coisa que temos que vocês não têm.

Ele abriu a boca e tornou a fechá-la. Não era um debate em que
entraria à vontade com uma adolescente.

— Você disse que tinha duas perguntas.

— É, bem... — Ela deslocou-se no banco para olhá-lo de frente. — A outra é uma idéia. Vinhoterapia.

— Vinhoterapia?

— É, eu li sobre isso. Cremes e coisas faciais baseados em caroço de uva. Estive pensando que a gente podia começar uma linha de produtos.

— Podia?

— Preciso fazer mais pesquisas, algumas experiências. Mas já tem uma empresa fazendo na França. A gente podia monopolizar o mercado americano. Veja, o vinho tinto contém antioxidantes... polifenóis e...

— Maddy, eu sei tudo sobre polifenóis.

— Certo, certo. Mas veja os caroços... que você joga fora durante a produção de vinho... eles têm antioxidantes. E isso é bom mesmo pra pele. E mais, ando pensando que a gente também podia fazer um acordo fitoterápico interno. Uma linha completa de saúde e beleza.

Saúde e beleza. E em seguida?

— Escute, mocinha, eu fabrico vinho, não creme facial.

— Mas podia — ela insistiu. — Se me desse os caroços quando colhesse e um lugar pra fazer experiências. Você disse que queria me dar uma coisa pro meu cérebro. Então me dê isso.

— Eu pensava mais num equipamento de química — ele resmungou. — Mas me deixe refletir sobre o assunto.

Pretendia deixar a reflexão para depois do trabalho, mas Maddy tinha outras idéias.

Sophia já se encontrava no vinhedo, vendo os cortadores capinarem as ervas daninhas com foices. Maddy rumou direto para ela e começou antes que ela pudesse falar.

— Acho que devíamos entrar em vinhoterapia como aquela empresa francesa.

— É mesmo? — Sophia franziu os lábios, claro sinal de que vinha pensando nisso cuidadosamente. — É interessante, porque tenho essa idéia em banho-maria já faz algum tempo. Experimentei a máscara facial. É maravilhosa.

— Somos fabricantes de vinho — começou Ty.

— E sempre seremos — concordou Sophia. — Mas isso não exclui dedicar-se a outras áreas. Há um mercado enorme pra produtos de beleza naturais. Tive de engavetar essa idéia porque tivemos um ano difícil e outras coisas exigiram minha atenção. Mas talvez seja um bom momento pra pensar no assunto. Expansão em vez de controle de danos — refletiu, e já estava embalada. — Preciso acumular mais dados, claro.

— Eu posso buscar — disse Maddy. — Sou boa em pesquisa.

— Está contratada. Assim que a fase de pesquisa avançar pra pesquisa e desenvolvimento, vamos precisar de uma cobaia.

Como uma unidade, elas se viraram para examinar Tyler.

Ele empalidecera. Sentira, de fato, o sangue esvair-se do rosto.

— Esqueçam.

— Covarde. — A expressão sorridente de Sophia se desfez quando ela localizou as duas figuras que se encaminhavam para eles. — A polícia está aqui. Claremont e Maguire. Não pode ser boa notícia.

D E MODO DELIBERADO, PENSOU SOPHIA AO SENTAR-SE NA sala de estar de Tyler. O jipe tinha sido adulterado, com a mesma deliberação que o vinho. Em parte ela já sabia disso, mas tê-lo confirmado agora com fatos duros e frios causou-lhe novo arrepio pelo corpo.

— Sim, eu uso esse veículo muitas vezes. Antes dirigia meu carro na ida e volta da cidade, mas só tem dois lugares. Nós três íamos passar o dia em São Francisco, fazendo compras pro casamento de minha mãe. Precisamos do carro maior.

— Quem sabia dos seus planos?

— Várias pessoas, eu imagino. A família. Íamos nos encontrar com a juíza Moore e a família dela.

— Teve reuniões com alguém?

— Na verdade, não. Parei pra visitar Lincoln Moore antes de encontrar as outras pra almoçar. O resto do dia foi perdido.

— E qual foi o último lugar em que pararam por algum tempo? — perguntou Claremont.

— Jantamos. No Moose's, em Washington Square. O carro ficou estacionado por cerca de uma hora e meia. Partimos para casa de lá.

— Alguma idéia, Srta. Giambelli, de quem ia querer lhe fazer mal?

— Sim. — Ela recebeu o olhar dele com firmeza. — Jeremy DeMorney. Ele está envolvido na adulteração do produto, no desvio de fundos, em todos os problemas que minha família teve este ano. Acredito que seja responsável por isso, que planejou tudo e usou meu primo e o que mais, quem mais, surgisse à mão. E como eu disse tudo isso a ele pessoalmente, é improvável que esteja satisfeito comigo agora mesmo.

— O Sr. DeMorney foi interrogado.

— E tenho certeza que deu muitas respostas. É o responsável.

— Vocês viram o anúncio que ele enviou a Sophia. — Frustrado, Ty levantou-se. — Era uma ameaça, que ele cumpriu bem.

— Não podemos provar que DeMorney enviou o anúncio. — Maureen Maguire viu Tyler vaguear pela sala. Mãos enormes, pensou. DeMorney deve ter desmoronado como reboco sob elas. — Confirmamos que ele estava em Nova York quando o envelope foi expedido pelo correio em São Francisco.

— Ele mandou enviar, então. Encontrem uma forma de provar isso — rebateu Tyler. — Esse é o trabalho de vocês.

— Acredito que ele matou meu pai. — Sophia manteve a voz calma. — Acredito que o ódio dele por meu pai está no âmago de tudo que aconteceu. Ele pode dizer a si mesmo, de uma forma distorcida, que se trata de negócios. Mas é pessoal.

— Baseando-se no suposto caso amoroso entre Avano e a ex-Sra. DeMorney, é um longo tempo para esperar pela vingança.

— Não, não é. — Maddy tomou a palavra. — Não se a pessoa quer fazer a coisa certa e envolver todo mundo.

Claremont aceitou a interrupção sem dificuldade e lançou a Maddy um olhar tranqüilo, incentivando-a a continuar.

— Se DeMorney vai atrás do pai de Sophia logo após o divórcio, aí todo mundo sabe que ele está envolvido no caso. — Ela passara algum tempo analisando a história, dissecando teorias. — Como, se quero pegar Theo por alguma coisa, recuo, espero e imagino como atingi-lo melhor. Aí, quando o atinjo, ele não está esperando e nem sequer sabe por que levou a bordoada. É científico, e muito mais satisfatório.

— Essa menina é um gênio — comentou Ty.

— A VINGANÇA É UM PRATO QUE SE COME FRIO — REFLETIU Claremont no trajeto de volta à cidade. — Combina com o perfil de DeMorney. Ele é arrojado, sofisticado e erudito. Tem dinheiro, posição e um gosto impecável. Vejo esse tipo esperando, planejando e mexendo os pauzinhos. Mas não vejo esse tipo correndo o risco de perder a posição por causa de um casamento rompido. Que faria você se seu homem a enganasse?

— Oh, eu daria um chute nele, depois o escalpelava no divórcio, e faria tudo que estivesse ao meu alcance pra tornar o resto da vida dele um inferno, incluindo enfiar alfinetes na garganta e nos colhões de um boneco feito à imagem dele. Mas, também, não sou sofisticada nem erudita.

— E as pessoas se espantam por que não sou casado. — Claremont abriu o bloco de anotações. — Vamos conversar mais uma vez com Kristin Drake.

ERA ENFURECEDOR RECEBER A POLÍCIA NO LOCAL DE TRABAlho. As pessoas iam falar, especular e rir baixinho. Não havia nada que Kris odiasse mais do que pessoas fofocando pelas suas costas. E a culpa disso recaía direto nos ombros de Sophia.

— Se querem minha opinião, os problemas que a Giambelli vem enfrentando este ano foram provocados porque Sophia está mais interessada em promover seu próprio programa do que a empresa ou as pessoas que trabalham pra ela.

— E que programa é esse?

— Sophia é seu próprio programa.

— E o interesse próprio dela, como você vê, resultou em não menos que quatro mortes, um atentado a bala e o que poderia ter sido um acidente fatal envolvendo ela mesma, a mãe, uma amiga e uma adolescente.

Ela lembrou a violenta raiva no rosto de Jerry quando estava em Nova York e Sophia e seu fazendeiro o haviam encurralado.

— É óbvio que ela deixou alguém puto.

— Além de você, Srta. Drake? — perguntou Maguire, amável.

— Não é nenhum segredo de que deixei a Giambelli em termos não muito amigáveis, e o motivo foi Sophia. Eu não gosto dela e me ressinto do fato de ela ter sido contratada pra um cargo acima de mim, quando eu claramente tinha mais tempo de serviço e experiência. E pretendo fazer com que ela pague por isso nos negócios.

— Há quanto tempo vinha sendo cortejada por DeMorney e La Coeur quando ainda recebia salário da Giambelli?

— Não existe lei alguma contra examinar outras propostas enquanto se está empregada em outra empresa. São negócios.

— Quanto tempo?

Ela deu de ombros.

— Fui procurada no último outono.

— Por Jeremy DeMorney?

— Sim. Ele indicou que La Coeur ficaria muito satisfeita em me receber na equipe deles. Fez uma oferta e eu levei algum tempo analisando.

— Que decidiu?

— Apenas percebi que não seria feliz na Giambelli naquelas condições. Eu me sentia criativamente sufocada lá.

— Mas continuou lá, sufocada, durante meses. Nesse período, a senhorita e DeMorney mantinham contato um com o outro?

— Não existe lei alguma contra...

— Srta. Drake — interrompeu Claremont. — Estamos investigando assassinato. Simplificaria o processo se nos desse um quadro claro. Nós simplificamos fazendo perguntas aqui, em vez de levá-la pra delegacia, onde a atmosfera não é nem de longe tão agradável. Você e DeMorney mantinham contato um com o outro nesse período?

— E daí se mantínhamos?

— Durante esses contatos, a senhorita deu ao Sr. DeMorney informações confidenciais sobre a Giambelli, práticas comerciais, campanhas promocionais, informação pessoal que talvez tivesse chegado ao seu conhecimento relacionada aos membros da família?

Ela ficou com as palmas úmidas. Quentes e úmidas.

— Quero chamar um advogado.

— É um direito seu. Pode responder à pergunta e talvez admitir a culpa de algumas práticas comerciais antiéticas que não nos interessa usar contra a senhorita. Ou permanecer intransigente e possivelmente acabar acusada como cúmplice de assassinato.

— Não sei nada de assassinato. Não sei nada disso! E se Jerry... Meu Deus. Meu Deus.

Começava a suar. Quantas vezes refizera o cenário que Tyler pintara no apartamento de Jerry? Quantas vezes se perguntara se o que ele dissera, mesmo parte do que dissera, era verdade?

Se fosse, ela com certeza seria envolvida. Era hora, decidiu, de cortar a ligação.

— Estou disposta a jogar duro pra conseguir o que quero, no trabalho. Não sei nada de assassinato, adulteração de produto. Passei algumas informações a Jerry, sim. Dei a ele uns alertas sobre os grandes planos de Sophia pro centenário, a programação. Talvez perguntasse sobre assuntos pessoais, não era nada mais que fofocas de escritório. Se ele teve alguma coisa a ver com Tony... — Ela interrompeu-se, os olhos brilhando com lágrimas que se aproximavam. — Não espero que acreditem em mim. E não me importo. Mas Tony significou muito pra mim. Talvez, a princípio, eu tenha começado a sair com ele porque encarei a coisa como um novo tapa em Sophia, mas mudou.

— Estava apaixonada por ele? — Maureen infundiu simpatia na voz.

— Ele importava pra mim. Fez promessas, sobre meu cargo na Giambelli. Sei que as teria cumprido se não tivesse morrido. Já disse a vocês que tinha me encontrado duas vezes com Tony no apartamento de Sophia. *Não* — acrescentou — na noite em que foi assassinado. A coisa vinha esfriando entre nós. Admito que tenha ficado transtornada com isso a princípio. Rene enfiou as garras fundo nele.

— Ficou magoada quando ele se casou com ela?

— Fiquei puta. — Kris comprimiu os lábios. — Quando ele me disse que estavam noivos, fiquei furiosa. Eu não queria me casar com ele. Quem precisa disso? Mas gostava da companhia de Tony, ele era bom de cama e apreciava meus talentos profissionais. Eu não ligava pro dinheiro dele. Sou capaz de ganhar o meu próprio. Rene não passa de uma prostituta cavadora de ouro.

— Foi disso que a chamou quando ligou pro apartamento dela em dezembro último — declarou Maureen.

— Talvez sim. Não me arrependo de dizer o que penso. Dizer o que penso fica a uma grande distância de ter alguma coisa a ver com assassinar alguém. Meu relacionamento com Jerry tem sido profissional, de ponta a ponta. Se ele teve alguma coisa a ver com Tony, ou qualquer um dos outros, isso é com ele. Não vou balançar com ele. Não é assim que faço o jogo.

— BELO JOGO. — MAUREEN DESLIZOU PARA TRÁS DO VOLANTE. — Prefiro um belo e claro "matei o cara porque ele me fechou na rodovia" a qualquer hora.

— Kris está ficando apavorada. Tremendo da cabeça aos pés. Acha que DeMorney armou tudo isso e ela está na fila pra assumir a culpa.

— Ele é um filho-da-puta escorregadio.

— É. Vamos bombear pressão nele. Quanto mais escorregadios são, com mais força os esprememos.

Capítulo
Vinte e Nove

Ele não ia tolerar. A polícia idiota estava com certeza na folha de pagamento da Giambelli. Não tinha a menor dúvida.

Claro que não poderiam provar nada. Mas o músculo na face de Jerry se contraía, enquanto as dúvidas dançavam na cabeça. Não, tinha certeza. Certeza. Fora muito, muito cuidadoso. Mas isso era irrelevante.

Os Giambelli o haviam humilhado em público uma vez antes. O caso de Avano com sua mulher pusera o nome dele em línguas ferinas, obrigara-o a mudar de vida, de estilo de vida. Dificilmente poderia ter continuado casado com a piranha infiel — sobretudo quando as pessoas sabiam.

Custara-lhe colocação e prestígio na empresa. Para o tio-avô, o homem que perdia a esposa para um concorrente poderia perder contas para um concorrente.

E Jerry, sempre considerado o herdeiro legítimo de La Coeur, em particular por si mesmo, perdera um doloroso ponto.

Os Giambelli não sofreram por causa disso. As três Giambelli permaneceram acima de tudo. O falatório sobre Pilar fora de respeitosa solidariedade, e sobre Sophia, de discreta admiração. E jamais se ouvira sobre a poderosa *La Signora*.

Ou não se ouvira, lembrou Jerry a si mesmo. Até ele fazê-lo.

Anos de planejamento e de classe na realização, sua vingança varara até o âmago da Giambelli.

Quem fora degradado agora?

Mesmo com todo o seu planejamento, os cuidadosos estágios, todos se voltaram contra ele. Sabiam que os superara em excelência, e tentavam arrastá-lo para baixo.

Achavam que toleraria seus associados especularem sobre ele — um DeMorney? A idéia fazia-o tremer de sombria e ressentida raiva.

A própria família o questionara. *Questionara* sobre práticas comerciais. Hipócritas. Oh, não se importaram de ver a fatia de mercado da empresa aumentar. Haviam feito perguntas, então? Mas, ao primeiro sinal de que talvez houvesse uma marola no lago, fizeram os trabalhos de base para torná-lo o bode expiatório.

Também não precisava deles. Não precisava do questionamento santarrão de sua ética, métodos e programa pessoal. Não iria esperar que pedissem sua demissão, se ousassem fazer isso. Tinha uma situação financeira confortável. Talvez fosse hora de tirar uma folga dos negócios. Umas férias prolongadas, uma completa recolocação.

Iria mudar-se para a Europa e lá só a sua reputação lhe garantiria uma posição de primeira em qualquer empresa que escolhesse. Quando estivesse mais uma vez pronto para trabalhar. Quando estivesse pronto para fazer La Coeur pagar por sua deslealdade.

Mas, antes de tornar a reestruturar a vida, concluiria a missão. Em pessoa desta vez. MacMillan achava que ele não tinha coragem de puxar o gatilho? Iria aprender que sim, prometeu Jerry a si mesmo. Iriam todos aprender que sim.

As Giambelli pagariam caro por ofendê-lo.

SOPHIA PASSOU A TODA PELO SEU E-MAIL INTERNO ENTRE escritórios. Preferia responder aos relatórios, aos memorandos, às questões pessoalmente, no de São Francisco. Mas estipulara-se a lei agora. Ela não iria mais à cidade desacompanhada. Ponto.

Tyler recusou ser retirado dos campos. A extirpação das ervas daninhas não terminara e constatou-se uma branda infestação de uma espécie de gafanhotos que atacavam uvas. Nada muito problemático, ela pensou com uma leve ponta de ressentimento ao responder a um pedido de informação. As vespas se alimentavam dos ovos do gafanhoto. Por isso se plantavam em todo o vinhedo arbustos de amora silvestre, que serviam de hospedeiros para o predador.

Dificilmente se passava uma estação sem uma leve infestação. Contavam-se histórias de infestação pelos bastardinhos.

Ela não iria conseguir retirar Tyler até ele ter certeza de que a praga se achava sob controle, e a essa altura estaria tão ocupada com os detalhes de última hora do casamento da sua mãe que não teria um dia de folga para ir ao escritório, muito menos aos vinhedos.

Quando terminasse o casamento, começaria a colheita. Então ninguém teria tempo para nada além da espremedura.

Pelo menos as exigências e o horário apertado mantinham sua mente longe de Jerry e da investigação policial. Fazia duas semanas que ela enfrentara as curvas sem freios. Pelo que sabia, a investigação continuava paralisada.

Jerry DeMorney era outra história.

Também ela tinha suas fontes. Sabia muito bem do falatório sobre ele. Perguntas, não apenas da polícia, mas dos superiores dele. E os membros do conselho, liderados — de forma bem mortificante, esperava — pelo próprio tio-avô.

Causava-lhe certa satisfação saber que ele estava sendo acuado, como fora a família dela, entre os gananciosos punhos de mexerico e suspeita.

Ela abriu outro e-mail e clicou para ler o arquivo anexo.

Ao deslizar a tela, sentiu o coração falhar e começar a disparar.

Era uma cópia do anúncio seguinte, programado para divulgação em agosto.

Piquenique de família, uma inundação de sol, uma mancha de sombra de um imenso carvalho. Várias pessoas espalhadas a uma comprida mesa de madeira, cheia de comida e garrafas de vinho.

Na cabeceira, o modelo, que lembrava Eli, sentado, o copo erguido como num brinde. Predominavam risos na imagem, continuidade, tradição de família.

A imagem fora alterada. Sutil e astuciosamente. Três dos rostos dos modelos haviam sido substituídos. Sophia examinou a avó, a mãe e a si mesma. Tinha os olhos arregalados de horror, a boca escancarada reproduzindo-o. Enterrada no seu peito, como uma faca, uma garrafa de vinho.

Dizia:

ESTA É A SUA HORA.
SERÁ A SUA MORTE
E DOS SEUS

— Seu filho-da-puta, seu filho-da-puta.

Ela golpeou o teclado, mandou imprimir a cópia, salvou o arquivo e fechou-o.

Não iria abalá-la, prometeu a si mesma. E não ameaçaria a sua família impunemente. Ela trataria dele. Resolveria isso.

Começou a enfiar a cópia impressa do anúncio num arquivo e hesitou.

Você é uma controladora, dissera Tyler.

*F*AZER ENXERTO NAS VIDEIRAS ERA UMA AGRADÁVEL MANEIRA de passar um dia de verão. O sol estava quente, a brisa suave como um beijo. Sob a brilhante taça azul de céu, a circular Vacas Ville estofada de verde, as colinas ondulando luxuriantes com a promessa do verão.

As uvas eram protegidas desse sol torrencial de meio-dia por uma verdejante abóbada de folhas. O guarda-sol da natureza, como a chamava o avô.

A safra alcançara mais da metade do tamanho maduro, e muito em breve as variedades de uvas pretas começariam a mudar de cor, as bagas verdes milagrosamente ficando azuis e depois arroxeadas, quando avançassem para a última onda de maturidade. E colheita.

Cada estágio de crescimento exigia cuidado, assim como levava a estação à sua inevitável promessa.

Quando Sophia se acocorou ao seu lado, ele continuou o trabalho, e o prazer.

— Achei que você ia ficar enfurnada no escritório o dia todo, desperdiçar essa luz do sol. Maneira legal de ganhar a vida, se quer minha opinião.

— Eu imaginava o que um grande e importante vinicultor como você teria mais a fazer do que ficar fazendo enxertos em pessoa. — Ela correu a mão pelos cabelos dele, profusamente raiados pelo sol. — Cadê o chapéu, companheiro?

— Em algum lugar por aí. Essas Pinot Noir vão ser as primeiras a amadurecer. Apostei cem com Paulie nessas belezinhas. Afirmo que vão nos dar a melhor safra em cinco anos. Ele apostou nas Chenin Blanc.

— Também quero participar. A minha aposta é nas Pinot Chardonnay.

— Você devia economizar seu dinheiro. Vai precisar dele pra financiar as idéias geniais de Maddy.

— É um projeto inovador, progressista. Ela já me forneceu os dados. Vamos elaborar uma proposta juntas para *La Signora*.

— Se quiser esfregar caroços de uva por todo o corpo, eu poderia fazer pra você. Sem cobrar nada. — Ty mudou de posição, os joelhos deles se colidiram e pôs a mão na dela. — Que foi que houve, querida?

— Recebi outra mensagem, outro anúncio alterado. Veio num arquivo anexo ao e-mail interno do escritório. — Quando ele retesou a mão, ela virou a sua para entrelaçarem os dedos. — Eu já identifiquei. Foi enviado sob o nome de tela P. J. Ela não me enviou mensagem nenhuma hoje. Alguém usou o computador dela ou tinha a informação de sua conta e senha. Pode ter vindo de qualquer lugar.

— Onde está?

— Em casa. Já imprimi e tranquei numa gaveta. Vou mandar pra polícia acrescentar à pilha. Mas quis contar primeiro a você. Por mais que odeie a idéia, acho que a coisa a fazer é convocar uma reunião de cúpula para que todo mundo na família saiba e fique de sobreaviso. Mas... quis contar primeiro a você.

Ele ficou onde estava, acocorado, sua mão engolindo a dela.

— Veja o que eu quero fazer. Quero agarrar o cara e arrancar a pele dos ossos com uma faca cega. Até esse dia glorioso, quero que você me prometa uma coisa.

— Se eu puder.

— Não, Sophie, não tem se. Você não vai a nenhum lugar sozinha. Nem da villa pra cá. Nem para uma caminhada nos jardins, nem uma rápida ida ao maldito mercadinho. Falo sério.

— Entendo como você está preocupado, mas...

— Não pode entender, porque é irracional. É indescritível. — Ele fez o coração dela saltar tomando-lhe a mão livre e colando os lábios na palma. — Se acordo no meio da noite e você não está ali, rompo num suor frio.

— Ty.

— Feche a matraca, simplesmente feche a matraca. — Num movimento fluido, ele se levantou para liberar os nervos e a raiva andando. — Nunca amei ninguém antes. Não esperava que fosse você. Mas é e pronto. Você não vai fazer nada que bagunce isso pra mim.

— Ora, claro, podemos não bagunçar.

Ele virou-se e lançou-lhe um olhar de profunda frustração.

— Você sabe o que eu quero dizer, Sophie.

— Felizmente pra você, sei. Não pretendo fazer nada que bagunce isso pra você nem pra mim.

— Maravilha. Vamos arrumar suas malas.

— Não vou me mudar pra sua casa.

— Por que não, droga? — A frustração levou-o a correr as mãos pelos cabelos. — Você já fica lá metade do tempo mesmo. E não venha com a desculpa esfarrapada de que precisa ficar em casa pra ajudar no casamento.

— Não é desculpa esfarrapada, é um motivo. Em potencial, um motivo esfarrapado. Não quero morar com você.

— Por quê? Só me diga por quê.

— Talvez eu seja antiquada.

— O diabo que é.

— Talvez seja — ela repetiu — nessa área. Acho que não devíamos morar juntos. Acho que devíamos nos casar.

— Isso é só outra... — As palavras penetraram, embotando-lhe por um momento a mente. — Opa!

— É, e com essa cintilante resposta, preciso voltar pra casa e ligar pra polícia.

— Sabe, um dia você vai me deixar lidar com um assunto do meu jeito, tempo e espaço. Mas como não é o caso aqui, pelo menos podia me pedir em casamento de uma forma mais tradicional.

— Quer que eu peça? Beleza. Quer se casar comigo?

— Claro. Novembro está bem pra mim. — Ele segurou os cotovelos dela e ergueu-a uns cinco centímetros do chão. — Que era quando eu ia propor... mas você tem sempre de ser a primeira. Imaginei que a gente podia se casar, ter uma bela lua-de-mel e voltar pra casa antes da época da poda. Meio como um ciclo certinho e simbólico, não acha?

— Não sei. Tenho de pensar nisso. *Culo.*

— De volta a você, querida. — Ele deu-lhe um beijo com vontade e largou-a de novo no chão. — Me deixe terminar esta vinha que a gente vai chamar os tiras. E a família.

— Ty?

— Humm.

— Só porque fui eu quem propôs não significa que não queira um anel.

— Tá, tá, vou cuidar disso.

— Eu vou escolher.

— Não, não vai.

— Por que não? Sou eu quem vai usar.

— É você que usa seu rosto, também, mas não foi você quem escolheu.

Com um suspiro, ela ajoelhou-se ao lado dele.

— Não faz o menor sentido. — Mas ela apoiou a cabeça no ombro dele, enquanto ele trabalhava. — Quando cheguei aqui, estava apavorada e furiosa. Agora estou apavorada, furiosa e feliz. É melhor — decidiu. — Muito melhor.

— *I*SSO É QUEM SOMOS — COMEÇOU TEREZA, ERGUENDO A taça. — E quem escolhemos ser.

Jantavam ao ar livre, numa espécie de reflexo Giambelli do anúncio. Uma escolha proposital, pensou Sophia. A avó ia resistir em pé a uma ameaça e matá-la a chutes nos colhões, se necessário fosse.

O anoitecer era tépido, a luz do sol ainda brilhante. Nos vinhedos além dos gramados e jardins, as uvas engordavam e a Pinot Noir, como previra Tyler, começava a mudar de cor.

Faltavam quarenta dias para a colheita, pensou Sophia. Era a antiga regra. Quando as uvas adquiriam cor, quarenta dias as separavam da colheita. A mãe a essa altura estaria casada e recém-chegada da lua-de-mel. Maddy e Theo se tornariam seus irmão e irmã, e teriam voltado à escola. Ela se veria planejando o próprio casamento, embora houvesse insistido com Tyler para que não anunciasse ainda o compromisso deles.

A vida continuaria porque, como disse *La Signora*, isso era quem eles eram. E quem haviam escolhido ser.

— Quando temos problemas — continuou Tereza —, nos unimos. Família. Amigos. Este ano trouxe problemas, mudanças e tristeza. Mas também alegria. Daqui a algumas semanas Eli e eu teremos um novo filho, e mais netos. E, parece — acrescentou, virando-se para Maddy —, uma nova empresa. Nesse meio-tempo, fomos ameaçados. Pensei muito no que se pode e se deve fazer. James? Sua opinião legal sobre nossas opções.

Ele largou o garfo e reuniu as idéias.

— Embora os indícios indiquem o envolvimento de DeMorney, até que ele talvez tenha sido instrumental, no esquema de desfalque, adulteração, não há prova alguma concreta. Apesar das afirmações de Donato, não há o suficiente para convencer o promotor público a abrir um processo sobre essas questões e a morte de Tony Avano. Confirmaram que ele estava em Nova York quando o carro de Sophia foi adulterado.

— Teria contratado alguém — começou David.

— Seja o que for, e eu não discordo, até a polícia ter prova contra ele, nada pode fazer. E vocês — acrescentou James — nada podem fazer. Meu melhor conselho é ficar acima disso, deixar o sistema trabalhar.

— Sem nenhuma ofensa a você nem ao seu sistema, tio James, mas ele não tem trabalhado muito bem até agora. Donato foi assassinado enquanto estava *no* sistema — observou Sophia. — E David foi baleado numa rua pública.

— São questões para as autoridades italianas, Sophie, e apenas nos deixam com as mãos ainda mais atadas.

— Ele está atormentando Sophie com esses anúncios. — Tyler empurrou o prato. — Por que não podem ser reconstituídos retroativamente a ele?

— Quisera eu ter as respostas. Não se trata de um homem idiota nem, até agora, descuidado. Se estiver no centro de tudo isso, ele se cobriu com camadas de proteção, álibis.

— Ele entrou no meu apartamento, sentou-se e atirou no meu pai a sangue-frio. Eu consideraria isso, no mínimo, um ato descuidado. Ele precisa ser punido. Devia ser caçado, perseguido e atormentado, da mesma forma que tem caçado, perseguido e atormentado a família.

— Sophia. — Helen estendeu a mão do outro lado da mesa. — Sinto muito. Às vezes a justiça não é o que queremos ou o que esperamos que seja.

— Ele planejou nos arruinar — disse Tereza, calma. — Não arruinou. Prejudicou, sim, nos causou perdas. Mas vai pagar um preço por isso. Hoje pediram que se demitisse do cargo na La Coeur. Fico satisfeita em achar que as conversas que Eli e eu tivemos com certos membros do conselho deles, e as que David teve com executivos importantes da empresa, renderam esse fruto em particular.

— Não basta — começou Sophia.

— Talvez seja demais — corrigiu Helen. — Se DeMorney for tão perigoso quanto você acredita, esse tipo de interferência só vai encurralá-lo e tornar mais imperativo que revide. Como advogada, como sua amiga, eu lhe peço... a todos vocês, que não interfiram nisso.

— Mãe. — Linc balançou a cabeça, consternado. — Você poderia?

— Sim. — A única sílaba foi uma feroz declaração. — Pra proteger o que é mais importante, poderia. E faria. Tereza, sua filha vai se casar em breve. Ela encontrou a felicidade. Sobreviveu a uma tempestade, como todos vocês. O momento é para comemorar, seguir em frente, não pra se concentrar em vingança e retaliação.

— Cada um de nós protege o que é mais importante, Helen — disse Tereza. — À nossa maneira. O sol está se pondo. Tyler, acenda as velas. É uma noite agradável. Vamos aproveitar. Queria saber se você ainda é mais seu Pinot Noir que meu Chenin Blanc?

— Sou. — Ele contornou a mesa e acendeu as velas. — Claro que se trata de uma situação de ganho mútuo, pois somos uma fusão. — Quando chegou à cabeceira da mesa, encontrou os olhos dela. — Por falar em fusões, eu vou me casar com Sophia.

— Maldito seja, Tyler! Eu disse a você...

— Calada — ele respondeu tão à vontade que ela caiu no silêncio. — Foi ela que me pediu, mas achei que era uma ótima idéia.

— Oh, Sophie.

Pilar levantou-se de um salto da mesa e correu para abraçar a filha.

— Eu só queria esperar até depois do seu casamento pra contar, mas o linguarudo aí não consegue manter a boca fechada.

— Essa parte também foi idéia dela — concordou Tyler, contornando a mesa. — Sophie não erra tantas vezes assim, por isso é difícil reconhecer quando está errada. Eu acho que as boas notícias nunca são demais. Tome. — Ele pegou a mão dela, segurando-a quando ela a puxou. Tirou um anel do bolso e deslizou o simples e espetacular diamante de lapidação quadrada no dedo dela. — Isto fecha um trato.

— Por que não pode simplesmente... É lindo.

— Era da minha avó. MacMillan pra Giambelli. — Tomou a mão dela, ergueu-a e beijou-a. — Giambelli pra MacMillan. Serve pra mim.

Ela suspirou.

— Detesto de verdade quando você tem razão.

A VINGANÇA, DECIDIU JERRY, FORMAVA PARCEIROS SEXUAIS mais estranhos que a política. Não que já tivessem ido exatamente para a cama. Mas iriam. Rene era um alvo muito mais fácil do que ele poderia julgar.

— Agradeço a você por vir me ver assim. Escutar. Ouvir meu desabafo. — Ele estendeu o braço e tomou a mão de Rene. — Temia que acreditasse nesses perversos boatos que as Giambelli andam divulgando.

— Eu não acreditaria em nenhuma delas mesmo que dissessem que o sol surge no leste.

Ela recostou-se no sofá, ficando à vontade. Além do ódio pelas Giambelli, havia a aguçada visão de um homem rico. Andava esgotando rápido o dinheiro.

Tony, desgraçado, não fora honesto com ela, que já tivera de vender algumas jóias. E se ela não fisgasse logo outro peixe, teria de voltar a trabalhar.

— Não digo que não joguei pesado, este é o meu trabalho. Acredite, La Coeur me apoiou o tempo todo. Até as coisas ficarem difíceis.

— Parece o modo como as Giambelli trataram Tony.

— Exatamente. — Oh, ele ia usar isso, usar isso e o ódio inato dela para virar a maré. — Don me ofereceu informações confidenciais, eu aceitei. Claro, a Giambelli não toleraria isso, não tolera que as pessoas saibam que foram solapados pelos seus próprios. Então tinha de ser eu, eu tenho de ter coagido, trapaceado, subornado, sabe Deus o que mais. Peguei o que me ofereceram. Não apontei uma arma pra cabeça deles. — Ele interrompeu-se e apertou a mão dela. — Nossa, Rene, sinto muito. Que coisa mais idiota de dizer!

— Está tudo bem. Se Tony não tivesse mentido pra mim, não tivesse me traído e transado com aquela vagabundazinha que trabalhava com Sophia, ainda estaria vivo hoje.

— Kris Drake. — Pelo efeito, ele apertou a mão na testa. — Eu não sabia sobre Kris e Tony antes de contratá-la. A idéia de que talvez ela tenha alguma coisa a ver com a morte de Tony...

— Se teve, ainda trabalhava pra eles. Eles estão por trás disso. De tudo isso.

Poderia ser ela mais perfeita? Ele só desejava ter pensado em usar Rene meses antes.

— Arruinaram minha reputação. Acho que eu mesmo causei parte disso. Não devia querer vencer tanto.

— Vencer é tudo.

Ele sorriu-lhe.

— E eu sou um cara que detesto perder. Em qualquer coisa. Sabe, quando conheci você, não sabia que você e Tony formavam um casal, e eu... Bem, nunca tive a chance de competir, por isso imagino que isso não se qualifica como perder. Mais vinho?

— Sim, obrigada. — Ela franziu os lábios, pensando em como encenar a coisa enquanto ele estendia a mão para pegar a garrafa. — Fui arrebatada pelo charme de Tony — começou. — E admirava o que julguei ser a ambição dele. Eu me sinto muito atraída por empresários inteligentes.

— Sério? Eu era um — ele disse, ao servir o vinho.

— Ora, Jerry, você ainda é um empresário inteligente. Vai cair de pé.

— Quero acreditar que sim. Ando pensando em me mudar pra França. Tenho algumas ofertas lá. — Ou teria, pensou com raiva. Com toda certeza, teria. — Por sorte, não preciso de dinheiro. Posso negociar e escolher, sem me apressar. Talvez me faça bem apenas viajar durante algum tempo, desfrutar as vantagens dos anos de trabalho duro que dei.

— Eu adoro viajar — ela ronronou.

— Sinto que não posso partir enquanto não consertar tudo isso. Enquanto não tiver tratado cara a cara com as Giambelli. Vou ser franco com você, Rene, porque acho que vai entender. Quero me vingar deles por terem posto essa mancha em mim.

— Entendo sim. — No que se poderia tomar por solidariedade, ou o contrário, ela pôs a mão no coração dele. — Elas sempre me trataram como uma coisa barata que se podia facilmente ignorar. Odeio todos eles.

— Rene. — Ele avançou devagar. — Talvez a gente possa encontrar um modo de se vingar delas. Nós dois.

Mais tarde, quando ela se estendia nua, com a cabeça apoiada em seu ombro, Jerry sorriu no escuro. A viúva de Tony iria desobstruir o caminho dele direto para o coração das Giambelli. E ele iria extirpá-lo.

SERIA DIVERTIDO. RENE VESTIU-SE COM TODO APRUMO PARA o papel que iria representar. Terninho escuro, conservador, o mínimo de maquiagem. Ela e Jerry haviam elaborado tudo, exatamente o que ela iria dizer, exatamente como iria comportar-se. Ele a fizera ensaiar inúmeras vezes. O cara era meio exigente demais para seu gosto, mas ela imaginava que ia pô-lo na linha. Se ficasse com ele tempo suficiente.

Por enquanto, ele era útil, divertido e um meio para chegar a um fim. E, como fazia a maioria dos homens, subestimava-a. Não percebia que ela sabia que ele também *a* considerava útil, divertida e um meio para chegar a um fim.

Mas Rene Foxx era muito esperta. Sobretudo com os homens.

Jerry DeMorney estava sujo até o nó da gravata Hermès. Se ele não tivesse dado as ordens em todo aquele negócio de adulteração de produto, ela ia começar a usar roupas prontas triviais. Ele deu àquelas podres Giambelli um bom chute no traseiro com o que fez, pensou. No que lhe dizia respeito, um homem esperto e desonesto o bastante para aprontar essa era exatamente o que ela procurava.

Decidiu que entrar na divisão de homicídios com a caixa nas mãos era seu primeiro passo para um amanhã muito lucrativo.

— Preciso ver o detetive Claremont ou Maureen — começou e localizou Claremont, que acabava de levantar-se de trás de sua mesa. — Ah, detetive. — Alegrou-a tê-lo encontrado primeiro. Sempre se saía melhor com homens. — Preciso ver você. Agora. É urgente. Por favor, tem algum lugar...

— Calma, Sra. Avano. — Ele tomou-lhe o braço. — Que tal um pouco de café?

— Oh, não posso. Não consigo manter nada no estômago. Fiquei acordada boa parte da noite.

Concentrada no trabalho a desempenhar, ela não percebeu o rápido sinal dele à parceira.

— Vamos conversar na sala do café. Por que não me conta o que a aflige?

— Sim, eu... detetive Maureen. Que bom que está aqui também. Estou muito confusa, muito aflita. — Largou a valiosa caixa-cofre na mesa, empurrou-a para o centro como se quisesse distância e sentou-se. — Eu estava revendo algumas das coisas de Tony, os documentos. Não tive condições antes. Encontrei esta caixa na prateleira de cima do armário dele. Não imaginava o que podia conter.

Já tinha tratado de todos os papéis do seguro, os documentos legais. — Adejou as mãos. — Tinha uma chave na caixa de jóias dele. Lembro que me deparei com isso antes, mas sem saber pra que era. Esta — disse, com um gesto. — Era pra guardar isso. Abra. Por favor. Não quero passar por tudo de novo. — Relatórios — disse, quando Claremont abriu a caixa e começou a folhear a papelada. — Livros de contabilidade, ou sei lá como são chamados, daquela conta falsa que as Giambelli armaram. Tony deve ter descoberto. E foi por isso que elas mandaram matá-lo. Sei que ele devia estar juntando provas. Tentando fazer o certo, e... isso custou a vida dele.

Claremont passou os olhos pelas contas e correspondências e entregou-as a Maureen.

— Acredita que seu marido tenha sido assassinado por causa desses papéis?

— Sim, sim! — Que era ele, Rene pensou com impaciência, um idiota? — Temo que talvez possam me considerar responsável em parte. Tenho medo do que pode acontecer comigo. Sei que alguém anda me vigiando — ela disse, baixando a voz. — Parece paranóia, eu sei, mas tenho certeza. Saí do meu apartamento como uma ladra pra vir aqui. Acho que contrataram alguém pra me seguir.

— Quem faria isso?

— As Giambelli. — Ela estendeu a mão e agarrou a de Claremont. — Devem estar se perguntando se eu lembro, mas não me lembrei até encontrar isso. E se souberem, elas vão me matar.

— Que você sabe o quê?

— Que Sophia matou meu Tony.

Rene tapou a boca com a mão e sacrificou a maquiagem com lágrimas.

— É uma acusação séria. — Maureen levantou-se para pegar lenços de papel. — Por que está fazendo isso?

A respiração de Rene travou-se, a mão tremia ao pegar os lenços.

— Quando encontrei isso, lembrei. Eu tinha chegado em casa. Faz muito tempo, um ano atrás. Sophia estava lá. Ela e Tony brigavam no andar de cima. Ela estava furiosa, e ele tentava acalmar a filha. Nem perceberam que eu tinha entrado. Fui pra cozinha. Ainda ouvia a voz dela. Gritava como faz quando irrompe naquele terrível gênio dela. Dizia que não iria tolerar. Que não era da conta dele. Não ouvi o que ele disse, porque falava baixo.

Ela enxugou mais uma vez as lágrimas.

— Tony nunca elevou a voz pra filha. Ele a adorava. Mas ela… ela o detestava por minha causa. A conta Cardianili… Sophia disse o nome, mas eu não tornei mais a pensar nisso. A conta Cardianili devia ser deixada em paz, e isso seria o fim. Se ele fizesse alguma coisa com os documentos, ela iria fazê-lo pagar. Disse muito claramente: "Se não deixar isso em paz, eu mato você." Saí então da cozinha, porque fiquei furiosa. Quase ao mesmo tempo, ela desceu voando as escadas. Quando me viu, disse uma coisa perversa em italiano e irrompeu porta afora.

Ela exalou uma respiração trêmula e fungou delicadamente.

— Quando perguntei a Tony, vi que ele estava abalado, mas descartou o problema, disse que eram negócios e que ela estava apenas desabafando. Deixei passar. Sophia sempre desabafava assim. Nunca achei que pretendesse fazer o que ameaçou. Mas fez. Ele sabia que a filha estava envolvida em desfalque, e ela matou o pai por isso.

— Então. — MAUREEN RECLINOU NA CADEIRA AO FICAR A SÓS com o parceiro. — Acredita em qualquer coisa disso?

— Pra alguém que não dormiu a noite passada, ela parecia muito alerta. Pra alguém apavorada e aflita, lembrou-se de combinar os sapatos com a bolsa e coordenar a meia-calça.

— Você é um verdadeiro policial da moda, parceiro. De jeito nenhum ela acabou de encontrar esses papéis. Deve ter vasculhado cada gaveta, armário e cubículo no dia seguinte à morte dele, pra não deixar de ter acesso a cada centavo.

— Maureen, acho que você não gosta da viúva Avano.

— Não gosto de pessoas que acham que sou idiota. Pergunta: se ela tinha os papéis esse tempo todo, por que entregar só agora? Se não tinha antes, quem passou pra ela?

— DeMorney está em São Francisco. — Claremont tamborilou com a ponta dos dedos na mesa. — Eu queria saber há quanto tempo ele e a viúva têm um caso.

— Uma coisa é certa: os dois se ferraram com as Giambelli, e essa aí quer ferrar Sophia G., e pra valer.

— Pra valer a ponto de dar uma declaração falsa à polícia.

— Ah, que nada, ela adorou. E é esperta demais pra saber que não disse nada que possamos incriminá-la. Não podemos provar se e quando encontrou os papéis. E se resolvermos essa questão, a cena da briga seria a palavra dela contra a de Sophia, que na certa discutiu com o pai em algum momento durante o último ano de vida dele. Não temos como incriminá-la nisso, mesmo que quiséssemos nos dar ao trabalho.

— Nunca fez sentido ela se casar com Avano e matar o marido no dia seguinte. Ela não se encaixa aí pra mim. Não iria ganhar nada, e está nisso pelo que pode ganhar.

— Se a gente engolisse essa história, ela poderia obter uma vingancinha. É disso que está atrás agora.

— É, e DeMorney também. — Claremont levantou-se. — Vamos ver como podemos ligar os dois.

Capítulo
Trinta

Rene deslizou para o sofá ao lado de Jerry e aceitou a flûte de champanhe.

— Tive uma informação muito interessante hoje no salão.

— Que poderia ser?

— Vou contar. — Ela correu o dedo pelo centro da camisa dele. — Mas vai lhe custar.

— Sério?

Ele tomou-lhe a mão, ergueu-a e mordeu-a de leve no pulso.

— Oh, isso é gostoso, também, mas quero uma coisa diferente. Vamos sair, amor. Estou cansada de ficar em casa. Me leve a uma boate com muita gente, música e coisas pecaminosas.

— Benzinho, você sabe que eu adoraria. Não é sensato sermos vistos em público juntos ainda.

Ela fez um biquinho de amuo e aconchegou-se nele.

— Vamos a um lugar onde ninguém nos conheça. E mesmo que conheça, Tony já morreu há meses e meses. Ninguém espera que eu fique de luto pra sempre, sozinha.

Pelas notícias que haviam circulado de um lado a outro do Atlântico, Rene não ficara de luto sozinha nem uma semana.

— Agüente só um pouco mais. Eu compenso. Quando liquidarmos com tudo e todos aqui, iremos pra Paris. Agora, que foi que descobriu hoje?

— Tomando emprestado o linguajar daquela vigarista da Kris, a piranha número três vai dar à cadela número dois uma festinha na sexta-feira à noite... véspera do casamento. Só de mulheres. Está instalando um centro de beleza espetacular na villa para a noite. Tratamentos faciais, do corpo, massagens, serviço completo.

— E que vão ficar fazendo os homens enquanto as mulheres são escovadas e esfregadas?

— Imagino que vendo filmes pornô e tocando punheta. Vão dar a festa de despedida de solteiro na casa de MacMillan. Noivo e noiva não podem fazer obscenidades na noite antes do casamento. Hipócritas.

— Interessante. — E exatamente o que ele vinha esperando. — Vamos saber onde todo mundo está. E a escolha do momento não podia ser melhor, antes do feliz acontecimento. Rene, você é uma jóia.

— Não quero ser, só quero ter jóias.

— Daqui a uma semana, estaremos em Paris, e cuidarei disso. Mas primeiro você e eu temos um encontro marcado pra noite de sexta-feira, na Villa Giambelli.

ELA A QUERIA PERFEITA, O TIPO DE NOITE DE QUE TODAS lembrassem e rissem durante anos. Planejara-a, organizara-a, refinara todos os detalhes, até o perfume das velas para os tratamentos de aromaterapia. Dali a vinte e quatro horas, pensou Sophia, a mãe iria vestir-se para o casamento, mas, para a última noite como solteira, poderia refestelar-se num mundo de mulheres.

— Quando tivermos nossos produtos, talvez possamos vender direto a clínicas de beleza por algum tempo. — Maddy cheirou os óleos essenciais já arrumados junto à mesa de massagem. — Fazer todos, tipo tão exclusivos que as pessoas vão morrer por eles.

— Você é uma mocinha inteligente, Madeline. Mas nada de negócios esta noite. Esta noite é de ritual feminino. Nós somos as serviçais.

— Vamos começar a falar de sexo?

— Claro. Isso não tem nada a ver com troca de receitas. Ah, chegou a mulher da hora.

— Sophie. — Já no longo roupão branco, Pilar contornou a piscina da casa. — Não acredito que tenha tido todo esse trabalho.

Vários postos de serviço foram instalados, com espreguiçadeiras e cadeiras de salão. A luz do anoitecer tremeluzia rumo ao pôr-do-sol e perfumes dos jardins espalhavam-se no ar. As mesas continham abundantes travessas de frutas e chocolates, garrafas de vinho e água mineral, cestas e potes de flores.

Ao longo da parede, a água jorrava da escultura de metal e caía na piscina, acrescentando uma música sensual.

— Eu planejei uma coisa tipo banho romano. Gosta mesmo?

— É maravilhoso. Eu me sinto uma rainha.

— Quando terminar, você vai se sentir como uma deusa. Cadê as outras? Estamos desperdiçando tempo de paparico.

— Lá em cima. Vou buscá-las.

— Não, você não. Maddy, sirva um pouco de vinho a Mama. Ela não vai levantar um só dedo, a não ser pra pegar um morango coberto de chocolate. Vou chamar todo mundo.

— Que bebida você quer? — perguntou Maddy.

— Só água por enquanto, querida, obrigada. Que noite mais adorável! — Dirigiu-se para as portas abertas e riu com vontade. — Mesas de massagem no pátio. Só Sophie.

— Eu nunca fiz uma massagem antes.

— Humm. Vai adorar. — Ao falar, examinando o jardim, Pilar correu ausentemente a mão pelos cabelos de Maddy e deixou-a apoiada em seu ombro. O gesto fez tudo dentro da menina aquecer-se. E ela suspirou. — Que foi que houve?

— Nada. — Maddy entregou a taça a Pilar. — Não houve nada. Acho que não vejo a hora de... tudo acontecer.

— Está blefando — disse David, o charuto grudado nos dentes, e encarou Eli, tentando ver se ele desviava o olhar.

— É? Ponha o dinheiro, filho, e pague pra ver.

— Vá em frente, pai. — Theo também tinha um charuto apagado nos dentes e sentia-se como um homem. — Se não se é corajoso, não se é glorioso.

David jogou as fichas na bolada de apostas.

— Pago. Mostre o jogo.

— Três duquezinhos — começou Eli e viu os olhos de David brilharem. — Vigiando duas belas damas.

— Filho-da-mãe.

— Escocês não blefa com dinheiro.

Exultante, Eli raspou as fichas.

— O cara me escalpelou tantas vezes ao longo dos anos que uso um capacete quando nos sentamos pro carteado. — James gesticulou com a taça. — Você vai aprender.

Linc espichou a cabeça ao ouvir a batida à porta.

— Alguém pediu uma dançarina de striptease, certo? Sabia que o rapaz aí não ia me decepcionar.

— É a pizza. — Theo se levantou de um salto.

— Mais pizza? Theo, não é possível que queira mais pizza.

— Claro que quero — ele gritou para o pai atrás. — Ty disse que eu podia.

— Eu disse que podia pedir pra mim.

Ele inalou o último pedido.

Linc enviou a Tyler um olhar pesaroso.

— Não podia arranjar uma stripper pra entregar a pizza?

— Estão em falta. Convenção de maçonaria.

— História pra boi dormir. Bem, espero que tenha pedido de pepperoni, pelo menos.

* * *

— *M*EU DEUS, SOPHIE, QUE IDÉIA BRILHANTE!

— Obrigada, tia Helen. — Sentadas lado a lado, inclinavam a cabeça para trás, o rosto coberto de máscara purificadora espessa e verde. — Eu queria que mamãe se sentisse relaxada e completamente feminina.

— Vai dar certo. Está vendo Tereza e Maddy ali fazendo os pés e discutindo?

— Humm — disse Sophia. — Elas discordam do nome dos produtos de beleza que nem temos ainda. Não sei se é Maddy ou a idéia, mas levantou o moral de Nonna.

— Que bom saber disso! Tenho andado preocupada com ela, com todos vocês, desde que conversamos pela última vez. A idéia de Rene fazer de Tony um herói e você uma vilã sobre o negócio Cardianili funde a minha cuca.

Sophia retesou-se e, com deliberação, tornou a se relaxar.

— Foi uma jogada idiota. DeMorney está por trás e essa é uma das primeiras jogadas verdadeiramente idiotas que ele fez. Está desmoronando.

— Talvez esteja. Mas causou mais transtornos. — Ela ergueu a mão. — E é só o que vou dizer sobre isso. Esta noite não é pra problemas, mas pra indulgência. Cadê Pilar?

Não pense nisso, ordenou Sophia a si mesma. Tenha pensamentos puros.

— Tratamento Quarto B... também conhecido como banho de acesso ao nível inferior. Facial e corpo inteiro. A gente precisa ficar perto de um chuveiro.

— Fabuloso. Sou a próxima.

— Champanhe?

— Maria. — Sophia ergueu o copo o suficiente apenas para sentar-se. — Você não está aqui no momento para servir. É minha convidada.

— Minhas unhas das mãos já secaram. — Exibiu-as. — Vou fazer as dos pés em seguida. Pode me trazer champanhe então.

— Fechado.

Maria ergueu os olhos quando Pilar, parecendo calma e relaxada, voltou.

— Você fez sua mãe feliz esta noite. Tudo vai dar certo agora.

— $\mathcal{V}$OCÊ SABE COM CERTEZA PROPORCIONAR A UMA MULHER uma boa diversão.

Jerry passou a mão no traseiro da calça preta colada de Rene.

— Você ainda não viu nada. Vai ser uma noite inesquecível. Pra todo mundo.

Avançavam pelo vinhedo agora. Fora uma longa caminhada desde o carro, e o saco que ele carregava parecia ganhar peso a cada passo. Mas era preciso dizer uma coisa sobre a sensação que nunca tivera antes, de realizar a missão em pessoa. Não era apenas a satisfação divertida que sentira nas outras vezes, mas uma profunda e pessoal excitação.

E se alguma coisa desse errado, apenas sacrificaria Rene. Mas não pretendia que nada desse errado.

Conhecia a configuração eletrônica ali. Entre Don, Kris e suas próprias observações, sabia como era a instalação de segurança e como evitar o disparo de alarmes. Era apenas uma questão de paciência e cuidado. E uma impetuosa ambição individual.

Antes do fim da noite, a Giambelli desabaria, de uma ou de outra forma, em ruínas.

— Fique perto — ele disse a Rene.

— Eu estou. Não é pra estragar a festa, mas queria ter tanta certeza quanto você de que vai dar certo.

— Nada de reconsiderações agora. Sei o que estou fazendo e como fazer. Assim que o lagar ficar em chamas, eles vão transbordar aos borbotões como formigas num piquenique.

— Não me importa que você reduza toda a porra do vinhedo a cinzas. — Na verdade, a imagem a empolgava, além da de se ver dançando na borda das chamas. — Só não quero ser apanhada.

— Faça o que digo e não será. Assim que estiverem ocupados com as providências para apagar o fogo, entramos, plantamos o pacote no quarto de Sophia e saímos. Pegamos o carro e tomamos o caminho de volta cinco minutos depois. Chamamos os tiras de uma cabine telefônica, damos uma dica anônima e estamos de volta ao seu apartamento estourando champanhe antes de a fumaça se dissipar.

— A velha dama vai subornar os tiras. Não vai deixar a preciosa neta ir pra prisão.

— Talvez. Que ela tente, não tem importância. Estarão arruinados. Mais cedo ou mais tarde, vai encontrar a última gota, e é esta que fará transbordar o copo e tornar tudo insuportável. Não é o que você quer?

Alguma coisa na voz dele fez um calafrio subir pela espinha de Rene, mas ela assentiu com a cabeça.

— É exatamente o que eu quero.

Quando chegou ao lagar, Jerry pegou as chaves. Don fora astuto o bastante para fazer cópias, e ele o bastante para duplicá-las.

— Estas serão jogadas na baía depois que terminarmos. — Ele enfiou a chave na primeira fechadura. — Ninguém vai precisar delas após esta noite. Vão passar um tempo infernal explicando como um incêndio começou dentro de um prédio trancado.

Com essa declaração, abriu a porta.

Sophia deitou-se na mesa de massagem e olhou as estrelas acima.

— Mama, eu sou obsessiva?

— É.

— Isso é ruim?

Pilar virou-se e deu uma olhada de relance da borda do pátio, onde se achava.

— De vez em quando, chato, mas não ruim.

— Perco o quadro como um todo porque fico examinando os detalhes?

— Raras vezes. Por que pergunta?

— Estava pensando no que eu mudaria em mim mesma se pudesse. Se devesse.

— Eu não mudaria nada.

— Porque sou perfeita? — perguntou Sophia com um sorriso.

— Não, porque você é minha. Isso tem a ver com Ty?

— Não, comigo. Até agora... bem, não sei com exata certeza quando, mas até agora eu sabia com certeza que tinha tudo que imaginei. Sabia o que queria e como iria conseguir.

— Não tem mais certeza?

— Oh, não, ainda sei. Ainda sei o que quero e como vou conseguir. Menos as coisas que quero mudar em mim. Estava pensando se sempre existiram, e eu apenas não via o quadro completo. Eu... poderia nos dar um minuto? — pediu à terapeuta. Sentou-se e segurou o lençol junto aos seios ao ficar a sós com a mãe. — Por favor, não fique aborrecida.

— Não vou ficar.

— Até pouco tempo atrás, eu continuava querendo que você e papai voltassem. Queria porque não sabia o que mais querer, eu acho. Porque achava que se você voltasse ele seria o que eu precisava que fosse. Não o que você precisava nem o que ele era, mas o que *eu* precisava. Este foi o detalhe que nunca deixou de me obcecar, e não vi o quadro maior. Eu mudaria, se pudesse.

— Eu não. Você teria sido uma boa filha para seu pai se ele tivesse deixado. Queria ser, precisava ser. Não, eu não mudaria isso.

— Foi uma grande ajuda. — Ela tomou a mão de Pilar e virou-a para conferir as horas no relógio de pulso. — É meia-noite em ponto. Feliz dia do casamento, Mama.

Levou a mão da mãe à face e começou a deitar-se de novo.

— Que é aquilo? Parece... Oh, meu Deus. O lagar! O lagar está em chamas. Maria! Maria, ligue pros bombeiros. O lagar está em chamas!

Ela rolou para fora da mesa e agarrou o roupão na corrida.

* * *

Como Jerry previra, elas afluíram da casa. Vozes alteadas, pés correndo. Das sombras do jardim, ele contou as figuras envoltas em roupões brancos que se precipitavam do atalho e atravessavam o vinhedo.

— Dentro e fora — ele sussurrou a Rene. — Moleza. Vá na frente.

Rene dera-lhe a localização e a disposição do quarto de Sophia, mas ele queria que ela entrasse primeiro. Talvez cometesse um erro. Afirmava que só entrara uma vez no quarto de Sophia, mas essa única vez era mais do que conseguira.

Não podia correr o risco de acender a luz, embora tivesse certeza de que a lanterna bastava. Só precisava plantar o pacote no fundo do armário dela, onde a polícia, mesmo que fosse idiota, encontraria.

Seguiu atrás de Rene e subiu a escada aos terraços, olhando de relance para trás. Viu o luminoso laranja e dourado do fogo contra o céu noturno. Uma visão brilhante. Iluminava as figuras que corriam como mariposas assustadas em direção às chamas.

Conseguiriam apagar, claro, mas não rápido. Levariam tempo para perceber que a água fora desligada do sistema de extintores de incêndio, tempo para pensarem com calma e clareza, tempo para verem, impotentes, as preciosas garrafas explodirem, o equipamento arruinar-se e o deus da tradição deles queimar até o inferno.

Então ele não tinha coragem de fazer seu próprio trabalho sujo, hem? Cuidadosamente, flexionou a mão. Ainda causava pontadas de dor de vez em quando. Veriam quem tinha a coragem quando o sol surgisse.

— Jerry, pelo amor de Deus — sibilou Rene do terraço diante do quarto de Sophia. — Isso não é uma atração turística. Você disse que a gente tinha de se apressar.

— Sempre tem tempo pra um momento de prazer, querida. — Ele avançou, pavoneando-se, até a porta do terraço. — Tem certeza de que é o dela?

— Sim, tenho.

— Pois bem.

Empurrou as portas e entrou. Deu então uma profunda e prazerosa aspirada no perfume dela assim que Sophia se precipitou quarto adentro pela porta oposta e acendeu as luzes.

O súbito clarão açoitou os olhos dele e o choque imobilizou-lhe a mente. Antes que pudesse recuperar-se das duas coisas, já repelia cinqüenta quilos da mulher enfurecida.

Sophia saltou para cima dele, a fúria cega catapultando-a do outro lado do quarto. Mesmo quando enterrava os dentes nele, as bordas de sua visão ardiam vermelhas com desejo de sangue. O único pensamento claro dela era infligir dor, monstruosa dor. E quando ele uivou, a emoção bestial esguichou dentro dela como lava.

Ele revidou, atingindo-a na maçã do rosto, mas ela nem sentiu. Partiu para os olhos dele e deu navalhadas com as unhas recém-manicuradas já pintadas de vermelho, que erraram por um triz e sulcaram como dentes de ancinho o rosto dele.

O ardor o enlouqueceu. Sem nenhuma meta além de libertar-se, empurrou-a para o lado e jogou-a sobre Rene, que emitia guinchos. Ele sentiu o cheiro do próprio sangue. Intolerável. Ela arruinara todos os seus cuidadosos planos. Imperdoável. Assim que ela se arrastou e levantou-se, preparada para saltar mais uma vez em cima dele, viu o revólver sair da bolsa, na mão dele, que tinha o dedo suado no gatilho.

Quase a liquidou então, com um único aperto do dedo nervoso. Então ela parou de repente com um sobressalto e os olhos sem mais raiva e cheios de choque e medo.

Finalmente, ele pensou, cara a cara. E queria mais que sobrevivência. Queria satisfação.

— Ora. Não é interessante? Você devia ter corrido com os outros, Sophia. Mas talvez o destino queira que termine como seu pai inútil. Com uma bala no coração.

— Jerry, temos de sair daqui. Só ir embora. — Rene levantou-se e arregalou os olhos para a arma. — Meu Deus! Que está fazendo? Você não pode simplesmente atirar nela.

— Oh? — Ele achava que podia, o que foi uma revelação. Acreditava que não teria qualquer problema. — E por que não?

— É loucura. Assassinato. Não quero tomar parte alguma num assassinato. Vou embora já. Me dê as chaves do carro. Me dê a porra das chaves.

— Feche a porra dessa matraca.

Disse isso friamente e num gesto quase ausente esmagou o lado da cabeça de Rene com a arma. Quando ela caiu como uma pedra, ele nem sequer a olhou, mas manteve os olhos fixos nos de Sophia.

— Ela era um pé no saco, nisso concordamos. Mas útil. E a situação, perfeita. Você vai apreciar o resultado, Sophia. Rene começou o incêndio. Queria se vingar de você esse tempo todo. Ela procurou os tiras alguns dias atrás, tentou convencer os dois de que você matou seu pai. E esta noite veio aqui, incendiou o lagar e arrombou seu quarto pra plantar provas contra você. Você a flagrou, lutou, a arma disparou. A arma — ele acrescentou — usada para balear David Cutter. Foi enviada a mim. Pensamento antecipado, o que sei que você aprecia. Você está morta, e ela é presa por isso. Muito certinho.

— Por quê?

— Porque ninguém fode comigo e fica impune. Vocês, Giambelli, acham que têm tudo, e agora vão acabar sem nada.

— Por causa do meu pai? — Ela via o luminoso brilho laranja do fogo pelas portas abertas atrás dele. — Tudo isso porque meu pai envergonhou você?

— *Envergonhou?* Ele roubou de mim... minha mulher, meu orgulho, minha vida. E o que qualquer um de vocês perdeu? Nada. Apenas mais um percalço pra vocês. Peguei de volta o que é meu, e mais. Eu teria ficado satisfeito em arruinar você, mas a morte é melhor. Você é a chave. Tereza, bem, ela não é tão jovem quanto antes. Sua mãe não aprendeu o que é preciso para tornar a erguer uma empresa. Sem você, o coração e a mente morrem. Seu pai era um aproveitador, mentiroso e trapaceiro.

— É, era. — Ninguém viria em seu socorro, ela pensou. Ninguém voltaria correndo do incêndio para salvá-la. Iria enfrentar a morte sozinha. — Você é tudo isso, e muito menos.

— Se houvesse tempo, a gente trocaria idéias sobre isso. Mas estou um pouco pressionado aqui, assim... — Ele ergueu a arma mais dois centímetros. — *Ciao, bella.*

— *Vai a farti fottere* — xingou-o com voz firme.

Desejou fechar os olhos — encontrar uma prece, a imagem de alguma coisa para levar consigo. Mas manteve-os abertos. Esperou. Quando a arma explodiu, ela cambaleou para trás. E viu o sangue vazar por um pequeno orifício na camisa de Jerry.

Um choque desnorteado tomou-lhe o rosto, então outro disparo jogou o corpo dele para o lado e o fez tombar. Na entrada do quarto, Helen baixou a arma ao lado.

— Oh, meu Deus. Oh, Deus. Tia Helen. — As pernas de Sophia cederam, ela cambaleou até a cama e deixou-se cair. — Ele ia me matar.

— Eu sei. — Devagar, Helen entrou no quarto e sentou-se pesada na cama ao lado dela. — Eu voltei pra lhe dizer que os homens haviam chegado. Vi...

— Ele ia me matar. Como matou meu pai.

— Não, querida. Ele não matou seu pai. Fui eu. Fui eu — ela repetiu e largou no chão a arma que tinha na mão. — Sinto muito.

— Não. Isso é loucura.

— Eu usei esta arma. Era do meu pai, nunca foi registrada. Não sei por que a levei comigo naquela noite. Acho que não planejava matá-lo. Eu... não conseguia nem pensar. Ele queria dinheiro. Mais uma vez. Aquilo não ia terminar nunca.

— Do que está falando? — Sophia segurou os ombros de Helen. Sentia cheiro de pólvora e de sangue. — Que está dizendo?

— Linc. Ele estava usando Linc contra mim. Linc, Deus me ajude. Linc é filho de Tony.

— Eles já têm tudo sob controle. É... — Pilar cruzou correndo as portas do terraço e parou de chofre. — Oh, amado Deus. Sophie!

— Não, espere. — Sophia levantou-se de chofre. — Não entre. Não toque em nada. — A respiração saía em arquejos, mas ela pensava, pensava rápido. — Tia Helen, venha comigo. Venha comigo agora. Não podemos ficar aqui.

— Isso vai destruir James, e Linc. Arruinei tudo, afinal.

Movendo-se rápido então, Sophia levantou Helen e puxou-a para o terraço.

— Eu matei Tony, Pilar. Traí você. A mim mesma. Tudo em que acredito.

— Não é possível. Em nome de Deus, que foi que aconteceu aqui?

— Ela salvou minha vida — disse Sophia. Uma forte rajada varou o ar quando as garrafas explodiram no lagar. Ela mal se encolheu. — Ele ia me matar, com a arma usada contra David. Tinha mandado buscar na Itália e guardou como suvenir. Helen, que foi que aconteceu com meu pai?

— Ele queria dinheiro. Durante anos me procurava quando precisava de dinheiro. Na verdade, nunca exigia, nunca ameaçava. Apenas falava em Linc... que ótimo rapaz era, que rapaz brilhante e promissor. Então dizia que precisava de um pequeno empréstimo. Eu dormi com Tony. — Ela começou a chorar então, baixo. — Todos aqueles anos. Éramos todos tão jovens. James e eu andávamos tendo problemas. Eu estava muito zangada com ele, muito confusa, e nos separamos por algumas semanas.

— Eu lembro — murmurou Pilar.

— Corri pra Tony. Ele era tão compreensivo, tão solidário. Você e ele também não estavam tendo um bom relacionamento. Já pensavam numa separação. Ele era sedutor, prestava atenção. Como James não fazia. Não tem desculpa, deixei a coisa acontecer. Depois, senti muita vergonha, fiquei repugnada comigo mesma. Mas o fato foi consumado e não podia ser mudado. Descobri que estava grávida. Não era de James, porque não tínhamos ficado juntos desse jeito. Então cometi meu segundo erro hediondo e contei a Tony. Foi o mesmo que ter comunicado uma mudança de estilo do meu penteado. Ele dificilmente poderia esperar pagar pela indiscrição de uma noite, poderia? Então eu paguei. — Lágrimas escorriam-lhe pelas faces. — E paguei.

— Linc é filho de Tony.

— É de James. — Helen olhou suplicante para Pilar. — Em todos os sentidos, menos nesse. Ele não sabe, nenhum dos dois sabe. Fiz tudo que pude para compensar aquela noite. Pra James, pra Linc... meu Deus, Pilar, pra você. Dormi com o marido de minha melhor amiga. Eu era jovem, zangada, ignorante e jamais me perdoei por isso. Mas fiz tudo que pude para compensar. Dava dinheiro a ele, todas as vezes que pedia. Nem sei quanto, ao longo dos anos.

— E não pôde dar mais — concluiu Pilar.

— Na noite da festa, ele disse que precisava me ver, quando e onde. Eu recusei. Foi a primeira vez que fiz isso. Deixei-o furioso e isso me assustou. Se não fizesse o que me mandou, ele entraria ali e, então, contaria a James, a Linc e a você.

"Eu não podia correr esse risco. Meu filhinho, Pilar. Meu menino com os cordões dos sapatos desamarrados. Quando cheguei em casa, tirei a arma do cofre. Estava lá há anos, não sei por que pensei nela. Não sei por que a peguei. Era como um véu sobre a minha mente. Ele tinha posto música no apartamento e uma boa garrafa de vinho. Sentou-se e me falou de seus problemas financeiros. Encantador, como se fôssemos velhos e queridos amigos. Não lembro uma única coisa que ele disse; não sei nem se ouvia. Ele precisava do que chamava de empréstimo. Um quarto de milhão desta vez. Estaria disposto, claro, a aceitar metade até o fim da semana, e me dar mais um mês para o restante. Não era pedir muito, afinal. Tinha me dado um excelente filho.

"Eu não percebi que tinha a arma na mão. Só soube que a usei quando vi o vermelho contra a camisa branca do smoking dele. Ele me olhou, muito surpreso, apenas um pouco chateado. Quase o imaginei dizendo: 'Porra, Helen, você arruinou minha camisa.' Mas não disse, claro. Não disse nada. Fui pra casa e tentei me convencer de que aquilo nunca tinha acontecido. Nunca aconteceu, de modo algum. Trago a arma comigo desde então. Eu a levo a toda parte."

— Podia ter jogado fora — disse Pilar, baixinho.

— Como? E se um de vocês fosse preso? Eu precisava dela então pra provar que fui eu. Não podia deixar Tony magoar meu filhinho, nem James. Achei que talvez tivesse acabado. E agora... preciso contar a James e Linc primeiro. Preciso contar a eles antes de falar com a polícia.

Os ciclos, pensou Sophia. Às vezes precisavam ser interrompidos.

— Se você não tivesse usado essa arma pra salvar minha vida esta noite, não teria de dizer nada a eles.

— Eu amo você — disse apenas Helen.

— Eu sei. E foi isso o que aconteceu aqui esta noite. Exatamente o que aconteceu. — Ela tomou Helen pelos ombros. — Preste atenção em mim. Você voltou, viu Jerry me prendendo sob a mira de uma arma. Foi ele quem trouxe as duas armas... pretendia plantar as duas no meu quarto pra me incriminar. Nós lutamos e a outra arma, a que matou meu pai, estava caída no chão perto da entrada. Você pegou e atirou nele antes que ele atirasse em mim.

— Sophia.

— Foi o que aconteceu. — Ela tomou a mão da tia, apertou-a. Tomou a da mãe. — Não é, Mama?

— É. Foi exatamente o que aconteceu. Você salvou minha filha. Acha que eu não salvaria os seus?

— Não posso.

— Sim, pode. Quer me compensar? — perguntou Pilar. — Então faça o seguinte. Não me importa nem um pouco o que aconteceu numa noite há quase trinta anos, mas me importa sim o que aconteceu nesta. E o que você foi pra mim durante quase toda a minha vida. Não vou deixar alguém que amo ser destruído. Pelo quê? Por dinheiro, por orgulho, por imagem? Se você me ama, se quer compensar esse erro tão antigo, faça exatamente o que Sophia está lhe pedindo. Tony era pai dela. Quem mais tem o direito de decidir do que ela?

— Jerry está morto — disse Sophia. — Ele matou, ameaçou e destruiu, tudo por causa de um ato egoísta de meu pai. E isso termina aqui. Vou chamar a polícia. Alguém deve dar uma olhada em Rene. — Ela curvou-se e roçou os lábios na face de Helen. — Obrigada. Pelo resto da minha vida.

$\mathcal{M}$AIS TARDE, BEM MAIS TARDE NA NOITE, SOPHIA SENTOU-SE na cozinha tomando chá com um toque de conhaque. Dera sua declaração e sentara-se segurando a mão de Helen, quando a tia dera a dela.

A justiça, pensou, nem sempre vinha como a gente esperava. Helen dissera isso uma vez. E ali estava a inesperada justiça. Não prejudicara o fato de Rene ter ficado histérica, tagarelando com todo mundo, incluindo Claremont e Maureen quando chegaram, dizendo que Jerry era louco, assassino e a obrigara sob a mira de uma arma a acompanhá-lo.

Algumas cobras escapavam serpenteando, imaginou Sophia. Porque a vida era uma coisa complicada.

Agora, pelo menos, a polícia se fora, a casa silenciara. Ela ergueu os olhos quando a mãe e a avó entraram.

— Tia Helen? — perguntou.

— Conseguiu dormir, afinal? Vai ficar bem. Vai renunciar à magistratura. Imagino que precise. — Pilar pôs as xícaras na mesa. — Contei tudo a Mama, Sophia. Achei que ela tinha o direito de saber.

— *Nonna.* — Sophia tomou-lhe a mão. — Eu agi certo?

— Agiu com amor. O que muitas vezes é mais importante. Foi corajoso de sua parte, Sophia. Corajoso da parte de ambas. Estou orgulhosa. — Tereza sentou-se e suspirou. — Helen tirou uma vida e deu uma de volta. Isso fecha o círculo. Não tornaremos mais a falar do assunto. Amanhã minha filha vai se casar e teremos mais uma vez alegria nesta casa. Em breve, a colheita... a abundância. E outra estação chega ao fim. A próxima é sua — disse a Sophia. — Sua e de Tyler. Sua vida, seus legados. Eli e eu vamos nos aposentar no primeiro dia do ano.

— *Nonna.*

— As tochas são para serem passadas. Aceite a que eu dou a você.

A leve irritação na voz da avó fez a neta sorrir.

— Aceito. Obrigada, *Nonna.*

— Agora é tarde. A noiva precisa descansar, e eu também. — Levantou-se, deixando o chá intocado. — Seu rapaz voltou para o lagar. Você não precisa de muito sono.

Pura verdade, pensou Sophia, ao atravessar correndo os terrenos para o lagar. Tinha tanta energia, tanta vida em seu íntimo, que achava que jamais precisaria dormir de novo.

Ele acendera as luzes, e o antigo prédio agigantou-se sob elas. Sophia viu a cintilação dos vidros quebrados nas janelas, as manchas escuras de fumaça, os chamuscados das labaredas. Mas, apesar disso, manteve-se de pé.

Resistiu.

Talvez ele a pressentisse. Gostava de pensar assim. Ele saiu pela porta quebrada quando ela correu ao seu encontro. E pegou-a, segurou-a junto, apertado, e centímetros acima do chão.

— Aí está você, Sophia. Imaginei que precisasse de um tempinho com sua mãe, e depois eu ia te pegar.

— Peguei você primeiro. Segure firme, certo? Apenas continue segurando firme.

— Pode contar com isso. — Mesmo a segurando, um calafrio deslizou mais uma vez pela barriga dele, quando colou o rosto nos cabelos dela. — Deus. Deus do céu. Quando penso...

— Não pense. Não — ela disse e virou a boca para a dele.

— Não vou ter condições de deixar você fora da minha vista pelos, ááãh, próximos dez ou quinze anos.

— No momento, isso me serve muito bem. Está sozinho aqui?

— Estou. David precisou levar os garotos pra casa e mandei vovô embora antes que ele desmaiasse, de tão exausto. James continua muito abalado, e por isso Linc levou o pai de volta pra minha casa, visto que Helen está com sua mãe.

— Perfeito. Tudo como manda o figurino. — Ela apoiou a cabeça no ombro dele e olhou em direção ao lagar. — Poderia ter sido pior.

Ele soltou-a, tocando os lábios de leve no hematoma na face dela.

— Muitíssimo pior.

— Você devia ter visto como ficou o outro cara.

Ele conseguiu dar uma risada estrangulada ao apertá-la mais uma vez nos braços.

— Isso é meio doentio.

— Talvez, mas sou o que sou. Ele morreu com a minha marca no rosto, e me alegro com isso, me alegra ter causado alguma dor a ele. E agora posso enterrar isso. Enterrar tudo e recomeçar a partir de agora. Tudo, Ty. Vamos reconstruir o lagar, reconstruir nossas vidas. E tornar essas vidas nossas, só nossas. A Giambelli-MacMillan vai voltar maior e melhor que nunca. É o que eu quero.

— Empatamos, porque também é o que eu quero. Vamos pra casa, Sophie.

Ela encaixou a mão na dele e afastou-se dos danos e cicatrizes. Os primeiros sinais do amanhecer iluminavam o céu no leste. Quando surgisse o sol, pensou, seria um belíssimo começo.

Impresso no Brasil pelo
Sistema Cameron da Divisão Gráfica da
DISTRIBUIDORA RECORD DE SERVIÇOS DE IMPRENSA S.A.
Rua Argentina 171 – Rio de Janeiro, RJ – 20921-380 – Tel.: 2585-2000